2025

ユーキャンの

保育士

速習テキスト 下

はじめに

本書は、生涯学習のユーキャンが長年のノウハウを駆使し、出題傾向を分析したうえで、「**わかりやすさ**」を第一に考えて編集・制作した保育士筆記試験合格のための**基本テキスト**です。

本書で学んだ皆様が、見事試験に合格され、活躍されることを願います。

このテキストの特長

フルカラーのテキストだから楽しく学べる！　資料も見やすい！

科目やポイントを**色分けで整理**し、見やすく、楽しみながら学ぶことができます。また、資料や図版もすべてカラーなので理解しやすく、**一目で大切な部分**がわかります。

やさしくわかりやすい文章で、読みすすめれば合格力が身につく！

試験に**よく出る部分をピックアップ**して、**読むだけで知識が身につくよう**にやさしくわかりやすくまとめています。難しい用語の解説や、合格のために知っておきたいプラスαの知識も欄外に掲載しており、**独学で学習する人をしっかりサポート**します。

「別冊ポイント集」には覚えておきたいポイントが満載！

「別冊ポイント集」では、最重要項目である「保育所保育指針」（全文）をはじめとして、**穴うめでよく出題される資料**や**暗記に役立つ表**を厳選して掲載。スキマ時間を上手に活用できます。

学習に最適な科目順！

９つの試験科目を上巻、下巻に分け、学習に最適な科目順に掲載しています。

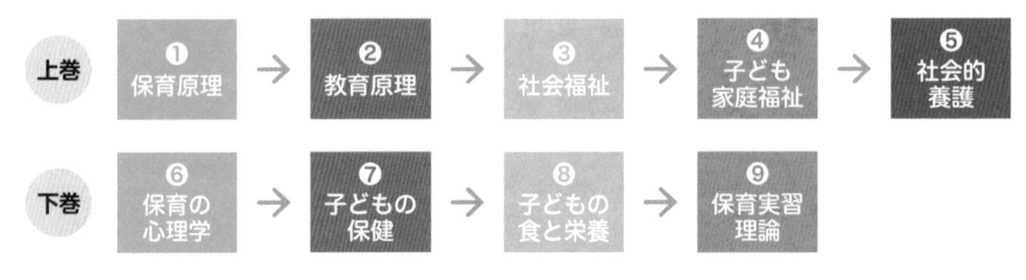

今年の注目点

出題範囲のなかで、2025年の試験にあたり注目しておきたいトピックとして、子ども家庭福祉に関係する内容がありました。

その❶ こども大綱

2023（令和５）年４月１日に施行された「こども基本法」に基づいて「こども大綱」が策定されました。ポイントを押さえておきましょう。

この大綱で掲げられる「こどもまんなか社会」とは、「全てのこども・若者が、日本国憲法、こども基本法及びこどもの権利条約の精神にのっとり、生涯にわたる人格形成の基礎を築き、自立した個人としてひとしく健やかに成長することができ、心身の状況、置かれている環境等にかかわらず、ひとしくその権利の擁護が図られ、身体的・精神的・社会的に将来にわたって幸せな状態（ウェルビーイング）で生活を送ることができる社会」と定義されています。

◆こどもまんなか社会を実現するための基本的な方針（６本の柱）

①こども・若者を権利の主体として認識し、その多様な人格・個性を尊重し、権利を保障し、こども・若者の今とこれからの最善の利益を図る
②こどもや若者、子育て当事者の視点を尊重し、その意見を聴き、対話しながら、ともに進めていく
③こどもや若者、子育て当事者のライフステージに応じて切れ目なく対応し、十分に支援する
④良好な成長環境を確保し、貧困と格差の解消を図り、全てのこども・若者が幸せな状態で成長できるようにする
⑤若い世代の生活の基盤の安定を図るとともに、多様な価値観・考え方を大前提として若い世代の視点に立って結婚、子育てに関する希望の形成と実現を阻む隘路の打破に取り組む
⑥施策の総合性を確保するとともに、関係省庁、地方公共団体、民間団体等との連携を重視する

その❷ こども未来戦略

こども未来戦略は、次元の異なる少子化対策を実現するために策定されました。①若い世代の所得を増やす、②社会全体の構造・意識を変える、③全てのこども・子育て世帯を切れ目なく支援する、を３つの基本理念とし、妊娠・出産から高等教育修了までを現金給付等による支援、こども誰でも通園制度、保育士の配置基準改正などによって支援していくとしています。これによって、保育所の保育士、幼保連携型認定こども園の教育・保育に従事する職員が、３歳以上４歳未満がおおむね15人に１人以上、４歳以上がおおむね25人に１人以上とされました。

おことわり

法令などの基準について

本書は、2025（令和７）年前期・後期筆記試験に対応したテキストです。

本書は2024（令和６）年前期筆記試験までの出題内容と、2024年６月末までに発表された法令等に基づき編集しています。本書の記載内容について、2024年７月１日以降の法改正情報などで、2025年試験に関連するものについては、下記「ユーキャンの本」ウェブサイト内「追補（法改正・正誤）」にて、適宜お知らせいたします。

https://www-u-can.co.jp/book/information

本書の使い方

まずは、科目の出題ポイントを把握

科目の冒頭で全体像を把握し、合格のコツや出題分析を確認しましょう。

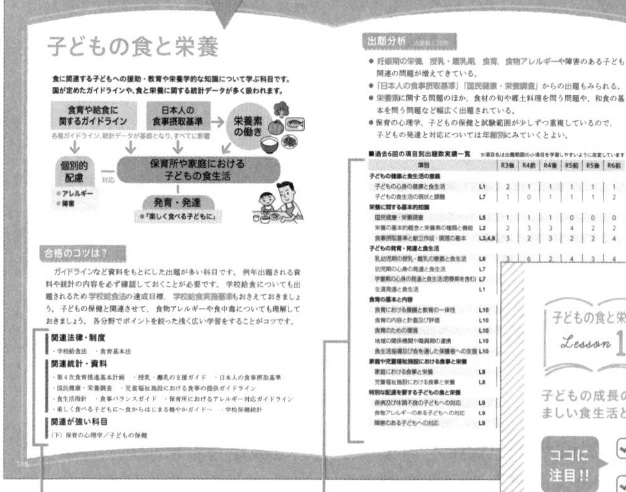

子どもの食と栄養

食に関連する子どもへの援助・教育や栄養学的な知識について学ぶ科目です。国が定めたガイドラインや、食と栄養に関する統計データが多く扱われます。

合格のコツは？

ガイドラインなど資料をもとにした出題が多い科目です。例年出題される資料や統計の内容を必ず確認しておくことが必要です。学校給食についても出題されるため学校給食法の達成目標、学校給食実施基準もおさえておきましょう。子どもの保健と関連させて、食物アレルギーや食中毒についても理解しておきましょう。各分野でポイントを絞った浅く広い学習をすることがコツです。

関連法律・制度

・学校給食法　・食育基本法

関連統計・資料

・第４次食育推進基本計画　・授乳・離乳の支援ガイド　・日本人の食事摂取基準
・国民健康・栄養調査　・児童福祉施設における食事の提供ガイドライン
・食生活指針　・食事バランスガイド　・保育所におけるアレルギー対応ガイドライン
・楽しく食べる子どもに～食からはじまる健やかガイド～　・学校保健統計

関連が強い科目

（下）保育の心理学／子どもの保健

出題分析

- 妊娠期の栄養、授乳・離乳期、食育、食物アレルギーや障害のある子ども関連の問題が増えてきている。
- 「日本人の食事摂取基準」「国民健康・栄養調査」からの出題もみられる。
- 栄養素に関する問題のほか、食材の旬や郷土料理を問う問題や、和食の基本を問う問題など幅広く出題されている。
- 保育の心理学、子どもの保健と試験範囲が少しずつ重複しているので、子どもの発達と対応については年齢別にみていくとよい。

■過去6回の項目別出題数実績一覧　※項目名は出題範囲の小項目を学習しやすいように改変しています

項目		R3後	R4前	R4後	R5前	R5後	R6前
子どもの健康と食生活の意義							
子どもの心身の健康と食生活	L1	2	1	1	1	1	1
子どもの食生活の現状と課題	L7	1	0	1	1	1	2
栄養に関する基本的知識							
国民健康・栄養調査	L5	1	1	1	0	0	0
栄養の基本的概念と栄養素の種類と機能	L2	2	3	3	4	2	2
食事摂取基準と献立作成・調理の基本	L3,4,8	3	2	3	2	2	4
子どもの発育・発達と食生活							
乳幼児期の授乳・離乳の意義と食生活	L6	3	6	2	4	3	4
幼児期の心身の発達と食生活	L7						
学童期の心身の発達と食生活(思春期を含む)	L7						
生涯発達と食生活	L1						
食育の基本と内容							
食育における養護と教育の一体性	L10						
食育の内容と計画及び評価	L10						
食育のための環境	L10						
地域の関係機関や職員間の連携	L10						
食生活指導及び食を通した保護者への支援	L10						
家庭や児童福祉施設における食事と栄養							
家庭における食事と栄養	L8						
児童福祉施設における食事と栄養	L8						
特別な配慮を要する子どもの食と栄養							
疾病及び体調不良の子どもへの対応	L9						
食物アレルギーのある子どもへの対応	L9						
障害のある子どもへの対応	L9						

関連法律や資料、関連する科目をチェック！

過去６回分の出題数実績をチェック！

一緒に学習しよう

本文学習前にレッスン概要をチェック！

レッスン冒頭に頻出度（最頻出をLevel 5として、Level 1 ～ 5）を表示（学習内容が難しいレッスンは頻出度の下に「難」マーク）。
また、意識しながら読みたい部分は「ココに注目!!」で取り上げています。

子どもの食と栄養 Lesson 1

子どもの健康と食生活の意義

頻出度 Level 1

子どもの成長の基礎となるのが、食生活です。子どもにとって望ましい食生活とはどのようなものかみていきましょう。

ココに注目!!

- 楽しく食べる子どもに成長するための5つの姿とは
- 食生活指針が掲げる具体的な方向性
- 発育指数を示すカウプ指数・ローレル指数とは
- 年齢別の発育の特徴と発育急進期

1 食生活のあり方とその評価

（1）子どもの望ましい食生活のあり方

「楽しく食べる子どもに～食からはじまる健やかガイド」 ⇨p295

*1「楽しく食べる子どもに～食からはじまる健やかガイド～」発育・発達過程において配慮すべき側面について出題。 R3後

「楽しく食べる子どもに～保育所における食育に関する指針～」
3歳以上児の食育のねらいおよび内容は、
・食と健康
・食と人間関係
・食と文化
・いのちの育ちと食
・料理と食
以上をあげている。

食べることは、生きていくための基本です。望ましい栄養を摂取することだけでなく、食生活の場が精神的にも社会的にも良好な状態であることが、子どもの心身の発達には不可欠です。乳幼児が「いつ」「どこで」「誰と」「どのように」食べるかは心の安定と深く関係するとともに、健康な食生活習慣、生きる力を身につけるうえで大変重要なのです。

近年、食生活の多様化や変化により、朝食の欠食や家族で食卓を囲む機会の減少など、さまざまな問題が指摘されています。このような状況を受け、厚生労働省は、食を通じた健全育成のねらいとして「楽しく食べる子どもに～食からはじまる健やかガイド～*1」を2004（平成16）年に策定しました。

> **「楽しく食べる子どもに～食からはじまる健やかガイド～」**
> 現在をいきいきと生き、かつ生涯にわたって健康で質の高い生活を送る基本としての食を営む力を育てるとともに、それを支援する環境づくりを進めること。

190

本文を学習

本文を読みながら、イラスト、チャート図、欄外の記述やキャラクターのアドバイスを活用して学習を進めていきます。

欄外もチェック！

過去６年で出題された内容

本文に登場する重要人物を解説

重要な用語をくわしく解説

本文と関連させて覚えておきたい情報

パーセンタイル値 ⇨保健p107　関連する内容への参照ページ

ここは覚えよう!!

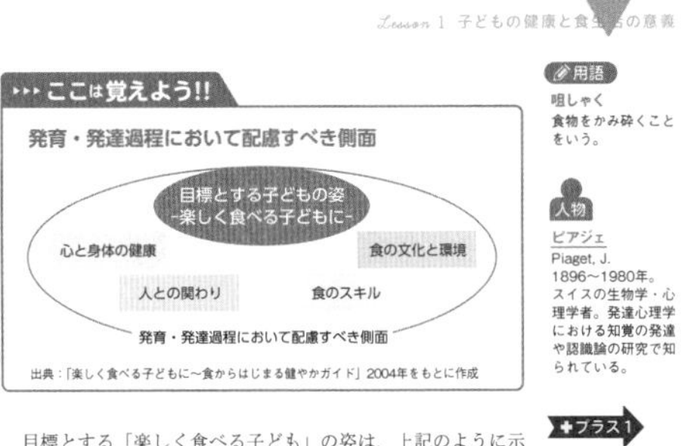

用語
咀しゃく
食物をかみ砕くことをいう。

人物
ピアジェ
Piaget, J.
1896～1980年。スイスの生物学・心理学者。発達心理学における知覚の発達や認識論の研究で知られている。

目標とする「楽しく食べる子ども」の姿は、上記のように示されます。ここで示されているのは、授乳期から思春期にかけて、それぞれの発育・発達過程において、「食を営む力」を育てるためにとくに配慮すべき側面です。

また、健全な食生活を送ることが必要なのは子どもだけでなく、大人も同様です。2000（平成12）年には文部省（現：文部科学省）、厚生省（現：厚生労働省）、農林水産省の３省共同で「食生活指針[*2]」が策定されました。「食生活指針」は、国民の一人ひとりが健全な食生活を実践できるように、献立計画から廃棄まで食生活全般にわたって具体的な方向づけをするものです。

食の楽しみ、家族のコミュニケーション、日本の伝統的な食文化の継承などにも広く言及しており、季節感や地域性を取り入れて豊かな食生活を営むことが推奨されています。

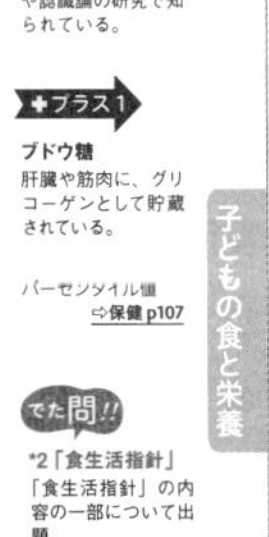

プラス1
ブドウ糖
肝臓や筋肉に、グリコーゲンとして貯蔵されている。

パーセンタイル値
⇨保健p107

でた問!!
*2「食生活指針」
「食生活指針」の内容の一部について出題。
R1後、R3前、R4後、R5前

子どもの食と栄養

「食生活指針」

2000年閣議決定
2016年6月一部改正

食事を楽しみましょう。
- 毎日の食事で、健康寿命をのばしましょう。
- おいしい食事を、味わいながらゆっくりよく噛んで食べましょう。
- 家族の団らんや人との交流を大切に、また、食事づくりに参加しましょう。

1日の食事のリズムから、健やかな生活リズムを。
- 朝食で、いきいきした１日を始めましょう。

確認テストに挑戦！

学習した内容を復習し、成果を確認するために穴うめ、○×式の「ポイント確認テスト」に挑戦しましょう。

〈予想〉オリジナル問題です。

〈過R6前〉令和６年前期試験で出題された過去問題であることを表します。平成30～令和６年の過去問からセレクトしています。

※過去問題は一部改変しているものがあります。また、一部本文には記載のない内容の問題もありますが、発展的内容として挑戦してみましょう。

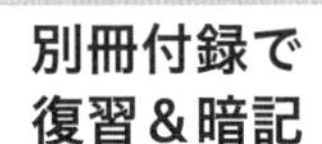

別冊付録で復習＆暗記

試験で最も重要な「保育所保育指針」の全文と、よく出題される資料や暗記に役立つ表を厳選して収録。スキマ時間をフル活用しましょう！

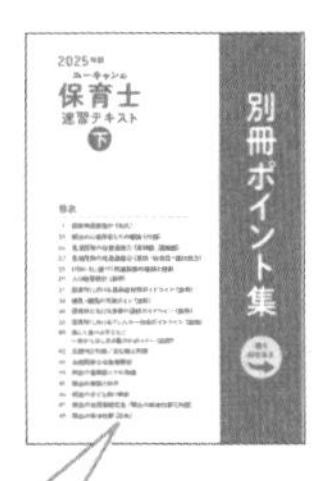

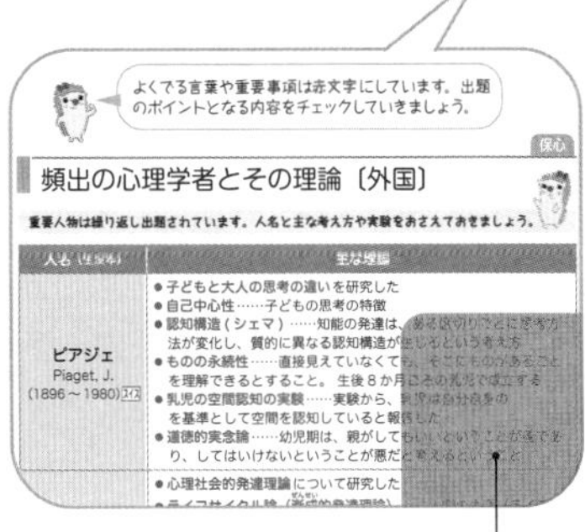

よくでる言葉や重要事項は赤文字にしています。出題のポイントとなる内容をチェックしていきましょう。

保心

頻出の心理学者とその理論〔外国〕

重要人物は繰り返し出題されています。人名と主な考え方や実験をおさえておきましょう。

人名（生没年）	主な理論
ピアジェ Piaget, J. （1896～1980）	●子どもと大人の思考の違いを研究した ●自己中心性……子どもの思考の特徴 ●認知構造（シェマ）……知能の発達は、発達の区切りごとに思考方法が変化し、質的に異なる認知構造が生じるという考え方 ●ものの永続性……直接見えていなくても、そこにものがあることを理解できるとすること。生後８か月ごろの乳児で成立する ●乳児の空間認知の実験……実験から、乳児は自分自身のを基準として空間を認知していると報告した ●道徳的実念論……幼児期は、親がしてもいいということができること、してはいけないということが悪だと考えるという ●心理社会的発達理論について研究した

お手持ちの赤シートを使えば重要語句を隠せる２色刷り

◀ このページは本書の使い方を説明するための見本です。

目次

保育の心理学

子どもの保健

子どもの食と栄養

保育実習理論

上巻では、保育・教育と、福祉全般に関する学習が中心となります。

科目名の略称

上巻	保育原理 → 保原	下巻	保育の心理学 → 保心
	教育原理 → 教原		子どもの保健 → 保健
	社会福祉 → 社福		子どもの食と栄養 → 栄養
	子ども家庭福祉 → 子福		保育実習理論 → 保実
	社会的養護 → 社養		

上巻目次

保育士資格とは

保育士ってどんな資格？

保育士は、「児童福祉法」に定められた国家資格！

保育士は、「児童福祉法」に定められた**国家資格**で、保育士資格をもつ人は以下のように規定されています。

1）都道府県知事の指定する保育士を養成する学校などを卒業した人

2）保育士試験に合格した人

このテキストを読んでいる皆様が保育士試験に合格すると、2）の条件に当てはまることになります。さらに都道府県知事の登録を受け、保育士登録証が交付されることではじめて「保育士」と名乗ることができます。なお、保育士は、資格をもっていない人は名乗ることができない**名称独占資格**です。

保育士の社会的信用を守るため、
名称独占資格になっているのです。

保育士は、遊びや子育て支援の専門職！

「児童福祉法」では、保育士のことを「専門的知識及び技術をもつて、児童の保育及び児童の保護者に対する保育に関する指導を行うことを業とする者」と定義しています。保育士というと、「子どもと遊ぶ」というイメージが強いかもしれませんが、そこには**専門的な知識や技術**が必要であることを覚えておきましょう。また、保育士には子どもだけでなく**子育て家庭を支援する役割**があります。ここで支援する子育て家庭には、保育所に通う子どもがいる子育て家庭だけでなく、地域の子育て家庭も含まれます。

保育士の活躍できる場は？

保育所は「児童福祉法」に定められた**児童福祉施設**の一つです。保育士は、保育所を含む10種の児童福祉施設で子どもの**遊びや生活の専門職**として働くことができます。児童福祉施設とは以下の13種の施設のことをいいます。

児童福祉施設

保育所

乳児院

① 保育所
② 幼保連携型認定こども園
③ 助産施設 *
④ 乳児院
⑤ 母子生活支援施設
⑥ 児童厚生施設
⑦ 児童養護施設
⑧ 障害児入所施設
⑨ 児童発達支援センター
⑩ 児童心理治療施設
⑪ 児童自立支援施設
⑫ 児童家庭支援センター *
⑬ 里親支援センター *

*保育士の配置および保育士資格での任用はありません

そのほかにも保育士が活躍できる場所はあります。たとえば個人宅に訪問して子どもを保育する**ベビーシッター**や、自宅で子どもを預かる**保育ママ**においても保育士資格をいかして働くことができます。企業で働く人の子どもを預かる企業内の保育施設や、病児・病後児を施設で預かったり訪問したりして保育する**病児保育**においても活躍の場があります。また、近年ニーズが高まっている美容院やアミューズメント施設のキッズスペースなどでも保育士資格をいかすことができるでしょう。今後も活躍の場がますます増えていく資格といえます。

病児保育

保育士試験とは

受験資格は？

保育士試験の主な受験資格は**大学、短大、専門学校卒業程度**となっています。保育とは関係ない専門分野の大学などを卒業していても受験できます。

なお、中学卒業・高校卒業程度の場合には一定の条件があります（下図参照）。保育士試験受験には**年齢制限がありません**ので、条件を満たせば何歳からでも資格取得を目指すことができます。

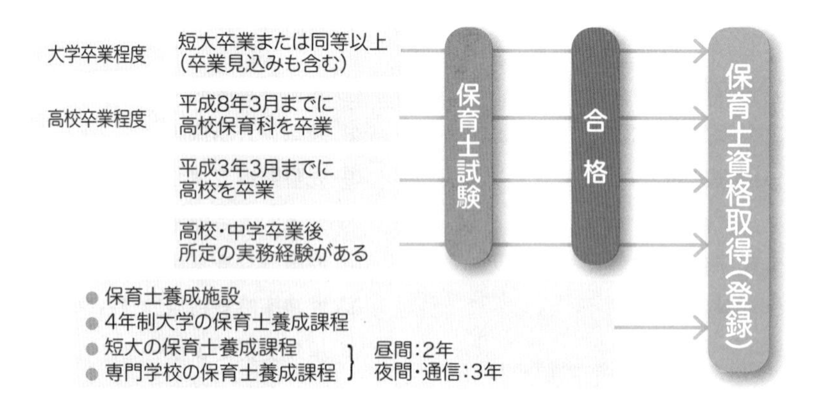

試験の時期は？

「児童福祉法」においては、年１回以上保育士試験を開催することが定められており、ここ数年は**4月（前期試験）**と**10月（後期試験）**の**年２回**、筆記試験が行われています（社会情勢や天候、試験会場の都合などで中止や延期になることもあります）。

地域限定試験とは？

2015（平成27）年より、地域限定保育士制度が創設されました。この制度は、後期の保育士試験を自治体が地域限定試験として実施し、合格した人には**その地域だけで３年間有効となる**「地域限定保育士資格」を与えるというものです。登録してから3年後には、全国で通用する保育士資格となります。自分が受験する自治体がこの制度を採用しているかどうか確認しておきましょう（神奈川県では、例年8月に独自の地域限定保育士試験を実施しています）。

科目名、出題数

保育士筆記試験の科目名と出題数は下の表の通りです。

試験科目			出題数	配点	時間
1日目	1	保育の心理学	20問	100	60分
	2	保育原理	20問	100	60分
	3	子ども家庭福祉	20問	100	60分
	4	社会福祉	20問	100	60分
2日目	5	教育原理	10問	50	30分
	6	社会的養護	10問	50	30分
	7	子どもの保健	20問	100	60分
	8	子どもの食と栄養	20問	100	60分
	9	保育実習理論	20問	100	60分

合格ライン

筆記試験の合格ラインは**全科目とも６割**で、100点満点の科目の場合は60点以上、50点満点の科目の場合は30点以上です（教育原理と社会的養護は50点満点の科目ですが、一度の試験で両方とも30点以上をとらないと合格になりません）。筆記試験に合格すると、**実技試験**にすすむことができます。

なお、保育士試験は、**合格した科目については３年間の有効期限**があります。複数年にわたって計画的に資格取得を目指す人もいます。

例：一度目の試験で保育原理、教育原理、社会福祉、社会的養護、子どもの保健、保育実習理論に合格した場合には、以降３年間で、子ども家庭福祉、保育の心理学、子どもの食と栄養に合格すればよい。

合格率

保育士試験は、毎年６～７万人が受験し、合格率は**例年約２割**です。

	平成30年	令和元年	令和2年	令和3年	令和4年	令和5年
受験者数（名）*	68,388	77,076	44,914	83,175	79,378	66,625
合格者数（名）	13,500	18,330	10,890	16,600	23,758	17,955
合格率（%）	19.7	23.9	24.2	20.0	29.9	26.9

＊特例制度による試験免除者を除く　※令和２年は前期の筆記試験が中止　出典：こども家庭庁ホームページより

試験の申し込み

受験を希望する人は、**オンラインか郵送のどちらかの方法で**申請します。

オンラインの場合、全国保育士養成協議会のホームページで「**マイページ**」を登録し、そこから申請を行います。郵送の場合、封書を送り「**受験申請の手引き**」を請求します。

〈一般社団法人全国保育士養成協議会〉
ホームページ　https://www.hoyokyo.or.jp/exam/
電話：0120-4194-82（保育士試験事務センター）

● スケジュール例（前期・後期筆記試験）

	前期	後期
実施要項（受験申請書）配布期間	1月中旬～1月末	7月上旬～7月末
受験申請受付期間	1月中旬～1月末	7月上旬～7月末
筆記試験日	4月下旬の2日間	10月下旬の2日間
筆記試験合格発表	6月上旬までに 受験者全員に通知	12月上旬までに 受験者全員に通知

試験の内容は変更になる可能性もあります。受験を検討した時点で必ずホームページをチェックしましょう。

筆記試験当日の予定と準備

例年、1日目は11：00～17：00、2日目は10：00～16：30に試験が行われています。**試験会場は受験票に記載**されており、主に大学のキャンパスや大規模なホールなどで行われるので、会場までの交通手段を事前に調べておき、余裕をもって会場へ向かいましょう。

当日の昼食や飲み物は各自持参します。また、地域によっては暑さ、寒さへの対策も必要です。

筆記試験の内容

筆記試験は**マークシート形式**で行われています。ここで、どのような試験問題が出題されているか、まずは「保育実習理論」の出題をみていきましょう。

次のうち、「保育所保育指針」第2章「保育の内容」2「1歳以上3歳未満児の保育に関わるねらい及び内容」エ「言葉」の内容に照らし、適切なものを○、不適切なものを×とした場合の正しい組み合わせを一つ選びなさい。

A　子どもは、応答的な大人との関わりによって、自ら相手に呼びかけたり、承諾や拒否を表す片言や一語文を話したり、言葉で言い表せないことは指差しや身振りなどで示したりして、親しい大人に自分の欲求や気持ちを伝えようとする。
B　子どもは、保育所での集団生活を送る中で、様々な生活に必要な言葉に出会う。例えば「マンマ」や「ネンネ」など、生活習慣や慣れ親しんだ活動内容を表す言葉がある。一方、「散歩」「着替える」などのように、毎日の同じ生活場面で繰り返し耳にすることで、次第に気付くようになる言葉もある。
C　子どもは、家庭や地域の生活の中で、文字などの記号の果たす役割とその意味を理解するようになると、自分でも文字などの記号を使いたいと思うようになる。また、保育所の生活においては、複数のクラスや保育士等、さらには、多くの友達などがいるために、その所属や名前の文字を読んだり、理解したりすることが必要になる。
D　「当番の仕事」という言葉を耳にしても初めは何をどうすることなのか理解できない子どもも、保育士等や友達と一緒に行動することを通して、次第にその言葉を理解し、戸惑わずに行動できるようになっていく。

(組み合わせ)

	A	B	C	D
1	○	○	○	×
2	○	○	×	×
3	○	×	○	×
4	×	○	○	○
5	×	×	×	○

令和6年前期試験「保育実習理論」より　正答：2

この問題は、保育士試験の**全科目で頻出**の「**保育所保育指針**」から出題されています。「保育所保育指針」に書かれている1歳以上3歳未満児の言葉の発達についての考え方が、問題を解くために大切なキーワードとなっています。今は難しく感じるかもしれませんが、いずれも本書を学んだあとには理解できるようになっているはずです。

「保育所保育指針」については、このような全体的な考え方を問う問題から、穴うめ問題、適切な語句あるいは間違った語句を選ぶ問題など、**幅広く出題**されますので、「別冊ポイント集」に収録している「保育所保育指針」(全文) をよく読んでおくことが大切です！

そのほかにも次ページのような形式の設問があります。

次の【事例】を読んで、【設問】に答えなさい。

【事例】

保育所の新任のP保育士は、施設長から、「子どもの遊びを支える環境についてというテーマで、来週、保育所内で保育カンファレンスを行います」と伝えられました。

【設問】

次のうち、保育カンファレンス当日のP保育士の行動や態度として、適切なものを○、不適切なものを×とした場合の正しい組み合わせを一つ選びなさい。

A　新任のため、保育所内の環境についてよく理解していないので、発言は控える。

B　他の保育士の意見より、施設長や主任などの意見を尊重する。

C　自分の考えと異なる保育士の意見にも耳を傾ける。

D　看護師、調理員、栄養士等とは職務内容が異なるので、それぞれが担う業務に対しての意見は控える。

(組み合わせ)

	A	B	C	D
1	○	○	○	○
2	○	○	×	×
3	○	×	○	○
4	×	○	×	×
5	×	×	○	×

令和5年後期試験「保育実習理論」より　正答：5

上記のような**事例問題**も複数の科目でたびたび出題されます。事例問題は一見難しく感じますが、**保育士としての基本的な対応の姿勢**を理解できていれば、簡単に答えられるようになります。本書でそれを学んでいきましょう。そのほかにも、グラフから傾向を読み取る問題や、科目によっては図や絵から答える問題、楽譜を読み解く問題なども出題されます。さまざまな形式の問題に柔軟に対応できる力が必要となります。

実技試験の内容

筆記試験に合格すると、実技試験を受験します。実技試験は、「音楽に関する技術」「造形に関する技術」「言語に関する技術」のいずれか2つを選択し、50点満点中30点以上が合格となります。

※このテキストは筆記試験対策用のテキストです

学習の進め方

試験科目と学習順

ここからは試験の科目の主な内容を、本書がおすすめする学習順で紹介していきます。具体的な出題傾向については、各科目の冒頭のページを確認しましょう。ここでは、科目同士の関連と、なぜ保育士にとってこの科目の学習が必要であるのか、まずは上巻に収録している５科目をみていきましょう。

❶ 保育原理

保育に関する基礎科目なので、**最初に学習すること**をおすすめします。この科目は**保育とは何か**、保育所とはどのような場所かを理解することから始まり、保育内容のガイドラインである**「保育所保育指針」**、さらに保育・教育理論を構築してきた**重要人物**について学習します。実際の保育場面での適切な対応を問う**事例問題**も多く出題されます。

Point
保育士にとって保育とは何かを知ることは、子どもを理解するうえで重要です。

保育原理と教育原理では、同じ人物が出題されることもありますよ！

基礎科目はセットで学習

❷ 教育原理

教育に関する基礎科目であり、「保育」と「教育」は密接に関わっているため、**「保育原理」と合わせて学習すること**をおすすめします。この科目では、**教育に関する法令**や**教育の歴史**、**人物**を学ぶことが中心になります。保育所と同じ就学前の子どものための施設に**幼稚園**があります。幼稚園は「学校」であることから保育士試験では「教育原理」において幼稚園に関する問題が多く出題されます。「幼稚園教育要領」の内容についても理解を深めましょう。

Point
保育と教育とは一体的に行うもので、保育士は教育についての知識も必要です。

次は福祉に関する３科目についてです。福祉の対象の範囲が広い方から順に、**社会福祉→子ども家庭福祉→社会的養護**の順で学習することをおすすめします。

③ 社会福祉

福祉の対象の範囲
大

社会福祉は福祉の基礎科目です。**福祉の歴史や法律とその目的、福祉制度**について幅広く学ぶ科目です。高齢者、障害者、貧困家庭、ひとり親家庭など**福祉の対象**によってどのような支援があるかを知っておくことが重要です。支援のやり方としてどのような手法があるのかを知ることも大切です。

Point
福祉全体のしくみを知っておくことが必要となります。

④ 子ども家庭福祉

福祉の対象の範囲
中

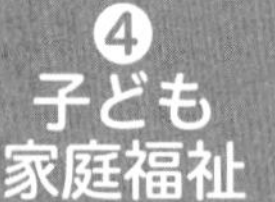

次に「福祉」の中から主な対象を**「子育て家庭」と「子ども」**にしぼっている科目である「子ども家庭福祉」を学習しましょう。**子育て家庭をめぐる現状と課題**を理解し、そこに対応するためにどのような制度があるのかを知ることが大切です。

Point
虐待をはじめとする、子どもをめぐるさまざまな課題を理解することが必要です。

対象の範囲が広いものから学習

⑤ 社会的養護

福祉の対象の範囲
小

最後に「子ども」の中から、**「社会的養護が必要な子ども」に対象をしぼった科目**である「社会的養護」を学習しましょう。社会的養護とは、さまざまな理由から親と暮らすことができない子どもを、社会的に養育し、保護するためのしくみです。この科目では**社会全体で子どもを支援するためのしくみ**を具体的に理解することが大切です。

Point
社会全体で子どもを支援するしくみを理解しておくことが必要です。

ここからは、下巻に収録している４科目についてみていきましょう。

❻ 保育の心理学

子どもの発達について理論的に学習する科目です。子どもを理解するためには、**発達の道筋を理解すること**が不可欠です。さまざまな心理学者の理論を学び、実践的に対応する力をつけます。この科目は**「子どもの保健」との関連が深く**、合わせて学習することをおすすめします。

Point
子どもの発達に関する知識が必要です。

セットで学習

❼ 子どもの保健

子どもは発達途上にあるため、**さまざまな病気**にかかります。また、**発育がめざましい時期**であるため、大人よりも細かくその状態を把握する必要があります。この科目では**子どもへの保健的な対応**を学びます。子どもの精神の健康については、**「保育の心理学」と深く関連**しています。

Point
子どもの病気への対応や発育に関する知識が必要です。

セットで学習

❽ 子どもの食と栄養

保育所では必ず食事が提供されるため、子どもの食は保育にとって大切な要素です。必要な栄養素や、食事の援助、食育について学びます。**アレルギーのある子どもへの対応**、障害や病気などで食事に配慮が必要な子どもについては、**「子どもの保健」と合わせて学習**しましょう。

Point
子どもの食事に関する知識が必要です。

❾ 保育実習理論

保育に関する**幅広く実践的な知識や対応**を学ぶ科目です。そのため、**「保育原理」**や**「子ども家庭福祉」**とも関連していますので**上巻と合わせて学習する**ことをおすすめします。音楽、造形、言語は保育実務とも深く関わり、子どもの遊びや学びの専門職として必要な知識です。

Point
保育に関する実践的な知識や技能が必要です。

上巻とセットで学習

初受験のあなたにおすすめの学習法

試験対策の第一歩は「**試験の全体像を知ること**」です。まず、本書の15～17ページで各科目の概要とその関係性を把握しましょう。予備知識がなく不安がある場合には、入門書からスタートするのもよいでしょう。

試験科目の全体像がつかめたら、本書で具体的に学習をすすめます。合格のためには**テキストを複数回読む**ことが原則です。その際、以下のように目的をもって読みすすめると、効率よく知識を身につけることができるでしょう。

- 1回目：わからないところがあっても最後まで読み、**科目全体を把握**する
- 2回目：欄外や確認テストまでしっかりと読み込み、**正確に理解**する

また、テキストの学習とともに、過去問題を解いて問題に慣れ、知識を定着させる必要があります。「**テキスト→問題集→テキスト…**」の繰り返しが合格力を養う最短コースです。

学習の仕上げでは、必ず一度は模擬試験に取り組みましょう。直前対策には、一問一答での細かい知識の暗記確認もおすすめです。

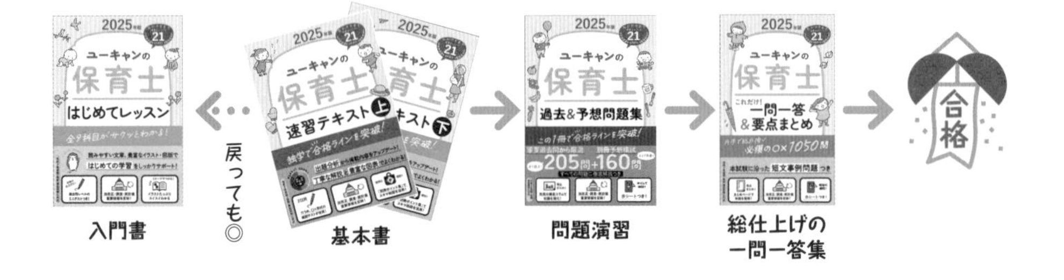

一部科目に合格のあなたにおすすめの学習法

合格していない科目の性格別に、弱点克服を目指しましょう。

「子どもの保健」「子どもの食と栄養」のように、ガイドラインや資料からの出題が多い科目は、本書の「**別冊ポイント集**」で原典を読み込み、ポイントをおさえることが大切です。

「保育原理」「教育原理」「保育の心理学」「保育実習理論」などの**人物の名前・功績**などが苦手な人は、本書の「別冊ポイント集」の一覧表を活用し、覚えていない事項をチェックしたり、書き込みをして使いやすい自分だけの別冊を作ってみるのもおすすめです。

「社会福祉」「子ども家庭福祉」「社会的養護」など、**関連法令が多い科目**は、法改正や新しく公表された調査結果などのチェックを行います。

保育の心理学

保育の心理学

子どもの発達など、保育士が理解すべき心理学的知識に関する科目です。さまざまな心理学者の理論や、子どもの発達課題について学びます。

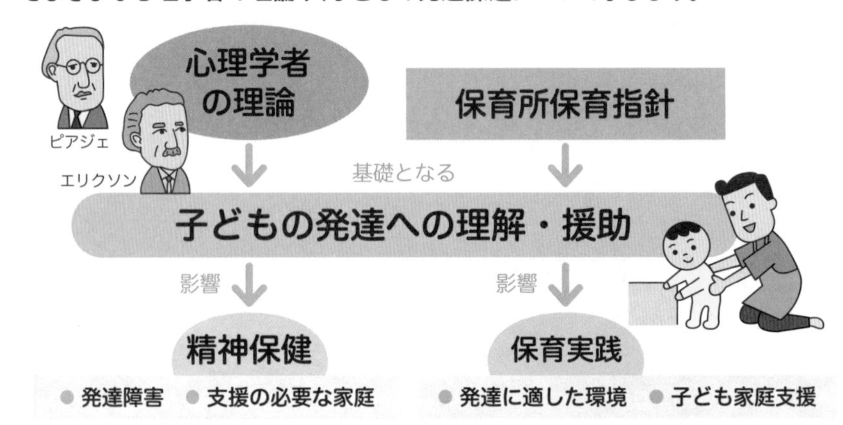

合格のコツは？

エリクソン、ゲゼル、ボウルビィ、ピアジェ、ブロンフェンブレンナー、マーシア、エインズワース、ヴィゴツキー、バンデューラなどの考え方について、よく出題されます。令和6年試験（前期）でも、これらの人物のなかから問題が出題されています。また、子どもの保健で学習する心理的な問題も出題されているため、子どもの保健と関連性をもたせた学習が必要になります。

関連指針・理論

・認知発達　・ライフサイクル論　・生態学システム　・愛着形成　・学習理論

関連が強い科目

（下）子どもの保健

出題分析　出題数：20問

- 【語群】から語句を選び、その組み合わせを選ぶ問題が出題されるため、語句の前後の文章から該当する語句を選べるようにしておく。子どもの身体的・心・社会性の発達のほか、現代の子育て家庭や保育の課題もおさえておきたい。
- **学童期・思春期の発達**や学びの理論に関する出題が増えている。

■過去6回の項目別出題数実績一覧　※項目名は出題範囲の小項目を学習しやすいように改変しています

項目		R3後	R4前	R4後	R5前	R5後	R6前
保育と心理学							
子どもの発達を理解することの意義	**L1**	0	0	0	1	0	0
保育実践の評価と心理学	**L1,5**	1	0	0	0	0	1
発達観、子ども観と保育観	**L2**	0	1	1	0	0	0
子どもの発達理解							
子どもの発達と環境	**L2**	1	1	1	1	0	3
感情の発達と自我	**L3,4,5**	0	0	0	0	0	1
身体的機能と運動機能の発達	**L3,4,5**	0	1	0	0	1	1
知覚と認知の発達	**L3,4,5**	3	1	1	1	1	1
言葉の発達と社会性	**L3,4,5**	1	0	1	1	2	0
人との相互的かかわりと子どもの発達							
基本的信頼感の獲得	**L2**	0	0	0	1	0	0
他者とのかかわり	**L2,3,5**	1	0	2	2	1	2
社会的相互作用	**L3,4,5**	2	0	0	0	1	0
生涯発達と初期経験の重要性							
生涯発達と発達援助	**L1**	0	0	1	2	0	0
胎児期及び新生児期の発達	**L3**	0	1	0	0	1	0
乳幼児期の発達	**L3,4**	1	3	0	1	1	1
学童期から青年期の発達	**L5**	1	2	3	2	1	2
成人期、老年期の発達	**L6**	2	1	2	1	3	1
子どもの発達と保育実践							
子ども理解における発達の把握	**L7**	0	0	0	0	1	0
個人差や発達過程に応じた保育	**L7**	1	1	1	1	0	0
身体感覚を伴う多様な経験と環境との相互作用	**L7**	0	0	0	0	0	0
環境としての保育者と子どもの発達	**L1**	0	0	1	0	0	0
子ども相互のかかわりと関係作り	**L7**	2	1	0	0	1	0
自己主張と自己統制	**L7**	0	0	0	0	0	0
子ども集団と保育の環境	**L7**	0	0	0	0	0	0
生活や遊びを通した学びの過程							
子どもの生活と学び	**L7**	0	1	0	0	1	0
子どもの遊びと学び	**L1,4**	0	2	1	1	0	2
生涯にわたる生きる力の基礎を培う	**L7**	0	0	0	0	0	0
保育における発達援助							
基本的生活習慣の獲得と発達援助	**L7**	0	0	0	0	0	0
自己の主体性の形成と発達援助	**L5**	0	0	1	0	0	0
発達課題に応じたかかわりと援助	**L8**	1	1	1	0	1	2
発達の連続性と就学への支援	**L7**	0	0	0	0	1	0
発達援助における協働	**L8**	1	1	1	0	0	2
現代社会における子どもの発達と保育の課題	**L8**	2	2	2	5	3	1

保育の心理学 Lesson 1

保育と心理学

頻出度 Level 5

乳幼児期は、人間の発達のなかで最も重要な時期となります。したがって、この時期における保育士の関わりが大切です。

ココに注目!!
- ✓ 乳幼児期の発達を知る
- ✓ 成熟と学習の過程と相互関係
- ✓ 発達の量的変化と質的変化の違い
- ✓ バルテスの生涯発達心理学とは

1 乳幼児期の発達と保育

(1) 乳幼児期の発達の特徴

一般的に、乳児とは出生から満1歳未満までを、幼児とは満1歳から小学校就学始期（6歳）までの時期を指します。この2つの時期をまとめて「**乳幼児期**」ということがあります。

乳幼児期は、心理学者の**エリクソン**が「人生（**生涯発達**）の初期体験」であるとしているように、人間形成の基礎が培（つちか）われる重要な時期といえます。

乳幼児期の主な発達の特徴は、次のようなものです。

- **人間の一生のなかでも発達の速度がきわめて速く、環境からの影響を受けやすい**
- **情緒に左右されやすい**
- **個人差が大きい**

エリクソン
⇨P30、55

乳幼児期が、「人間形成の基礎が培われる時期」であることは、「保育所保育指針」第1章「総則」でもふれられています。

(2) 子どもの発達を援助する保育士の役割

保育士には、子どもの心身の発達を支え、援助していくという役割があります。本来、子どもには自分で発達していく力が備わっていることから、発達の主体は**子ども自身**です。保育士には子どもをあるがままに**受容**（じゅよう）*1し、その気持ちに**共感**する姿

用語
受容
受け入れること。ここでは、相手を自分の価値観や考え方でとらえずに、まずは受け入れる柔軟な態度を指す。

勢と、子どもが自ら発達する力を促すような人的環境、物的環境などを整え、自然・社会環境を有効に活用していくことが求められます。

（3）遊びをとおして促される乳幼児期の発達

保育の場において、子どもは**遊び**[*2]を通して**さまざまなことを学び**、発達していきます。乳児期においては、遊びをとおして保育士との結びつきを深め、また、遊びによって心身の発達が促されていきます。幼児期になると、子どもだけで遊ぶ機会が増え、子どもは葛藤（かっとう）やいざこざなど自分の思い通りにならない体験を繰り返しながら、しだいに**社会的スキル**[*3]を身につけていきます。

2 保育の心理学の基礎知識

（1）成熟と学習

発達とは、自然の法則としての**成熟**と、環境から受ける刺激や経験による**学習**とが、相互に関係しながらすすんでいく過程であるといえます。**成熟**とは、意図的な働きかけがなくても、時間の経過とともに子どもが本来もっていた**素質**的なものが自然に出現してくる過程です。一方、**学習**とは、素質的なものが、経験や練習などの**環境**的な条件による影響を受けて出現してくる過程です。

（2）学習理論の基礎

学習に関しては昔からさまざまな実験が行われてきました。ロシアの生理学者**パブロフ**[*4]（Pavlov, I.P.）は、イヌにエサを出すときにベルの音を鳴らすことを**何度も繰り返す**ことで、ベルがエサの合図であることを学習させました。やがてエサがなくてもベルが鳴るだけでイヌが唾液を出すようになります。この実験は、生得的な反応（唾液を出す）という行為と関係のあ

でた問!!
*1 保育士と幼児の関わり
受容的関わりについて出題。
R2後、R3後

でた問!!
*2 遊び
遊びを通した問題解決について出題。
R6前

でた問!!
*3 社会的スキル
遊びを通した社会的スキルの発達について出題。
R3後

心理学における「学習」とは学校の勉強のことではないのですね。

でた問!!
*4 パブロフ
パブロフの条件づけについて出題。
R6前

■スキナーボックス

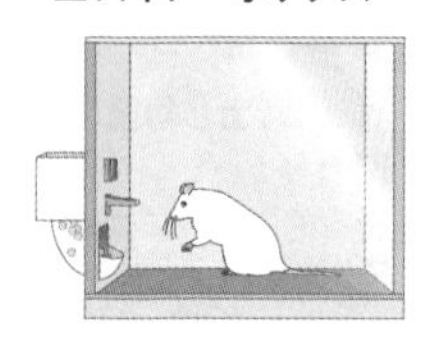

スキナー
⇨上巻 教原p96

✚プラス1

強化
スキナーは報酬により行動の頻度が増加することを強化といい、その行動を引き起こさせるものを強化子とよんだ。

る刺激（刺激A）と関係のない刺激（刺激B）とを同時に繰り返すことで、刺激Bが生得的な反応と結びつくようになることを証明するものです。これを**古典的（レスポンデント）条件付け**といいます。

一方で、アメリカの心理学者**スキナー**（Skinner, B.F.）は、空腹のネズミを、レバーを押すとエサが出る箱（スキナーボックス）に入れる実験を行いました。ネズミはエサをさがしまわり、やがてレバーを押すとエサが出ることをつきとめます。これを繰り返すうちに、ネズミはエサをさがしまわることをやめ、レバーを押し続けるようになります。この実験は**報酬（エサ）を伴う行動は、繰り返される**ということを証明するものです。これを**道具的条件付け**（オペラント条件付け）といいます。

いずれの実験も動物を対象としたものですが、子どもが**家庭や保育所において適切な行動を身につけていく**うえでも、これらの理論を役立てることができます。

（3）量的変化と質的変化

でた問!!

***5 量的変化**
量的変化と質的変化について出題。
H31前

発達は、**量的変化***5（身長・体重、使用語彙（ごい）、知識や情報などの量でみることのできる変化）と**質的変化**（これまでできなかったことができるようになる過程でみられる変化）によって、**たえず変化する過程**であると定義することもできます。

（4）生涯発達理論

人物

バルテス
Baltes, P.B.
1939～2006年。
ドイツの心理学者。1970～2000年代にかけ、生涯発達心理学について提唱した。

***6 ダイナミックス**
バルテスの生涯発達の捉え方について出題。
R2後、R4後、R5後

人は、子どもから大人になる時期にだけ発達するのではありません。現在、**生涯にわたって人は発達する**という考え方が、心理学においては一般的です。

生涯発達心理学を唱えたのは**バルテス**です。バルテスは、生涯発達心理学の観点として次のように主張し、生涯発達はこれらを混合した**ダイナミックス***6であるとしました。

- **発達とは、生涯にわたる過程である**
- **発達は、全生涯を通じて常に獲得（成長）と喪失（そうしつ）（衰退（すいたい））とが相互に関連し合って共存する過程である**
- **発達は、歴史的文化的条件の影響を受ける**

ポイント確認テスト

穴うめ問題

☐☐ **Q1** 過R3後

子どもたちが遊びのやり取りの中で、保育者が介入しなくても、自分たちで問題を解決できるようになる力を（　　）という。 >>> **p23**

☐☐ **Q2** 過R6前

パブロフが提唱した、条件反射のメカニズムによって行動の変化を説明する理論を(　　　)と呼ぶ。日常的な例として、レモンを見ると唾液が出るといったことが挙げられる。 >>> **p24**

☐☐ **Q3** 過R5前

生得的な反射を基礎にする刺激と反応の新たな連合の習得を（　　　）という。 >>> **p24**

☐☐ **Q4** 予想

発達における量的変化とは、（　a　）や機能の向上だけでなく、（　b　）や機能の低下も含まれる。 >>> **p24**

○×問題

☐☐ **Q5** 過R3後

保育士の受容的な関わりは、子どもの自分でできると思える自信や自己肯定感を高め、自ら挑戦しようとする気持ちを支える。 >>> **p22**

☐☐ **Q6** 過R2後

保育士は一人一人の子どもの遊びを理解して対応することが大切である。 >>> **p23**

☐☐ **Q7** 過R6前

遊びにおける問題解決場面は、幼児の思考力が促される機会となり得る。幼児の思考の特徴として、物事や人に関して、言語的な情報によってのみ思考が進むことがあげられる。 >>> **p23**

☐☐ **Q8** 過R5後

バルテスによると、高齢期は決して何かを失うばかりではなく、喪失することで失ったものの重要さを実感し、状況へ適応することを模索しながら、新たなものを得ようとまた挑戦していく過程であるとされている。 >>> **p24**

解答・解説

Q1　社会的スキル　Q2　古典的（レスポンデント）条件付け　Q3　古典的条件付け
Q4　a 増大／b 衰退
Q5　○　Q6　○　Q7　×　言語的な情報だけでなく見たり行動したりしながら学ぶ。
Q8　○

保育の心理学 Lesson 2

子どもの発達の基本

頻出度 Level 4

人間の発達にはどのような要因が関係しているのでしょうか。
発達に関するさまざまな理論をみていきましょう。

ココに注目!!

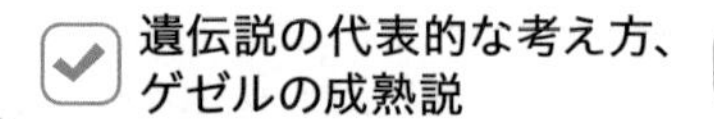

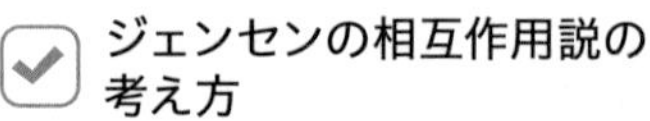

- ピアジェが提唱した認知発達区分
- エリクソンなどのライフサイクル論

でた問!!

*1 発達を規定する要因
遺伝的要因と環境的要因について出題。
R4後

*2 成熟説
ゲゼルの成熟説について出題。
R5前

1 発達を決定づける要因

発達の過程において、子どもはそれぞれ異なった特徴（個性）をみせるようになっていきます。現在、**発達を規定する要因**[*1]は、**遺伝的要因**（個体的要因）と**環境的要因**（経験的要因）の相互作用によるものとされていますが、20世紀の初めごろまではさまざまな議論がなされていました。

(1) 遺伝説（生得説、先天説）

遺伝説（**生得説**、**先天説**）とは、発達は**遺伝的素質**によって生まれつき決められているという考え方で、**ゲゼルの成熟説**[*2]が代表的なものです。成熟説とは、下記のような考え方です。

- **発達の第一次的要因は訓練や学習によらない内的な成熟によって決まる**
- **早い時期からの訓練や学習は必ずしも有効ではなく、レディネス（その訓練や学習を受け入れるために最もふさわしい内的な準備状態、成熟状態）が必要である**

レディネスは現在も発達をとらえるうえで重要な考え方です。

人物

ゲゼル
Gesell, A. L.
1880～1961年。アメリカの心理学者。功績に一卵性双生児による学習と成熟の研究、発達診断テストなど。

用語

レディネス
学習を可能にする知識、経験、技術、態度、身体発達などの準備が整った成熟の状態をいう。学習が効果的に行われるためには、心身が一定の発達を遂げ、その学習を受け入れるための基礎ができていることが必要である。

(2) 環境説（経験説、学習説）

環境説（経験説、学習説）とは、発達は生まれたあとの環境、経験、学習によって決まるという考え方です。なかでもワトソン*3の学習優位説（環境優位説）では、環境的要因を操作すれば発達を完全に制御できるとしました。

以上のように、20世紀の初めごろまでは、単一的な要因が発達に影響しているという考えが唱えられましたが、１つの要因だけで説明することは難しい、ということが徐々にわかってきました。そこで、遺伝も環境も発達に影響する、という考え方がでてきたのです。

でた問!!

***3 ワトソン**
ワトソンの考え方について出題。
R5後

ワトソン
Watson, J. B.
1878～1958年。
アメリカの心理学者。人は経験によって変化しうるとし、行動主義心理学を提唱した。

シュテルン
Stern, W.
1871～1938年。
ドイツの心理学者。輻輳説を提唱した。

(3) 輻輳説

シュテルンが提唱した輻輳説*4とは、発達には遺伝的要因と環境的要因がともに関係するという考え方です。次のような特徴があります。

- **遺伝と環境は対立するものではなく、どちらも発達に関係する**
- **遺伝と環境は独立して発達に影響を与える**

また、ドイツの心理学者のルクセンブルガーは、シュテルンの輻輳説をもとに、発達にはそれぞれの特性によって、遺伝的要因が強いものと環境的要因が強いものがあり、一方の要因が強くなると他方の要因は弱くなるという考えを示しました。

***4 輻輳説**
シュテルンの輻輳説について出題。
R5前

輻輳説は、遺伝と環境が「独立して」発達に影響する、というところが相互作用説と異なるところですね。

(4) 相互作用説

相互作用説*5とは、発達には遺伝的要因と環境的要因がかけ算的に互いに関係し合い、作用し合うという考え方で、現在、最も一般的な考え方です。

相互作用説の一つである環境閾値説*6は、アメリカの心理学者ジェンセン（Jensen, A. R.）が唱えたもので、遺伝的特性が現れるのに必要な環境条件は、それぞれの特性によって異なり、一定の環境的水準を超えることで現れる、という考え方で

でた問!!

***5 相互作用説**
相互作用説の遺伝要因と環境要因の関係について出題。
R2後

***6 環境閾値説**
環境閾値説の内容について出題。
R4後、R5前

す。たとえば、身長や発語などの特性は、よほど劣悪な環境でない限りは遺伝的特性が現れますが、絶対音感などは、特殊な訓練をしなければ現れないということです。

現在、発達は遺伝的要因と社会や文化なども含む環境的要因が相互に促進し合ったり、抑制し合ったりしながら**相乗的**に影響し合うものであると考えられています。

たとえば、サッカーが得意な親（遺伝的要因）は、子どもにサッカーをさせる機会をつくり、興味を示したりうまくできれば褒めます（環境的要因）。その結果、子どもはサッカーが好きになり、ますますうまくなります。このように遺伝的要因と環境的要因は相互に作用しているのです。

2 発達段階の区分

（1）一般的区分

学校制度を基準にした区分で、場合により、**新生児期**が加えられたり、胎児期が除かれたりします。

用語

新生児期

「母子保健法」上、生後28日を経過しない時期をいう。医学的には生後28日までが1か月となる。

■学校制度を基準にした発達段階の区分

胎児期	受精～出生
乳児期	出生～１歳まで（生後４週間を特に**新生児期**という）
幼児期	１～６歳（就学まで）
児童期	６～12歳（小学校入学～小学校卒業まで）
青年期	12歳前後～22歳ごろ（中・高・大学）
成人期	22～65歳前後（経済的自立以降）
老年期	65歳ごろ以降（職業からの引退以降）

（2）認知発達からみた区分

ピアジェ[*7]が提唱した区分で、知能の発達はある区切りごとに思考方法が変化し、**質的**に異なる**認知構造（シェマ）**が生じるという考えに基づいています。ピアジェは知能を、感覚運動的知能と表象（ひょうしょう）的知能に大別しており、右ページの表の象徴的思考期から形式的操作期までが表象的知能に含まれます。

ピアジェ

Piaget, J.
1896～1980年。
スイスの生物学・心理学者。発達心理学における知覚の発達や認識論の研究で知られている。

***7 ピアジェ**

ピアジェの認知発達の区分について出題。
H31前、R3前・後、R4前

シェマと同化、調節について出題。
R1後

■ピアジェの知能発達の分類

	段階	年齢	内容
	感覚運動的知能の段階	0～2歳	新生児反射を基盤としている。感覚と運動の協応により、新しい場面に適応していく時期。
前操作期	象徴的思考期（前概念的思考期）	2～4歳	イメージ（表象）が生じ、言語によって象徴できるようにはなるが、まだ抽象化や一般化といった概念形成は困難である。
前操作期	直観的思考期	4～7歳	表象化や概念化は発達してきているが、推理や判断は知覚的直観に依存している。量や重さなどの判断は、**見かけの大きさ**に左右されてしまう。
	具体的操作期（具体的思考期）	7、8～11、12歳	具体的な事象であれば、論理的な操作による思考や推理が可能になり、**量・数・時間・空間・因果関係**などの概念が形成される。
	形式的操作期（形式的思考期）	11、12～14、15歳	形式的な思考が可能となり、知能発達は一応完成の段階に達する。

子どもは、発達とともに新しいシェマを獲得していきます。それまでのシェマと一致する内容の新しい経験を加えていくことを**同化**、それまでのシェマとの間にズレが生じるような経験を取り入れることを**調節**といいます。また、これまでのシェマで対応できない事実を知ったとき葛藤が起きますが、新たな知識を得ることで心のバランスをとります。これを**均衡化**（きんこうか）といいます。

3 発達課題

それぞれの発達段階で達成していなければならない一定の課題のことを**発達課題**といいます。

(1) ハヴィガーストの発達課題

アメリカの教育学者のハヴィガースト（Havighurst, R. J.）は、発達課題の考え方を提唱し、乳幼児期（出生～6歳）の発達課題として9項目を示しました。

用語

シェマ
人間が、すでに知っている物事を認識するうえでの行動や思考の内的な枠組みのこと。

プラス1

ハヴィガーストの乳幼児期の発達課題
①歩行する
②固形食をとる
③話す
④排泄（はいせつ）のしかたを学ぶ
⑤性差を知り、性に対する慎みを学ぶ
⑥生理的安定を得る
⑦社会や事物について単純な概念を形成する
⑧両親、きょうだいや他人と情緒的に結び付く
⑨善悪の区別ができ、良心を促す

エリクソン

Erikson, E. H.
1902～1994年。
ドイツで生まれ、アメリカで活躍した心理学者。自我心理学を発展させた。

フロイト
Freud, S.
1856～1939年。
オーストリアの精神科医。精神分析学の創始者。

*8 ライフサイクル論
エリクソンのライフサイクル論の特徴や意味について出題。
H31前、R3前・後、R5前・後、R6前

プラス1

ライフコース論
人間がたどる標準的な道筋を示しているライフサイクル論に対し、エルダーは、個人が生涯にわたって演じる役割や出来事の道筋をとらえるライフコース論を提唱し、結婚して子どもを産むというだけではない多様な家族のあり方を考察した。

基本的信頼感
基本的信頼感がしっかり獲得できると、成長後も自分自身や他者への信頼感につながる。

(2) エリクソンの発達課題

エリクソンは、**フロイト**の心理・性的発達の理論に社会的な視点を加え、人間の生涯（ライフサイクル）を８つの発達段階に分けました。次の表のように、それぞれの段階で個人の欲求と社会的要請との対立による心理・社会的**危機**があり、これを各段階での発達課題としました。

■ 8つの発達段階

乳児期（0～1歳）	「信頼性」対「**不信**」（希望の感覚） 養育者をはじめ、まわりの人を信じられるか。
幼児前期（1～3歳）	「**自律性**」対「恥と疑惑」（意思） 自分の行動を抑制できるか。
幼児後期（3～6歳）	「**自発性**」対「罪悪感」（目的の感覚） 養育者のもとを離れ、自分で積極的に行動できるか。
学童期（6～12歳）	「勤勉性」対「**劣等感**」（有能感） 生きる力を習得できるか。
青年期（思春期）（12～22歳）	「**自我同一性**〔アイデンティティ〕」対「同一性拡散〔忠誠〕」 自分は何者なのか。自分の信念とは何なのか。
成年前期（22～35歳）	「親密性」対「孤立」（愛） 自分自身を他者に完全に与えることができるか。
成年後期（35～65歳）	「生殖性」対「停滞」（世話） 次の世代継承にあたって何を提供できるか。
老年期（65歳以上）	「自我の統合」対「絶望」（英知） 自分の人生に満足しているか。

このエリクソンの**ライフサイクル論**[*8]は、**漸成的発達理論**（ぜんせい）ともよばれています。漸成とは、「少しずつなっていく」という意味であり、人間は**生涯にわたって連続して**発達していくものであるとしています。また、ある時期に十分に発達できるかどうかは、その前段階における発達に影響されるため、各発達期の関連性を重視しています。なかでも乳幼児期に養育者から得られる**基本的信頼感**は、その後の発達の基礎を築く重要なものと位置づけています。

（3）家族ライフサイクル論

人間の一生にライフサイクルがあるように、家族関係や親子関係にも発達過程と発達課題があるという考え方を**家族ライフサイクル論**[*9]といいます。家族ライフサイクル論では、たとえば、結婚し、子どもが生まれ、子どもが巣立っていくまでの過程を１つのライフサイクルととらえます。

でた問!!
[*9] 家族ライフサイクル論
家族ライフサイクル論について出題。
R4後、R6前

4 発達の原理・原則

発達はある一定の原理・原則に従って展開されていきます。

❶連続性

発達の変化は、**常に絶え間なく連続して**すすんでいくため、発達段階の境界をはっきりと区別することはできません。

❷順序性

発達は**一定の順序に従って**すすんでいくため、すでに獲得された機能を基礎として次の機能が出現します。

（例）乳児が座る→立つ→歩くという流れで成長していく

❸方向性

歩行に関する能力が**頭部**から**尾部**（**脚部**）へ向けてすすんでいくように、発達はある**方向性**[*10]に従ってすすんでいきます。身体的能力では**中心**から**周辺部**（**末梢**（まっしょう））へ、精神的能力では**具体的思考**から**抽象的思考**へという方向性がみられます。

でた問!!
[*10] 方向性
発達の方向性について出題。
R4前、R6前

❹周期性

発達の過程では、**類似した現象や傾向が周期的に現れます**。シュトラッツ（Stratz, C. H.）が見いだした、身体的発達において交互に現れる伸長期と充実期などがこれにあたります。

プラス1
伸長期と充実期
シュトラッツは、発達には身長の増加が著しい伸長期と、体重の増加が目立つ充実期とが交互に現れるとした。

❺相互関連性

心身の各機能は、**相互に関連し合って**発達していきます。運動能力や社会性、知的能力の発達など、それぞれが独立して発達していくことはありません。

❻個人差（機能差）

発達には大きな**個人差**[*11]があります。一個体のなかでも**機能によって発達のパターンが異なる**といった機能差もあります。

でた問!!
[*11] 個人差
発達の個人差について出題。
H31前

5 個人の発達とその理論

（1）パーソナリティとは

> パーソナリティはラテン語のペルソナ（仮面）が語源なのですね。

心理学的には、ある人の性格・能力を統合した**個性や人格**をパーソナリティといいます。一人ひとりによって異なる特徴的な態度、行動様式やそれを支える心の特性などは、パーソナリティの表れであるといえます。

（2）個人の気質の発達

***12 気質**
トマスらの気質に関する研究について出題。
R3後、R6前

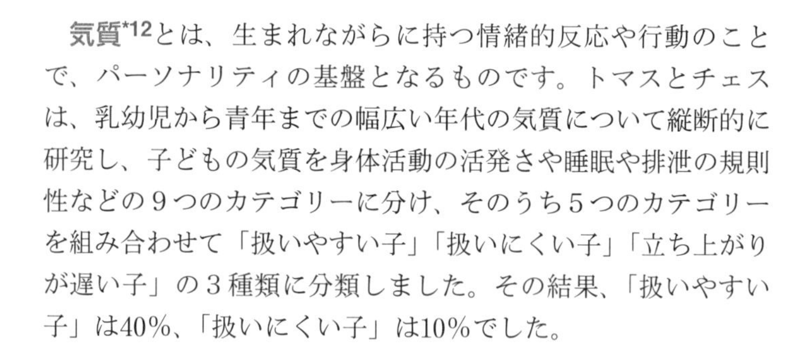

気質[*12]とは、生まれながらに持つ情緒的反応や行動のことで、パーソナリティの基盤となるものです。トマスとチェスは、乳幼児から青年までの幅広い年代の気質について縦断的に研究し、子どもの気質を身体活動の活発さや睡眠や排泄の規則性などの９つのカテゴリーに分け、そのうち５つのカテゴリーを組み合わせて「扱いやすい子」「扱いにくい子」「立ち上がりが遅い子」の３種類に分類しました。その結果、「扱いやすい子」は40%、「扱いにくい子」は10%でした。

（3）ブロンフェンブレンナーの生態学的システム

ブロンフェンブレンナー
Bronfenbrenner, U.
1917～2005年。
モスクワで生まれ、アメリカで活躍した心理学者。

***13 ブロンフェンブレンナー**
ブロンフェンブレンナーの生態学的システムについて出題。
H31前、R3前、R4前、R5前・後

ブロンフェンブレンナー[*13]は、人間の発達は**その個人を取り巻く環境からの影響を受ける**とする考えに基づいて生態学的システム理論を提唱し、人を取り巻く環境要因をマイクロシステム、メゾシステム、エクソシステム、マクロシステムの４つのシステムの同心円（どうしんえん）構造（入れ子構造）からなるモデルで説明しました。

各システムは、相互に影響し合いながら上位のシステムへと拡大していきます。

- **マイクロシステム**……個人が直接関わる環境のこと。親、きょうだい、友だち、保育士、先生など。
- **メゾシステム**……マイクロシステムでみられる要素同士の相互関係をいう。親と保育士の関係が良好であれば保育士と子どもの関係もスムーズにいきやすい、など。

- **エクソシステム**……当事者である子ども自身は直接的に関わることはないが、メゾシステムやマクロシステムに影響を与え得る環境のこと。父母の職場の人間関係や子育てへの理解など。
- **マクロシステム**……以上の背景にある文化や習慣、価値観、法律、歴史的出来事。女性の社会進出、男女の役割分担、子どもの教育に対する考え方など。

生態学的環境は成長発達に応じて変化するため、生態学的システムでは、縦方向としての時間（クロノシステム）を取り入れています。

■ブロンフェンブレンナーの生態学的システム

6 初期経験と子どもの発達

（1）間主観性

トレヴァーセンは、赤ちゃんが生後５～６週間ごろから発達させる能力を**間主観性**（かんしゅかんせい）とよびました。間主観性とは、養育者の感じていることを察知する能力、つまり自分に関心をもっているかどうかを判断する能力です。間主観性は、早期からみられる一次的間主観性と、生後６か月以降にみられる二次的間主観性とに区分されています。

人物

トレヴァーセン
Trevarthen, C.
1931年～
イギリスの心理学者。乳幼児の対人理解と言葉の理解についての研究で知られる。

人物

ボウルビィ
Bowlby, J. M.
1907〜1990年。
イギリスの児童精神分析学者、精神医学者。1950年、WHO（世界保健機関）の精神保健顧問に就任した。

エインズワース
Ainsworth, M. D. S.
1913〜1999年。
アメリカの発達心理学者。乳児と母親のアタッチメントの発達やそれらの類型を明らかにするためのストレンジ・シチュエーション法という実験観察法を提唱した。

でた問!!

***14 愛着**
愛着形成について出題。
H31前、R1後、R3前、R5前、R6前

プラス1

愛着関係
誕生したときからさまざまな人との間に異なる人間関係を結んでいくことが、愛着関係が生まれることにつながるという説は、アメリカの心理学者ルイスによって提唱された。

用語

アンビバレンス
両価性のこと。1つの対象に対し、愛と憎しみなどの相反する感情を同時にもつような精神状態をいう。

(2) 愛着（アタッチメント）

親や保育士などの養育者が赤ちゃんの要求に適切に反応することにより、赤ちゃんは養育者を見ると笑いかけたり、不安や恐怖を感じたときにくっついてきたり、姿が見えなくなると泣いてあとを追ったりするようになります。

ボウルビィは、このような相互作用的な関係を**愛着**[*14]（**アタッチメント**）とよび、愛着関係は生後６か月ごろから形成されると唱えました。ボウルビィは、養育者が赤ちゃんの要求を適切に判断する能力は、健全な愛着形成のための重要な要因であるとしています。

また、アメリカの心理学者の**エインズワース**は、子どもは、養育者との愛着関係によって育まれる「**安全基地**」を拠りどころにして、やがて外の世界を探索できるようになると唱えました。

では、適切な関わりがみられないとどうなるのでしょうか。エインズワースは、子どもと母親とを短時間分離し、再会させたときの子どもの反応をみるという**新奇場面法**（しんきばめんほう）（ストレンジ・シチュエーション法）を用いて、愛着形成の分析を行いました。その結果、愛着にはＡ〜Ｃ型の３つのパターンがみられました。現在では、これにＤ型を加えた４つのパターンで愛着を分類するのが一般的です。

- **A型（回避型）**……離れていた母親と再会しても、そっけない態度で母親を避けようとする。自立的な態度にみえるが、成長するにつれて分離不安を起こすなどの不適応がみられ、内的なストレスを抱えている状態。
- **B型（安定型）**……母親から離れるときは嫌がっても、しばらくすると一人遊びを始め、再会したときは喜ぶ。母親について、自分を理解し、的確に要求にこたえてくれる存在であると捉えている状態。
- **C型（両価型）**……離れていた母親と再会すると、叩いたりものを投げつけたりするなどの激しい反応を示す。**アンビバレンス**型、抵抗型ともよばれる。
- **D型（混乱型）**……離れていた母親と再会したことでとまどうなど、混乱した反応を示す。

ポイント確認テスト

穴うめ問題

Q1 過R5後
（　）は、人は経験によって変化しうるとし、行動主義の創始者となった。 >>> p27

Q2 過R1後
ピアジェの理論では、子どもの内的な枠組みである（ a ）と環境が与える情報とのズレを解消することで認知発達が促されるとし、これを（ b ）としている。 >>> p29

Q3 過R3前
ピアジェの発生的認識論では、2～7歳の子どもは（ a ）にあたる。この時期は（ b ）と（ c ）とに分けて考えられている。 >>> p29

Q4 過R5前
エリクソンは、乳児期の心理社会的危機を「（ a ）対（ b ）」であると考えた。 >>> p30

Q5 過R4前
ブロンフェンブレンナーは、（ a ）を提唱した。保育所に通っている子どもが直接経験する環境である（ b ）は、主に保育所と家庭である。この保育所と家庭は相互に関係しあい、（ c ）として機能する。 >>> p32

○×問題

Q6 過R5前
ゲゼルは、一卵性双生児の階段登りの実験の結果から、発達は基本的に神経系の成熟によって規定されるとした。 >>> p26

Q7 過R6前
乳児の運動機能の発達は、頭部から尾部へ、身体の末梢から中心へ、粗大運動から微細運動へという方向性と順序がある。 >>> p31

Q8 過R6前
トマスらの気質の分類に関する研究によると、「扱いやすい子(easy child)」は全体の約20%だった。 >>> p32

Q9 過R5前
エインズワースはアタッチメント(愛着)の個人差を調べるために、ストレンジ・シチュエーション法を考案した。 >>> p34

解答・解説

Q1　ワトソン　Q2　a シェマ／b 調節　Q3　a 前操作期／b 前概念的思考期（象徴的思考期）／c 直感的思考期　Q4　a 信頼性／b 不信　Q5　a 生態学的システム論／b マイクロシステム／c メゾシステム

Q6　○　Q7　×　中心から末梢へである。　Q8　×　20%ではなく40%。　Q9　○

保育の心理学 Lesson 3

胎児期・乳児期の発達

頻出度 Level 4

胎児期から乳児期にかけては、身体的にめざましく発達する時期です。さまざまな側面から発達過程をみていきましょう。

ココに注目!!

- ポルトマンの生理的早産説
- 新生児期の高等感覚と劣等感覚とは
- 原始反射の種類
- 幼児期からはじまるブリッジスの情緒の分化

用語

分娩
赤ちゃんが生まれること。

プラス1

周産期
周産期とは、通常は妊娠満22週から生後7日未満をいう。周産期医学では対象期間をさらに広げて妊娠満12週から生後28日までとする考えが提唱されている。

早産児は臓器などの発達が不十分な状態で生まれてくることもあり、長期間入院するなど医療的なケアを必要とする場合もあります。この場合、愛着形成不全になる可能性や発達に遅れが生じる場合もあります。

でた問!!

***1 低出生体重児**
低出生体重児について出題。
R5後

1 胎児期の発達過程

一般的に受精から生まれるまでを**胎児期**とよびます。妊娠は、最終月経の1日目から数え、週数で表します。妊娠8週までを胎芽(たいが)期、妊娠9週から胎児期と分ける考え方もあります。

胎児は、母親から胎盤(たいばん)や羊水を通じて酸素と栄養素をもらっています。その過程で、化学物質など発達を阻害するような物質を受け取ってしまうこともあります。妊娠中の飲酒や喫煙、一部の薬剤の摂取は胎児に影響を及ぼすので注意が必要です。

胎児は**分娩**により産道を離れたときから**新生児**とよばれるようになり、**胎盤呼吸**から肺呼吸に、**胎盤血行**から成人型血液循環に変化します。

2 新生児期の発達過程

出生後28日未満を**新生児期**といいます。

妊娠37週〜41週までに生まれた子どもを**正期産児**(せいきさんじ)といい、それより前に生まれた子どもは**早産児**といい、42週以降に生まれた子どもを過期産児といいます。

出生時の平均体重は**約3,000ｇ**、平均身長は**約50cm**です。出生体重2,500ｇ未満で生まれた子どもを**低出生体重児***1、

1,500g未満は極低出生体重児（ごくていしゅっしょうたいじゅうじ）、1,000g未満は超低出生体重児と分類します。新生児は無力で受け身な存在にみえますが、最近ではさまざまな能力を備えていることもわかってきました。

（1）生理的早産説

人間の赤ちゃんは、ほかの動物に比べて未熟で無能力な状態で生まれてきます。たとえば、チンパンジーの出生直後と比べると、同じようなレベルに達するには約１年かかるといわれています。**ポルトマン**[*2]はこの時期を子宮外胎児期とよび、人間の出生状態は**生理的早産**であると考えました。この説は長い間、新生児は無力であるとする考えの根拠とされてきました。

（2）注視の実験

ファンツ（Fantz, R. L.）は、新生児の視覚刺激に対する反応を調べる実験を行いました。生後５日以内の新生児と生後２～６か月の乳児に、６種類の円盤型の図版をランダムに２枚ずつ見せ、それぞれの図版の総注視時間を調べた結果、新生児・乳児ともに**注視**[*3]時間が最も長かったのは、人の顔でした。これにより、生まれたばかりの新生児にも、人の顔を好むという

■ファンツの実験

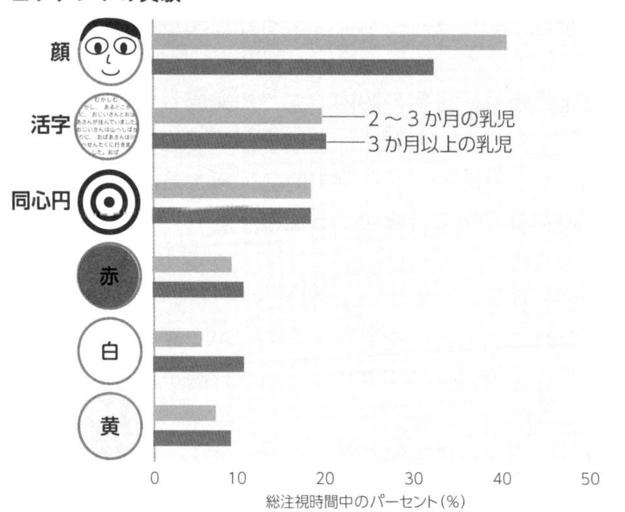

出典：「Fantz, R.L. Pattern vision in newborn infants. Science.」1963年をもとに作成

プラス1

二次的就巣性
ポルトマンは人間の生後1年までの乳児を、離巣性の動物（ウマなど生まれてすぐに歩いて自立する動物）とも、就巣性の動物（ネズミなど未熟な状態で生まれ一定期間巣で過ごす動物）とも異なる独特の就巣性の状態であるとして、「二次的就巣性」と呼んだ。

生理的早産
二次的就巣性

⇨上巻 教原p81

ポルトマン
Portmann, A.
1897～1982年。
スイスの動物学者。鳥類、哺乳類の発達に関する研究をもとに、新しい人間学を提唱した。

でた問!!

***2 ポルトマン**
ポルトマンの考え方について出題。
R1後、R4前

でた問!!

***3 注視の実験**
ファンツの実験について出題。
R3後

視覚的な偏向があると考えることができます。

また、新生児の音に対する反応をみる別の実験では、母親の声にははっきりとした反応を示すという結果が報告されており、新生児は母親の声をほかの人とは異なる声として認識していると考えられます。こうした実験から、新生児は選択的にものを見る能力、音を聞き分ける能力をすでに備えているということがわかってきました。

胎児のころから、すでに母親の声とほかの人の声とを聞き分けていることもわかっています。

(3) 新生児期の感覚

高等感覚といわれる視覚・**聴覚**[*4]の機能は、出生時から備わっているものの、働きはまだ十分ではありません。これに対し、近劣等感覚といわれる**味覚**・**嗅覚**(きゅうかく)・**皮膚覚**については、出生時にひととおりの機能がそろっています。

*4 聴覚
新生児の聴覚の発達について出題。
R6前

❶視覚

新生児は、視神経をつかさどる中枢(ちゅうすう)神経系が未熟なうえ、焦点の調節能力も未発達です。そのため、自分の目から**20〜30㎝**の位置に焦点が固定されており、そのほかのものはぼんやりとしか見えていません。

検査方法により異なりますが、新生児の視力は**0.01〜0.1程度**といわれています。また、両目で立体的にものを見ているかどうかは明らかになっていませんが、生後3〜4か月ごろから3歳ごろにかけて調節される機能であると考えられています。

❷聴覚

聴覚の基本構造は、母親の胎内ですでに完成しています。したがって、新生児でも音を聞くことは十分に可能であり、さまざまな音に対して敏感に、また選択的に反応する能力をもっています。音のする方向に目を向ける**定位**(ていい)**反射**もみられます。

音の聞き分けや音源の場所を知るといった高度な聴覚機能の発達には、ある程度の時間がかかります。

❸味覚

味覚については甘い、塩辛い、苦い、酸っぱいという四大味覚についてそれぞれの反応を観察することができます。甘い味は積極的に吸い、苦い味は吐きだすという行動がみられます。

❹嗅覚

嗅(か)ぎ分けることはまだ不完全なものの、アンモニアなどの強く不快なにおいに対しては、拒否反応を示します。

❺皮膚覚

温度に対する感覚ははっきりしており、ミルクや入浴する湯の温度に敏感に反応します。痛覚は、生後１週間で皮膚刺激にも敏感に反応するようになります。

(4) 原始（新生児）反射

原始（新生児）反射とは、新生児に現れる、一定の刺激に対する**不随意的**（ふずいい）な部分運動のことです。

不随意というのは、自分の意思ではない無意識的なものということなのですね。

■原始（新生児）反射の主な特徴

捕捉反射	口のまわりに何かがふれると、頭を動かして唇や舌でとらえようとする。
吸啜（きゅうてつ）（吸い付き）反射	口のまわりに何かがふれると、それに吸い付こうとする。
自動歩行（起立）反射	原始歩行ともよばれる。わきの下を支えて足の裏を床などに付けると、足を交互に動かし、歩くような動きをする。
モロー反射	身体の位置を急に変えたり、大きな音や強い光などの刺激を与えたりすると、腕を伸ばして広げ抱き付くようなようすをみせる。
匍匐（ほふく）反射	わきの下を抱えて、うつぶせの状態で寝かせると、両足と両腕を交互に動かして這（は）うようにする。
バビンスキー（足裏）反射	足の裏を柔らかくこすると、指を扇のように開く。
追視（凝視）反射	おもちゃなどを目の前でゆっくり動かすと、目でその動きを追う。
探索反射	口唇や口角を刺激すると、刺激の方向に顔や口を向ける。
緊張性頸（けい）反射	仰臥位（ぎょうがい）で顔を右か左に向けると、顔を向けた側の上下肢は伸ばし、反対側の上下肢は曲げる。

(5) 原始行動

原始行動とは、刺激がなくても新生児が自発的に起こす特徴的な行動のことです。代表的な行動を次ページでみていきましょう。

✚プラス１

「原始反射」以外の能力

新生児は下記のような能力ももっているといわれている。いずれも新生児が人と関わろうとする力をすでにもっているということを表している。

- 新生児模倣、共鳴動作……新生児が舌だし、口開けなどの大人の動作のまねをすること。メルツォフとムーアが示した
- エントレインメント……新生児が、母親など養育者の話しかけるときの調子に合わせて体を動かすこと
- 情動伝染……ほかの赤ちゃんが泣きだすとつられて泣きだすなど、他者の感情に引きずられること

用語

追視
動くものを目で追って見ること。

仰臥位
あおむけのこと。

■原始行動の主な特徴

抱き付き行動	深い睡眠状態にあるときにみられる。外部からの刺激がなくても、全身をピクッとさせて抱き付くような動作が一定のリズムで起こる。生後３か月を過ぎるころから少しずつみられなくなる。
吸啜（吸い付き）行動	深い睡眠から浅い睡眠状態に移行するときにみられ、吸い付くような口唇運動が一定のリズムで起こる。口による遊びや喃語（なんご）の発生につながる行動と考えられている。
ほほえみ行動	不規則な浅い睡眠状態のときにみられるもので、ほほえむような表情をする。はっきりと目が覚めているときや泣いているときには現れない。生後10日を過ぎたころから少しずつ、対人的・社会的なほほえみにつながっていく。
泣く行動	生後１～２週間ごろは、手足の活発な運動と同時に単調でリズミカルな泣き方をする。生後２～３週間ごろから泣き方が複雑化し始め、生後１か月を過ぎると不快・空腹などの要求表現として、状況に応じた泣き方をする。

喃語
⇨p44
⇨保実p371

プラス1

でたらめ運動

新生児には、ときおり身体内部の刺激によって身体全体をむちゃくちゃに動かす特有の行動がみられる。これは、でたらめ運動とよばれている。

（6）新生児の睡眠

新生児の１日の生活は約70%が睡眠時間、残りの30%で生理的・心理的活動が営まれています。通常の成人の睡眠が１日に１回、７～８時間をまとめてとる単相性（たんそうせい）睡眠であるのに対し、新生児は睡眠と覚醒（かくせい）を１日に何回も繰り返す**多相性（たそうせい）睡眠**です。また、新生児は成人に比べて**レム睡眠**の比率がはるかに高いといわれています（新生児で約50%、成人で約20%）。

用語

レム睡眠

睡眠は、深い眠りのノンレム睡眠と、浅い眠りのレム睡眠に大別される。ノンレム睡眠は脳の眠り、レム睡眠は身体の眠りともいわれ、ノンレム睡眠時には成長ホルモンが多量に分泌される。

3 乳児期の発達過程

一般的に、１歳までの時期を乳児期とよびます。この時期は身体的に最も体重の増加率が大きい時期であり、生後３か月で出生時の約２倍、１年で約３倍に増加します。身長も生後１年で約1.5倍になります。

乳児期の捉え方

１歳半までを乳児期とする考え方もある。

（1）乳児期の身体機能の発達

新生児期にみられた原始反射は、生後数週間～数か月を過ぎると少しずつ消えていき、主体的な意思によって起こる**随意運動**が現れてきます。運動能力は、**座る**、**這**(は)**う**、**立つ**、**歩く**という順序で移動動作を可能にし、感覚の発達とともに**協応**(きょうおう)**動作**（**協応行動**）もできるようになります。

厚生労働省が発表している「乳幼児身体発育調査」（2010年）によると、乳幼児の運動機能の目安は以下の通りです。

① **「首のすわり」**
生後４～５か月未満の乳児の90%以上が可能である
② **「ねがえり」**
生後６～７か月未満の乳児の90%以上が可能である
③ **「ひとりすわり」**
生後９～10か月未満の乳児の90%以上が可能である
④ **「はいはい」**
生後９～10か月未満の乳児の90%以上が可能である
⑤ **「つかまり立ち」**
生後11～12か月未満の乳児の90%以上が可能である
⑥ **「ひとり歩き」**
生後１年３～４か月未満の幼児の90%以上が可能である

運動機能の発達には個人差がありますが、基本的には**頭部から尾部へ**という発達の原理に従って現れます。手先の運動機能については、**中心から周辺部**（末梢(まっしょう)）へという発達の原理に従い、腕→手首→手のひら→指先という順序ですすんでいきます。

（2）感覚の発達

❶視覚

焦点の調節機能や輪郭(りんかく)に対する適応力は、生後５か月ごろまでに少しずつ発達していきます。

■視覚*5の発達段階

生後1か月過ぎごろ	注視ができるようになる。
生後2～3か月ごろ	色の識別ができるようになるが、２ｍ程度の範囲しか見えない。
生後4か月ごろ	円を描く追視ができるようになる。
生後4か月以降	遠いところもしだいに見えるようになってくる。

用語
協応動作
「目で見たものを、手を伸ばしてしっかりとつかむ」というような動作を行うためには、一つひとつの機能が完成するとともに、感覚と感覚、感覚と運動の高度な連携が必要となる。このように感覚と運動が結び付き、目と手、手と手、手と足、指と指などによって行われる動作のこと。

プラス１
「乳幼児身体発育調査」
10年ごとに調査が行われ、通常、翌年に公表されている。2024年７月末時点での最新は、2010（平成22）年のものである。

発達の原理・原則
⇨p31

プラス１
乳児の好むおもちゃ
定位反射で音のするほうを見ても、色の識別がまだ未熟な乳児には、ぼんやりとした色のものでは見分けられない。このため、乳児が好んで反応するおもちゃには、はっきりとした色合いを使用しているものが多い。

***5 視覚**
乳児期の視覚の発達について出題。
H31前

❷三次元の理解

乳児は、早い時期から高さや深さ、奥行きなど三次元的な広がりを理解しているといわれています。

- **ギブソン**（Gibson, E.）**とウォーク**（Walk, R.）**の実験**……**視覚的断崖**（だんがい）とよばれるガラス張りの装置を用いた実験を行った。装置の上に生後6か月の乳児を座らせ、母親が反対側から声をかけて呼んだところ、浅いところは這って渡るのに対し、下が深く見えるところでは這って渡ろうとしなかった。

この結果から、乳児が深さを認識していたために恐怖を感じて渡らなかったと考えることができます。

■ギブソンとウォークによる視覚的断崖の実験

✚プラス1

馴化・脱馴化法
同じ視覚刺激を繰り返し提示していると馴化（じゅんか）して反応が弱くなるが、別の刺激を提示すると反応が回復することを証明する実験方法。

❸大きさと形の恒常性（こうじょうせい）

大きさと形の恒常性は、外界を安定して認識するために大切な機能であり、発達の非常に早い段階から獲得されます。

- **大きさの恒常性**……対象までの距離が変わってもその大きさが同じように見えること。
- **形の恒常性**……立ててある缶を横に倒すなど、ものの置いてある方向が変わっても、同じものとして見ることができること。

❹聴覚

胎児のころから発達している**聴覚**[*6]ですが、生後1か月ごろからガラガラやメリーゴーラウンドなどの音に反応を示すようになり、生後2か月ごろからしだいに聞き分けがすすんでいき

***6 聴覚**
乳児の聴覚の発達について出題。
R6前

乳児は、女性の高い声を好む傾向があります。

ます。音のする方向を判断できるようになるのは、生後５か月ごろからです。聴覚をつかさどる中枢神経系が完成するのは２～３歳ごろであるといわれています。

（3）乳児期の知的機能の発達

２歳ごろまでの知的活動は、協応動作による外界への働きかけから成り立っています。ピアジェはこの時期を**感覚運動的知能の段階**として、６段階に分類しました。

ピアジェ
シェマ
⇨p28

■ピアジェによる感覚運動的知能の6段階

①反射の使用（生後０～１か月）	生まれもったシェマの同化と調節期。外界についての認識はない。吸啜（きゅうてつ・吸い付き）反射などによる活動段階。
②第一次循環反応期（生後１～４か月）	「循環反応」による活動段階。外界の認識は繰り返す行動との関連によってのみ得られる。
③第二次循環反応期（生後４～８か月）	音がするおもちゃを繰り返し鳴らそうとするなど、感覚と運動を外界の物体に関係させる段階。
④二次的シェマの協応期（生後８～12か月）	おもちゃを取る（目的行動）ために、その前にあるものを押しのける（手段行動）など、自分とは違うものとして、外界の物体を認識し始める。
⑤第三次循環反応期（生後12～18か月）	自分の行為とそれが外界に及ぼす影響に関心を向ける。音がするおもちゃを鳴らす場合にも、鳴らし方を変えて音の変化に関心を向ける。
⑥表象の始まり（生後18～24か月）	心的シェマの協調（協応）による新手段の発見期。さまざまな方法を試してみるのではなく、「考える」ことにより、行為の結果を予測できるようになる。目の前にないものをイメージすることが可能な段階。

用語

循環反応
ある行動によって生じる感覚への興味によって、その行動を繰り返す働きをいう。乳児の知能は、この循環反応の繰り返しによって発達していくものと考えられている。

プラス１

乳児の記憶力
記憶力は生後２か月ごろから認められるが、生後６か月以降になると、特に発達する。生後６か月の乳児にあるものを見せたあとでそれを隠し、数分後にもう一度見せると同じものであることを記憶している。さらに、生後10か月ごろになると、隠した場面を見せなくても、探そうとする。

❶ものの永続性の認識

生後８か月ごろになると、布などで隠されたものを見つけだすことができるようになります。ピアジェは、直接見えていなくても、そこにものがあることを理解できるこのような状態をものの永続性が成立した証拠であるとしました。永続性の理解が成立するということは、乳児が対象となる物体についての概念を成立させ始めていることを示しています。なお、最近の研究により、ものの永続性の理解は、生後５か月ごろから始まりつつあることが明らかになっています。

❷自己中心的な空間認知

ピアジェは別の実験から、乳児はものの絶対的な位置ではなく、自分自身の前後左右を基準として空間を認知しているという報告を行っています。このような乳児の思考様式の特徴を**自己中心的な空間認知**といいます。自分自身の位置にかかわらず、正確にものの位置を判断できるようになるのは１歳半ごろからになります。

（4）乳児期の言葉の発達

❶言葉のはじまり

新生児は泣くことと、産声と同じ規則的な発声である**叫喚発声**（きょうかん）によって自分の不快を伝えます。この「叫喚発声」が、言葉のはじまりといえます。

親などの養育者は、乳児の発声や呼びかけ、身振りなどから快・不快を感じ取り、共感したり、お世話をしたりし、乳児は

■乳児期の言葉の発達*7

生後0～1か月ごろ	発声が始まる。
生後2か月ごろ	機嫌のよいときに、のどの奥を鳴らすような不明瞭な声を出すようになる。→**クーイング**
生後3～4か月ごろ	喃語（なんご・アーン、ングといった意味をもたない発声）を発するようになる。「音声の一人遊び」ともいわれ、将来へ向けた言語獲得の準備として重要なものである。
生後7か月ごろ	大人の語りかけを模倣（もほう）するような発声を始める。喃語の多様な音のなかから母国語に必要な音声を獲得する。
生後9か月ごろ	母国語の特徴的な発声をするようになる。**音声の整型**。
生後10か月～1歳ごろ	「マンマ」という喃語を使って食べ物や母親を指さすなど、**初語**（しょご・最初の言葉）を発するようになる。これは音声と意味の結合を示しており、このころの言葉を**片言**（かたこと）あるいは**一語文**という。

用語

叫喚発声
不快状態のときの発声をいい、産声と同じ規則的な音声。

***7 乳児期の言葉の発達**
クーイング、喃語、初語、一語文について出題。
R3後、R5前
乳児期の言葉への反応などについて出題。
H31前

反復喃語
生後6～7か月ごろに発せられる子音と母音の繰り返し（dadadaなど）を反復喃語（規準喃語）という。

クーイング
⇨保実p370

片言
⇨p53

一語文
⇨p53
⇨保実p371

欲求が満たされることで安心感を抱きます。こうした応答的な関わりが、のちの言語の発達に大きな影響を与えます。

❷共同注意（ジョイント・アテンション）と言葉の発達

生後９～10か月ごろになると、子どもは、自分の見ているもの、関心があるものを指差すようになります。また、親などが注意を向けているものに対し、一緒に注意を向けることができるようになります。これを**共同注意**（ジョイント・アテンション）といいます。たとえば、イヌを見た子どもがそれを指差したとします。そのときに親が「ワンワンね」などと言葉を添えます。このとき、親と子どもは「イヌ（ワンワン）」という対象について、情報を共有しています。このことは、それまでの「親」と「子ども」の二項関係からの変化を意味しています。さらに、１歳半ごろになると、指差しは、自分の要求や、そのものに対する思いを伝える意味をもつようになり、三項関係が成立します。**三項関係の成立**は、のちの幼児期の言葉の発達の前段階として非常に重要です。

（5）乳児期の情緒の発達

❶情緒の分化

ブリッジス（Bridges, K. M. B.）は、**情緒の出発点**は新生児にみられる**興奮**であると説いています。乳児期にはそれが「快」と「不快」に**分化**し、やがてそれぞれの系統で複雑に分化していくとしています。

- **「快」の系統**……肯定的情緒として喜びや愛情につながる。
- **「不快」の系統**……否定的情緒として恐れや怒りにつながる。

最近の研究により、乳児はさらに分化した情緒をもっていることがわかっています。

❷認知・身体機能の発達との関係

情緒を引き起こす刺激は、**生理的な刺激→外界からの刺激**、**ものからの刺激→人からの刺激**というように種類や範囲が広がり、これにより情緒の発達がすすんでいきます。

この変化がいわゆる**人見知り**とよばれるものです。身近な人間とそうでない人間の区別がつくようになると、見知らぬ人間

✚プラス１

人見知り
アメリカの心理学者バウアー（Bower, G. H.）は、母子のように特定の人との間だけに通用するコミュニケーションの成立を愛着ととらえ、これが人見知りの要因になるとした。

■情緒の分化（ブリッジス）

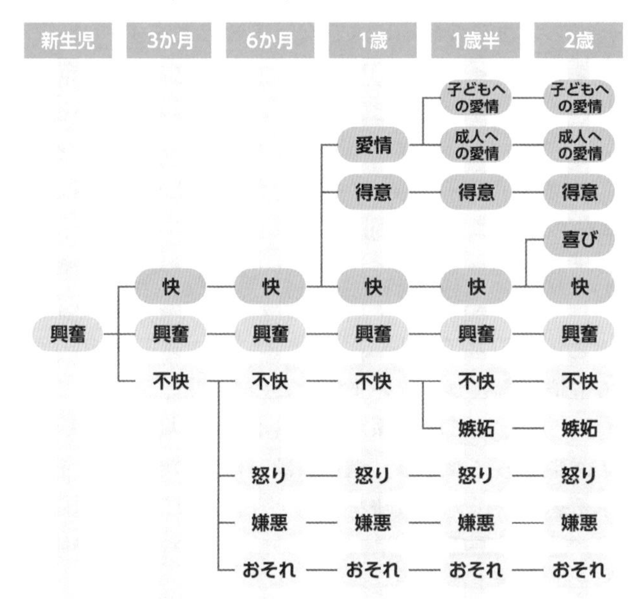

＋プラス1

ルイスにおける情緒の分化の研究

アメリカの心理学者ルイス（Lewis, M. T.）は、情動は、運動・認知・自己の発達と関連しながら分化していくという考え方を提唱し、生後3年間の感情の発達について、人は生後すぐに満足、興味、苦痛を、3か月ごろまでに喜び、悲しみ、嫌悪を、4〜6か月以降に驚き、怒り、おそれの感情を示すようになるとし、これらを一次的（基本）感情とした。

に対して不安を感じ、泣きだしたりすることです。生後8か月ごろから起こるため、オーストリア出身の児童精神科医であるスピッツ（Spitz, R.A.）は、**8か月不安**とよびました。

その後、身体機能が発達し、不安対象から自分で這（は）ったり歩いたりして逃れることができるようになると、泣くなどの情緒表出（ひょうしゅつ）を行う必要性は薄れていきます。

（6）乳児期の社会性の発達

人間の基本的欲求は、**生理的欲求**（一次的欲求）と**社会的欲求**（二次的欲求）に分類されます。乳児の行動は生理的欲求に大きく支配されていますが、自分の欲求のほとんどを自力で解決することができません。このため、欲求を満たしてくれる大人に対して**愛着心**を抱くようになると考えられています。乳児が最も愛着心を抱く対象は一般的に母親であり、一番身近な養育者との関係からしだいに社会性が広がっていきます。

❶愛着形成とホスピタリズム

循環的な**相互の働きかけ**（**相互作用**）によって自然に強めら

用語

生理的欲求

一次的欲求ともいう。生物一般に共通した、個体の生命や種族を維持するために必要な欲求。呼吸欲、食欲、排泄（はいせつ）欲、性欲、睡眠欲、休息欲などがある。

社会的欲求

二次的欲求ともいう。人間が社会生活を営むなかで、経験や学習を積み重ねることによって起こってくる欲求。愛情の欲求、所属の欲求、社会的承認の欲求などがある。

れていく母子の**愛着（アタッチメント）**は、子どもが人間一般に対して抱く基本的信頼感の基礎となります。

ハーロウは、愛着に関する実験として、生まれたばかりのアカゲザルを母親から隔離し、授乳ができる針金製の人形と柔らかい布製の人形という材質の異なる２種類の代理母親のもとで飼育しました。その結果、子ザルは授乳時間を除き、布製の人形に明らかな愛着を示し、具体的接触（スキンシップ）による快感が、乳児にとって睡眠や食欲などと同じ生理的欲求であることが明らかになりました。

ボウルビィは、母性的養育の喪失を意味する概念として、**母性剥奪**（はくだつ）**（マターナル・デプリベーション）**を提唱しています。発達初期の母性剥奪により愛着形成が不十分であると、周囲への無関心や絶望感、心身発達の遅れやゆがみなどの障害が生じることがあり、このような現象を**ホスピタリズム**といいます。

❷自己概念の確立

新生児は自己と他者の区別をつけることができません。乳児が他者を意識し始めるのは生後６～８週ごろで、やがて人があやすと笑い、養育者を区別できるようになります。生後６か月ごろから人の顔の見分けがつくようになり、生後７～８か月になると笑った顔や怒った顔まで見分けられるようになります。

しかし、客観的な自己の存在を意識できるようになるのは１歳半を過ぎたころからです。このことは、アメリカの心理学者の**ルイスとブルックスガン**（Brooks-Gunn, J.）が行った**マークテスト**[*8]という鏡を使ったテストで知ることができます。ルイスとブルックスガンは、気づかれないように乳児の鼻の頭に口紅を塗り、鏡の前に立たせるという実験を行いました。自己認識の成立していない乳児は、自分の鼻の頭を拭くという行動を起こしません。これは、鏡に映った姿が自分であることに気づかないからです。１歳半を過ぎると鼻の頭を拭く反応をみせる子どもが増え、２歳ごろになるとほとんどの子どもが反応します。

愛着（アタッチメント）
⇨p34

ハーロウ
Harlow, H. F.
1905～1981年。アメリカの心理学者。サルや犬を研究対象とするなかで、ボウルビィと同じ愛着関係を見いだしていった。

用語
ホスピタリズム
アメリカの精神医学者のスピッツが提唱した、施設で育った子どもに心身の発達障害や退所後の対人関係に障害がみられる現象。施設病の意。施設などで養育を受け、母性愛的な接触が少なかった子どもに起こるものであるが、養育者の接し方によっては一般家庭でも同様の状態が生じることが知られている。

ホスピタリズム
⇨保健p152
⇨上巻 社養p302

***8 マークテスト**
ルイスとブルックスガンが行ったマークテストについて出題。
R1後、R4後、R5後

ポイント確認テスト

穴うめ問題

Q1 過R5後
出生体重が（ a ）グラム未満の児を低出生体重児と呼び、その中でも、（ b ）グラム未満の児を極低出生体重児、（ c ）グラム未満の児を超低出生体重児と呼ぶ。 >>> p36

Q2 過R1後
（ a ）は、ヒトが生まれてきたときの状態を二次的就巣性とよび、（ b ）という考え方で説明した。 >>> p37

Q3 過R3後
生まれて間もない新生児期において、（　　　）とムーアは、視覚的に捉えた相手の顔の表情を、視覚的に捉えられない自己の顔の表情に写しとること、たとえば、「舌の突き出し」や「口の開閉」など、他者の顔の表情をいくつか模倣できることを示した。 >>> p39

Q4 予想
（ a ）は（ b ）とともに、断崖があるように見える実験装置で、乳幼児が奥行を知覚できるか明らかにした。 >>> p42

○×問題

Q5 過R3後
２～３か月頃の乳児は、単色などの単純な刺激と人の顔の絵などの複雑な刺激を見せられると、特に顔の絵などを好んで注視する傾向にある。 >>> p37

Q6 過R6前
乳児の視覚機能の発達が早いのに比べ、聴覚機能の発達は、生活リズムに適応する過程を経て生後1年までに徐々に発達していく。 >>> p38

Q7 過R5前
６か月以降の乳児期後半に、「バババ」「マママ」のような子音と母音の連続である規準喃語を発するようになる。 >>> p44

Q8 過R3後
スピッツは、見慣れた人と見知らぬ人を区別し、見知らぬ人があやそうとすると視線をそらしたり、泣き叫ぶなど不安を示す乳児期の行動を「６か月不安」と呼んだ。 >>> p46

Q9 過R5後
客体的自己の理解は、鏡に映った自分の姿を理解できるかという課題を用いて調べることができる。 >>> p47

解答・解説

Q1 a 2,500／b 1,500／c 1,000 **Q2** a ポルトマン／b 生理的早産 **Q3** メルツォフ
Q4 a ギブソン／b ウォーク（順不同）
Q5 ○ **Q6** × 聴覚は胎児のころから発達している。 **Q7** ○ **Q8** × 「８か月不安」と呼んだ。 **Q9** ○

保育の心理学 Lesson 4

幼児期の発達

頻出度 Level 5

幼児期は特に運動機能と知的機能が発達します。
幼児期特有の思考方法についても理解していきましょう。

ココに注目!!
- 運動機能（粗大運動、微細運動）とは
- 幼児期の発達過程からみる言語機能
- パーテンの遊びの分類でみる幼児の発達過程
- 発達からみる心の理論の獲得とは

1 幼児期の発達過程（運動・知的機能）

幼児期とは、一般的に、１歳から就学前（６歳）までの時期をいいます。この時期は運動機能、知的機能ともにめざましく発達する時期です。幼児期の**運動機能の発達**[*1]は、歩行運動から始まります。人間特有の**直立二足歩行**は、**幼児期**に獲得される運動機能の基礎となるものです。これにより子どもの行動範囲は広がり、それにともない、手の動きも発達していきます。

＋プラス１
幼児期の分類
１歳から３歳までを幼児期前期、３歳から6歳ごろまでを幼児期後期とする分け方もある。

***1 運動機能の発達**
幼児期の運動機能の発達について出題。
R5後、R6前

(1) 歩行運動

歩行運動の始期は、１歳から１歳３か月です。１歳前後につ

■歩行運動の発達過程

歩き始めのころ	体の安定を保ちながら倒れないようにすることだけに神経を集中させている状態。両腕を上げ、足は曲げて両足の間隔を広げ、重心を低くして歩く。
1歳6か月くらい	両足の間隔は狭（せば）まり、規則的な歩き方ができるようになる。
2歳過ぎ	**転ばないで走ること**ができるようになる。→「**歩行運動の完成**」といわれるが、この時期の走り方は歩幅も狭く腕の振りもみられない。
4歳ごろ	**疾走**（しっそう）ができるようになる。

かまり立ちができるようになり、1歳3～4か月にはおよそ90%の子どもが歩行を開始します。ただし、歩行の開始時期には個人差があり、生後8か月～1歳半くらいまでの開きがあります。2歳過ぎにみられる「歩行運動の完成」は、幼児期の運動機能の発達のなかで最も大きな節目になります。

(2) 粗大運動と微細運動

微細運動の機能は、粗大運動の機能に比べて発達スピードがゆるやかですね。

幼児期には、大筋肉を用いる**粗大**(そだい)**運動**(**全身運動**)と小筋肉を用いる**微細**(びさい)**運動**(**部分運動**)が互いにかみ合うことによって運動機能の発達がすすんでいきます。

■年齢別、運動機能の特徴

年齢	粗大運動の例	微細運動の例
1歳6か月ごろ	●歩き方が安定してくる ●横や後ろへの歩行や座位からの起立も自由にできる	●コップから水を飲む ●スプーンを使う ●積み木を2～3個積み上げる
2歳ごろ	●転ばないで走る ●両足跳びをする ●ボールをける	●なぐりがきをする ●絵本のページを1枚ずつめくる
3歳ごろ	●片足ずつ交互に出して階段をのぼる ●ボールを投げる	●ボタンを外す ●円を描くことができる
4歳ごろ	●疾走ができるようになる ●片足跳びができる ●スキップができる	●ハサミを使い紙を切る ●ひもを結ぶ

✚プラス1

利き手

一般的に、子どもの約95%が右利き、残りが左利きであるといわれている。ハサミの使用など、左利きであると不都合が生じる場面もでてくるため、左利き用のハサミを用意するなど、配慮が必要である。

(3) 幼児期の認知能力

ここでいう「自己中心性」とはわがまま、という意味ではなく、自分以外の視点で考えるのが難しい、という意味です。

認知とは外界を感覚・知覚によって認識する働きのことです。幼児期には認知能力が発達していきますが、完成には至らないことから、下記のような特徴をもつといわれています。

- **具体性**……「右手」ではなく「鉛筆を持つほうの手」などと、具体的な事象によって認知する。
- **自己中心性**……社会性がまだ未分化な状態であるため、すべてのものごとを自分中心に考える。

- **未分化性**……知覚、記憶、言語、思考などは幼児期になると急速に発達するが、知的機能と感情、自分と他者の視点の違いなどは依然として未分化な状態にある。

(4) 幼児期の知覚

幼児期には知覚が未発達であるため、大人とは異なる以下のような特徴があります。

- **相貌（そうぼう）的知覚**……人間の表情や感情を読み取るかのように事物を知覚すること。幼児の知覚が主客（しゅきゃく）未分化で主観的であるために起こる。後述するアニミズムと同じ考え方。
- **共感覚**……ある感覚器官に刺激を与えると、別の感覚器官の感覚が生じること。音を聞いて色を思い浮かべるなど。

知覚の発達
色、形、大きさ、方向、距離、時間に対する知覚は、幼児期に著しく発達する。

相貌的知覚とは、たとえば雨が降ってきたときに子どもが「お空が泣いてるね」などと言うことです。

(5) 幼児期の世界観

幼児期の世界観は、その時期の思考の特質の一つである自己中心性に基づいています。

■幼児期の世界観を形成する理論

実在論	自分が考えたことや想像したものが実際に存在すると思うこと。絵本の登場人物の存在を信じる、現実と空想の世界の区別ができないなど。
フェノメニズム	見かけで判断してしまい、現実に正しく反応できないこと。食べものの形をしたおもちゃを、食べられると思ってしまうなど。3歳ごろに多くみられる。
人工論	目に映るものや世の中に存在するものは人間がつくったもので、人間のために存在すると考えること。「山は誰がつくったの？」など。
アニミズム*2	動植物はもとより、無生物も含めすべてのものに人間と同じように生命や心があると考えること。ものを人間と同じように扱ったり、話しかけたりする。物活（ぶっかつ）論、汎心（はんしん）論ともいう。
知的リアリズム	フェノメニズムとは逆に、事実に惑わされてしまい、見かけについて正しく反応できないこと。動物の足を描くときに、ほかの足の陰に隠れていて見えない足があっても4本ともすべて描くことなどをいう。4～5歳ごろに多くみられる。

***2 アニミズム**
アニミズムについて出題。
R3後

（6）幼児期の記憶力

幼児期には記憶力の発達が著しくすすみます。記憶の働きは、再認と再生に大別されます。

- **再認**……一度見たり聞いたりして経験したものが再度でてきたときに、それがすでに経験したものであることを認める働き。
- **再生**……一度経験したものや見たものを、必要に応じて自分の力で引きだす働き。

一般に、再認、再生ともに、興味をもったことほどしっかりと思いだせるという傾向がありますが、幼児は**全体的な記憶能力**だけをもち、自分の名前が書けてもそこに使われている１文字だけを取りだして書くことはできなかったりします。

でた問!!

***3 初語**
初語の特徴について出題。
R5前

***4 語彙爆発**
子どもの言語発達について出題。
R3前、R4後

2 幼児期の発達過程（言語・情緒・社会性）

1歳半ごろからものの名前を知りたがるようになり、語彙は急激に増えていきます。

（1）幼児期の言語機能の発達

❶語彙の発達

１歳ごろになると、意味のある単語を発するようになります。これを**初語**（しょご）*3といいます。「マンマ」や「パパ」、「ブーブー」など、発音しやすい言葉で、身近なものを指す名詞が多いといわれています。その後しばらくは数語しか話しませんが、１歳半から２歳ごろになると、語彙（ごい）が急激に増加します。これを**語彙爆発***4といいます。

このように、語彙には集中的に増加する時期が何度かあり、次のような増加のしかたが目安になります。

✚プラス１

発語言語と理解言語
幼児期には実際に口にだす言葉（発語言語）に対し、口にださないが意味を理解している言葉（理解言語）の割合が多いといわれている。

ここは覚えよう!!

語彙量の発達

1歳	2歳まで	3歳まで	4歳まで	5歳まで
数語	200〜300語	900〜1,000語	1,500〜1,700語	2,000〜2,500語

❷一語文から二語文、多語文へ

初語が話せるようになると、言葉を使って身近な大人とコミュニケーションがとれるようになります。たとえば、子どもが「ママ」という単語を話すとき、状況によって「ママがいない」「ママの靴だ」「ママこっちにきて」など、複数の意味を含めて、相手に伝えようとしています。これを**一語文**[*5]といいます。

1歳半から2歳ごろになると、「ワンワンいた」など、2つの言葉をつなげた表現ができるようになります。これを**二語文**といいます。2歳以降になると、三語文や**多語文**が話せるようになり、助詞や接続詞も使えるようになります。4、5歳ごろには大人との会話が支障なくできるようになってきます。

でた問!!

*5 一語文
一語文の特徴について出題。
R3後

❸幼児期の言語の特徴

- **片言**（かたこと）……幼児にとって発音しやすく、音声に意味が結び付いた言葉を片言といいます。イヌは「ワンワン」、車は「ブーブー」というように、多くは擬声（ぎせい）語です。
- **発音の乱れ**……幼児には、発声器官の未熟さと言語経験の少なさなどから次のような**発音の乱れ**があります。

二語文を話すようになると、しきりに「これ、なあに?」と質問をするようになります。この時期を第一質問期ともいいます。

■幼児期の発音の乱れ

チ音化	いろいろな音が「チ」になる （おかし→オカチ、3つ→ミッチュなど）
乱れ音	音が乱れる（できる→デキレルなど）
省略	音が抜ける（ひまわり→マワリなど）
音の入れ替え	音の位置が入れ替わる（からだ→カダラなど）
子音の入れ替え	子音が入れ替わる（ライオン→ダイオンなど）

幼児の言葉の発達
⇨保実p371

言語経験をしながら成長することによって、このような乱れは減り、少しずつ正しい発音ができるようになっていきます。なお、サ・ザ・ラ行と「ッ」（促音（そくおん））の発音の習得が最も遅くなります。

❹独語

ピアジェは、言語には、他者との意思交換という社会的機能をもつ**社会的言語**と、相手の応答を期待せず伝達の目的をもたない**自己中心的言語**があり、子どもの場合には特に後者が多い

ピアジェ
⇨p28

と考えました。そのため幼児には自己中心的言語として**独語**（ひとりごと）がよくみられます。集団で行動しているときにも独語がでてくることもよくあり、これを**集団的独語**といいます。これも幼児の自己中心性が要因と考えられます。

❺言語能力の発達

２歳半ごろになると、色の名前など**概念を表す言葉**や、「大きい、小さい」など**比較の言葉**を理解できるようになります。３歳後半ごろには頭のなかのイメージを言葉で伝えたり、出来事の流れを言葉で表現したりできるようになり、ごっこ遊びなどの象徴遊びが発展していきます。

用語

集団的独語
集団のなかにいて、他人から刺激を受けることによって生じる独語。たとえば、集団で砂遊びをしているとき、友だちのつくった砂のケーキを見て「今日のおやつは何かな」とひとりごとを漏らすような場合をいう。

（2）幼児期の情緒の発達

情緒の分化は乳児期に始まり、２歳ごろまでにひととおり完成します。さらに発達がすすんで、情緒的な基礎が出来上がるのは５歳ごろであるといわれています。

情緒の分化
⇨p45

■情緒の分化過程

怒り	生後4～5か月ごろから	●要求を阻害されたときの欲求不満によって「怒り」が生じる ●怒りにともなって泣くという行為が多くみられる
	3歳過ぎ	言葉や態度で反抗を示せるようになっていく
嫉妬	2歳ごろ	愛情に対する欲求不満の一種として「嫉妬」が生じる。（例）弟や妹が生まれたときなど
愛情	1歳ごろ	母親や周囲の人たちに対する「愛情」が出現する
	1歳半ごろ	人形などをかわいがるようになる
	4～5歳ごろ	年少の子どもに愛情を示すようになる
おそれ	生後6か月ごろ	●危険に対する注意信号である「おそれ」が出現 ●発達とともにおそれの対象は変化していく ●おそれが生じる原因には、嫌な経験、不幸な出来事、暗示などによる学習が大きく影響している

プラス1

好奇心
疑問の解決や知識の獲得のための動機づけとなる情緒で、これがものごとに対する興味や意欲へとつながっていく。

幼児期の喜怒哀楽
アメリカの心理学者であるゴールドスミス（Goldsmith, H.H.）とキャンポス（Campos, J.J.）は、乳幼児行動評定質問紙を用いた研究から、幼児期の喜怒哀楽の表し方は感情の種類によって、強い弱いがあるとした。

（3）幼児期の社会性

子どもは周囲の多くの人との関わりのなかで成長していきます。一定の社会集団のメンバーとして、その社会の大人が期待する行動の型を学習して、適応行動がとれるようになっていくといえます。

❶エリクソンによる「自我意識」と「課題意識」

エリクソンは、1～3歳ごろの**幼児前期**には**自律性**、3～6歳ごろの**幼児後期**には**自発性**を、それぞれの時期の**発達課題**としています。

子どもは、1歳半～4歳ごろに**第一次反抗期**を迎え、まわりから言われることに対して反抗的な行動をとったり、**自己主張**[*6]が強くなったりします。こうした態度は、**自我意識**が目覚めてきたことを表しており、自我の成長の証（あかし）しといえます。

次のような過程があることも押さえておきましょう。

2～3歳ぐらいまで	子どもは自分の感情を最優先に行動する。
4歳を過ぎるころ	課題意識（大人から言われたことを言われたとおりに実行しようとする気持ち）が強くなる。
5歳ごろ	課題意識がかなりはっきりする。
6歳ごろ	課題意識が強固なものになっていく。

❷愛着と人間関係

ボウルビィは、社会集団における人間関係は、**内的ワーキングモデル**（表象（ひょうしょう）モデル）に照らして展開されると考えました。内的ワーキングモデルとは、「他者は信頼できるものであり、自分は他者に大切にされる価値のある人間である」と確信できているということです。**養育者との相互作用によって愛着が形成**され、このような確信をもてた子どもは、成長後も良好な人間関係を築いていける可能性が高いといわれています。

❸集団形成

子どもを取り巻く人間関係は、親や保護者などの大人から、立場が対等な同年齢の子どもへと広がっていきます。

遊びについては、「一人遊び」が2歳ごろまで続きますが、少しずつ「二人遊び」が多くなり、年齢が上がるにつれて3人以上で遊ぶ割合が増えていきます。

パーテン[*7]は、幼児の遊びがしだいに集団遊びへと発展していく過程を次ページのように分類しました。

エリクソン
⇨p30

でた問!!

***6 自己主張**
第一次反抗期の自己主張について出題。
R6前

プラス1

内的ワーキングモデルの決定
ボウルビィは、養育者（愛着対象）が自分に応答的であったか、受容されていたかどうかで形成されるモデルが決定するとした。

子ども同士の関係の発達といざこざ
幼児期の子どもたちは自分の感情のコントロールがまだ難しいため、子ども同士で遊ぶ機会が増えると、「いざこざ」が起きる可能性が高くなる。「いざこざ」は子どもの育ちを促すものでもあるので、保育士は、介入すべきかどうか、よく観察してから判断する。

でた問!!

***7 パーテン**
パーテンの遊びの分類について出題。
R2後、R4前・後、R5前

パーテン
Parten, M. B.
1902〜1970年。
アメリカの発達心理学者。遊びの社会的側面に注目して、幼児の遊びの発展過程を分類した。

①目的のない（何もしていない）行動

あちこちを見回したり、何もしないでじっと座っていたり、目的もなくぶらぶらしているような状態。

②一人遊び

そばで遊んでいる子どもがいても無関心で、一人だけで遊ぶ状態。

③傍観（ぼうかん）

隣の子どもの遊びには関心は示すが、加わろうとはせずにわきに立ってじっと見ている状態。

④平行（並行）遊び

複数の子どもが同じ場所にいて同じおもちゃを使っていたり、一人の子どもの遊びをほかの子がまねをしたりしているのに、子ども同士の間には関わりがない状態のこと。2〜3歳児に最も多い。

⑤連合遊び

一緒に遊ぶが全体にはまとまりがなく、組織的な集団づくりや役割分担のない遊びのこと。

⑥協同遊び

めいめいの役割分担があり、共通した目的に組織化されている状態。

プラス1

想像の友だち
3歳ごろになっても一緒に遊べる友だちがいない子どもが、想像の世界で友だちをつくり、実際にはいないのに、あたかも友だちがいるかのようにして遊ぶ現象。友だちを求める欲求の強さの表れであるといわれている。

❹遊びの役割

ビューラーによって、**機能の快をもたらす活動**と定義されているように、遊びとは、それ自体の楽しみを享受するために行われる活動です。幼児は、遊びそのものを楽しみながら、さまざまな機能を発達させていきます。遊びの果たす役割は次のようになります。

- 本人の自発性や主体的な意欲を伸ばし、**身体・運動機能**や**知能**を発達させる。

ビューラー
Bühler, C.
1893〜1974年。
ドイツで生まれ、オーストリアで活躍した女性心理学者。児童・青年の心理学的発達を研究し、幼児発達検査を作成したことで知られる。

- 対人関係の維持のしかたや協調性、ルールを守ること、一定の役割を果たすことなど、**社会性**が培われる。
- 自我の確立を助けるとともに、交渉やけんかを通じて忍耐力、思いやりの心、道徳心が養われ、**人格（パーソナリティ）形成**がすすむ。
- **カタルシス（浄化）**効果があり、情緒を安定させる。

❺遊びの分類

幼児の遊びは、次のように分類されることもあります*8。

機能遊び（感覚遊び、運動遊び）	1歳未満から始まり、2～4歳で減少するが、その後再び多くなる（石けり、ボール転がし、ボール投げ、三輪車、ブランコなど）。
象徴遊び	2歳ごろから始まり、4歳ごろに最も盛んになる。「見立て遊び」「ごっこ遊び」ともいう（ままごと、お店屋さんごっこなど）。
受容遊び	1歳半から3歳にかけて盛んになり、5～6歳ごろになるとこころから楽しめるようになる（絵本、スライド、テレビなど）。
構成遊び	1歳ごろから始まり、年齢とともに盛んになる（積み木、絵合わせなど）。

❻社会性の発達と「心の理論」

前述した通り、幼児期の認知の特徴には自己中心性がありますが、遊びなどを通じた他者との関わりなどにより社会性が発達することで、しだいに少なくなっていきます。

そのことを証明する理論として、アメリカの霊長類学者のプレマック（Premack, D.）とウッドラフ（Woodruff, G.）が提唱した、「**心の理論***9」があります。「心の理論」とは、プレマックとウッドラフがチンパンジーの研究をするなかで発見したもので、「他者は自分と異なる考えや知識をもっている」ということが理解できるかどうかということです。このことがわかれば、他者の心の動きを理解したり予測したりすることが可能になります。**誤信念課題**により、人間は4、5歳ごろから「心の理論」を獲得することがわかっていますが、自閉スペクトラム症の子どもの場合には、その獲得が遅れる、ともいわれています。

✚プラス1

運動遊びの動作

- 平衡系動作……平均台の上を歩く、マットの上で前転するなど
- 移動系動作……鬼ごっこで走って逃げる、かけっこをするなど
- 操作系動作……ボールを投げたり転がしたりする、縄跳びをするなど

でた問!!

***8 遊びの分類**
象徴遊びについて出題。
H31前

***9 心の理論**
幼児の心の理論の発達などについて出題。
R1後、R2後、R4後、R5前、R6前

用語

誤信念課題
他者は自分とは異なる、誤った信念をもつことを理解できるかどうかを問う課題。
①～④に対して正しく答えられるようになるのは、一般的に4、5歳といわれている。
①サリーはカゴを、アンは箱を持っている
②サリーはボールを自分のカゴの中に入れて、カゴを置いて部屋をでて行った
③アンはカゴからボールを自分の箱に移し替えた
④サリーが帰ってきて、ボールを取りだすのはカゴと箱、どちらか

ポイント確認テスト

できたらチェック！

穴うめ問題

□□ **Q1** 過R2後
幼児には、自分の体験を離れて、他者の立場から見え方や考え方、感じ方を推測することが難しい（　　　）がみられる。>>> p50

□□ **Q2** 過R5前
1歳頃になると、初めて意味のある言葉を発するようになるが、これを（　　）という。>>> p52

□□ **Q3** 過R3後
（　　　）期には、「ブーブー（車に乗りたい）」「ブーブー（車が来るよ）」というように、一語でいろいろな意味機能を表すようになる。>>> p53

□□ **Q4** 過R2後
パーテンは、子どもの遊びの形態とその発達過程について、「何もしていない」「（　a　）」「（　b　）」「平行遊び」「連合遊び」「（　c　）」の順に、6つに分類した。>>> p56

○×問題

□□ **Q5** 過R6前
二足歩行ができるようになると、子どもの行動範囲は広がり、両手で物を持って運ぶ、足で蹴るなどの操作的技能を獲得するようになる。>>> p49

□□ **Q6** 過R4後
3歳児3人がそれぞれ粘土を使って遊んでいたが、そのうちの一人がウサギの耳を作り始めると、それを見ていた他の2人も、真似をしてそれぞれ粘土で動物の耳を作り始めた。これを協同遊びという。>>> p56

□□ **Q7** 過R6前
誤信念課題は、6歳頃から徐々に正答できるようになる。>>> p57

□□ **Q8** 過R6前
自閉スペクトラム症の場合、知的な遅れがないのに誤信念課題の成績が低いことがあり、心の理論の獲得に困難があることが注目された。>>> p57

□□ **Q9** 過R5前
誤信念課題は、他者が現実とは異なり誤った信念を有していることが理解できるかについて調べる課題である。>>> p57

解答・解説

Q1　自己中心性　Q2　初語　Q3　一語文　Q4　a 一人遊び／b 傍観的行動／c 協同遊び
Q5　○　Q6　×　平行遊びという。　Q7　×　4～5歳頃。　Q8　○　Q9　○

保育の心理学 Lesson 5

学童期・青年期の発達

頻出度 Level 5

難

学童期・青年期は身体的にも精神的にも大きく成長する時期で、青年期にはアイデンティティの確立が大きな課題となります。

ココに注目!!

- 数や量の保存概念とは
- 学童期の知的機能、ピアジェの脱中心化
- ギャング・グループの形成
- アイデンティティの形成過程の分類と確立

1 学童期の発達過程

学童期とは、一般的に小学校就学始期の6歳ごろから12歳ごろまでの、小学生の時期を指します。

(1) 身体の発育の性差

学童期は、身体の発育面でみると、乳歯の抜け始めるころから、声変わりや初潮など（**第二次性徴**(せいちょう)）が現れるころまでにあたり、著(いちじる)しく発達する時期です。この時期には、男子より女子のほうが成長が早いという特徴があり、学童期後半は男子よりも女子のほうが体格的に優位になる傾向があります。

プラス1

身長の急激な増加
- 女子 9～11歳ごろ
- 男子 11～14歳ごろ

体重の急激な増加
- 女子 10～13歳ごろ
- 男子 12～14歳ごろ

(2) 運動機能

運動機能の発達面では、全身運動の基本的な能力は幼児期にほぼでき上がっていますが、部分運動の場合、たとえば手先の運動の巧みさは、8～12歳ごろまでに少しずつ発達していきます。細かい字を書くことや、組立工作や刺しゅうが上手にできるようになるのは10歳くらいからです。

（3）言語機能

言語には**内言**（思考手段としての言葉）、**音声言語**（話し言葉）と**視覚言語**（書き言葉）があります。

❶内言

ヴィゴツキー
Vygotsky, L. S.
1896～1934年。
旧ソ連の心理学者。1920年代から30年代にかけて活躍。子どもの思考と言語、概念発達の研究で知られている。「精神の文化的・歴史的発達理論」を唱えた。

ヴィゴツキーは、声をだすことなく頭の中だけで思考する過程を**内言**としました。内言が可能になることで**論理的思考**が発達し、**黙読**ができるようになるなど、子どもの知能の発達にとって大きな役割を果たします。

小学校入学当初まではほとんど獲得することはありませんが、言語が発達してくるのにともなって、何かを考えるときに小さくつぶやくようになり（外言）、やがて声をださずに思考できるようになっていきます（内言）。このことを内言の完成といい、時期は小学校３年生以降になります。

❷音声言語

学童期には語彙数が増加し、より複雑に分化しながら著しい発達を遂げます。

❸視覚言語

小学校入学当初は語句を並べるだけだったのが、主節と従属節をもった文（**複文**）に変化し、一つの文章に含まれる語の数も増加します。

（4）知的機能

ピアジェの知能発達の分類
⇨p29

❶具体的操作期

ピアジェによる発達段階の区分では、７、８～11、12歳を**具体的操作期**[*1]としています。この時期は、具体的対象や出来事については、知覚に惑わされずに論理的な思考や推理ができ、具体的事象と結び付けて数や量、時間、空間、因果関係などの概念を形成させていきます。

❷保存概念

ものの形態や**並び方**などの見かけに惑わされることなく、**数や量**を把握できる思考を、数や量の**保存概念**[*2]といいます。幼児期には、保存概念が身についていないため、視覚的直観で数量をとらえ、次の図イでは「オレンジ色が多い」、図ロでは

***1 具体的操作期**
ピアジェの具体的操作期の考え方について出題。
R4後

***2 保存概念**
幼児期の数や量の保存概念について出題。
R2後、R3後、R4前、R6前

「Cが多い」と答えてしまいがちです。保存概念は、論理的な思考や推理が可能になる学童期に成立します。

■保存概念

図イ

幼児に上列、下列が同数あることを確認させる。

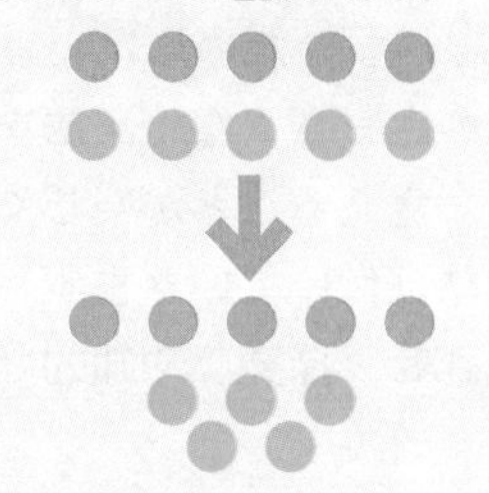

幼児の見ている前で、下列を移動させ、上列と下列とでは「どちらが多いか、同じか」を問う。

図ロ

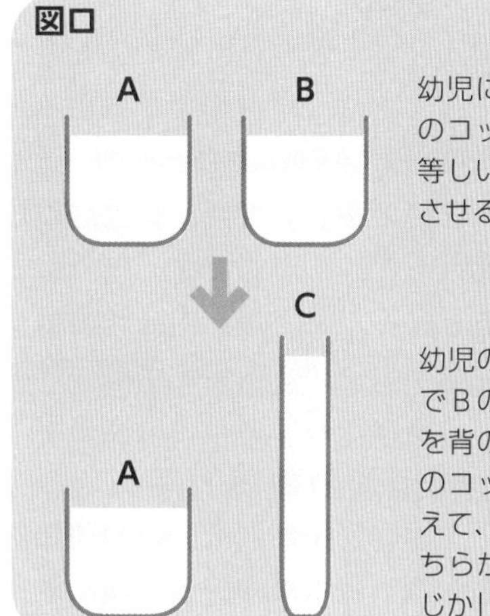

幼児にA、B 2つのコップの水量が等しいことを確認させる。

幼児の見ている前でBのコップの水を背の高い細いCのコップに移し替えて、AとCは「どちらが多いか、同じか」を問う。

❸脱中心化

レッスン4で学んだ通り、幼児期の思考の特徴は自己中心性にありました。学童期の中ごろから、**自分中心の考え**から抜けだすようになります。これをピアジェは**脱中心化**(だつちゅうしんか)[*3]とよびました。たとえば、幼児期の子どもは同じものを違う角度から見たときに、見える形が異なるということを理解できませんが、学童期の中ごろから「違う位置から見ている他人には見えている形が自分と異なっている」という観点の相違を理解するようになります。この他人との見え方の違いを認識することを、**客観的空間の保存**といいます。

***3 脱中心化**
ピアジェの自己中心性、脱中心化について出題。
R3前・後、R5前・後

❹学びの発達と動機付け

就学前から子どもは遊びを通して学んでいますが、学童期になると本格的な教科学習がはじまり学ぶ力が発達していきます。学びの発達に大切なのが**動機付け**という考え方です。

動機付けには、自分自身の発見の喜びによって引き起こされる**内発的動機付け**[*4]と、親や先生からほめられたりしかられたりする（賞罰）など、外部からのはたらきかけによって引き起こされる**外発的動機付け**があります。外発的動機付けは、その要因となる賞罰がとりはらわれると意欲が失われてしまうとい

***4 内発的動機付け**
内発的動機付けの意味について出題。
R4前
内発的動機付けと外発的動機付けの違いについて出題。
R4後、R5後

う特徴があります。子どもが内発的動機付けによって学べるようなはたらきかけが、学童期においては重要です。

❺メタ認知

メタ認知[*5]とは、「自分の思考を客観視することや、結果予測、分析などを行うようになること」です。

たとえば、学童期後半になると、子どもは自分の記憶能力を現実的に評価します。そのうえで、「忘れないためにはどうしたらいいか」と考え、**語呂合わせ**などのさまざまな暗記法を編みだしたりするのです。それによって、覚えることが楽しくなるといったことが、内発的動機づけに結び付いていきます。メタ認知の発達が内発的動機づけを促進させ、探究心や知的好奇心につながっていくといえます。

❻学童期の論理的思考

具体的操作期には、目の前にあるものを、属性をもとに**系列化**する（数本の棒を長い順に並べるなど）といった操作が可能になりますが、目の前にあるのではなく言語で同じ問題をだされると適用できません。また、無意味なものをそのまま機械的に覚える**機械的記憶**の発達は10歳前後にめざましく、意味をつかんで論理的に覚える**論理的記憶**は７歳くらいから少しずつ発達し、17歳以降に本格化します。

（5）情緒

学童期には、それまで直接的だった表現が抑制され、間接的になっていきます。泣き叫んでいた怒りの表現は、反抗的な言葉や態度に変わり、泣くこと自体に対しても、恥ずかしいことだという意識が現れてきます。

（6）学童期の社会性

❶人間関係の変化と特徴

幼児期においては、特定の一部の人間（親などの養育者を中心とする家族）からのみ受けていた影響が、学童期になると、重要な人間の数が増え、多様化します。自分を核とした多くの人物との人間関係は、自律性をもった自己の形成につながって

プラス1

アンダーマイニング現象
自分から勉強に取り組んでいる子どもに、100点をとったらご褒美をあげるというような外発的動機付けを行うことで、かえって学習意欲が低下するような現象をいう。

でた問!!

***5 メタ認知**
子どものものの見え方や考え方、認知について出題。
H31前、R4前

用語

機械的記憶
数字を反唱したり、図形を再生したり、ものごとをそのまま機械的に記憶すること。一般に学童期にほとんど発達し、10歳ぐらいまでに、ほぼ100%完成するとされている。

論理的記憶
記憶材料の意味をしっかり理解し、これを論理的に組み立てて記憶すること。学童期から認められるが、本格的になるのは17歳以降となる。

いきます。

● **集団形成**

10〜13歳ごろには、親との結び付きが徐々に薄れ、友だちとの仲間意識が強くなり、積極的にグループ（非公式集団、**ギャング・グループ**[*6]）をつくって、その仲間と行動をともにすることが増えていきます。このような特有の仲間集団がつくられる時期を**ギャング・エイジ（徒党時代）**とよんでいます。ギャング・グループは同性・同年齢の仲間で構成され、排他的・閉鎖的であり、結束力が強いという特徴があります。また、グループの中には力関係による役割（リーダーなど）があることも特徴です。

でた問!!

***6 ギャング・グループ**
ギャング・グループの時期や特徴について出題。
R1後、R3前

ギャング・グループは、親などの大人から自立しようとする際に生じる不安を和らげるという目的があります。

● **友だちとの関係**

友だちとの関係[*7]は、その後の社会的・人格的発達に大きな影響を及ぼします。友だちは家族とは異なる対等な人間であるため、子ども自身が関係を維持していくためには、自分を抑えることや相手を理解するなどの努力が必要です。学年がすすむにつれて、単なる遊び相手から、楽しさを共有したり助け合ったりしてできる関係を求めるようになっていきます。

***7 友だちとの関係**
仲間関係の機能について出題。
H31前

● **役割取得能力**

子どもは、集団生活をとおして社会性を身につけていきますが、その際に必要となるのが**役割取得能力**です。役割取得能力とは、他者の気持ちを理解し、それに基づき自分がどのような行動をすればよいのかを判断する能力のことです。幼児期は、自他の区別が明瞭ではないため、自己中心的なものの考え方が中心になりますが、学童期の８歳ごろになると、役割取得能力が発達します。８歳から12歳ごろになると、他者の立場から物事を考え、説明や質問によって交渉などもできるようになります。役割取得能力の獲得は、対人関係のトラブルの解決にも大きく関係します。

❷自己に対する理解

自分を客観的にとらえることを**自己意識**といいます。生活空間や人間関係の拡大とともに、学童期には自分と他人を比較する機会が多くなり、自分と他人の違いや似ているところが意識化され、自己意識が明確になっていきます。この自己意識に

＋プラス１

社会的比較
自分と他者を比較し、自分自身の考えや能力を評価しようとすることを社会的比較といい、アメリカの心理学者フェスティンガー（Festinger, L.）が提唱した。

は、自分を客観的に評価する**自己評価**が含まれます。

エリクソンは、自己への肯定・否定が明確に現れる**学童期の発達課題**[*8]を「**勤勉性**」対「**劣等感**」としました。勤勉性を獲得していくなかで、自他による評価が否定的な場合、劣等感が生じやすくなります。

❸道徳の発達

学童期には社会性の発達とともに、道徳性も発達していきます。幼児期には、絶対的な存在である親がしてもいいということが善であり、親がしてはいけないということが悪だと考えています。**ピアジェ**[*9]は、このような考え方を**道徳的実念論**と名づけました。学童期の８歳ごろには、道徳は絶対的なものではなく、そのときどきの情勢に従って変わるものであることを理解できるようになります。これを**道徳の相対化**といいます。また、10歳を過ぎるころには、道徳は適用される相手によっても変わることを理解するようになります。これを**道徳の適応化**といいます。

❹モデリングによる学習

カナダの心理学者**バンデューラ**[*10]（Bandura, A.）は、他者（モデル）の行動を観察することで、自分の行動について学習することを**モデリング**（**観察学習**）とよび、**社会的学習理論**を提唱しました。バンデューラによると、人は、他者が褒められたり、報酬を得たりする姿を見ることにより、自分もそうしようという思いを抱きます。これを代理強化といいます。つまり、子どもは経験をしなくても他者の行動を観察することによって学習し、行動のレパートリーを増やすことができるのです。

2 青年期の発達過程

12～22歳ごろまでを**青年期**[*11]といいます。心身ともに子どもから大人へと変化する時期で、特に感受性が強くなり、特有の心理傾向が多くみられます。

エリクソン
⇨p30

***8 学童期の発達課題**
エリクソンの学童期の発達課題について出題。
R6前

プラス1
道徳の発達
コールバーグ（Kohlberg, L.）は、10歳を過ぎるころは、他人がどう思うかという他律的な段階であるが、青年期に入ると、自分の考えを判断基準とするようになる。さらに成人に達すると、自己中心的な行動から自主的、自律的な段階へと発達すると述べた。

***9 ピアジェ**
ピアジェの道徳理論について出題。
R4前・後

***10 バンデューラの理論**
バンデューラの観察学習、社会的学習理論、モデリングについて出題。
R2後、R6前

***11 青年期**
児童期から青年期への移行について出題。
H31前

(1) 身体的・心理的発達

青年期は、性ホルモンの分泌が増加し、身体の形態・機能ともに著しく変化します。身長・体重・胸囲などの発育が目立つようになるとともに、性的な成熟を示す現象が現れてきます。これを**第二次性徴**[*12]といい、最近では8、9歳ごろからみられることもあります。

また、8、9～17、18歳ごろまでの青年期前・中期を**思春期**といいます。思春期は**第二の誕生**ともよばれ、**新しい自我の発現**が特徴です。それまでの自己中心的な世界観から、自我と世界観が相対的あるいは対立的な関係になっていきます。18歳以降の青年期後期には、社会性が一層培われ、さまざまな活動による役割意識をとおして責任感が養われ、自分なりのものの見方や価値観も芽生えてきます。

***12 第二次性徴**
第二次性徴の発現の低年齢化について出題。
R4前

第二次性徴として、男子は声変わり、性毛の発現、外性器の変化、精通など、女子は乳房の発育、性毛の発現、初潮などがあります。

第二次性徴
⇨保健p104
⇨栄養p195

(2) アイデンティティの確立

発達臨床心理学者のマーシア(Marcia, J.E.)は、**アイデンティティの確立**[*13]に向けた形成過程を4つに分類する、アイデンティティ・ステイタスを提唱しました。

でた問!!

***13 アイデンティティの確立**
マーシアの考え方について出題。
R3後、R6前

ここは覚えよう!!

アイデンティティ・ステイタス

❶ アイデンティティ達成タイプ
危機をすでに経験し、それらの課題に積極的に取り組んでおり、柔軟に対処できる。

❷ 早期完了タイプ
危機を経験していないが、それらの課題に積極的に取り組んでいるため、一見達成しているかのように見えるが融通がきかない。

❸ 積極的モラトリアムタイプ
危機を経験している途中であり、それらの課題に取り組んでいるかどうかはあいまいで焦点が定まらない。

❹ アイデンティティ拡散タイプ
危機の経験がなく、それらの課題に関わろうともしない。存在意義や社会的役割を見失う。

具体的操作期
形式的操作期
⇨p29、60

用語
アイデンティティ
自我同一性。自己同一性。人があらゆるものを超えて一個の人格として存在し、自我統一がなされていること。

11、12歳前後に、多くの子どもがピアジェの発達段階における**具体的操作期**から**形式的操作期**へと移行します。

形式的操作期に入ると、抽象的概念の操作が可能になり、自分を客観的にみられるようになっていきます。そのため、自分の存在や生き方を考えるなどの自己探求を始めます。このような過程を経て、一人の「自分」というものがつくり上げられていきます。エリクソンは、これを**アイデンティティ[*14]の確立**とよびました。青年期の発達課題はアイデンティティの確立にあるといえます。

でた問!!
*14 アイデンティティ
エリクソンの発達理論、アイデンティティの特徴について出題。
R1後、R3前・後

(3) 思春期の危機

思春期には、理想主義や完全主義的傾向が強まり、現実との間の**葛藤**（かっとう）に悩むことが増えます。このような葛藤は、多くの場合少しずつ克服されていきますが、失敗や挫折（ざせつ）などによって神経症性障害やうつ病、無気力などが引き起こされる場合もあり、発達心理学ではこれを**思春期の危機**と位置づけています。

うつ病
⇨保健p153

(4) 第二次反抗期

第一次反抗期は、自我が芽生える2〜3歳ごろのことをいいます。「いやいや期」ともよばれていますね。

思春期には、自分の考えていることが特殊で優れていると感じる傾向があります。また、親や学校の先生の存在は絶対的なものではなく、彼らの考え方以外にも多様な考えがあることに気づきます。その結果、親や学校の先生などの大人に反抗的な態度をとるようになることを、**第二次反抗期**といいます。アメリカの心理学者であるホリングワース（Hollingworth, L.S.）は、親から精神的に独立するようになる12〜20歳の時期の精神性を、**心理的離乳**と呼びました。

ギャング・グループ
⇨p63

(5) 仲間関係の発達

*15 チャム・グループ
チャム・グループが形成される時期と特徴について出題。
R3前、R4後

学童期中期から後期にかけては、同質性・閉鎖性を特徴としたギャング・グループが形成されていましたが、青年期にかけて、仲間関係はさらに発達していきます。

中学生くらいの女児では**チャム・グループ[*15]**がしばしば形

成されます。チャム・グループは親密で排他的であるという特徴があり、秘密を共有したり、類似性を確かめ合ったりすることで仲間関係の結びつきを強めます。一方で、親密性や排他性が高じると、意見の相違等で対立し、仲間外れが起きるなど、グループ内でのトラブルが発生することもあります。

高校生以降になると、互いに相違点を理解し合い、尊重し合う**男女混合のピア・グループ**[*16]が形成され、互いの理想や将来の生き方について語り合うようになります。

(6) アンビバレンス(両価性)

18歳以降の青年期後期には、身体的には大人と変わらないまでに成熟しますが、内面的にはまだもろく、自信がもてない、自尊心が傷つきやすいなど、精神的に不安定で動揺することも多くあります。反面、自意識過剰な態度をとることもあり、このような状態を**アンビバレンス(両価性)**とよびます。

(7) モラトリアム

20歳を過ぎても社会にでることなく自分を模索し続ける青年が増えてきています。社会的責任や義務を免除され、さまざまな可能性のなかで自分に合った生き方を探し、納得できる自分をみつけようとするこの時期を**モラトリアム**[*17](**社会的成長のための猶予期間**)とよびます。

また、近年の就労形態の多様化などから、一般にモラトリアム期間はさらに延長しているといわれています。

(8) スチューデントアパシー

青年期に、無気力になって学業に専念できず、無為(むい)な毎日を送るばかりといった状態に陥る学生が増えています。このような状態を**スチューデントアパシー(意欲減退症候群)**といいます。特に大学生に多くみられ、自分の興味・関心や適性よりも学力偏差値を優先させた進路選択をしてしまったために、入学後に不適応を起こしてしまうなどが原因と考えられています。

でた問!!

***16 ピア・グループ**
ピア・グループの特徴について出題。
R4後、R6前

プラス1

マージナル・マン
アメリカの社会学者のパークの考え方を応用して、心理学者のレヴィンは、青年期を子どもにも大人にも属さない境界状態にあるという意味でマージナル・マンと名付けた。

用語

モラトリアム
もとは経済学用語で、非常手段としての「支払い猶予期間」を意味する。エリクソンは、心理・社会的モラトリアムとしてはじめてこの言葉を用いた。

でた問!!

***17 モラトリアム**
青年期のモラトリアムについて出題。
R3後

ポイント確認テスト

穴うめ問題

☐ **Q1** ☐ 過R4後

動機づけの中でも、「ご褒美に欲しい物を買ってもらえるから」「先生に褒めてもらえるから」など、他の欲求を満たすための手段としてある行動を生じさせることを（ a ）、「興味があるから」「面白いから」など行動自体を目的としてある行動を生じさせることを（ b ）という。 >>> **p61**

☐ **Q2** ☐ 過R2後

他者の行動やそれに伴う結果を見ることによって、その行動を習得する学習を（ a ）という。（ b ）は（ a ）を中心として（ c ）学習理論を提唱した。 >>> **p64**

☐ **Q3** ☐ 過R6前

（ a ）は、アイデンティティを獲得する過程において、危機と積極的関与に着目し、アイデンティティ・ステイタスを４つに分類した。このうち、（ b ）は危機を経験することなく、何かに積極的関与をしている状態とされる。 >>> **p65**

☐ **Q4** ☐ 過R3前

中学生頃の女児にしばしばみられる（　　　）は、お互いの感覚が同じであり「分かり合っている」ことを確認し、誇示する仲間集団である。 >>> **p66**

○×問題

☐ **Q5** ☐ 過R1後

低学年では、具体的な事物については論理的思考ができるようになる。また、不特定多数の聞き手を意識して発言することが求められるようになる。 >>> **p60**

☐ **Q6** ☐ 過R6前

エリクソンは、学童期の心理社会的危機を「勤勉性 対 劣等感」としている。 >>> **p64**

☐ **Q7** ☐ 過R4後

ピア・グループは同性の同年齢集団であり、異なった考えをもつ者がいることも認め、互いの意見をぶつけ合うことができるような関係であるという特徴がある。 >>> **p67**

☐ **Q8** ☐ 過R3後

エリクソンは、青年期はアイデンティティを模索する時期であり、モラトリアムの時期としている。 >>> **p67**

解答・解説

Q1　a 外発的動機付け／b 内発的動機付け　**Q2**　a 観察学習（モデリング）／b バンデューラ／c 社会的　**Q3**　a マーシア／b 早期完了　**Q4**　チャム・グループ
Q5　○　Q6　○　Q7　×　同性の同年齢集団に限らない。　Q8　○

保育の心理学 Lesson 6

成人期・老年期の発達

頻出度 Level 4

成人期や老年期になると社会人としての役割が重要になります。この時期に直面する課題とあわせてみていきましょう。

ココに注目!!

- 成人後期のユングのライフサイクル論とは
- 成人期の危機的心理状態、空(から)の巣症候群
- 成人期の危機的心理状態、タイプA行動
- ライカードの老年期の適応機制の分類

1 成人期の発達過程

(1) 成人期の特徴

成人期は20歳代から60歳代前半までをいいます。長い期間に及ぶため、次のように分けられています。

❶成人前期（22～35歳前後）

大人の社会に組み込まれていく時期です。職場や家庭、社会において、責任と社会性を要求されます。この変化に適応できずに負担となり、ストレスが生じる場合もありますが、多くは成長・成熟のために作用します。

❷成人後期（35～65歳）

中年期から壮年期(そうねんき)といわれる時期です。職場や家庭、社会のなかでさまざまな役割をこなしていかなければなりません。内面の成熟につながる一方、挫折(ざせつ)したり責任を回避したりという問題も起こってきます。**ライフサイクル論**を提唱した**ユング**は、この時期について「今までの人生を振り返り、内面へ目を向け、真の自己に至るよう、個性化の道を歩むことが課題である」とし、人生の転換期であるとしました。

40歳代に入ると少しずつ老化現象が始まり、年齢とともに加速していきます。その一方で、それまでに蓄積されてきた経験や能力を活用することで、若年層に負けない力を発揮する時

用語

ユングのライフサイクル論

ユングは、人間の出生から死に至るまでを円環に描いて説明し、40歳前後を「人生の正午」と位置づけた。

人物

ユング

Jung, C. G.
1875～1961年。
スイスの心理学者・精神医学者。当初はフロイトの精神分析学に共鳴していたが、のちにその理論を批判し、彼の示す抑圧的な無意識を「集合的無意識」として区別した。内向・外向の心理的類型論、コンプレックスの概念でも知られている。

期でもあります。45歳ごろからは、心身の不調や変調を自覚しやすくなります。体力の衰えや生活習慣病の罹患、ホルモンバランスの乱れや**更年期障害**[*1]により、自律神経失調状態を経験する人も少なくありません。初老期うつ病や若年性認知症が現れるのもこの時期で、人生の充実期である一方、バランスを崩しやすい時期でもあるといえます。

（2）成人期の心理的危機

家庭や職場での役割変化が著しい成人期には、子どもが巣立つことによって形成される新しい家族のあり方にうまく適応できずに以下のような心理的危機をむかえることがあります。

■成人期の心理的危機の分類

空の巣症候群[*2] **（エンプティネスト・シンドローム）**	進学や就職、結婚などで子どもが巣立ったあと、自分の役割を失ったと感じ、喪失感や空虚感、不安感におそわれること。
仕事中毒 **（ワーカホリック）**	仕事のみが生きがいとなり、仕事以外の興味も仕事に組み込んでしまう、仕事・趣味にかかわらずさまざまなことに首をつっ込むなどのタイプがある。
燃え尽き症候群 **（バーンアウト・シンドローム）**	仕事への意欲を失って、燃え尽きたように心身ともに疲れ果てた状態になることをいう。緊張の持続を強いられ、努力の成果が数字や形に現れない職業の人にみられる。
タイプA行動	競争的・活動的・精力的・時間的切迫感・攻撃的などの特徴的な行動パターンをいう。狭心症や心筋梗塞に代表される冠動脈疾患発症の危険因子となることが指摘されている。

2 老年期の発達過程

（1）老年期の特徴

65歳以上を**老年期**と考えるのが一般的です。この時期は、加齢による**身体機能の低下**や定年退職などによる役割の喪失、

用語

更年期障害
閉経前と閉経後の5年間をあわせた約10年間を更年期といい、他の病気を伴わないものを「更年期症状」という。そのなかでも症状が重く日常生活に支障を来す状態を「更年期障害」といい、ほてり、のぼせ、めまい、気分の落ち込みなどの症状が出る。

***1 更年期障害**
時期や原因について出題。
R4後

***2 空の巣症候群**
中高年期の空の巣症候群について出題。
R3後、R4後

でた問!!

***3 サクセスフル・エイジング**
成人期・高齢期の特徴について出題。
R1後、R4前、R5前

***4 フレイル**
フレイルの定義と予防について出題。
R5前、R6前

***5 英知**
高齢期に得られる英知について出題。
R4前

経済的基盤の不安定化、配偶者や知人の死など、さまざまな喪失体験に直面することになります。

一方で、老年期に、自分が年をとっていくことを受け入れ、年をとることにうまく適応でき、健康、生存、生活満足感の3つが結合した状態をサクセスフル・エイジング*3といいます。

体力や活動力が低下するフレイル*4を防ぎ、健康寿命を伸ばしていくことが、老年期においては大切です。

(2) 老年期の発達課題

エリクソン（Erikson, E. H.）は、老年期の心理・社会的危機を「自我の統合」対「絶望」としました。人生の最終段階で、それまでにつくり上げてきた自己への確信や受容によって人生を完成させ、いずれ迎えることになる死に向き合いながら、これまでの人生を統合することが、この時期には必要となります。エリクソンは、この時期に得られる、人生上の問題に対して実践的に役立つ知識を英知*5と呼びました。

(3) 老年期の対応とパーソナリティ

老年期に経験する喪失体験などさまざまな問題に適応するため、人間は適応機制（防衛機制）をとることがあります。

ライカード（Reichard, S.）は、老年期の男性のパーソナリティの適応を、適応型、不適応型に分類しました。

また、ニューガーテン（Neugarten, B. L.）は、統合型・防衛型・依存型・不統合型に分類しています。

(4) コンボイ・モデルと老年期

カーンとアントヌッチは、個人をとりまく家族や友人、近隣の人などを護衛艦（コンボイ）にたとえたコンボイ・モデル*6を提唱しました。右図のようにコンボイ・モデルでは、同心円の内側ほど身近で頼りにできる親密度が高い人、外側ほど社会的な関係の人を示します。老年期になると、配偶者や友人の死などによりコンボイ・モデルに変化が生じます。

フレイル
⇨栄養P216

プラス1

ニューガーテンによる老年期の適応の分類

- 統合型……柔軟性があり、安定しているタイプ
- 防衛型……老化への不安から活動性を高く保ったり、逆に老化への防衛のために自ら活動性を低下させたりするタイプ
- 依存型……他人からの援助を期待し、受動的かつ消極的なタイプ
- 不統合型……精神機能の低下などにより不適応を起こしやすいタイプ

適応機制（防衛機制）
⇨P80

でた問!!

***6 コンボイ・モデル**
コンボイ・モデルの内容について出題。
R5後、R6前

コンボイ・モデル

ポイント確認テスト

穴うめ問題

☐ **Q1** ☐ 過R4後

子どもの自立に伴い親役割の喪失が生じることで（　　　）が生じ、何をしてよいかわからなくなって無気力になったり、抑うつ状態になったりする場合がある。>>> **p70**

☐ **Q2** ☐ 過R5前

高齢になると生理的予備能力が低下し、ストレスに対する脆弱性が亢進して（　a　）を引き起こしやすくなり、この状態をフレイルという。フレイルは病気を意味するのではなく、老化の過程で生じる「（　b　）や健康を失いやすい状態」で、①体重減少、②筋力低下、③疲労感、④歩行速度の低下、⑤身体活動の低下のうち、3つ以上が該当する場合をいう。その予防が（　c　）の延伸にかかわるという。>>> **p71**

☐ **Q3** ☐ 過R4前

高齢期では、加齢による衰えがありつつも、歳をとってもこうでありたいという自分を保持しながら「上手に歳をとる」といった加齢への向き合い方が重要になり、これを（　　　）という。>>> **p71**

☐ **Q4** ☐ 過R4前

高齢期には、人が生きていくことそのものに関わる問題についての賢さ、聡明さといった人生上の問題に対して実践的に役立つ知識が増すことがあり、これを（　　　）という。>>> **p71**

○×問題

☐ **Q5** ☐ 過R4後

女性は閉経を迎えてエストロゲンの分泌が低下することにより、更年期障害と呼ばれる諸症状が現れやすい。>>> **p70**

☐ **Q6** ☐ 過R4後

中年期には自分とは何者であるのかに悩み、様々なものに取り組んで、初めてアイデンティティを模索する。>>> **p70**

☐ **Q7** ☐ 過R3後

親は、子どもが家から巣立っていく時期に、子どもを送り出すことの淋しさや、子どもの世話をするという目的を失った喪失感で、抑うつ症状や心身症などを示すことがある。>>> **p70**

☐ **Q8** ☐ 過R6前

コンボイ・モデルでは、同心円の外側ほど身近で頼りにできる重要な他者を、内側ほど社会的な役割による人物を示す。加齢に伴って、配偶者や友人の死などにより、高齢者のコンボイの構成は大きく変化する。>>> **p71**

解答・解説

Q1　空の巣症候群（エンプティネスト・シンドローム）　Q2　a 不健康／b 自立機能／c 健康寿命　Q3　サクセスフル・エイジング　Q4　英知

Q5　○　Q6　×　自分とは何者であるのかに悩み、アイデンティティを模索するのは青年期。　Q7　○　Q8　×　同心円の内側ほど身近で頼りにできる重要な他者、外側ほど社会的な役割による人物を示す。

子どもの発達と保育実践

頻出度 Level 5

このレッスンでは、保育実践について学びます。
子どもの発達の特徴や基本的生活習慣を理解しましょう。

ココに注目!!
- ヴィゴツキーの発達の最近接領域とは
- 子どもの成長からみる環境との相互作用
- ギブソンのアフォーダンスとは
- 子どもの発達からみる基本的生活習慣の確立

1 子どもの発達の把握

全文は別冊付録に掲載されているので確認しておきましょう。

(1)「保育所保育指針」における子どもの発達

「保育所保育指針」第2章

1　乳児保育に関わるねらい及び内容

(1) 基本的事項

ア　乳児期の発達については、視覚、聴覚などの感覚や、座る、はう、歩くなどの運動機能が著しく発達し、特定の大人との応答的な関わりを通じて、情緒的な絆が形成されるといった特徴がある。(以下略)

2　1歳以上3歳未満児の保育に関わるねらい及び内容

(1) 基本的事項

ア　この時期においては、歩き始めから、歩く、走る、跳ぶなどへと、基本的な運動機能が次第に発達し、排泄の自立のための身体的機能も整うようになる。つまむ、めくるなどの指先の機能も発達し、食事、衣類の着脱なども、保育士等の援助の下で行うようになる。発声も明瞭になり、語彙も増加し、自分の意思や欲求を言葉で表出できるようになる。(以下略)

3　3歳以上児の保育に関するねらい及び内容

(1) 基本的事項

ア　この時期においては、**運動機能**の発達により、基本的な動作が一通りできるようになるとともに、基本的な生活習慣もほぼ自立できるようになる。理解する**語彙数**が急激に増加し、**知的興味**や関心も高まってくる。仲間と遊び、仲間の中の一人という自覚が生じ、集団的な遊びや**協同的**な活動も見られるようになる。(以下略)

*1 保育の内容
3歳以上児の保育の内容について出題。
R2後
乳児保育の内容について出題。
R3前

「保育所保育指針」第2章「保育の内容*1」では、乳児・1歳以上3歳未満児・3歳以上児の3つの時期に分け、発達の特徴について述べています。

保育士はこれらの発達の特徴を踏まえて、子どもたちが保育所で安定した生活を送り、充実した活動ができるよう環境を構成していくことが求められます。

(2) 乳幼児期の発達の特性

乳幼児期は、生涯のなかで大きな発達を遂げる時期です。乳幼児期は人への信頼感が育つ時期であること、環境へ子どもが主体的に関わること、大人との信頼関係をもとにして子ども同士が関係をもち、それを通じて心身ともに発達が促されること、生きる力の基礎を培う時期であることに配慮しながら保育にあたることが必要です。

生きる力
⇨上巻 教原p116

(3) 発達の最近接領域

*2 発達の最近接領域
ヴィゴツキーが提唱した発達の最近接領域について出題。
R4後、R5後、R6前

ヴィゴツキー（Vygotsky, L. S.）は、子どもの発達を援助するうえで、発達の最近接領域*2を重要視すべきだと唱えました。発達の最近接領域とは、子どもが「現時点での発達（自力で解決できる）水準」と、「潜在的な発達（自力では解決できないけれども大人の援助を受ければ解決できる）水準」との差の範囲を指します。保育士は、その子どもが援助を受ければ達成できることが何かを見極め、一人ひとりの現在の発達状況を把握し、適切に援助していくことが求められます。

ヴィゴツキー
⇨p60

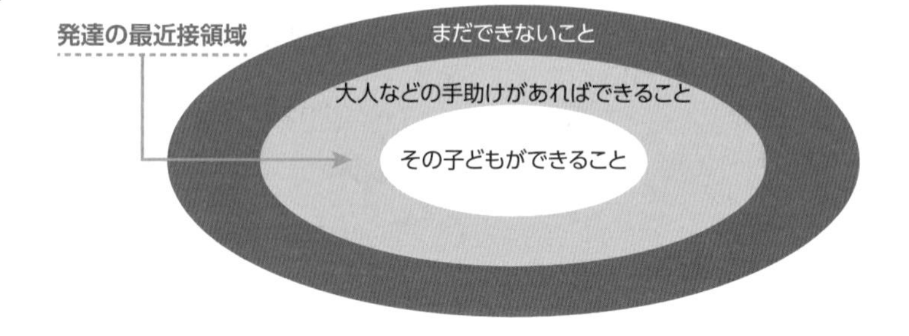

（4）環境との相互作用

子どもが成長していくなかでは、人やもの、自然と直接関わる**直接体験**が重視されています。「保育所保育指針」では「保育の環境」に関する留意事項として「子ども自らが環境に関わり、自発的に活動し、さまざまな経験を積んでいくことができるよう配慮すること」と述べています。子どもは、自ら働きかけた環境が変化することによって、自分自身が環境に影響を与えることができる存在であることに気づき、自信をもちます。

また、アメリカの**ギブソン**[*3]（Gibson, J. J.）は、環境そのものが、働きかけられるべき意味や価値を**子どもの側に提供**しているという逆の考え方を示しています。これは、**アフォーダンス**とよばれ、環境のほうが、どのように関われればよいのかを教えてくれているというものです。

プラス1

センス・オブ・ワンダー
アメリカの生物学者であるレイチェル・カーソンは、自然との直接的な関わりのなかで、子どもが不思議に思ったり、感動したりすることを「センス・オブ・ワンダー」とよんだ。

***3 ギブソン**
ギブソンの環境のとらえ方について出題。
R1後、R5前

（5）環境移行

ある出来事により環境が変化することを環境移行といいます。幼児期には、弟や妹の誕生をきっかけに、だっこを求める、哺乳瓶でミルクを飲みたがるなどの「赤ちゃん返り（退行）」という行動をとることがあります。保育士は子どもの気持ちを受けとめながら接することが大切です。

また、保育所から小学校への就学は、大きな**環境移行**[*4]になります。「保育所保育指針解説」では、子どもは、保育所から小学校に移行していくなかで、突然違った存在になるわけではなく、発達や学びは連続しているので、保育所から小学校への移行を円滑にしていく必要があるとしています。しかし、それは小学校教育の先取りではなく、就学前までの幼児期にふさわしい保育を行うことが最も肝心であるとしています。

退行（的行動）
⇨保健p151

***4 環境移行**
保育所から小学校への移行期について出題。
R5後

2 基本的生活習慣の獲得

（1）生活習慣の形成

幼児期は、**生活習慣**[*5]の形成が始まるとともに固定化してい

でた問!!

***5 生活習慣**
子どもの生活習慣の形成を促す保育士の関わり方について出題。
R4前

保育の心理学

く重要な時期です。次のような方法で形成されます。

- **反復**……同じことを繰り返すことによって習得する。
- **型つけ**……決まった方法で順序よく行うことを教え、あるべき型に導く。日によって、あるいは人によってやり方が変わるなどの**例外を設けない**ことが重要となる。
- **動機付け**……積極的に**やってみようという気持ち**をもたせる。**褒める**ことが大切である。
- **練習**……基本的な型つけができ上がった段階で行う反復。意識せず**自然にできるように**なると、その行動は習慣として形成されたことになる。**例外を設けない**ことが重要。
- **レディネス**……ある行為を学習するのにふさわしい状態であること。レディネスの形成を援助し、その時期に応じてタイミングよく身につけさせる。

レディネスの概念を提唱したのはゲゼルでしたね。

レディネス
⇨p26

（2）基本的生活習慣

生活習慣のなかでも、基本的な欲求である食事、睡眠、排泄[*6]に、着脱衣、清潔を加えた５つを**基本的生活習慣**といいます。基本的生活習慣の確立の目安は次の通りです。

***6 排泄**
排泄の習慣について出題。
H31前

■基本的生活習慣確立の目安

①食事	おおむね２歳でスプーン、フォークを使って１人で食べようとし、失敗しながらもほとんど１人で食事をとることができる。おおむね３歳になると、こぼすことがなくなり、一人で上手に食べることができるようになる。
②睡眠	３～４歳になると、嫌がる子どももいるが、指示に従い静かに昼寝をする。また、４歳ごろでは、寝るときに簡単なあいさつができる。
③排泄	おおむね２歳になると、自分からまたは促されてトイレに行き、排泄できる。おおむね３歳では、排便のとき汚すこともあるが、１人でできる。
④着脱衣	おおむね２歳で衣類の着脱を自分でしようとするようになる。おおむね３歳になると、ほぼ１人で衣類の着脱ができるようになる。
⑤清潔	２～３歳では、促されると食事の前に手を洗い、食事のあとで顔を拭くことができる。５歳ごろになると、身体や身のまわりを清潔にすることに喜びを感じるようになる。

「早寝早起き朝ごはん」国民運動
子どもの正しい生活リズムが乱れていることを受け、文部科学省は「早寝早起き朝ごはん」国民運動を2006（平成18）年度から推進している。

ポイント確認テスト

穴うめ問題

□□ **Q1** 予想

「保育所保育指針」では、「保育の内容」の3歳以上の「人間関係」で、(　　　)と積極的に関わりながら喜びや悲しみを共感し合う、としている。>>> **p74**

□□ **Q2** 過R5後

教育と心的機能の発達の相互作用に関する理論の中で(a)は、子どもが自力で課題を解決できる限界である(b)水準と、大人の援助や指導を受けることによって解決が可能となる(c)可能水準があるとした。この2つの水準の間の領域を(d)と呼んだ。>>> **p74**

□□ **Q3** 過R5前

ギブソンは、(a)の意味や価値は、(b)の心の動きによって与えられるのではなく、(a)が(b)に提供するものであるとした。>>> **p75**

□□ **Q4** 予想

レディネスとは、(　　　)の成立にとって必要な個体の発達的素地、心身の準備性を意味する。>>> **p76**

○×問題

□□ **Q5** 過R3後

描きたいものはあるが、それを描き表すためのスキルが伴っていない子どもが、保育士に「○○を描いて」と求めてきても、自分の思ったままに描いてみるよう励ますことが常に大切である。>>> **p74**

□□ **Q6** 過R5後

就学時期の子どもの心理的不安を軽減させる目的で、長時間の着席や文字や数を習得するなど小学校教育の先取りをすることは有効である。>>> **p75**

□□ **Q7** 過R4前

子どもが自分で衣類の着脱をしようとしている時に、保育士が衣類を着替えさせることは、子どもの発達を促す上で正しい関わり方である。>>> **p76**

□□ **Q8** 過H31前

排泄は、身体の成熟や神経系の成熟などが関係するため、排泄機能が未成熟な状態で、トイレット・トレーニングをしても子どもの負担になる。>>> **p76**

解答・解説

Q1　友達　Q2　a ヴィゴツキー／b 現時点での発達／c 潜在的な発達／d 発達の最近接領域　Q3　a 環境／b 人間　Q4　学習

Q5　×　大人などの助けがあればできることかどうか見極め、適切に援助することが大切である。　Q6　×　小学校教育の先取りではなく、幼児期にふさわしい保育を行う。

Q7　×　子どものやってみようという気持ちを尊重し、見守ることが大切である。　Q8　○

保育の心理学 Lesson 8

子どもの精神保健とその課題

頻出度 Level 5

子どもの心の健康は、発達に大きく関係します。家庭環境や保育環境が子どもの心に与える影響についても学びましょう。

ココに注目!!
- 適応機制の種類と心理状態の特徴
- 特別な配慮が必要な家庭の課題とは
- 虐待のリスク要因となる状態とは
- 共働き家庭の増加による保育士の役割

1 精神保健の意義と目的

(1) 精神保健とは

精神保健については、「子どもの保健」科目での出題も多くあります。

人は、肉体が健康であっても心（精神）が健康でなければ健康であるとはいえません。人の心の健康を守るために、精神保健があります。精神保健の目的は、①精神疾患をはじめとする精神的な不健康の状態の早期発見、治療と予防、②現在の精神状態の向上・増進、の２つです。

このレッスンでは、主に子どもの心の健康を中心とした精神保健についてみていきましょう。

(2) 適応と不適応

心の健康は固定的なものではなく、与えられた環境に対して適応の幅が広いほど、健康であると考えられます。つまり、さまざまな環境に対して**適応**できている状態を健康、**不適応**な状態を不健康ということができます。

適応	周囲の人や環境と自己との適切な関係を維持するとともに、安定が保たれている状態。
不適応	適応状態のような調和が崩れ、周囲の人や環境と自己との関係が不調和で、不安や緊張を強いられる不満足な状態。

乳幼児期の精神的環境は、その後の精神保健に大きく影響します。

問題のある環境にいることによって、不適応になる場合もあります。また、適応をしようとする気持ちが強すぎてまわりの環境に合わせすぎてしまうことを**過剰適応**といいます。

子どもは自分で環境を選ぶことができないので、周囲の大人が環境を改善したり、調整したりしてあげることが必要です。

2 心の健康に影響する要因

（1）基本的欲求

人間の行動は、欲求が原動力になっています。欲求のなかで最も基本的で重要なものを**基本的欲求**といい、一般的に、**生理的欲求**と**社会的欲求**に分けられます。

心理学者のマズロー（Maslow, A. H.）は、人間の欲求を５段階に分け、生理的欲求が満たされると安全の欲求が生じ、さらに所属と愛情の欲求、自尊（社会的承認）の欲求、自己実現の欲求と、１つの欲求が満たされるごとにさらに高次の欲求が生じるとしています。

用語

生理的欲求
生物が個体として生存したり、存続したりするために必要な欲求。呼吸欲、食欲、排泄（はいせつ）欲、睡眠欲、活動欲、性欲などがある。

社会的欲求
社会生活のなかで起こる欲求。人格的欲求ともいう。
⇨p46

ここは覚えよう!!

マズローの欲求階層説

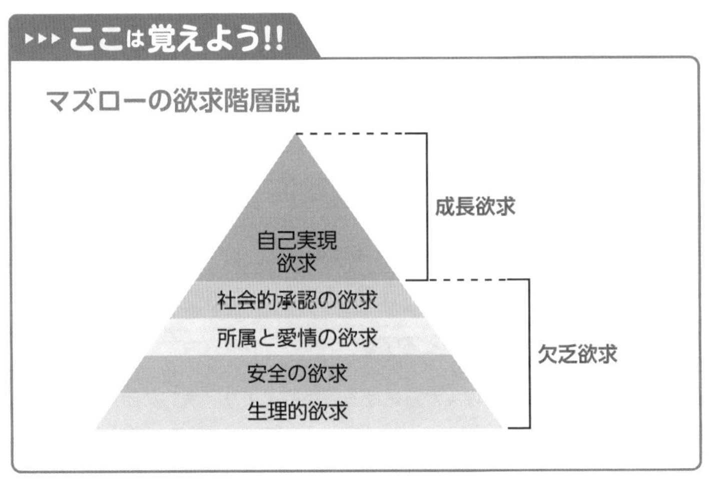

（2）適応機制

適応機制（**防衛機制**）とは、欲求不満を合理的な方法で解消できなかった場合に、心理的緊張や不安、葛藤によって自我が崩壊するのを防ぐために、**無意識に**行われる心理的な働きをいいます。欲求不満になると、心理的に緊張状態になりますが、それが**合理的に解消**される場合は適応行動となって現れます。一方、不適切な解消のしかたをすると、**不適応行動**や適応機制として現れます。

適応機制は、一時的な適応に役立つという点では、人間の心に必要な働きであると考えられています。

***1 レジリエンス**
レジリエンスの意味について出題。
R3後

***2 同一視**
幼児の感情と自己同一視について出題。
R1後

（3）レジリエンス

レジリエンス[*1]とは、自分にとって不利な状況にあるとき、それに対応していく能力をいいます。精神的回復力、抵抗力などとも訳されています。ストレスや不利な状況を**跳ね返す力**であり、**自尊心が高い人**は、自尊心が低い人よりレジリエンスが高いとされています。

■主な適応機制とその心理状態の例

同一視[*2]	自分と似た境遇にある人物や自分の欲求を実現してくれる人物を見いだして、その人物と自分を同一視することで満足したり孤独感を解消したりする。 （例）ごっこ遊びで母親やヒーローになりきる
投影	自分がもっている願望や感情で、自分が意識したくないものを、他人が持っているものとして認知すること。 （例）ある人に対して苦手意識を持っているとき、その人も自分のことを苦手と感じていると思いこむ
抑圧	不安や苦痛となる考えを無意識に忘れること。排除した不安や苦痛が問題行動や身体症状となって現れることがある。 （例）楽しみにしていたはずの食事会の予定を忘れる
逃避	欲求の達成がうまくいかない状態から逃げ、自己を守る。 （例） ●退避、孤立、拒否……実際に現実から逃げる ●別の現実への逃避……別の現実に逃げる ●病気への逃避……病気になって現実から逃げる。逃避により、病的な症状が現れる場合もある ●空想への逃避、白昼夢……非現実的な空想世界で欲求を満たす
反動形成	抑圧した自分の衝動や願望とは正反対の行動や態度を過剰に行う。 （例）好きな子にいじわるをする
知性化	苦しみや不安に関する感情的側面を切り離し、知的・客観的に処理する。 （例）病気になったときに自分の病気について調べることで不安を解消しようとする

3 心の健康や発達をはかる方法

精神的な悩みや発達上の課題、家族の問題などを抱えている子どもに対して支援を行うためには、面接や心理検査などの方法で対象となる子どもが抱える問題や、現在の発達状況を客観的に把握する必要があります。これを**心理的アセスメント**といいます。支援のための心理的アセスメントは通常、心理の専門家が行いますが、保育士もアセスメントの知識をもつことは大切です。心理的アセスメントには、主に次の３つの方法があります。

● **観察法**[*3]

対象となる子どもの遊びや生活の場面を観察することで、行動、しぐさ、表情などから情報収集を行う方法。観察対象がありのままに生活や遊びをしている状況で観察を行う方法を、**自然観察法**といい、そのなかで、調査者自身が対象である子どもと実際に関わる方法を**関与観察法**という。

一方で、観察者が対象となる子どもの環境を意図的に操作し、その中で行われる行動を観察する方法を**実験観察法**という。

● **面接法**[*4]

対象となる子どもや保護者と直接言葉のやりとりをすることで、情報収集する方法。あらかじめ用意した質問に沿って面接する**構造化面接**と、あらかじめ用意した質問から一部変更・追加の質問を行う**半構造化面接**、質問内容をあらかじめ決めない**非構造化面接**がある。

● **検査法**[*5]

対象となる子どもに検査を行うことによって、情報収集する方法。**知能検査**、**発達検査**、**人格検査**などがあり、検査方法には検査用具を用いて実際に子どもに回答させる形式のものと、保護者が回答する**質問紙形式**のものがある。

でた問!!

***3 観察法**
観察法について出題。
R2後、R3前、R4後、R5後

保育の場では、自然観察法がよく用いられます。

でた問!!

***4 面接法**
非構造化面接について出題。
R5後

でた問!!

***5 検査法**
発達検査・知能検査について出題。
R4後

検査については162ページでも紹介しています。

4 養育上の問題と心身の健康

（1）子どもの心身の健康に影響を与える家庭生活

家庭での生活は、子どもの心身の健康に影響を与えます。今日、児童虐待や貧困などの社会問題が深刻化しており、子どもの発達にもさまざまな影響を与えています。また、**ひとり親家庭**や**外国籍の家庭**など、子育ての状況に何らかの課題を抱え、**特別な配慮が必要な家庭**も多く存在します。

ひとり親家庭
⇨上巻 社福p155、201

相対的貧困率
⇨上巻 子福p287

プラス1

ステップファミリー
以前の配偶者との間にできた子を連れて再婚し、新しく形成された家族のこと。

■特別な配慮が必要な家庭の課題

ひとり親家庭*6	母子家庭の場合、非正規雇用の割合が高いこともあり、貧困や就業の不安定さを問題として抱えている家庭が多い。また、父子家庭のなかにも経済的な問題を抱えている家庭はあるが、母子家庭と比べて発見されにくく、問題が表面化しづらい。
貧困家庭	日本は相対的貧困率が高く、特に若年の保護者やひとり親家庭は貧困の問題を抱えていることが多くある。また、保護者の病気や障害、失業によって所得が下がり、貧困状態になることがある。
外国籍の家庭など、外国にルーツを持つ家庭*7	保護者が日本語を話せないなどの場合には、地域のなかで孤立し、子育てに関する行政のさまざまなサービスにつながりづらいことがある。また、外国籍ではなくとも、海外で生まれ育った子どもの場合には、文化的背景が異なることで、集団生活になじめないこともある。

でた問!!

***6 ひとり親家庭**
ひとり親世帯の状況について出題。
R5前

外国籍の家庭に対しては、文化や生活習慣、宗教などを尊重し、多文化共生の保育をすすめることが大切です。

配慮が必要になるのは子育ての問題だけではありません。夫婦間の不和や経済的問題、保護者の健康上の問題など、家族の抱える問題は子どもの心身の健康にも大きな影響を与えます。保育所には、子育て家庭が抱える困難さを把握し、必要に応じて**地域や専門機関の窓口につなげる**という役割があります。

でた問!!

***7 外国籍の子どもと家庭への支援**
外国籍の子どもと家庭への言葉や習慣に対する支援について出題。
R2後、R3後、R5前

（2）児童虐待

何らかの課題を抱えている家庭に対して、必要なサポートがなかったとき、最悪の場合、**児童虐待**が起きることがあります。児童虐待の問題は年々増加しており、日ごろ子どもと接している保育士が発見しやすいという特徴があります。

❶虐待の種類

児童虐待[*8]には次の４種類があります。

- **身体的虐待**……殴る、蹴る、投げ落とす、たたく、激しく揺さぶる、やけどを負わせる、溺（おぼ）れさせる、首を絞める、縄などでつないで一室に拘束するなど。
- **性的虐待**……性的行為、性器を触る・触らせる、性的行為を見せる、児童ポルノの被写体にするなど。
- **ネグレクト**……家に閉じ込める、食事を与えない、ひどく不潔にする、自動車の中に放置する、重い病気になっても病院に連れて行かないなど。同居人が虐待をしているのを放置しているのもネグレクトにあたる。
- **心理的虐待**[*9]……言葉による脅し、無視、きょうだい間での差別的扱い、子どもの目の前で家族に対して暴力をふるう（面前ＤＶ）など。

虐待は**家庭**という閉ざされた場所で行われるため発見されにくいものです。親は体罰をしつけといい正当化しがちですので、**虐待のサイン**を早期にみつけ、対応することが大切です。被虐待を疑わせる兆候には、次のようなものがあります。

■被虐待を疑わせる兆候[*10]

体重増加不良	家庭で食事やミルクを十分に与えられていないおそれがある。食欲はあり、学校や保育所で給食を非常に多く食べる。
不自然な傷やあざ、熱傷、骨折	周囲の人が気づきにくい、外から見えない場所に傷がある。親からは、「自分から落ちた」「転んだ」という説明がある場合もある。
衣服や身体に汚れが目立つ	入浴や着替えをさせてもらえないことも虐待にあたる。
言葉の遅れ	虐待があると、言葉以外の発達も遅れる傾向がある。
無表情	心を閉ざしているような表情になる場合もある。
暴力的な行動	家庭での親の姿をまねしている場合がある。

児童虐待
⇨上巻 子福p285
⇨上巻 社養p340

＋プラス1

揺さぶられ症候群（揺さぶられっ子症候群）
身体的虐待の一つで、骨格のしっかりとしていない乳児が激しく揺さぶられることで眼底出血や頭蓋（とうがい）内出血が起き、重い後遺症が残ったり、死に至る場合がある。

用語

DV
ドメスティック・バイオレンスの略。配偶者や恋人など親密な関係にある、またはあった者から振るわれる暴力のこと。

でた問!!

***8 児童虐待**
児童虐待について出題。
R5後

***9 心理的虐待**
児童への心理的虐待行為について出題。
R1後

***10 被虐待を疑わせる兆候**
幼児の被虐待を疑わせる兆候について出題。
R2後

❷虐待による心身への影響

親から虐待を受けた子どもは、身体的に傷を受けるだけでなく、心にも**トラウマ**とよばれる深い傷を負います。

親との関係が緊張状態にあると、子どもは常に安心感を得られず、他者と愛着関係や信頼関係を築くことができません。そのため、親以外の大人や友だちとの関係性においても、さまざまな課題を抱えることがあります。

たとえば、虐待を受けた子どもは、保護されたあとに抱きかかえられても視線を合わせようとしない、近づくと逃げるなどの不安定な行動を示すことがあります。そのような状態を**反応性愛着障害**といいます。一方で、初対面の大人にも警戒心なく近づき、過剰になれなれしい態度をとる子どももいます。そのような状態を**脱抑制型対人交流障害**（だつよくせい）といいます。一見、正反対にみえますが、どちらも他者と愛着関係がもてないことを原因とする症状です。

以上のように、虐待は身体への被害だけでなく、心に重大な後遺症を残す場合が少なくありません。そして、成人後、自分の子どもに対して虐待をしてしまい、**虐待が連鎖する**場合もあります。

❸虐待のリスク要因

厚生労働省の「子ども虐待対応の手引き」では、虐待のリスク要因として、次の４つがあげられています。これらのリスク要因に該当していても虐待がない場合もあり、逆に、１つも該当しない家庭で虐待が起きる可能性もあります。

- **保護者側**……望まない妊娠・出産、若年の妊娠・出産、保護者自身の性格や**産後うつ**[*11]など、精神疾患等の精神が不安定な状態など。
- **子ども側**……乳児期の子ども、未熟児、障害児など養育者にとって**何らかの育てにくさ**をもっている子どもなど。
- **養育環境**……家庭の経済的困窮、**社会的孤立**、ひとり親家庭、内縁者や同居人がいるなど不安定な状況の家庭、転居を繰り返す家庭、配偶者からの暴力（DV）など。
- **その他**……母子健康手帳の交付を受けていない、妊婦健診を受けない、子どもに健康診断を受診させないなど。

用語

トラウマ
心的外傷。災害や事故、虐待など激しい恐怖などによって起こる精神的な失調。もとはギリシア語。

用語

産後うつ
出産後2週間以上にわたり、日常生活に支障をきたすほどうつ症状（極度の悲しみ、罪悪感、不眠など）が持続している場合をいう。産後の女性の10～15%に起こるといわれているが、過去にうつ病を経験していたり、うつ病の家族歴があったりするなどの場合にはリスクが高まる。なお、産後数日から２週間以内に現れる精神症状のことを「マタニティブルーズ」といい、その多くは一過性の症状で治まるが、一部は産後うつに移行することがある。

でた問!!

***11 産後うつ**
出産前後の精神保健について出題。
R3後、R4前、R6前

(3) 逆境的体験と心身への影響

近年アメリカでは、**虐待**[*12]などの幼少期の**逆境的体験**と、大人になってからの身体疾患・精神障害の発症との関連性について注目が集まっています。逆境的体験には、虐待のほか、両親の別居や離婚、死別、家族のアルコールや薬物への依存、家族の精神疾患も含まれます。人生の早期にこのような体験をすることで子どもの安心感が奪われ、それが**脳に器質的・機能的な影響**を与え、健康を害するような生活・行動傾向を招き、成人期の身体疾患や精神障害、社会不適応を招くということが最近の研究でわかりました[*13]。以上のように、子どものころの**心の健康は、その後の人生にも大きな影響を及ぼす**ということを保育士は知っておく必要があります。

4 保育・教育環境と子どもの精神保健

(1) 保育所における精神保健

保育所などに入所した当初、子どもは養育者と離れることによって精神的不安(**分離不安**[*14])を経験します。入所当初には、特に子どもの心の安定についての配慮が重要となります。入所時の面談などで保護者にその子どもの性格の特徴を聞きながら、**人見知り**の強い子どもには、最初のうちは特定の保育者が密接に関わって保育に当たる、**場所見知り**のある子どもには、最初は保育室で遊ぶことに慣れるようにして、少しずつ廊下や園庭などいろいろな場所に行くようにするなど、個別の配慮が必要です。

(2) 障害のある子どもに対する保育と精神保健

障害のある子どもの保育にあたっては、各専門機関との連携が重要になります。障害児保育に関係する専門機関には、**医療機関**(小児科、小児精神科およびそれぞれの障害に関する専門科)、**療育機関**(児童発達支援センターなど)のほか、保健所、

保育の心理学

でた問!!

***12 虐待**
被虐待経験が脳に与える影響に関して出題。
R5前

***13 逆境的体験と健康**
子どものときに逆境的体験を経た大人の健康上のリスクについて出題。
R1後

***14 分離不安**
乳児の分離不安の可能性について出題。
H31前

用語

分離不安
養育者と離れることによって、分離不安の状態にあると、泣き叫んだりするほか、下痢、嘔吐などの身体的症状を引き起こしたり、ひっこみ思案の傾向となって現れたりする場合がある。

人見知り
⇨p45

用語

場所見知り
慣れない場所や見知らぬ場所に来ると、子どもが嫌がったり泣いたりすること。

プラス1

加配の保育士
障害のある子どもがスムーズに園生活を送るために、個別の配慮を行う保育士のこと。規定の保育士の人数にプラスして配置される。

児童相談所、福祉事務所などがあります。保育士は、子どもの障害の程度や内容、現時点での課題や、課題に対してどのような援助を行うべきかを把握し、**保育の計画**を立てて実践していくことが大切です。

言語や運動、心理面での課題に関しては、専門家による**巡回相談***15をとおして助言を得ながらすすめることも必要になります。また、障害のある子どもが保育所と並行して**療育機関**に通っている場合には、その機関と連携しながら計画を立てることが必要です。また、**保護者***16は、障害のある子どもを育てることになった当初は大きな驚きと戸惑いを感じます。保護者の気持ちを受け止め、成長に従って経験するさまざまな困難や不安に対してもあたたかく**寄り添い、支援していく**ことが大切です。

（3）家庭支援における精神保健

❶共働き家庭の増加と家事負担

子どもが保育所に入所している家庭の多くは共働き家庭であり、その数は今後も増加を続けると予想されています。しかし、日本では、女性の**非正規雇用率の高さ**や男性の**長時間労働**により、家事・育児の役割分担が母親にのみ大きくかかっている家庭が多いという課題があります。男性の育児休業取得率は上昇傾向にあるとはいえ依然として低く（2022年度で17.13%）、総務省の調査によると、2021年における日本の**6歳未満**の子どもをもつ夫婦の夫の**家事・育児時間**は、1日あたり**114分**と前回調査（2016年）よりは増えたものの、先進国のなかで最低の水準にとどまっています*17。保育士には、仕事・育児・家事と大きな負担を抱える母親の気持ちを受け止め、女性が家庭と仕事を両立できるよう、支援をしていく役割があります。

❷専業主婦家庭の子育ての悩みと家庭支援

育児不安*18を抱えているのは共働き家庭だけではありません。かつては地域が担ってきた子育て機能が低下していることにより、多くの専業主婦（夫）家庭も、子どもと向き合うこと自体に負担や不安を感じ、そのことを相談する相手が身近にいないなど、子育てに関する悩みを抱え、孤立しがちです。

用語

巡回相談
発達支援の専門家である相談員が保育所や幼稚園などを訪問し、保育を支援するための相談活動。

でた問!!

***15 巡回相談**
保育のアセスメント、振り返りについて出題。
H31前

***16 保護者への支援**
障害をもつ子どもの保護者への支援について出題。
R4前

***17 6歳未満の子どもをもつ夫婦の育児時間**
6歳未満の子どもをもつ夫婦の育児時間について出題。
R2後

***18 育児不安**
育児不安の特徴について出題。
R4前、R5前

障害受容
障害のある子どもの親が、子どもの障害を受け入れること。その過程には、段階的に受け入れていく段階的モデル、落胆と適応を繰り返しながら受け入れようとするらせん形モデルなどがある。

共働き家庭の数
1997（平成9）年を境に、共働き家庭は片働き家庭（両親のどちらかが働いている家庭）を上回っている。

保育士が行う家庭支援のなかには、保育所に通っている子育て家庭の支援だけではなく、**地域の子育て家庭の支援**が含まれます。園庭開放など地域の子育て家庭に向けた催しのなかで、保育所・幼稚園に通っていない子育て家庭の抱える悩みに寄り添っていくことも保育所や保育士の大切な役割の一つです。

> **用語**
> **育児不安**
> 育児ノイローゼ、育児ストレスともいわれる。育児に自信をなくし、孤立感を抱いたり子どもに対してイライラするなどの感情が起こったりして、育児が困難な状態になること。

❸現代の子育て家庭における課題と家庭支援

少子高齢化が加速し、未婚率も上昇するなか、子育て世帯は社会の少数派といえます。現在子育てをしている保護者たちの置かれている環境は非常に厳しいものです。**将来に対する不安**から子どもを望んでいるにもかかわらず産まない人や、本来望んでいた数の子どもを産むことをあきらめる人もいます。「**出生動向基本調査**」では、妻の年齢別の「理想の数の子どもを持たない理由」について、調査を行っています。

■調査・妻の年齢別にみた、理想の数の子どもを持たない理由（予定子ども数が理想子ども数を下回る夫婦）

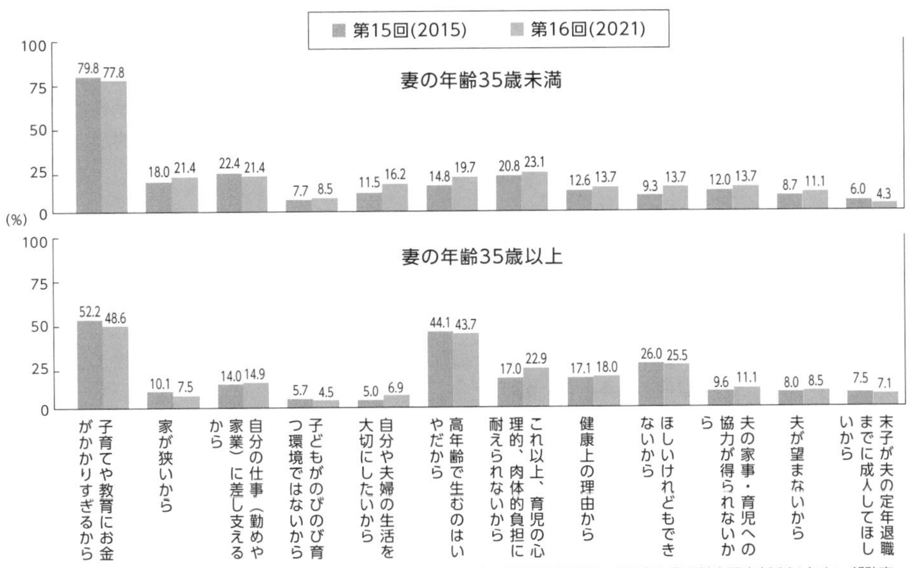

出典：国立社会保障・人口問題研究所「第16回出生動向基本調査」2021年を一部改変

調査結果によると、いずれの年齢においても、「**子育てや教育にお金がかかりすぎるから**」という理由がもっとも多くなっており、経済的な負担や将来に対する不安が子育て家庭に重くのしかかっている現状がわかります。保育士は、このような現代の子育て家庭がもつ不安や悩みを理解し、寄り添って支援していくことが大切です。

> **用語**
> **出生動向基本調査**
> 若者や子育て世帯の結婚や出産に対する意識に関する調査。国立社会保障・人口問題研究所が5年ごとに行っている。

ポイント確認テスト

穴うめ問題

□ **Q1** □ 過R5後

観察対象がありのままに生活や遊びをしている状況で観察を行う方法を、（　　　）という。>>> p81

□ **Q2** □ 過R4後

検証したい特定の環境条件を操作し、対象とする行動が生じるような環境を設定し、その中で生起する行動を観察することを（　　　）という。>>> p81

□ **Q3** □ 過R4前

（　　）とは、親が育児に自信をなくし、育児の相談相手がいない孤立感や、何となくイライラするなど、育児へのネガティブな感情や育児困難な状態であることをいう。育児ノイローゼや育児ストレスという表現も用いられる。>>> p86

□ **Q4** □ 予想

保育士が行う家庭支援には、保育所に通っている子育て家庭の支援だけでなく、（　　　）の子育て家庭の支援が含まれる。>>> p87

○×問題

□ **Q5** □ 過R3後

家庭を取り巻く問題に不安を感じている保護者は、その悩みを他者に伝えることができず、問題を抱え込む場合もあるが、家庭の状況や問題の把握はできないので、対応する必要はない。>>> p82

□ **Q6** □ 過R2後

外国籍の子どもが、入所から半年以上経過しても集団になじめず、気になる行動があっても、言語や習慣の違いによるものと考えて、長い目で見守ることが大切である。>>> p82

□ **Q7** □ 過R1後

児童に他者の性的満足をもたらす行為に関わるよう強要することは心理的虐待である。>>> p83

□ **Q8** □ 過R6前

産後うつ病は、出産後の女性の自殺の原因や乳児虐待にはつながらない。>>> p84

解答・解説

Q1　自然観察法　Q2　実験観察法　Q3　育児不安　Q4　地域

Q5　×　家庭の状況は子どもの心身に大きな影響を与えるので、保育所では保護者の困難さを把握し必要に応じて専門機関につなげるなどの対応を行う。　Q6　×　言語や習慣の違いだけではなく、家庭環境などの要因も考えられる。　Q7　×　性的虐待である。

Q8　×　つながる可能性がある。

子どもの保健

子どもの保健

子どもの発育や疾病の予防などに関する科目です。各種ガイドラインの内容に基づき、保育所として行うべき環境整備や疾病への対応について学びます。

合格のコツは？

子どもの健康状態の把握、かかりやすい疾病の特徴、感染症予防、予防接種に関する出題が約半数を占めています。**「保育所における感染症対策ガイドライン」**、疾病の特徴的症状については確実におさえておきましょう。

また、アレルギー疾患や症状についてもよく出題されますので、**「保育所におけるアレルギー対応ガイドライン」**を覚えておくとよいでしょう。ほかに、身体・発育の特徴や脳の構造、保健に関する統計もチェックしておきましょう。

関連法律・制度

・母子保健法　・予防接種法　・学校保健法施行規則　・保育所保育指針

関連統計・資料

・教育・保育施設等における事故防止及び事故発生時の対応のためのガイドライン【事故防止のための取組み】～施設・事業者向け～
・保育所における感染症対策ガイドライン　・人口動態統計

関連が強い科目

（下）子どもの食と栄養

出題分析 出題数：20問

- **感染症予防**や子どもがかかりやすい**疾患の特徴**、**予防接種**、**アレルギー**、**発達障害**、**事故時の対応**などの問題が多く出題されている。
- 体調不良児への対応や発達障害に関する問題は、事例で出題されることが多い。

■過去6回の項目別出題数実績一覧 ※項目名は出題範囲の小項目を学習しやすいように改変しています

項目		R3後	R4前	R4後	R5前	R5後	R6前
子どもの健康と保健の意義							
生命の保持と情緒の安定に係る保健活動の意義と目的	L1	0	1	1	1	1	1
健康の概念と健康指標	L1	1	0	1	1	0	0
地域における保健活動と児童虐待防止	L1	1	2	1	1	0	1
子どもの発育・発達と保健							
生物としてのヒトの成り立ち	L2	0	0	0	0	2	2
身体発育と保健	L2	1	1	0	4	1	0
生理機能の発達と保健	L2	0	0	1	1	1	1
運動機能の発達と保健	L1	0	0	1	0	0	0
精神機能の発達と保健	L1,2	0	0	0	0	0	0
子どもの疾病と保育							
子どもの健康状態の把握と主な疾病の特徴	L3	1	3	3	2	2	3
子どもの疾病の予防と適切な対応	L3,4,5	5	2	5	6	2	3
子どもの精神保健							
子どもの生活環境と精神保健	L6	0	0	0	0	0	0
子どもの心の健康とその課題	L6	5	4	0	0	0	0
環境及び衛生管理並びに安全管理							
保育環境整備と保健	L7	0	0	0	1	1	0
保育現場における衛生管理	L7	1	2	0	1	2	0
保育現場における事故防止及び安全対策並びに危機管理	L7	3	3	4	1	3	3
健康及び安全の実施体制							
職員間の連携と組織的取組	L8	0	0	0	0	0	0
母子保健対策と保育	L8	0	0	0	0	0	1
家庭・専門機関・地域との連携	L8	1	0	1	1	0	0
保健活動の計画及び評価							
保健計画の作成と活用	L8	0	0	1	0	0	0
子どもの保健に係る個別対応と子ども集団全体の健康と安全・衛生管理	L3,7	1	2	1	0	5	5

子どもの保健
Lesson 1

子どもの健康と保健の意義

頻出度 Level 3

「健康」とはどういうことなのでしょうか。健康の定義と指標、子どもの保健の課題をみていきましょう。

ココに注目!!
- WHOによる健康の定義
- 保健水準の種類と健康指標の見方
- 出生率と合計特殊出生率とは
- 医療的ケア児への配慮とは

1 健康の定義と子どもの保健の意義

(1) WHOによる健康の定義

「健康」とはどのような状態を指すのでしょうか。ここでは、WHO（世界保健機関）の定義をみていきましょう。

「WHO憲章[*1]」（1948年制定、日本では1951年に公布）の前文において、健康とは、「**完全な肉体的**、**精神的**及び**社会的**福祉の状態であり、単に**疾病**（しっぺい）又は病弱の存在しないことではない」と定義されています。つまり健康とは、単に身体的に病気や異常がないということではなく、「心理的・**精神的**にも満たされていること」「個人を取り巻く環境も好ましい状態に保たれていること」が必要であるということが示されているのです。さらに、この前文では続けて、「到達しうる最高基準の健康を享有（きょうゆう）することは、人種、宗教、政治的信念又は経済的若（も）しくは社会的条件の差別なしに万人の有する基本的権利の一つである」とされています。

これらを子どもに当てはめてみると、「子どもはその子なりに**生きる喜び**にあふれた生活を送ることが健康であり、すべての子どもには健康に生きる権利がある」ととらえることができます。

用語
WHO（World Health Organization）
世界中の人々が最もよい健康状態になることを目的に、1948年、国連のなかの専門的な機関として設立された。感染症情報の交換、衛生統計の刊行など、世界の保健衛生に関する活動を行っている。

でた問!!
***1 WHO憲章**
健康の定義について出題。
R3後、R5前

(2) 子どもの発育・発達

子どもは、未熟な段階から成熟した段階へと常に発育・発達し続けています。保育とは、そうした子どもの未熟さを小児期の各時期で補い、成熟の段階に近づいていけるように助けていくことです。そのなかで、保育者は、個人差を十分に理解した適切な保育方法によって、子どもの成長を促していく役割を担っています。

(3) 子どもの保健の目的

子どもの保健の目的は、子どもを健やかに育てることです。毎日の保育活動のなかでは、子どもの健康を保持し、増進に努めることが求められます。そのためには、子どもの発育や発達段階に応じたQOL（生活の質）の向上をめざすことが必要です。

＋プラス1

子どもの保健の対象
子どもの保健においては、生理的な発育が終わる18歳までを「子ども」として扱い、その対象とすることが一般的である。一方、医学分野では、新生児からおおむね15歳（中学生）以下を「小児」として扱っている。

2 子どもの健康づくりの意義

(1) 子どもの健康づくりの実践活動

健康づくりとは、一人ひとりの健康状態をより高いレベルに引き上げるためのさまざまな実践活動を指します。

子どもの健康づくりには、次のようなことが大切です。

- 健康づくりは、子どもの**個人差**を十分に考慮して行う必要がある。
- 栄養、運動、休養、清潔、排泄（はいせつ）などの**基本的生活習慣**を適切に行うことで、毎日の継続した健康づくりを実践する。
- 子どもの健康づくりに、体を動かす**遊び**は不可欠である。
- 保育所や幼稚園と家庭が連携して、**生活全体**を通じて実践していく。

健康づくりは家庭の協力が不可欠です。保育者と家庭とのコミュニケーションを大切にしましょう。

(2) 子どもの健康づくりの注意点

子どもにとっては転んで泣くことも成長には必要な過程です。転んだときに何かにぶつかってけがをすることのないよう、子どもを遊ばせる環境の安全性には十分注意しましょう。

子どもの心身の特徴から、次の点に気をつけて健康づくり活動を促す必要があります。

- 免疫などを含む体の機能や体力が大人に比べて未熟なため、無理をさせないようにする。
- 頭部が大きく身体各部の機能が未熟で、歩行の際に**身体のバランス**がとりにくいため、転倒した際に大きな事故にならないよう、環境に注意する。
- 思考と運動機能がスムーズに連動していないため、身体のコントロールがききにくい面がある。
- 知識が未熟で、これから起こることの予測ができないうえに、好奇心旺盛なため、事故にあいやすく、十分な注意が必要である。

(3) 精神面での健康づくり

身体面ばかりでなく、心理面、精神面での健康づくりも大切です。たとえば、保育所で保育されている子どもは、保護者と長時間離れていることで、精神的に不安定になる場合があります。子どもの精神面での不安定さを軽減するためには、保護者と十分に連携をとり合うことが大切です。

3 子どもの保健水準と健康指標

(1) 保健水準と指標

ある一定の集団内の人々の健康状態のレベルを、**保健水準**といいます。その集団に病気が少なく、長生きしている人が多いほど、保健水準が**高い**ということになります。一般に、経済的に豊かで、医療施設が十分に整っていて、なおかつ戦争が行われていない国では、保健水準が高くなります。日本における保健水準を把握するためには、主に次の保健統計資料の指標を参考にします。

■保健統計資料をもとにした指標のまとめ

人口動態統計	出生、死亡、婚姻、離婚、死産の発生数など、ときとともに変動する人口の状態を、一定期間の届け出数によってとらえたもの。月別、年別などの統計がある。
人口静態統計	ある特定の日時に調査を行うことで、静止状態に近いかたちで人口の状態をとらえたもの。5年ごとに行われる国勢調査がこれにあたる。
疾病(しっぺい)統計	疾病ごとの罹患（りかん）率、受療率などの統計。
国民健康・栄養調査	健康状態、栄養摂取量などの調査。
学校保健統計	児童・生徒の発育状態や、健康診断時の疾病異常の発生頻度などの統計。

人口動態統計は、厚生労働省のホームページでみることができます。試験で最新の数値が出題されることもあるので、チェックしておきましょう。社会福祉や子ども家庭福祉でも出題されることがありますよ。

（2）主要な健康指標

健康指標とは、地域の保健水準を示すもので、次のようなものがあります。

- 死亡率……人口1,000人あたりの死亡数の割合。

$$死亡率 = \frac{死亡数}{人口} \times 1,000$$

- 乳児死亡率……出生1,000人あたりの乳児（生後１年未満）死亡数の割合。

$$乳児死亡率 = \frac{乳児死亡数}{出生数} \times 1,000$$

- 新生児死亡率……出生1,000人あたりの新生児（生後４週未満）死亡数の割合。

$$新生児死亡率 = \frac{新生児死亡数}{出生数} \times 1,000$$

プラス1

2022（令和4）年
死亡率
12.9
乳児死亡率
1.8
新生児死亡率
0.8

乳児死亡率
新生児死亡率
乳児死亡率や新生児死亡率では、日本はシンガポールやアイスランドなどとともに世界でも低い国である。

（3）日本の子どもの保健の水準

ここからは、日本における子どもの保健水準を、さまざまな指標をもとに、みていきましょう。

❶出生率

でた問!!

*2 出生率、合計特殊出生率、死亡率
人口動態統計から出生率、合計特殊出生率、死亡率、乳児死亡率などについて出題。
R4後

出生率[*2]とは、人口1,000人あたりの**出生数**の割合のことです。出生数では単純に人口の多い地域のほうが多くなりがちですが、出生率で比べると人口の少ない地域のほうが高くなる場合もあります。

$$出生率 = \frac{出生数}{人口} \times 1{,}000$$

日本の出生率は、第二次世界大戦直後の1949（昭和24）年ごろまでは、国際比較でも高率を示していましたが、その後急激に下降しています。第二次ベビーブーム（1971～1974年）により一時上昇したものの1974（昭和49）年を境に再び下降を続けています。近年では、大都市圏は出生率が**低く**、沖縄県や九州地方のほうが**高い**傾向が見られます。

また、ここ10年ほどの出生数は年によって多少増減はあるものの、全体としては減少傾向となっています。2022（令和４）年の出生数は77万759人（確定値）で、**出生率**は6.3となっています。出生数は2016（平成28）年以降は続いて100万人を割り、10年前の2012（平成24）年と比較すると、27万人ほどマイナスとなっています。

女性の**年齢階級別出生数**を、1985（昭和60）年から時系列で抜き出すと次のようになります。

1985年と2022年を比較すると、1985年で最も出生数が多かった25～29歳は、2022年では30～34歳よりも少なく、その一方で、40～44歳の出生数は1985年の約６倍になっています。

■女性の年齢階級別出生数

年次	女性の年齢階級							
	総数	19歳以下	20～24歳	25～29歳	30～34歳	35～39歳	40～44歳	45～49歳
1985	1,431,577	17,877	247,341	682,885	381,466	93,501	8,224	244
2005	1,062,530	16,573	128,135	339,328	404,700	153,440	19,750	564
2015	1,005,721	11,930	84,465	262,266	364,887	228,302	52,561	1,256
2022	770,759	4,558	52,850	202,505	279,517	183,327	46,338	1,600

逆に、20〜24歳の出生数は1985年の約５分の１です。これは初婚の年齢が、ほぼ30歳になっていることと関連しています。

出生率とは別に、**合計特殊出生率**という指標があります。これは、１人の女性が15歳から49歳までの間に出産する子どもの平均数のことで、2022年は1.26（確定値）となっています。日本では合計特殊出生率がだいたい2.07（人口置換水準）あれば人口を維持できると考えられていますが、それを大きく下回っているため、日本の人口は減少することが見込まれます。

出生率の低下原因としては、子どもを産む年齢の女子人口の減少、晩婚化、出生力の低下などが考えられます。さらに、女性の社会進出の増加の勢いに比べて保育制度や男性の育児休業制度などが整っていないために仕事と育児の両立が難しい、また若年層の経済環境が厳しいなどの要因も指摘されています。

＋プラス１

第１子出生時の母の平均年齢

初婚年齢の上昇とともに、第１子出生時の母の平均年齢は2011（平成23）年には30歳を超え、2022（令和4）年では30.9歳となっている。

子どもの保健

欧米では結婚しないで出産する人も珍しくないけれど、日本では結婚しないまま出産する人は少ないので、結婚しない人が増えることが直接少子化につながっているともいえますね。

ここは覚えよう!!

出生数および合計特殊出生率の年次推移

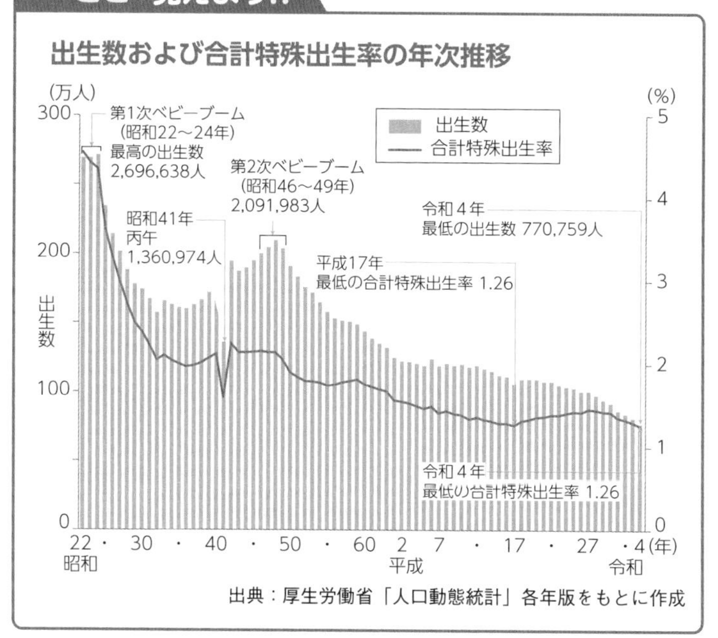

出典：厚生労働省「人口動態統計」各年版をもとに作成

❷出生時の身長、体重

2022年における平均出生時体重は男子3,050g、女子2,960g、平均出生時身長は男子49.3㎝、女子48.7㎝でした。出生時体重は約３kg、出生時身長は約50㎝が目安になります。

❸死産率

死産率とは、出産1,000人あたりの**死産数**の割合です。この計算での出生数と死産数を合わせた数を「出産数」といい、「出生数」とは異なります。そして、死産数とは、妊娠満12週以後の自然死産数と人工死産数を合わせた数のことです（2022年の死産率は19.3）。

$$\text{死産率} = \frac{\text{死産数}}{\text{出生数} + \text{死産数}} \times 1{,}000$$

❹周産期死亡

周産期死亡は、出産をめぐる死亡のことで、具体的には妊娠満22週以後の死産と生後１週未満の早期新生児死亡を合わせたものとなります。

$$\text{周産期死亡率} = \frac{\text{妊娠満 22 週以後の死産数} + \text{早期新生児死亡数}}{\text{出生数} + \text{妊娠満 22 週以後の死産数}} \times 1{,}000$$

現代の医学の発達により、予定よりも1か月以上早く、低体重で出生した子どもでも、成長できる場合が多くなっています。

日本の周産期死亡率は、早期新生児死亡率が低いのに対し妊娠満22週以後の死産が多いことが特徴でしたが、後者は急速に減少しました。2022（令和４）年の周産期死亡数は2,527人、周産期死亡率は3.3で、国際的にみても低い数値です。

周産期死亡の原因としては、周産期の胎児に発生した病態、先天奇形・変形及び染色体異常、または母体の病態、胎盤・臍帯・卵膜の合併症などが多くみられます。

❺妊産婦の死亡

妊産婦死亡は、妊娠中あるいは妊娠終了後満42日未満の死亡をいいます。

$$\text{妊産婦死亡率} = \frac{\text{妊産婦死亡数}}{\text{出生数} + \text{死産数}} \times 100{,}000$$

$$\text{妊産婦死亡率（国際比較を行う場合）} = \frac{\text{妊産婦死亡数}}{\text{出生数}} \times 100{,}000$$

日本の妊産婦死亡率（出産100,000件あたり）は、1960（昭和35）年ごろまでは３桁台でしたが、2022年には4.2まで低下しています。妊産婦死亡の主な原因は、子宮外妊娠、産科的塞栓症、分娩後出血などです。

❻乳児の死亡

日本の**乳児死亡率***3は、大正末期まで高率でしたが、医療の進歩、公衆衛生・栄養面の改善などにより、第二次世界大戦後には急速に低下し、2022年には1.8（出生1,000人あたり）と、世界的にみても低い数値となっています。

***3 乳児死亡率**
乳児死亡率の計算方法について出題。
R3後

2022年における乳児（０歳）の死亡原因（確定値）は、①**先天奇形、変形及び染色体異常**（35.6%）、②周産期に特異的な呼吸障害及び心血管障害（14.9%）、③不慮の事故（4.4%）、④乳幼児突然死症候群（3.2%）の順になっています。

乳幼児突然死症候群
⇨p146

不慮の事故の原因は、**吐乳**、溢乳による誤嚥および、ふとんの圧迫などによる窒息が圧倒的に多くなっています。

❼幼児の死亡

幼児期は一般に１歳から小学校就学前までの期間とされていますが、ここでは統計上用いられる区分を用い、１～４歳児について取り上げます。

2022年における幼児（１～４歳）の死亡原因（確定値）は、①先天奇形、変形及び染色体異常（23.0%）、②**不慮の事故**（11.9%）、③悪性新生物〈腫瘍〉（9.3%）の順になっています。

また、不慮の事故については、溺死及び溺水、**交通事故**、窒息などが原因となっています。

❽日本の死因別死亡数

1995（平成７）年ごろから、悪性新生物（がん、白血病など）、心疾患（心筋梗塞、心不全、狭心症など）、脳血管疾患（脳出血、脳梗塞など）という三大生活習慣病が死因の約半分を占めるようになっています。

2022年の死因別死亡割合は①**悪性新生物〈腫瘍〉**（24.6%）、②心疾患（14.8%）、③老衰（11.4%）の順になっており、脳血管疾患、肺炎がこれに続きます。

❾日本の人口

日本の総人口は、2023年10月１日現在で、約**1億2,435万人**で、2011（平成23）年以降**減少**し続けています。０～14歳の人口は約1,417万人で、総人口に占める割合は**11.4%**であるのに対し、65歳以上人口は約3,622万7,000人で、総人口に占める割合は29.1%に達しています。超高齢化がすすんでいるといえます。

日本の総人口は今後30～40年で1億人を割り込むとも、もっと早く人口減がすすむとも推測されています。

4 現代社会における子どもの保健の課題

（1）子どもの生活の変化

日本においては、**少子化**や、**核家族化**、**保護者の長時間労働**、**共働き世帯の増加**など、子どもの生活に関係するさまざまな問題が生じています。保護者が長時間労働で**延長保育**を利用しなくてはならず、子どもの生活リズムを大人の生活リズムに合わせることになり、帰宅や就寝時刻が遅くなるという例もみられます。また、住環境の変化により、近くに子どもがのびのびと遊べる公園などがなかったり、少子化によって近くに一緒に遊べる子どもが住んでいないなど、保護者だけでは解決の難しい問題も多数あります。子どもの健全な成長のためには、このような問題を解消していくことが必要といえます。

（2）医療的ケア児の増加

近年の新生児医療の進歩により、超早産で生まれた子どもや重度の障害がある子どもの救命率は上がっています。そのような子どもの場合、退院したあとも引き続きたんの吸引（**喀痰吸引**（かくたん））や**経管栄養**などの医療的なケアが必要となることが多くあります。こうした子どもは**医療的ケア児**[*4]と呼ばれ、2021年時点で全国におよそ２万人いるとされています。医療的ケア児は知的障害もなく歩ける子どもから重症心身障害児までさまざまな状態の子どもがおり、個別的な配慮が必要です。

医療的ケア児の多くは家族が自宅で介護しており、従来の制度ではその支援が十分とはいえませんでした。そこで、医療的ケア児が保育所や幼稚園、学校などで適切な教育を受けたり、家族の就労が介護のために途切れたりしないよう、切れ目のない支援を行うことを目的として、2021（令和３）年６月に「**医療的ケア児及びその家族に対する支援に関する法律**」が成立し、同年９月から施行されました。この法律では、医療的ケア児とその家族に対する国、地方公共団体、保育所、学校の設置者等の責務を定めています。

用語

喀痰吸引
脳性まひや神経疾患でたんの吸引が困難な子どもに対し、呼吸器によってたんの吸引を行うこと。

経管栄養
摂食や嚥下の機能に障害があり、口から食事をとることができなかったり、十分な量をとれない場合などに、胃や腸までチューブを通し、流動食や栄養剤を注入すること。

でた問!!

***4 医療的ケア児**
医療的ケア児への配慮について出題。
R4前

医療的ケアの内容や医療的ケア児の人数について出題。
R3後、R4後

医療的ケア児に対して行う**医行為**のうち、たんの吸引と経管栄養の管理については、特定の研修を受け、認定特定行為業務従事者としての登録を受けた保育士等も一定の条件下で行うことができます。これを**特定行為**といいます。特定行為以外の医行為については、医師の指示のもと、看護師が行います。

しかし、看護師を確保できない、研修を受けた保育士を確保できないなどの理由から医療的ケア児を受け入れている保育所等はまだ少なく、2020（令和2）年度時点で526か所のみです。

（3）保育所における防災・防犯対策

近年、日本の各地で大きな地震による津波被害や、台風による浸水などさまざまな自然災害が起こり、大きな被害が出ています。保育所では災害に備え、日ごろから次のような**防災訓練***5を行っておくことが必要です。

- **避難訓練**は、少なくとも**月1回**行い、職員の実践的対応能力を養うとともに、子どもが**発達過程に応じて**災害発生時に取るべき行動や態度を身につけておく。
- 避難訓練は、地域の関係機関や保護者と連携し、保護者への子どもの**引き渡し訓練**も行う。
- **対応マニュアル**を作成し、防災対策を確立する。
- 防災訓練は、**指導計画**の中に位置づけ、事前に訓練を行って子どもたちが理解したうえで訓練に臨めるようにする。
- 災害発生時の**職員の適切な役割分担と責任**について明らかにし、全職員で共有する。
- 子どもたちが帰宅できないことを想定して、**最低3日分**の必需品を備蓄しておく。
- 災害時には電話がつながらないことを想定して、あらかじめ**複数の連絡手段**を決めて保護者に伝えておく。

自然災害とは別に、保育所に不審者が侵入したり、事故が起きたりすることも考えられます。緊急事態が発生した場合には冷静な対応が求められるため、日ごろから**防犯訓練***6を行い、連絡体制や協力体制を保護者、消防、警察、医療機関などとの間で整え、地域とのコミュニケーションも積極的にとって**あらかじめ緊急時の協力や援助**を依頼しておきます。

用語
医行為
医師や看護師などの免許をもっている者しか行うことができない行為のこと。

プラス1
特定行為以外の医療的ケア
導尿や人工肛門の管理など、特定行為以外の医療的ケアは医師や看護師などの免許をもつ者しか行うことはできない。

子どもの保健

「感染症法」における分類
⇨p131

災害への備え
⇨p176

***5 防災訓練**
防災訓練について出題。
R6前

でた問!!
***6 防犯訓練**
防犯訓練について出題。
R6前

ポイント確認テスト

穴うめ問題

☐☐ **Q1** 過R5前

世界保健機関（WHO）憲章の前文にある健康の定義には、「健康とは、完全な（ a ）、（ b ）及び（ c ）福祉の状態であり、単に（ d ）又は病弱の存在しないことではない」とある。 >>> p92

☐☐ **Q2** 過R4後

人口（ ）に対する出生数の割合を出生率という。 >>> p96

☐☐ **Q3** 過R4後

合計特殊出生率とは、（ a ）歳から（ b ）歳までの女性の年齢別出生率を合計したものである。 >>> p97

☐☐ **Q4** 過R6前

万が一に備え、保育所内では最低（ ）分の必需品を備蓄しておくとよい。 >>> p101

○×問題

☐☐ **Q5** 過R3後

乳児死亡率は、出生千に対する乳児死亡数で表す。 >>> p95

☐☐ **Q6** 過R3後

「令和4年（2022）人口動態統計（確定数）の概況」（厚生労働省）によると、令和4年の出生数は、100万人未満である。 >>> p96

☐☐ **Q7** 過R4後

医療的ケア児とは、日常生活や社会生活を営むために、恒常的に喀痰吸引や経管栄養などの医療的ケアが必要な児童のことをいう。 >>> p100

☐☐ **Q8** 過R6前

防災訓練は保護者の負担にならないように保護者の参加を計画の中に入れず、保育者だけで行う。 >>> p101

解答・解説

Q1 a 肉体的／b 精神的／c 社会的／d 疾病 **Q2** 千人（1,000人） **Q3** a 15／b 49
Q4 3日

Q5 ○ **Q6** ○ 77万759人である。 **Q7** ○ **Q8** × 保護者も参加する引き渡し訓練を行う。

子どもの保健 Lesson 2

子どもの発育・発達と保健

頻出度 Level 2

子どもの身体発育は常に一定ではありません。出生時からの身長や体重の変化など、身体発育のピークを理解しましょう。

ココに注目!!

- 乳幼児の身体発育の流れと発達の評価
- スキャモンの器官別発育曲線が示す発育の特徴
- パーセンタイル値が示すものとは
- 大脳の区分のしくみと役割

1 子どもの身体発育の特徴

（1）身体発育のピーク

子どもの身体発育は、急速にすすむ時期とゆるやかにすすむ時期とがあります。受精から出生に至るまでの発育（成長）が最も急激で、乳児期ごろまでは速い速度で発育がすすんでいき

■スキャモンの器官別発育曲線

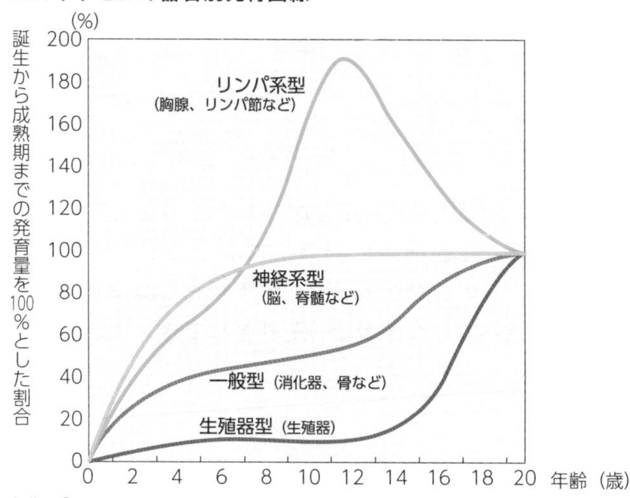

出典：「Harris, JA, Jackson, CM, Paterson, DG, Scammon, RE. The measurement of man. Univ. Minnesota Press.」1930 年をもとに作成

ます。この時期を**第一発育急進期**とよびます。その後、**第二次性徴**の始まる思春期になると再び急激な速度で発育します。これを**第二発育急進期**とよびます。第二発育急進期は、女子は11歳ごろ、男子は13歳ごろから始まります。

アメリカの医学者**スキャモン**[*1]（Scammon）は、器官別では神経系の発達時期は最も早く、６歳までに急速に成長するのに対し、生殖器型の成長は思春期（８～19歳ごろ）にならないと起こらないなど、成長の時期にはバラつきがあるとしています。

（2）体重

出生時の体重は**約３kg**が目安となります。出生時体重が2,500g未満を**低（出生）体重児**、1,500g未満を極低（出生）体重児、1,000g未満を超低（出生）体重児といいます。新生児期には、生後３～４日ほどの間に**生理的体重減少**[*2]がみられますが、哺乳（ほにゅう）量の増加にともない、生後７～10日ほどで出生時の体重に戻ります。

乳児期には**体重増加**がめざましく、およそ**生後３か月**で出生時の約２倍、１年で約**３倍**になります。こうした急激な体重増加にともない皮下脂肪が増え、乳児は**生理的肥満**となります。幼児期には体重増加率が乳児期よりもゆるやかになり、２～２歳半ごろに出生時の４倍、３歳半～４歳ごろに約５倍というように増加していきます。

（3）身長

出生時の身長は**約50cm**が目安となります。男女とも１歳で出生時の約**1.5倍**、４歳前半で約２倍になります。幼児期には、体重よりも身長の伸びが大きく、皮下脂肪も減少してくるので、乳児期に比べて体つきがほっそりとしてきます。

（4）頭部

❶頭囲と胸囲[*3]

男女ともに、出生時には**胸囲**より**頭囲**のほうが大きく、生後

***1 スキャモンの器官別発育曲線**
一般型、リンパ系型、神経系型、生殖器型の発育の特徴などについて出題。
H31前

***2 生理的体重減少**
起こる時期や減少量について出題。
R3後

低出生体重児の割合
2022年の「人口動態統計」によると、2,500g未満の低出生体重児は、男児が8.3%、女児が10.6%を占め、2005年ごろからその割合は横ばいの状態である。

生理的体重減少
出生後数日の間に起こる、新生児の一時的な体重減少。哺乳量よりも、胎便・尿の排泄（はいせつ）や呼吸、皮膚からの水分蒸発による水分喪失量が多いために起こるもので、出生時体重の5～10%前後の減少がみられる。

***3 出生時の胸囲と頭囲**
出生時の胸囲と頭囲の大きさの違いについて出題。
R5前

2か月ほどで胸囲のほうがやや大きくなります。頭囲は乳児期に著しく発育し、男女とも1歳で約45～46cm、4歳で約50cmになります。

❷泉門

新生児は、**頭蓋骨の縫合部***4がまだ癒着していないため、つなぎ目にすきまがあります。これを**泉門**といい、顔の前側に大泉門、後ろ側に小泉門があります。小泉門は、生後3か月ごろまでに閉じます。**大泉門**は生後10か月ごろまでは大きくなり、その後少しずつ小さくなって、1歳半ごろまでに閉じます。

でた問!!
***4 頭蓋骨の縫合部**
新生児の頭蓋骨の縫合部について出題。
R5前、R6前

（5）歯

乳歯*5は、生後**6～7か月ごろ**、前歯から生え始めます。満1歳ごろには上下4本ずつとなり、**3歳ごろには20本**すべてが生えそろうようになります。

乳歯は5～6歳ごろから抜け始め、代わりに**永久歯**が生え始めます。永久歯は全部で28本（親しらず4本を除く）あり、20歳ごろに生えそろいます。

でた問!!
***5 乳歯**
乳歯の生えはじめについて出題。
R3前、R5前・後

子どもの保健

■歯の生える順序

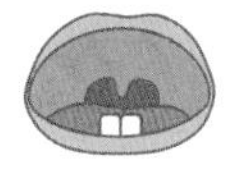
7か月

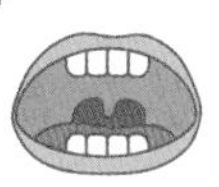
1歳

1歳2か月

2歳6か月

3歳

乳歯は下の前歯から生えることが多いけれど、上から生える子もいます。

2 身体発育と発達の評価

（1）体重の計測

乳幼児の**体重計測**には、感度が10g単位以内のデジタル式体重計や分銅式体重計を使います。乳児は秤の台にタオルを敷くか、かごを置き、その中に寝かせて量ります。

全裸での計測を原則とし、おむつを履いたまま量ったり、布でくるんで量ったりする場合には、その重量を差し引きます。体重計測時に動いて量れない場合には、**大人が抱いて**量り、あとで大人の体重を差し引いてもかまいません。立って計測できるようになれば、大人と同じ体重計を使用できます。

哺乳や食事、排泄、入浴、運動のすぐあとは、出入りした水分が体重に影響してしまうので避けましょう。

（2）身長の計測

乳児の**身長計測**[*6]は、乳児用身長計に**あおむけ**に寝かせて行います。顔の側面からみて耳と目を直線で結んで決まる平面（耳眼面（じがん））が、台板と垂直になるように、頭を固定板につけます。両ひざや腰が曲がらないように押さえ、移動板に足底部を当てて計測します。

立って計測できる幼児には、学童･一般用の身長計を使用し、1mm単位まで計測します。身長計の尺柱を背にして直立の姿勢をとり、足先は30度くらいの角度に開きます。踵（かかと）、でん部（おしり）、背部が尺柱に接するようにし、両腕は手のひらが内向きになるよう自然にたらします。あごを引き、**耳眼面（じがん）**が移動板と水平になるように頭を固定し、計測します。

乳児の身長計測では、ひざや腰が曲がらないように押さえるのがポイントですよ！

耳眼面

眼窩（がんか）点（眼の下のくぼみの下の箇所）と耳珠（じじゅ）点（耳の前側にある軟骨の箇所）を結ぶとできる平面のこと。

でた問!!

***6 身長計測**

乳幼児の身体計測の方法について出題。

R5前

ここは覚えよう!!

乳児・幼児の体重測定・身長測定

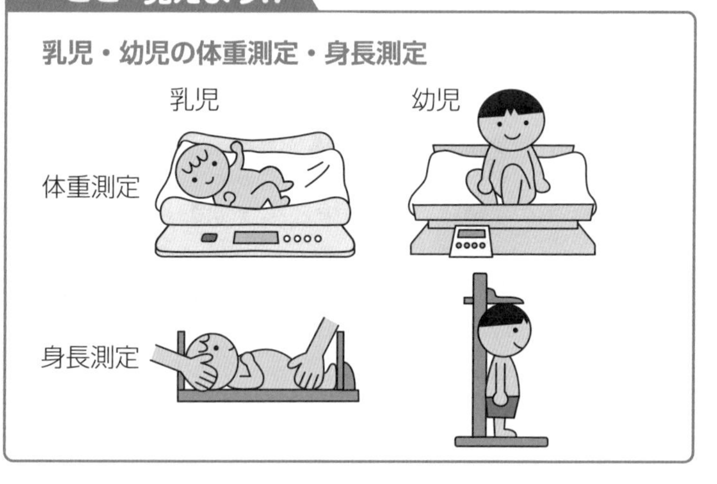

（3）頭囲・胸囲の計測

- **頭囲**[*7]……巻き尺を使い、眉と眉の間と、後頭部のいちばん出ているところを通るように巻き1mm単位まで測る。前面はひたいの最突出部を通らないように注意する。

***7 頭囲**

頭囲の計測方法について出題。

R5前・後

- **胸囲**……巻き尺を使い、前面は左右の乳頭のすぐ上を通るように、背部は肩甲骨（けんこうこつ）のすぐ下を通るように巻いて測る。巻き尺は強く締めすぎず、皮膚面からずり落ちない程度とし、自然に呼吸しているときの**呼気と吸気の中間で計測**する。乳児は仰臥位（ぎょうがい）で、幼児は立位で計測する。

（4）身体発育値の評価

❶パーセンタイル値

身体発育状態を評価する方法として、厚生労働省が10年ごとに全国調査している**乳幼児身体発育値のパーセンタイル値**[*8]が用いられます。

50パーセンタイル値を中央値といいます。**3パーセンタイル値未満および97パーセンタイル値以上**の場合には、発育の偏りとみて経過を観察するようにします。ただし、体重や身長のバランスがとれていたり、その子どもなりの着実な発育がみられる場合は、多くは問題ありません。

用語

パーセンタイル値
頭囲などの各測定値が、母集団（国・都道府県など）の統計的分布のなかで、どの位置にあるかを表す値。小さいほうから何%目に該当するかを表す。

3パーセンタイル値と97パーセンタイル値が母子健康手帳にも載っています。

でた問!!

***8 パーセンタイル値**
母子健康手帳に表示されているパーセンタイル値について出題。
R3後

子どもの保健

■乳児の身体発育曲線

男子

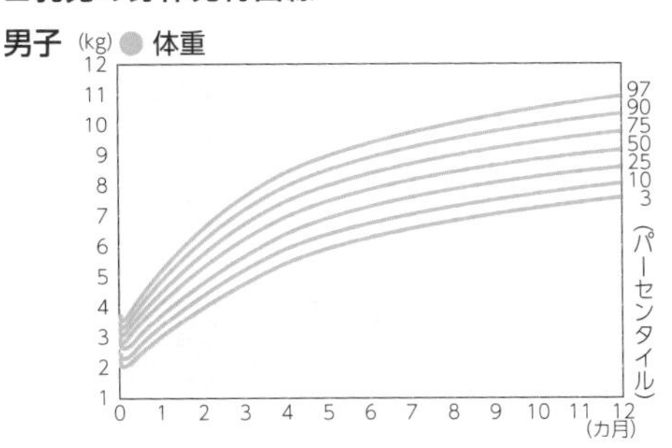

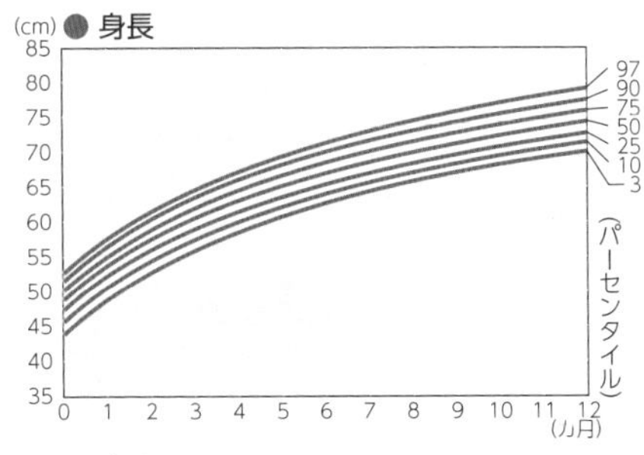

女子

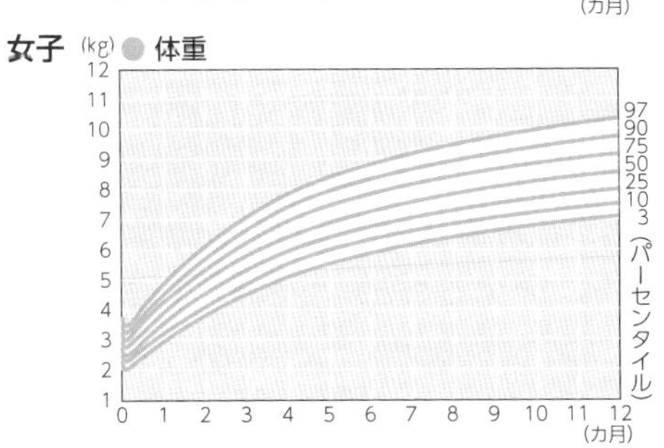

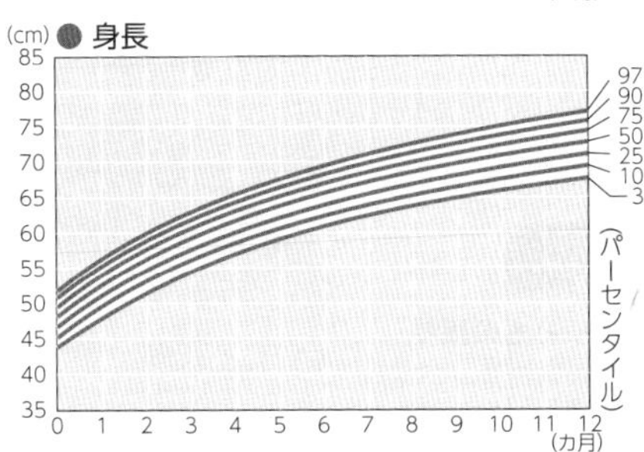

出典：厚生労働省「乳幼児身体発育調査」2010年

❷カウプ指数・ローレル指数

*9 カウプ指数
カウプ指数の計算式について出題。
R1後、R3後
カウプ指数の判定について出題。
R5前

カウプ指数*9や**ローレル指数**は、２つ以上の計測値を組み合わせて求める発育指数です。身長や体重の測定値そのものを評価するのではなく、それらのバランスをみることで発育状態の全体像を知ることができます。肥満や、やせの判定にも用いられています。

生後３か月以降の乳幼児の肥満・やせ判定には、カウプ指数が用いられ、学童期以降の肥満・やせ判定には、ローレル指数が用いられます。

■カウプ指数の算出と判定（目安）

計算式	$\text{カウプ指数} = \dfrac{\text{体重（g）}}{\text{身長（cm）}^2} \times 10$	
判定	14 以下	やせ
	15 ～ 18	普通
	19 以上	肥満

■ローレル指数の算出と判定

計算式	$\text{ローレル指数} = \dfrac{\text{体重（kg）}}{\text{身長（cm）}^3} \times 10^7$	
判定	100 以下	やせすぎ
	145 くらい	標準値
	160 以上	肥満

3 子どもの生理機能の発達

（1）脈拍

❶子どもの脈拍

*10 子どもの脈拍
幼児の脈拍数について出題。
R3前、R4前

脈拍*10の状態は、心臓が血液を送りだす働きが順調であるかどうかを読み取る手がかりとすることができます。**年齢が低い**ほど新陳代謝が盛んで運動も活発なので、脈拍数は**多く**なります。また、発熱や授乳、号泣、入浴、身体運動、精神的興奮などにより、一時的な増加がみられます。平常時の脈拍の正常値は、新生児120～150回、乳児**120～140**回、幼児**80～120**回、成人60～80回です（いずれも１分間）。

❷脈拍の測定方法

脈拍の測定は、睡眠中などの安静時に行います。**橈骨動脈**（手首のつけ根の親指側）に３本の指を軽く当てて、１分間の脈拍数やリズム、強弱などをみます。橈骨動脈で測りにくいときは、頸動脈（首）や浅側頭動脈（こめかみ）などで測ることもできます。

（2）呼吸

❶胎児の呼吸と循環*11

胎児は、胎盤を通して酸素を取り入れているため、肺呼吸は行っていません。胎児の肺や肝臓は未熟で胎盤がその役割を果たしており、これを**胎児循環**といいます。卵円孔という胎児の心臓にある穴や、動脈管という血管は、胎児循環の間のみ開いており、出生後自然に閉鎖します。

***11 胎児の呼吸と循環**
胎児循環について出題
R4前、R5後

❷子どもの呼吸

肺呼吸は出生とともに開始されます。乳児期は、肺胞が十分に発達しておらず、胸郭や横隔膜が未熟なため、上手に呼吸できません。このため、乳児期の呼吸はたいてい**腹式呼吸**で、幼児期前半には胸腹式呼吸が行われるようになります。また、上気道や鼻腔が狭いため呼吸困難に陥りやすく、感染を起こしやすいので注意が必要です。

呼吸数*12は年齢が低いほど多く、かぜや肺炎などの呼吸器疾患や授乳、号泣、身体運動などにより一時的な増加がみられます。また、新生児や乳児には、睡眠時の無呼吸がしばしばみられます。平常時の呼吸数の正常値は、新生児**40～50**回、乳児**30～40**回、幼児**20～30**回、成人15～20回（いずれも１分間）です。

***12 呼吸数**
子どもの呼吸数について出題。
R3前、R4前

❸呼吸の測定方法

吸いはじめから次の吸いはじめまでを１呼吸といい、これを１分間測定します。睡眠中などの安静時に、静かに胸に手を当てたり肩に手をかけたりして測り、その上下する速さや深さ、規則的な呼吸をしているかどうかなども観察します。

子どもの保健

（3）体温調節機能

❶子どもの体温

代謝が盛んで活動性も高い**子どもの体温***13は、一般に成人よりも**高く**、**36.8～37.4℃**が正常な範囲です。子どもは、身体の異常が体温に現れやすいため、身体のようすに変化を感じたら、まずは検温によって異常の有無を確かめます。特に新生児期は皮膚表面から熱を失いやすく、体温調節機能が未熟なため、衣服や環境温度の調整に十分な配慮が必要となります。

***13 子どもの体温**
子どもの体温の特徴について出題。
R3前、R4前、R5前

子どもは体温計を口に入れると、かんでしまうおそれがあるので、必ずわきの下か耳の穴で検温をします。

❷体温の測定方法

一般的に乳幼児は**腋窩検温**または耳式検温を行います。危険防止のため、子どもに**口腔検温**は行いません。腋窩検温では、わきの下を乾いた布で拭き、体温計をわきの下のくぼみの真ん中に斜め下から差し込み反対の手で腕を押さえます。水銀体温計の場合は７～10分間測定します。耳式検温は、測定時間が短いため、最近では乳児によく用いられます。挿入部が鼓膜に正しく向いていることが大切です。

（4）消化器・泌尿器の生理機能

❶胃の形態

乳児期は、**胃の形が縦長の筒状**で、噴門部（食道から胃への入り口部分）の**閉鎖機能が未熟**です。このため溢乳しやすいので、一般的に生後３～４か月ごろまでは哺乳のあとには**排気**（げっぷ）を十分にさせる必要があります。

❷排尿

乳児期の**排尿***14の生理機能は未熟で、膀胱に尿がたまると**脊髄の反射**で排尿が起こります。脳の発達により、１歳ごろになると尿がたまった感覚がわかるようになり、排尿間隔が長くなっていきます。２歳前後から、自分の意思による排尿が可能となります。３～５歳ごろは、睡眠中の抗利尿ホルモンの分泌が増加し、尿意を抑制できるようになるため、夜間の排尿も自立し始めます。

新生児は1回の排尿量が少ない分、回数が多く、1日15～20回ほど排尿します。

***14 排便・排尿**
排便・排尿の自立について出題。
R6前

❸排便

乳児の便で出生後12時間以降に出始める**胎便**は、２～３日続く黒褐色または暗緑色の便で、軟らかく粘りがあり無臭です。乳児期は、胃に食物が入ると腸の**蠕動運動**が活発になり、脊髄の反射によって肛門の**括約筋**が開いて**排便**[*14]が起こります。1歳6か月〜2歳ごろには、言葉やしぐさで便意を訴えるようになりますが、自分の意思で排便をコントロールできるようになるのは、自分の意思で外肛門括約筋を制御できるようになる2〜3歳ごろです。排便が自立するのは、4歳以上です。

4 神経系機能と脳のしくみ

(1) 神経系のしくみと脳の発育

神経系には、**中枢神経系**と**末梢神経系**があります。中枢神経系は、脳と脊髄からなり、身体各部の働きを調整し、制御する神経系機能の中枢にあたります。この中枢神経系と身体の各器官を結ぶ経路が末梢神経系です。これらの神経系の最も重要な働きは、**刺激を伝達**することにあります。

人間の**脳の重量**[*15]が体重に占める割合は、新生児で10%程度、成人で2%程度となっています。重量でみた脳の発育は乳幼児期に著しく、生後半年で出生時の約2倍、3歳で成人の約80%、**6歳で約90%**になります。

(2) 大脳

脳は、**大脳**、小脳、間脳、脳幹に分けることができます。脳幹の最下部にある延髄には脊髄が連なり、脊柱の中を腰部まで伸びています。大脳は、脳の約80%を占める最も大きい部分です。外側の灰白質の部分を皮質（大脳皮質）といいます。

❶大脳皮質

人間の出生時には、約140億という神経細胞がすでに備わっており、あらゆる**精神活動**は、**大脳皮質**に存在する膨大な数の神経細胞によって行われます。

大脳皮質は、新皮質、古皮質（旧皮質）に区分され、人間の場合はそのほとんどが新皮質です。新皮質は、言語活動、精神

赤ちゃんは、神経系が十分に発達していなくて、脳と全身がうまく連携できていない状態です。刺激を受け、神経系が発達することによって、思い通りに動き、感覚器が受け取った情報をもとに判断できるようになります。

でた問!!

***15 脳の重量**
脳の重量の変化について出題。
R3前

✚プラス1

自律神経系
内臓や血管、心筋、腺などに分布し、瞳孔（どうこう）反応、血圧の上昇と下降、心臓の拍動、呼吸運動、消化管の緊張と運動、膀胱の運動、汗・涙・唾液の分泌などに影響を与える。つまり、自律神経系は、人体の働きのうちで、意思で動かすのではないものに関係している。交感神経と副交感神経がある。

活動といった高等で人間的な活動を支配する部位です。

古皮質は、視床下部などと関連しながら**大脳辺縁系**を構成します。食欲や性欲といった本能に基づく基本的な活動や快・不快の感情、怒り、おそれなどをつかさどり、**自律神経系の調整・統合**を図ります。

❷大脳の区分

大脳[*16]は、中央に走る溝を境として、左半球・右半球に分かれ、脳梁とよばれる線維群によって結ばれています。さらに、各大脳半球は、表面を走る溝によって、**前頭葉**・**頭頂葉**・**側頭葉**・**後頭葉**の４つに区分されます。

でた問!!

***16 大脳**
大脳の区分と役割について出題。
R6前

脳のどの部分が何を担当するのか、ずいぶん細かく決まっているのですね。

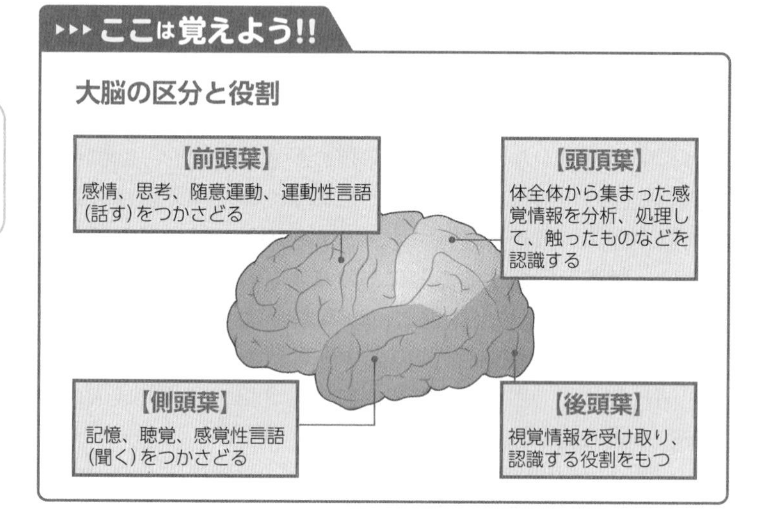

（3）小脳

小脳は、左右に分かれる**小脳半球**と、中央部のへこみ部分である**虫部**からなります。小脳半球は、手足の複雑で敏速な運動をスムーズに行えるよう調節します。虫部は姿勢や身体のバランスを保つ働きをします。

（4）間脳

間脳は、**視床**と**視床下部**からなる器官です。視床は皮膚・粘膜・筋肉に与えられた刺激を、知覚として視床下部や大脳皮質に伝えます。また、視床の後部は聴覚、視覚の神経路の中継点となっています。視床下部は体温調節、摂食調節、情動行動などを支配しています。視床下部下方にある下垂体からのホルモン分泌にも影響を与えます。

（5）脳幹

脳幹は、中脳・橋・延髄からなっており、生命維持に関する重要な役割を果たしています。中脳は**視覚・聴覚**の調節を行い、橋は主に**運動**を命令する神経線維が通る部位です。延髄は**自律神経の中枢**が多数存在し、呼吸や心臓の動き、発汗などに関係する中枢があります。

脳幹
脳幹に間脳を含める場合もある。

（6）脊髄

脊髄は、延髄から連なり脊柱の中を腰部まで伸びています。左右の側面から出ている31対の脊髄神経は、全身に分布し、身体各部からの刺激を脳に伝え、脳からの運動指令を筋肉に伝えています。

（7）神経細胞と神経伝達

中枢神経系を構成する**神経細胞**（**ニューロン**）は、他器官などからの電気信号を**樹状突起**や細胞体でキャッチし、軸索をとおして神経終末にある**シナプス**に送り、別の神経細胞に伝えます。これを情報伝達といいます。神経線維の軸索は、**髄鞘**とよばれる細胞で覆われ、この髄鞘ができていく過程を**髄鞘化**[*17]といいます。髄鞘化は、運動神経などでは**胎児期の後半**から始まり、20歳くらいでほぼ終了します。髄鞘化がすすむと、情報伝達の速度が速くなります。

神経細胞の数は出生後は増加しませんが、シナプス形成とともに髄鞘化がすすむことで、大脳の神経系の活動が発達し、運動、知覚、情動、意識の機能が完成します。

***17 髄鞘化**
軸索の髄鞘化のはたらきについて出題。
R6前

ポイント確認テスト

できたらチェック！

穴うめ問題

☐ **Q1** ☐ 過R3後

母子健康手帳には、身体発育のかたよりを評価する基準の一つとして、体重、身長、頭囲それぞれの（ a ）パーセンタイルと（ b ）パーセンタイル曲線が図示されている。 >>> p107

☐ **Q2** ☐ 過R1後

乳幼児の（　　　）は、「体重 g/（身長cm）^{2}×10」で計算される。 >>> p108

☐ **Q3** ☐ 過R5前

子どもは新陳代謝が活発なので、体温は（　　）である。 >>> p110

☐ **Q4** ☐ 過R6前

脳の構造において、（　　　）は、運動に関連する領域と精神に関連する領域に大別される。 >>> p112

☐ **Q5** ☐ 過R6前

脳の構造において、（　　　）は、身体の姿勢や運動の制御、眼球運動に関係している。>>> p112

○×問題

☐ **Q6** ☐ 過R5前

出生時の頭蓋骨は縫合部が閉鎖していないため、大泉門と小泉門が開いた状態であるが、大泉門は生後まもなく閉じる。 >>> p105

☐ **Q7** ☐ 過R1後

乳幼児身体発育調査における身長の計測は、２歳未満の乳幼児では仰向けに寝た状態で、２歳以上の幼児では立った状態で行われる。 >>> p106

☐ **Q8** ☐ 過R3後

カウプ指数は身長と腹囲の相対的な関係を示す指標である。 >>> p108

☐ **Q9** ☐ 過R6前

尿がたまった感覚がある程度わかるようになるのは3歳頃である。 >>> p110

☐ **Q10** ☐ 過R3前

脳の重量は出生時に大人の約25％であり、出生後急速に増加して3歳で約80％、６歳で約90％に達する。 >>> p111

解答・解説

Q1　a 3／b 97（順不同）　Q2　カウプ指数　Q3　高め　Q4　前頭葉　Q5　小脳
Q6　×　生後まもなく閉じるのは小泉門である。　Q7　○　Q8　×　腹囲ではなく体重。
Q9　×　１歳ごろ。　Q10　○

子どもの保健 Lesson 3

子どもの健康状態の把握と病気への対応

頻出度 Level 5

保育士は子どもの健康状態をどのように把握するのでしょうか。
症状をみるポイントと看護のしかたについてみていきましょう。

ココに注目!!
- バイタルサインが示す健康状態の判断とは
- 子どもの症状をみるポイント
- 発熱時の判断とその対応
- 子どもがかかりやすい病気と、緊急時の対応

1 健康状態の把握

(1) 健康状態の評価

子どもが病気であるかどうかは、次のようなポイントから評価します。これにより異常と判断される場合には、バイタルサイン（体温、脈拍、呼吸など）や皮膚の状態をチェックし、必要に応じて医師の診察が受けられるよう対処します。

❶全身状態を観察する

子どもは心身の状態を伝えることが難しいため、健康観察[*1]をすることによって、全身の状態を把握する必要があります。

用語
バイタルサイン
人間が生きている状態を示す兆候のことで、意識、体温、脈拍、呼吸、血圧を測定し、判断する。

***1 健康観察**
子どもの健康観察について出題。
H31前、R3前

機嫌は？	多少は熱や咳がみられても、よく笑って機嫌がよければそれほど心配はない。
元気は？	活発に遊ばない、あやしても反応がないなどの場合は、具合が悪い可能性がある。
食欲は？	明らかな食欲不振が長く続く場合は、病気の兆候がないかくわしく観察する。
表情は？	目の輝きや、いきいきしているかなどを観察する。
泣き方は？	激しく泣いたり、手足を縮めて苦しそうに泣くときは体調不良や痛みがある可能性がある。
睡眠は？	寝つきがよく熟睡しているかなどを観察する。
皮膚は？	発しんや赤み、かきむしったあと、ガサガサした部分などがないか観察する。
排泄（はいせつ）は？	下痢が続いていないか。色やにおいは正常かどうか観察する。

ここは覚えよう!!

子どもの症状を見るポイント *2

【顔・表情】
- 顔色がいつもと違う
- 表情がぼんやりしている
- 視線が合わない
- 目つきがおかしい
- 無表情である

【目】
- 目やにがある
- 目が赤い
- まぶたが腫れぼったい
- まぶしがる

【耳】
- 痛がる
- 耳だれがある
- 耳をさわる

【鼻】
- 鼻水がでる
- 鼻づまりがある
- 小鼻がピクピクしている（鼻翼呼吸）

【口】
- 口唇の色が悪い（紫色［チアノーゼ］）
- 口の中が痛い
- 舌がいちごの様に赤い

【皮膚】
- 赤く腫れている
- 湿しんがある
- カサカサしている
- 水疱、化膿、出血している
- 紫斑がある
- 肌色が蒼白である
- 虫刺されで赤く腫れている
- 打撲のあざがある
- 傷がある

【のど】
- 痛がる
- 赤くなっている
- 声がかれている
- 咳がでる

【尿】
- 回数、量、色の濃さ、においがいつもと違う
- 血尿が出る

【便】
- 回数、量、色の濃さ、においがいつもと違う
- 下痢、便秘
- 血便が出る
- 白色便が出る

【睡眠】
- 泣いて目がさめる
- 目ざめが悪く機嫌が悪い

【胸】
- 呼吸が苦しそう
- ゼーゼーする
- 胸がへこむ

【お腹】
- 張っていてさわると痛がる
- 股の付け根が腫れている

【食欲】
- 普段より食欲がない

出典：こども家庭庁「保育所における感染症対策ガイドライン（2018年改訂版）（2023［令和５］年５月一部改訂）〈2023（令和５）年10月一部修正〉」をもとに作成

赤ちゃんは具合が悪くても言葉で伝えることができないけれど、激しく泣いたりして、まわりの大人に不調を伝えようとしています。

❷保護者から情報を得る

子どもの健康状態を適切に評価するために、家庭での睡眠時間、寝つき、目覚め、食欲、排便など、**家庭でのようす**について、保護者から情報を得るようにします。保育中と家でのようすが大きく異なる場合もあるので注意が必要です。

❸尿と便の観察

排尿や排便の状態は**健康状態**と深い関係がありますので、注意が必要です。

■排泄物を確認する際のポイント

便	形状	下痢をしていないか確認する。消化不良や冷え、ストレスなど下痢の原因はさまざまだが、乳幼児は**ウイルス性**の下痢を発症することが多い。水のような下痢を複数回し、腹痛がみられる場合は保護者へ連絡し、場合によっては医師の診察を受ける必要がある。
便	色*3	乳幼児の便の色は黄土色っぽい色をしている。ロタウイルスに感染すると**白色の便**が出る。血便や白色便がでた場合は注意が必要で、医療機関へ受診するとよい。診察を受ける際は、便のついた下着やおむつを持参する。乳児期によくみられる緑色の便は、腸のなかで便が空気にふれて酸化して緑色になったもので、特に心配は不要。
便	におい	腸のなかで食べ物と一緒に取り込んだ細菌が発酵腐敗して発生するのが原因であるが、乳児の場合は母乳やミルクをほぼ無菌状態で飲んでいて、腸のなかにはビフィズス菌などが多数存在するため、すっぱいにおいがする。
尿	性状	食物や薬の種類、発汗の程度などによって多少の変化はあるが、尿の色はたいてい**淡黄色**か**淡黄褐色**。また、正常な尿は、排尿直後では浮遊物や混入物がなく、澄んでいる。汗を多くかく時期では、尿の色が濃くなりがちであるが、明らかにピンク色の場合は**急性腎炎**、出血性膀胱炎の疑いがあるので、医師の診察を受ける。
尿	量	一般に1日あたり、乳児**200～500ml**、幼児**600～1,000ml**、大人は1,000～1,500mlくらい。気温が高い時期、幼児の尿の回数が少ないようすでも、3～4時間おきに排尿していて、元気もある様子なら心配はいらない。乳児で極端に尿の回数が少なくなった場合は脱水症状の疑いがある。

（2）保育中の体調不良への対応

健康観察の結果、子どもが体調不良であると判断した場合は、症状に合わせた対応を行ったうえで、保護者に医療機関の受診をすすめたり、集団保育が難しい状態の場合には、早めに迎えにきてもらったりします。また、保育所では原則として**与薬*4はできない**ということを保護者に理解してもらいます。

子どもが登園した際には、発熱していないか、発疹がないか、いつもと異なる様子はないかなどを確認し、異常がみられる場合には保護者に**前日からの様子**を確認します。また、保育中に子どもが**体調不良*5**となり、嘔吐したり、発熱した場合には、**別室に移して様子を見る**とともに嘱託医や保護者に連絡し、**嘱託医の指示に従う**とともに必要があれば保護者に迎えに来てもらいます。

でた問!!

***2 いつもと違う子どものサイン**
「保育所における感染症ガイドライン」に示されているいつもと違う子どものサインについて出題。
R2後、R4前

***3 便の性状**
正常な便の色について出題。
R3前

子どもの保健

用語

与薬
薬を与えること。

プラス1

与薬指示書に基づく与薬
慢性疾患があるなどの理由でやむを得ない場合には、医師の指示による「与薬指示書」のもと、保育者が保護者の代わりに与薬を行う。

でた問!!

***4 与薬**
保育所における与薬について出題。
R2後、R4前・後、R5後

***5 体調不良児への対応**
体調不良の際の保育所での対応について出題。
R4後、R6前

2 症状の把握と対応方法

「保育所における感染症対策ガイドライン」をもとに、症状に合わせた対応方法についてみていきましょう。

（1）発熱

子どもは体温調節機能が不十分なため、わずかな身体の変化によっても**発熱**[*6]します。特に０～１歳の乳幼児は、外気温や室温、湿度、厚着や水分不足などの影響を受けやすく、簡単に体温が上昇します。発熱時の体温はあくまでも目安であり、一人ひとりの平熱に応じて個別に判断することが求められます。熱が高い場合でも、あわてて**解熱剤**を飲ませるのではなく、次のような対応を行います。

でた問!!

***6 発熱**
発熱時の対応について出題。
R1後、R2後、R4後、R6前
発熱時の症状等について出題。
H31前

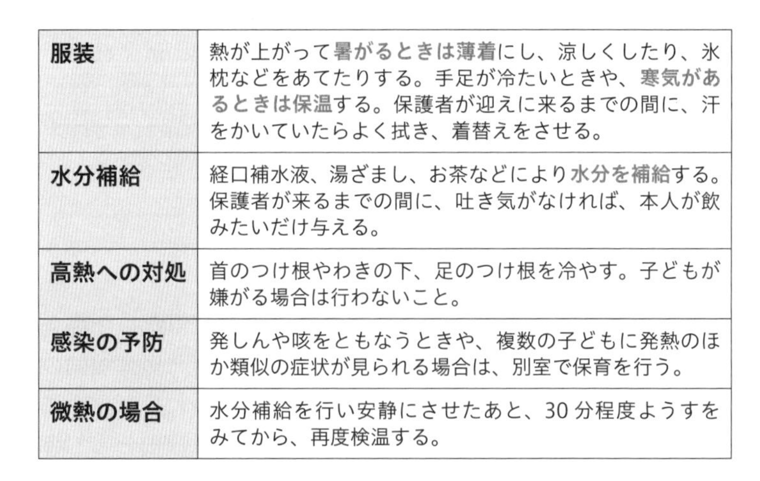

服装	熱が上がって**暑がるときは薄着**にし、涼しくしたり、氷枕などをあてたりする。手足が冷たいときや、**寒気があるときは保温**する。保護者が迎えに来るまでの間に、汗をかいていたらよく拭き、着替えをさせる。
水分補給	経口補水液、湯ざまし、お茶などにより**水分を補給**する。保護者が来るまでの間に、吐き気がなければ、本人が飲みたいだけ与える。
高熱への対処	首のつけ根やわきの下、足のつけ根を冷やす。子どもが嫌がる場合は行わないこと。
感染の予防	発しんや咳をともなうときや、複数の子どもに発熱のほか類似の症状が見られる場合は、別室で保育を行う。
微熱の場合	水分補給を行い安静にさせたあと、30分程度ようすをみてから、再度検温する。

保護者への連絡や医療機関への受診が必要と考えられる場合は次の通りです。

保護者への連絡が望ましい場合	● 38℃以上の発熱があり ・元気がなく機嫌が悪い ・咳で眠れず目覚める ・排尿回数がいつもより減っている ・食欲がなく水分がとれない

至急受診が必要と考えられる場合	● 38℃以上の発熱の有無にかかわらず ・顔色が悪く苦しそう ・小鼻がぴくぴくして呼吸が速い ・意識がはっきりしない ・頻回な嘔吐や下痢がある ・不機嫌でぐったりしている ・けいれんが起きた ● 3か月未満児で38℃以上の発熱がある

3か月未満児で38℃以上熱がある場合には、重大な病気が隠れていることもあるため至急受診しましょう。

(2) けいれん（ひきつけ）

けいれん時の対応例として、部屋は明るすぎないようにカーテンを閉め、周囲の物音に気を配ります。また、安静中は声をかけず、揺り動かさないようにします。

けいれん[*7]とは、全身または体の一部の筋肉が、意思とは関係なく発作的に収縮することをいいます。多くの場合、かぜなどの発熱時や熱中症の症状として現れます。けいれんは突然起こりますが、たいていの場合は**5分**ほどでおさまるため、落ち着いてようすを観察し、適切に対処することが大切です。けいれんが起きたときには、あわてず、楽な姿勢にさせます。吐いたものを喉につまらせないように、口にスプーンやタオルは入れず、顔を横に向けます。ほとんどのけいれんは心配ありませんが、脳炎などの重大な病気の場合もあるため、けいれんが止まる気配がない場合や、**意識が戻らない場合**は、すぐに救急車を呼びます。

(3) 咳

咽頭（いんとう）や気管、気管支の粘膜が、ほこりや異物などによって刺激されると**咳**[*8]がでます。「ゼイゼイ」「ヒューヒュー」といった喘鳴（ぜんめい）の症状は、痰をうまく排出できない3歳未満児に起こりやすくなります。

咳の症状がみられたら安静にして呼吸を整えさせ、水分補給を行います。咳き込むときは、前かがみの姿勢をとらせ、背中をさするか軽いタッピングをします。乳児の場合は立て抱きにして行います。午睡中は、上半身を高くして姿勢に気をつけます。発熱をともなうときや、複数の子どもに咳のほか類似の症状がみられる場合は、別室で保育を行います。

保護者への連絡や医療機関への受診が必要と考えられる場合は次の通りです。

子どもの保健

でた問!!

***7 けいれん**
けいれんの特徴について出題。
R1後、R2後、R4後、R6前
緊急搬送の目安について出題。
R4後

***8 咳**
咳の症状があるときの医療機関への緊急搬送の目安について出題。
R4後

用語

咽頭
のどと呼ばれる部分で鼻から食道につながる器官のこと。

プラス1

クループ症候群
ウイルス感染により咽頭と気管に炎症が起きる。犬が吠えるような咳と呼吸困難が特徴である。生後6か月～3歳の子どもに発生しやすい。

保護者への連絡が望ましい場合	●咳があり眠れていない ●ゼイゼイ音、ヒューヒュー音がある ●少し動いただけでも咳がでている ●咳とともに嘔吐が数回ある
至急受診が必要と考えられる場合	●ゼイゼイ音、ヒューヒュー音がして苦しそう ●犬の遠吠えのような咳がでている ●保育中に発熱し、息づかいが荒くなってきた ●顔色が悪く、ぐったりしている ●水分がとれない ●突然咳き込み、呼吸困難になったときは、異物誤嚥(ごえん)の可能性があるため、異物を除去して救急車を要請する

(4) 発しん

乳幼児の場合、急な**発しん**[*9]をともなう疾患のほとんどが**感染性疾患**です。発しんが時間とともに増えた場合、次の感染症の可能性を念頭において、対応することが求められます。

*9 発しん
発しんの種類について出題。
R5後

麻しん	かぜのような症状をともなう発熱後、いったん熱がやや下がった後に再度発熱し、赤い発しんが全身に広がった。
手足口病	微熱程度の熱がでたあとに、手のひら、足の裏、口のなかに水疱(すいほう)がでた。
突発性発しん	38°C以上の熱が3～4日続き下がったあと、全身に赤い発しんがでた。
風しん、溶連菌感染症	発熱と同時に発しんがでた。
伝染性紅斑	微熱と同時に両頬にりんごのような紅斑がでた。
水痘	水疱状の発しんがでた。

発しん時には、皮膚が刺激に弱くなっています。洗浄の際は、ふつうの石けんではなく、アトピー性皮膚炎用の石けんなど、低刺激の石けんを使いましょう。

感染性の疾患が疑われる場合は、ほかの子どもとの接触を避け、**別室で保育**をします。体温が高くなったり、汗をかいたりすると、かゆみをより強く感じる傾向があるため、換気や空調で室温を調整し、寝具にも配慮します。かゆみがひどく、発しんをかき崩すおそれがあるときには、爪を短く切ります。下着は皮膚への刺激が少ない木綿等の材質のものを選びます。また、口腔内に水疱や潰瘍などがあるときは、痛みで食欲が落ちるため、食事の工夫が必要です。おかゆなど水分の多いものや、プリンやヨーグルトなどのどごしのよいものを与え、辛味

かゆい部分を冷やした刺激で、かゆみが抑えられるって、聞いたことがあります。

や酸味など刺激の強いものは避けて薄味のものを与えます。

（5）腹痛

子どもは痛みを言葉で伝えることが難しく、ほかの体調不良を「おなかがいたい」と伝えることもあるので、症状をよく聞き取ることが大切です。また、乳児が激しく泣いて、ミルクを飲もうとしなかったり、足を腹部のほうへ曲げて泣いたりしたときには腹痛を疑います。

軽い痛みの腹痛であれば、緊張を和らげるような体位をとらせ、静かに休ませてようすをみます。また、誤飲・誤食が腹痛の原因となっていることもあるので、子どもが24時間以内に食べたものを把握しておきましょう。

激しい腹痛で嘔吐や下痢が止まらずとても苦しそうなときや、血便がでたとき、腹部が**硬くなっている**ときには、すぐに医師の診察を受けさせます。

（6）嘔吐

乳幼児は、消化器官が未熟で、また心理的な影響を受けやすいことから、わずかな刺激で**嘔吐**（おうと）*10することがあります。

嘔吐をしてしまった場合は、うがいのできる子どもは、うがいをさせます。うがいのできない子どもの場合は、保育者が口腔内に残っている嘔吐物をていねいに取り除きます。

その後、**繰り返し嘔吐**することがないかようすをみます。このとき、子どもを寝かせる場合は、嘔吐物が気管に入らないように、身体を横向きにします。**30〜60分**程度たって吐き気がなければ、ようすをみながら経口補水液などの水分を少量ずつとらせます。また、咳で吐いてしまったか、吐き気があったかなど、何をきっかけに嘔吐したか原因を確認することも大切です。頭を打ったあとに嘔吐したり、意識がぼんやりしているときは、横向きに寝かせてその場から動かさないようにし、救急車の要請が必要です。感染症が疑われる場合は、ほかの子どもを別室へ移動させ、適切な嘔吐物の処理や消毒を行う必要があります。

***10 嘔吐**
嘔吐への対応について出題。
R1後、R3前、R4後、R5前、R6前

子どもの保健

保護者への連絡や医療機関への受診が必要と考えられる場合は以下の通りです。

保護者への連絡が望ましい場合	●嘔吐が複数回あり、水を飲んでも吐いた ●元気がなく、機嫌、顔色が悪い ●吐き気が止まらない ●腹痛をともなう嘔吐がある ●下痢をともなう嘔吐がある
至急受診が必要な場合	●嘔吐の回数が多く、顔色が悪い ●元気がなく、ぐったりとしている ●嘔吐のほかに、複数回の下痢、血液の混じった便、発熱、腹痛などの諸症状がみられる ●脱水症状と思われる ●血液やコーヒーのかすのようなものを吐いた

（7）下痢

下痢[*11]とは、泥状あるいは水様の便が出ることで、さまざまな疾患が原因になって現れます。下痢をしている場合は、**脱水状態**にならないよう、経口補水液などを少量ずつ頻繁にとらせるようにします。脂肪分や糖分を多く含む料理や菓子、香辛料の多い料理や食物繊維を多く含む料理の摂取は控え、おかゆやうどん、野菜スープなど、柔らかく**消化吸収のよい食事**を少量ずつゆっくり与えます。

でた問!!
*11 下痢
子どもの下痢の症状と対応について出題。
R1後、R3前、R6前

下痢
⇨栄養p284

赤ちゃんのおしりふきは刺激が強いので、体調が悪いときは皮膚があれる原因になりかねません。お湯にひたしたタオルをしぼって、そっと拭いてあげましょう。

▸▸▸ここは覚えよう!!

幼児用経口補水液

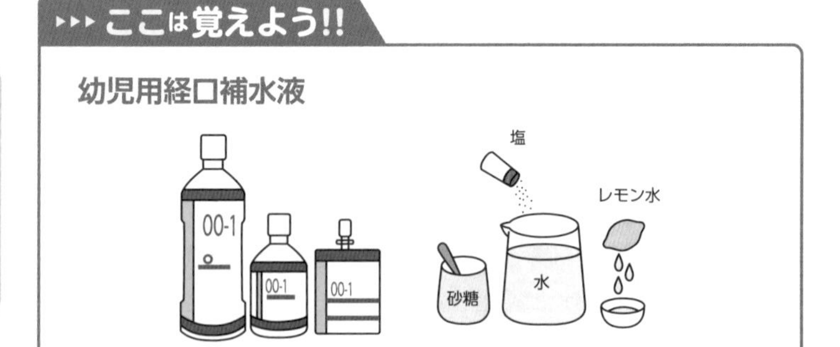

✚プラス1

家庭での下痢の対応
家庭では、ぬるま湯のシャワーで便を洗い流すとよい。

排便回数が多くなるため、おむつをしている乳幼児は、臀部(でんぶ)が赤くただれやすくなるので頻繁に拭き取り、清潔な状態を保ちましょう。下痢を繰り返し、発熱や嘔吐などの症状もみられる場合は、感染症の可能性があるため別室で保育を行います。

便の処理については、感染症のおそれを念頭におき、適切な処理をします。使い捨て手袋を着用し、処理後の手洗いは液体石けんを用いて30秒以上実施します。激しい下痢便を処理する場合は、保育室での処置を避け、マスクとエプロンも着用します。おむつ交換専用シートは、使い捨てのものを用いて１回ずつ取り替え、汚れ物はビニール袋に入れて処理します。

保護者への連絡や医療機関への受診が必要と考えられる場合は以下の通りです。

保護者への連絡が望ましい場合	●食事や水分をとると、その刺激で下痢をする ●腹痛をともなう下痢がある ●水様便が複数回みられる
至急受診が必要な場合	●元気がなく、ぐったりとしている ●機嫌が悪い、食欲がない、発熱、嘔吐、腹痛などの諸症状がみられる ●脱水症状がみられる

医療機関での受診の際は、便や便のついたおむつを持参し、便の状態（量、回数、色、におい、血液・粘液の混入）やその日に食べたものなどを伝えます。

（8）脱水

子どもは成人に比べて体重あたりの水分含有量の割合が高く、また代謝も盛んで**不感蒸泄量**（ふかんじょうせつりょう）が多いために、発熱、発汗、下痢などによって、**脱水症状**[*12]を起こしやすいといえます。

脱水症状が重くなると、**顔色は蒼白**（そうはく）になり、**手足は冷たく**なります。また、機嫌が悪くなったり、ぐったりしたようすになったりします。子どもの脱水症状は、意識障害その他の重症状態に陥ることがあり、**口から水分を受けつけないとき**には、すぐに医師の診察を受けさせるようにします。

軽度の脱水症状がみられる場合、湯冷ましなどを**少量ずつ何回も飲ませ**、さらに塩分を加えた野菜スープ、幼児用経口補水液などを飲ませて水分や電解質を補給します。

用語

不感蒸泄
感じることのないまま皮膚や呼吸から失われる水分のこと。

＊12 脱水症状
子どもの脱水の起こしやすさについて出題。
R4前

水分を与えた回数・内容、嘔吐や下痢の回数や量、尿量などを正確に記録して、必要に応じて医師に報告します。

(9) 鼻づまり

3～4歳でも、鼻のかみ方をよくわかっていない子もいます。片方ずつ鼻汁を出すことを教えてあげましょう。

乳幼児は、鼻の構造が未熟で免疫力が未完成なためアレルギー性鼻炎にかかりやすく、また、自分で上手に鼻をかめないことなどから鼻づまりになりやすいといえます。新生児・乳児の鼻づまりは、**哺乳量の減少**につながるので、注意が必要です。鼻がつまると口呼吸をするため、気道が乾燥し、感染を起こしやすくなることに注意し、頻繁にうがいをさせます。鼻の分泌物を取り除く際は、鼻吸い器を使ったり、オリーブオイルなどを含ませた綿棒を使ったりします。

(10) チアノーゼ

顔、爪、指先などの皮膚や粘膜が**青紫色**になった状態を**チアノーゼ**といいます。寒さ、激しい興奮、ショックなどにより、血流が悪くなって**血液中の酸素が欠乏**し、二酸化炭素が過剰になって起こります。先天性の心疾患や、肺の疾患がある子どもの場合にはチアノーゼが起きやすくなります。チアノーゼが起きたら、**楽な姿勢**で静かに休ませます。寒さから血液の流れが悪くなっている場合は、手足などの末端を温めたり、マッサージを行って血液の循環をよくしたりします。チアノーゼが強い場合はすぐに医師の診察を受けさせます。

(11) 浮腫

皮下組織に体液が異常にたまり、むくんだ状態を**浮腫**といいます。全身にむくみが生じる全身性浮腫と一部分だけがむくむ局所性浮腫があり、全身性浮腫を起こす疾患には、心臓病、腎臓病、肝臓病などがあります。心臓性のものは特に下肢がむくみやすく、腎臓性のものは特にまぶたがむくみやすいという特徴があります。局所性の浮腫は、顔、手、足などに起こります。浮腫がみられる場合は、足を高くして寝かせるなどして、安楽な姿勢をとらせ、安静にするようにしましょう。また、食事療法を行う場合には医師の指示に従い、塩分、水分、たんぱく質の量を調節します。

むくみ
ネフローゼ症候群ではむくみ（浮腫）がよく起こる。
⇨栄養p286

(12) 至急医師の診察を受けるべき症状とその対応

保育中、迅速に対応しなければ命に関わるような症状がでることもあります。次の症状がみられる場合は適切な対応を行い、**保護者に連絡**するとともに、救急車を呼びましょう。

❶呼吸困難

乳幼児は鼻腔、口腔、気道が狭く、また呼吸中枢が未熟であるため、鼻閉や咳、**ぜんそく発作**[*13]などで呼吸困難を起こします。また、誤って飲み込んだ硬貨などの小物がのどに引っかかり呼吸困難を起こすケースや、食物アレルギーによっても引き起こされる場合があります。

呼吸困難を起こした場合は、部屋の換気を行い、安静にさせます。また、呼吸しやすいように**衣服をゆるめて**、掛けぶとんも軽いものにします。

姿勢は、呼吸が楽にできるように、**背部をやや高く**し、肩枕（肩甲骨の下に薄い枕を置く）をします。いすにもたれかかったり、座ぶとんを抱えるようにして前かがみになる（起座位）ほうが楽な場合もあります。

***13 ぜんそく発作**
ぜんそく発作時の対応について出題。
R1後

❷意識障害

乳幼児では、成人よりも意識障害が比較的多くみられます。意識障害が起きたら、窒息を防ぐために**気道を確保**して、顔を横に向けます。その際、ベッドから落ちたり、柵に頭をぶつけたりしないようにします。

❸ショック

ショックとは、臓器や組織に生命維持に必要な十分な量の血液を供給できないような状態（急性の循環不全状態）をいいます。アナフィラキシー、敗血症などの原因により、乳幼児でも起こります。チアノーゼや呼吸困難、意識障害をともなう場合もあります。

アナフィラキシー
⇨p146

ショック状態が起きたら、**平らな場所で静かに寝かせ**ます。足を少し高くすることで、心臓への血流量を増やすことができます。また、体温の低下を防ぐため、毛布で全身を包みます。不安を取り除くために、そばに付き添い手足をさすったりすることも大切です。

ポイント確認テスト

穴うめ問題

Q1 過R3前
乳児の便の色は、黄、緑、茶色等が正常である。異常な便は、(　　)、黒、赤色、膿粘血便等である。 >>> p117

Q2 過R6前
けいれんは様々な原因で起こり、ときには(　　)などの重大な病気による場合がある。 >>> p119

Q3 過R1後
突発性発しんは、ヒトヘルペスウイルス6、7型が原因で主に乳児にみられる。高熱が3～4日続き、解熱とともに(　　)に淡紅色の細かい発しんが出現する。 >>> p120

Q4 過R4前
乳幼児は成人と比べ、体重あたりの必要水分量や不感蒸泄量が多いため、(　　)になりやすい。 >>> p123

○×問題

Q5 過R2後
子どもの病気を早期発見するための、いつもと違う子どものサインに気づくためのポイントとして、睡眠中に泣いて目が覚めることがある。 >>> p116

Q6 過R6前
Y保育士は、38.5℃の熱があり大量の水様便をしているWちゃんを他児と同室で目が届きやすいところで保育した。この対応は適切である。 >>> p118、122

Q7 過R4後
けいれんが起きたときには発作の様子と継続時間を記録する。 >>> p119

Q8 過R4後
午前中の保育が終わりお昼ご飯にしようとしたとき、急に目を上転させけいれんが起きた。数分後にけいれんは収まっているようにも見えたが、呼びかけても意識が戻らない。この場合、医療機関への緊急搬送を行うことが適切である。 >>> p119

Q9 過R6前
保育室内で嘔吐したS君が横になりたいと言ったので、嘔吐物が気管に入らないように体を横向きに寝かせた。この対応は適切である。 >>> p121

解答・解説

Q1 白　Q2 脳炎　Q3 全身　Q4 脱水
Q5 ○　Q6 ×　感染症の疑いがあるため別室で保育する。　Q7 ○　Q8 ○　Q9 ○

子どもの保健 Lesson 4

子どもの感染症とその予防

頻出度 Level 4

集団生活を送る保育所では、感染症の対策が重要です。
感染症にかかるしくみと感染予防策について学びましょう。

ココに注目!!
- 感染症成立のための三大要因とは
- 予防接種の種類としくみ
- 保育所で適用される「学校感染症」とその種類
- 保育所における感染症対策ガイドライン

1 感染症の基本的な知識

(1) 感染症の発生要因と対策

「保育所における感染症対策ガイドライン」では、「ウイルス、細菌等の**病原体**が人、動物等の**宿主**(しゅくしゅ)の体内に侵入し、発育又は増殖することを『**感染**』といい、その結果、何らかの**臨床症状**が現れた状態を『**感染症**』」であると定義しています。感染症成立のための三大要因は、①**感染源**、②**感染経路**、③**感受性者**が存在することです。感染症の**感染経路**には、次のものがあります。

■感染の種類

種類	感染経路	感染を引き起こす細菌、ウイルス
飛沫感染*1	咳やくしゃみ、会話をした際に飛んだ病原体を吸い込む。(感染範囲は2m以内)	【細菌】A群溶血性レンサ球菌、百日咳(ひゃくにちぜき)菌、肺炎球菌など 【ウイルス】インフルエンザウイルス、RSウイルス、アデノウイルス、風しんウイルス、ムンプスウイルス、エンテロウイルス、麻しんウイルス、水痘(すいとう)・帯状疱(たいじょうほう)しんウイルスなど
空気感染(飛沫核感染)	空気中に浮遊する飛沫核を吸い込むなど。	【細菌】結核菌など 【ウイルス】麻しんウイルス、水痘・帯状疱しんウイルスなど

用語

「保育所における感染症対策ガイドライン」
2009年に厚生労働省通知として発出されたのち、2018年に改訂。一部内容が改訂され、「保育所における感染症対策ガイドライン(2018年版)(2023[令和5]年5月一部改訂)〈2023(令和5)年10月一部修正〉」となった。現在はこども家庭庁が発出している。

感染源
ウイルスや細菌など病原体を排出するもの。

感染経路
病原体が新たな宿主に伝播するための経路。

感受性者
これから病原体に感染する可能性のある人。

***1 飛沫感染**
飛沫の飛び散る範囲について出題。
R1後

■感染の種類（つづき）

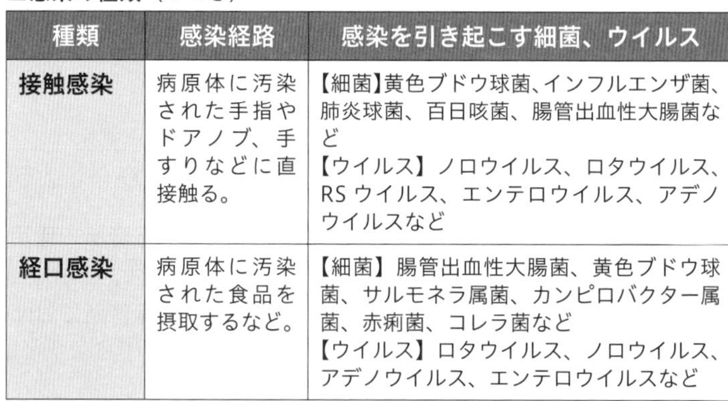

種類	感染経路	感染を引き起こす細菌、ウイルス
接触感染	病原体に汚染された手指やドアノブ、手すりなどに直接触る。	【細菌】黄色ブドウ球菌、インフルエンザ菌、肺炎球菌、百日咳菌、腸管出血性大腸菌など 【ウイルス】ノロウイルス、ロタウイルス、RS ウイルス、エンテロウイルス、アデノウイルスなど
経口感染	病原体に汚染された食品を摂取するなど。	【細菌】腸管出血性大腸菌、黄色ブドウ球菌、サルモネラ属菌、カンピロバクター属菌、赤痢菌、コレラ菌など 【ウイルス】ロタウイルス、ノロウイルス、アデノウイルス、エンテロウイルスなど

感染症に関する出題は多いので、140ページのポイント確認テストをしっかりやっておきましょう。

❶飛沫感染対策

日常的に以下の「**咳エチケット**」を実施することが大切です。

■ 3つの咳エチケット

①マスクを着用する（口・鼻を覆う）

②ティッシュ・ハンカチで口・鼻を覆う

③そでで口・鼻を覆う

出典：こども家庭庁「保育所における感染症対策ガイドライン（2018年改訂版）（2023［令和5］年5月一部改訂）〈2023（令和5）年10月一部修正〉」をもとに作成

空気感染対策の基本

空気感染対策の基本は、発症者の隔離と部屋の換気であるが、麻しんや水痘などは感染力が非常に強く、発症者が出た場合、同じ空間を共有しながら感染を防ぐことは難しいため、予防接種がきわめて有効な予防手段となる。

❷空気感染対策

保育所で日常的に注意すべきなのは「麻しん」、「水痘（すいとう）」、「結核」です。これらは**予防接種**が対策となります。

❸接触感染対策*2

病原体が付着した手で目・鼻・口を触ることで体内に侵入し、感染するため「**手洗い**」などの手指衛生が重要な基本対策であり、**タオルの共用は絶対にしない**ようにします。ノロウイルスやロタウイルス等の感染性胃腸炎が流行している期間中はペーパータオルの使用が推奨されます。石けんは1回ずつ個別に使用できる**液体石けん**が望ましく、嘔吐（おうと）物や下痢便、血液や体液が付着している箇所については、適切な消毒液を使用します。

***2 接触感染対策**

接触感染対策の考え方について出題。

R1後、R3前

■消毒薬[*3]と注意点

次亜塩素酸ナトリウム	新型コロナウイルス、ノロウイルスに有効。
亜塩素酸水	新型コロナウイルス、ノロウイルスに有効。
逆性石けん	新型コロナウイルスに有効。ノロウイルス、結核菌、大部分のウイルスに無効。一般の石けんと同時に使うと効力がなくなる。
消毒用アルコール	新型コロナウイルスに有効。ノロウイルス、ロタウイルス等に無効。

出典：こども家庭庁「保育所における感染症対策ガイドライン（2018年改訂版）（2023［令和5］年5月一部改訂）〈2023（令和5）年10月一部修正〉」をもとに作成

❹経口感染対策

食品の十分な**加熱**、調理した食品の適切な温度での保管のほか、調理器具や調理従事者の手指の**衛生管理**を十分に行います。

（2）感染症に対する法的な対策

❶「感染症法」

「**感染症の予防及び感染症の患者に対する医療に関する法律**」（感染症法）では、131ページのように分類しています。

❷学校感染症

保育所、幼稚園、学校など集団の場における感染症の発生は、周辺へ広がる危険性が高いため、「**学校保健安全法施行規則**」（第18条、第19条）で、特に**学校感染症**として予防すべき感染症が定められています。これらの感染症が発生した場合には、**休校**や**出席停止**の対応がとられます。保育所は学校ではありませんが保育所にも適用されます。

学校感染症は、**第一種**、**第二種**、**第三種**に分類して**出席停止期間**[*4]の基準を定めています。第一種には「感染症法」の1類・2類感染症が含まれ、第二種と第三種には、集団の場で流行が広がる可能性のある感染症が含まれています。

第三種は、第一種、第二種以外の警戒を要する感染症で、学校医等から感染のおそれがないと認められるまで出席停止となります。コレラ、細菌性赤痢（せきり）、腸管性出血性大腸菌感染症（大腸菌O157など）、腸チフス、パラチフス、流行性角結膜炎（けつまくえん）、急

保育所における消毒の種類と方法
⇨別冊p33

✚プラス1

血液媒介感染
血液には病原体が潜んでいることがあり、傷ついた皮膚や粘膜に血液がつくことで病原体が体内に侵入して感染する。主な病原体は、B型肝炎ウイルス（HBV）、C型肝炎ウイルス（HCV）、ヒト免疫不全ウイルス（HIV）など。

虫媒介感染
病原体をもつ蚊に刺されることで感染する感染症もある。主な病原体は、日本脳炎ウイルス、デングウイルス、チクングニアウイルス、マラリアなど。

「感染症法」
現行の「感染症法」は、「伝染病予防法」「エイズ予防法」「性病予防法」の3つを統廃合し、1999（平成11）年に施行された。2007（平成19）年には「結核予防法」も統合された。

でた問!!

***3 消毒薬**
感染症予防に用いる消毒液について出題。
H31前、R4前、R5後

***4 出席停止期間**
学校感染症第二種の出席停止期間や根拠法について出題。
H31前、R2後、R4後、R6前

子どもの保健

性出血性結膜炎、そのほかの感染症（手足口病、ヘルパンギーナなど）が対象となっています。

■学校感染症 第二種（学齢期の主要な急性感染症）

	登校、登所が許可される状態
インフルエンザ★	発症後5日、かつ解熱後2日（幼児は3日）経過
百日咳	特有の咳の消失、または5日間の抗菌性物質製剤による治療終了まで
麻しん	解熱後3日経過
流行性耳下腺炎	耳下腺、顎下腺（がっかせん）または舌下腺の腫脹（しゅちょう）の発現後5日を経過、かつ全身状態が良好になるまで
風しん	発しんの消失
水痘	すべての発しんのかさぶた化
咽頭（いんとう）結膜熱	主要症状消退後2日経過
新型コロナウイルス感染症	発症した後5日を経過し、かつ、症状が軽快した後1日を経過するまで
結核、髄膜炎菌性髄膜炎	学校医等において感染のおそれがないと認めるまで

★鳥インフルエンザ、新型インフルエンザ等を除く。

✚プラス1

意見書や登園届の提出

意見書や登園届の提出は義務ではないが、集団保育が受けられるまで回復しているかどうかについての判断を保護者が行うことは難しい感染症もあるため、医学的な判断を受ける必要があるということを保護者に理解してもらい、提出をお願いするとよい。

▸▸▸ ここは覚えよう!!

出席停止期間の日数の数え方

● 出席停止日数の数え方　その現象が見られた翌日を第1日目とする。

● インフルエンザにおいて「発症した後5日」の場合の「発症」とは、「発熱」の症状が現れたことを指す。発症後5日、かつ解熱後2日（幼児は3日）経過で、出席可能となる。

出典：こども家庭庁「保育所における感染症対策ガイドライン（2018年改訂版）（2023［令和5］年5月一部改訂）〈2023（令和5）年10月一部修正〉」

■感染症の分類

	感染症名
感染症類型	［1類感染症］ ●エボラ出血熱 ●クリミア・コンゴ出血熱 ●南米出血熱 ●ペスト ●ラッサ熱 ●マールブルグ病 ●痘そう
	［2類感染症］ ●急性灰白髄炎 ●結核 ●ジフテリア ●重症急性呼吸器症候群（病原体がベータコロナウイルス属 SARS コロナウイルスであるものに限る） ●鳥インフルエンザ（H5N1） ●鳥インフルエンザ（H7N9） ●中東呼吸器症候群（病原体がベータコロナウイルス属 MERS コロナウイルスであるものに限る）
	［3類感染症］ ●腸管出血性大腸菌感染症 ●コレラ ●細菌性赤痢 ●腸チフス ●パラチフス
	［4類感染症］ ●E型肝炎 ●A型肝炎 ●黄熱 ●Q熱 ●狂犬病 ●炭疽（たんそ） ●鳥インフルエンザ（H5N1 及び H7N9 を除く） ●マラリア ●ボツリヌス症 ●野兎（やと）病 ●ジカウイルス感染症 ●その他政令で定めるもの
	［5類感染症］ ●インフルエンザ（鳥インフルエンザ及び新型インフルエンザ等感染症を除く） ●新型コロナウイルス感染症 ●ウイルス性肝炎（E型肝炎及びA型肝炎を除く） ●クリプトスポリジウム症 ●後天性免疫不全症候群 ●性器クラミジア感染症 ●梅毒 ●麻しん ●メチシリン耐性黄色ブドウ球菌感染症 ●その他厚生労働省令で定めるもの
指定感染症	政令で1年間に限定して指定された感染症（2年まで延長可）。1類から3類に準じた措置をする
新感染症	［当初］都道府県知事が厚生労働大臣の技術的指導・助言を得て個別に応急対応する感染症 ［要件指定後］政令で症状等の要件指定をしたあとに1類感染症と同様の扱いをする感染症
新型インフルエンザ等感染症	●新型インフルエンザ ●再興型インフルエンザ ●再興型コロナウイルス感染症

出典：厚生労働統計協会『国民衛生の動向 2023／2024』を一部改変

（3）免疫のしくみと感染症

人間には、体内に侵入してきた病原体と闘って、身体を守る「防衛機能」が備わっています。その働きを利用して、人工的に特定の病原体に対する免疫をつくるのが予防接種です。

免疫は、生まれたときから備わっている**自然免疫**と後天的に得られていく**獲得免疫**の２つに大きく分けられます。私たちの身体は病原体を認識すると、それに作用する**抗体**を生みだします。これが獲得免疫で、はじめて感染する病気であれば、獲得免疫が働くまでに時間がかかりますが、一度かかった感染症であれば、抗体を速く大量につくれるようになります。

（4）予防接種による対策

*5 予防接種
予防接種の時期などについて出題。
R5前
生ワクチンについて出題。
R5後

*6 予防接種の種類
定期予防接種の種類などについて出題。
R1後、R2後

予防接種[*5]は、感受性対策として重要なものです。以前は予防接種が義務化されていましたが（義務接種）、1994（平成6）年の「**予防接種法**」の一部改正により、接種を積極的にすすめる（勧奨接種）という考え方に移行しています。わが国で行われる予防接種は、**定期（勧奨）予防接種**と、**任意（自発的）予防接種**に大きく分けられます。定期予防接種は、市町村長が保健所長（政令市・特別区の場合は都道府県知事）の指示に基づいて行います。

ワクチンは、成分の違いから次の３つに分けられます。

- **生（なま）ワクチン**……病気にならない程度に弱毒化させたウイルスなどの病原体を、生きたまま接種する方法
- **不活化（ふかつか）ワクチン**……病原体そのものや毒素を不活化させて接種する方法
- **トキソイド**……毒素の抗原性を残して無毒化させたものを接種する方法。不活化ワクチンの一種

妊娠中の場合には、胎児に影響が出るおそれがあるため、生ワクチンを接種することはできません。

保育所入所前に受けられる予防接種はできるだけすませておき、保育所では入所児童の予防接種状況を把握し、年齢に応じた計画的な接種を保護者にすすめます。職員も、これまでの接種状況を把握し、罹患（りかん）歴・予防接種歴ともにない感染症がある場合は嘱託医等に相談し、予防接種を受けます。

（5）その他の対策

健康教育
⇨p183

「保育所における感染症対策ガイドライン」では、「子どもが自分の体や健康に関心をもち、身体機能を高めていくことが大切」とし、特に手洗いやうがい、歯磨き、衣服の調節、バランスのとれた食事、睡眠と休息を十分にとるなどの生活習慣が身につくように、「子どもの年齢や発達過程に応じた**健康教育**の計画的な実施が重要」としています。また、保護者には「具体的な**情報を提供**するとともに、感染症に対する**共通理解**を求め、家庭と連携しながら」健康教育をすすめるとしています。

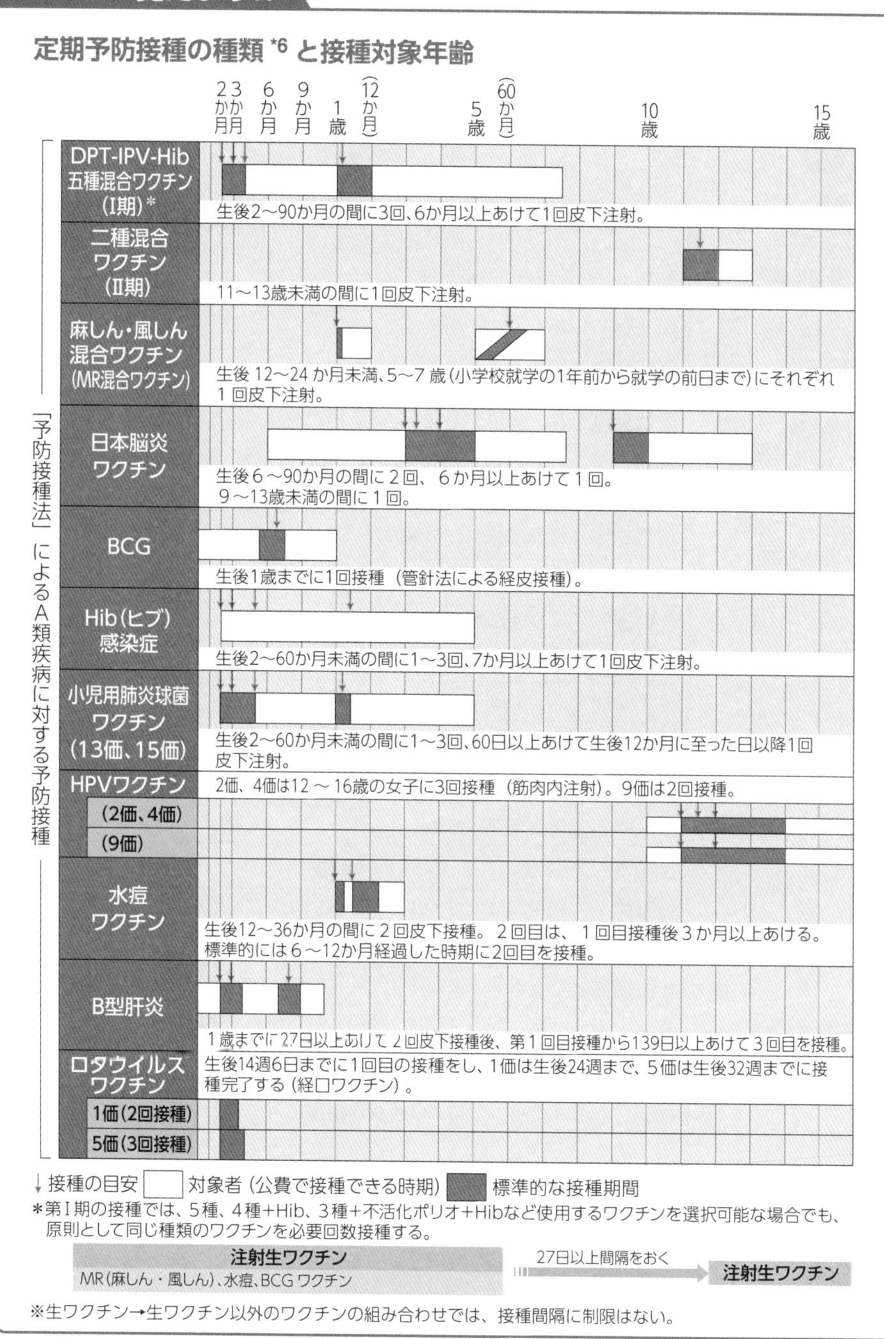
ここは覚えよう!!
定期予防接種の種類 *6 と接種対象年齢
2か月 3か月 6か月 9か月 1歳 (12か月) 5歳 (60か月) 10歳 15歳
「予防接種法」によるA類疾病に対する予防接種
DPT-IPV-Hib 五種混合ワクチン (I期)*
生後2～90か月の間に3回、6か月以上あけて1回皮下注射。
二種混合ワクチン (II期)
11～13歳未満の間に1回皮下注射。
麻しん・風しん混合ワクチン (MR混合ワクチン)
生後 12～24 か月未満、5～7 歳 (小学校就学の1年前から就学の前日まで) にそれぞれ 1 回皮下注射。
日本脳炎ワクチン
生後 6 ～90か月の間に 2 回、 6 か月以上あけて 1 回。
9～13歳未満の間に 1 回。
BCG
生後1歳までに1回接種 (管針法による経皮接種)。
Hib (ヒブ) 感染症
生後2～60か月未満の間に1～3回、7か月以上あけて1回皮下注射。
小児用肺炎球菌ワクチン (13価、15価)
生後2～60か月未満の間に1～3回、60日以上あけて生後12か月に至った日以降1回皮下注射。
HPVワクチン
2価、4価は12 ～ 16歳の女子に3回接種 (筋肉内注射)。9価は2回接種。
(2価、4価)
(9価)
水痘ワクチン
生後12～36か月の間に 2 回皮下接種。 2 回目は、 1 回目接種後 3 か月以上あける。
標準的には 6 ～12か月経過した時期に2回目を接種。
B型肝炎
1歳までに27日以上あけて 2 回皮下接種後、第 1 回目接種から139日以上あけて 3 回目を接種。
ロタウイルスワクチン
生後14週6日までに1回目の接種をし、1価は生後24週まで、5価は生後32週までに接種完了する (経口ワクチン)。
1価 (2回接種)
5価 (3回接種)
↓接種の目安 対象者 (公費で接種できる時期) 標準的な接種期間
*第 I 期の接種では、5種、4種+Hib、3種+不活化ポリオ+Hibなど使用するワクチンを選択可能な場合でも、原則として同じ種類のワクチンを必要回数接種する。
注射生ワクチン
MR (麻しん・風しん)、水痘、BCG ワクチン
27日以上間隔をおく
注射生ワクチン
※生ワクチン→生ワクチン以外のワクチンの組み合わせでは、接種間隔に制限はない。

2 主な感染症の特徴と対策

「保育所における感染症対策ガイドライン」をもとに、主な感染症[*7]と対策についてみていきましょう。

*7 感染症
流行性耳下腺炎、咽頭結膜熱、百日咳、伝染性紅斑の病原体について出題。
H31前

*8 麻しん
麻しんの症状の特徴について出題。
R2後

*9 インフルエンザ
インフルエンザの感染経路について出題。
R5後、R6前

(1) 回復後登園にあたり医師の意見書が必要な感染症

❶麻しん(はしか)[*8]

病原体	麻しんウイルス
感染経路	飛沫感染、空気感染(飛沫核感染)、接触感染
潜伏期間	8～12日
特徴	かぜに似た症状となり、熱が下がるころに白いぶつぶつ(コプリック斑)が出て、顔や頸部に発しんがでる。
対策	空気感染し、感染力が非常に強いため予防接種が有効。

❷インフルエンザ[*9]

病原体	インフルエンザウイルス
感染経路	主に飛沫感染、接触感染することもある
潜伏期間	1～4日
特徴	高熱が3～4日続く。倦怠感、食欲不振、関節痛、筋肉痛などの全身症状がでる。通常は1週間程度で全治。
対策	保育所内で流行している場合は、咳エチケット、手洗いなどの衛生管理に努める。

❸新型コロナウイルス感染症

病原体	新型コロナウイルス(SARSコロナウイルス2)
感染経路	飛沫感染、エアロゾル感染、接触感染
潜伏期間	約5日間、最長14日間(オミクロン株の中央値は3日)
特徴	発熱、呼吸器症状、頭痛、倦怠感、消化器症状、鼻汁、味覚異常、嗅覚異常がみられる。無症状の場合もある。重症化したり死亡したりする人の割合は高齢者のほうが高い。
対策	手洗いなどにより手指を清潔に保つことや換気を行うこと。

❹風しん*10

病原体	風しんウイルス
感染経路	主に飛沫感染、接触感染することもある
潜伏期間	16～18日
特徴	発しんが顔や頸部に現れ、全身へ拡大。約3日間で消える。発熱や**リンパ節の腫脹**（しゅちょう）をともなうことが多い。妊娠初期に感染すると、胎児に感染して先天性風しん症候群を発症する可能性がある。
対策	保育所内で1人でも発症者がでた場合、保健所や嘱託医と連携し感染防止対策を講じる。

❺水痘*11（水ぼうそう）

病原体	水痘・帯状疱しんウイルス
感染経路	主に気道から排出されたウイルスによる飛沫感染または空気感染
潜伏期間	14～16日
特徴	顔や頭部に発しんが現れ、全身に拡大する。斑点状の赤い丘しんが水疱（すいほう）となり、最後はか皮（かさぶた）となる。
対策	主に飛沫感染または空気感染し、感染力も非常に強いため、予防接種による対策が有効。

❻流行性耳下腺炎（じかせんえん）（おたふくかぜ*12、ムンプス）

病原体	**ムンプスウイルス**
感染経路	唾液（だえき）を介した飛沫感染または接触感染
潜伏期間	16～18日
特徴	発熱があり、両側・片側の唾液腺が腫れて痛む。発熱は1～6日間続き、腫れは1週間程度で消失する。無菌性髄膜炎や**難聴**などの重い合併症をきたすことがある。
対策	保育所内で集団発生した場合、保健所や嘱託医と連携し感染防止対策を講じる。

❼結核*13

病原体	結核菌
感染経路	主に空気感染
潜伏期間	3か月～数十年。感染後2年以内、特に6か月以内に発病することが多い。
特徴	慢性的な発熱、咳、疲れやすさ、食欲不振、顔色の悪さがあり、特に肺に病変が現れる。
対策	保育所内で一人でも発症者が出た場合、保健所や嘱託医と連携し感染防止対策を講じる。子どもの結核（小児結核）は予防接種（BCG）が大切である。

でた問!!

***10 風しん**
風しんの症状について出題。
R4前、R5後

***11 水痘**
水痘の症状の特徴について出題。
R2後、R4前、R6前
帯状疱しんウイルスと水痘ウイルスについて出題。
R3前

***12 おたふくかぜ**
おたふくかぜの症状の特徴について出題。
R1後、R5後
潜伏期間について出題。
R4後

***13 結核**
結核について出題。
R4後、R5後

プラス1

妊婦の水痘感染
妊娠20週から分娩の21日前までに水痘にかかると、子どもが帯状疱しんを発症することがあるといわれている。

結核
乳児が結核に感染すると、粟粒結核など重篤になりやすい。

子どもの保健

❽咽頭（いんとう）結膜熱（プール熱）*14

病原体	アデノウイルス
感染経路	飛沫感染、接触感染
潜伏期間	2～14日
特徴	高熱、扁桃腺炎、結膜炎の症状がでる。
対策	感染力が強いためタオルの共有などを避ける。複数人がふれる場所や遊具の消毒、プールの塩素消毒を徹底する。

❾流行性角結膜炎

病原体	アデノウイルス
感染経路	飛沫感染、接触感染
潜伏期間	2～14日
特徴	目が充血して目やにがでる。目に膜が張ることもある。
対策	感染力が強いためタオルの共有などを避ける。複数人がふれる場所や遊具の消毒、プールの塩素消毒を徹底する。

❿百日咳*15

病原体	百日咳菌
感染経路	飛沫感染、接触感染
潜伏期間	7～10日
特徴	コンコンという咳き込み、ヒューヒューと音を立てて息を吸い込む特有の咳が特徴で、嘔吐がみられることがある。
対策	飛沫感染対策として、咳が出る子へはマスクの着用を促す。日常的に手洗いや咳エチケットを実施する。

⓫腸管出血性大腸菌感染症（O157、O26、O111等）

病原体	ベロ毒素を産生する大腸菌（O157、O26、O111等）
感染経路	菌に汚染された生肉や加熱が不十分な肉、菌が付着した飲食物からの経口感染、接触感染
潜伏期間	10時間～6日。O157は主に3～4日
特徴	水様下痢便、腹痛、血便がみられる。
対策	食品を取り扱う際の衛生管理や日常的な手洗いの励行を促す。保育所内で発生した場合は保健所へ届け、指示に従う。

⓬急性出血性結膜炎

病原体	エンテロウイルス
感染経路	飛沫感染、接触感染
潜伏期間	ウイルスの種類により、平均24時間または2～3日間と差がある
特徴	強い目の痛みや結膜の充血、結膜下出血のほか、目やに、角膜の混濁（こんだく）などがみられる。
対策	日常的な手洗いの励行を促す。目やにや分泌液に触れないようにし、洗面具やタオルなどを共用しない。

体調が悪いときにプールを利用すると感染しやすいため、プールを利用する前には体調をよく観察しましょう。

プラス1

アデノウイルス
呼吸器系では、プール熱、咽頭炎、肺炎を起こすことがある。そのほか、膀胱炎や胃腸炎などの原因にもなる。

百日咳では、発熱することは少ないのですが、眠れないほどの咳や嘔吐がみられることがあります。

***14 咽頭結膜熱**
咽頭結膜熱について出題。
R4前、R6前

***15 百日咳**
百日咳の特徴的症状について出題。
R4後

髄膜炎の致死率
髄膜炎の致死率は10%で、回復しても10～20%に難聴や麻痺（まひ）、てんかんの後遺症が残るといわれている。

⑬侵襲（しんしゅう）性髄（ずい）膜（まく）炎菌感染症（髄膜炎菌性髄膜炎）

病原体	髄膜炎菌
感染経路	飛沫感染、接触感染
潜伏期間	4日以内
特徴	発熱、頭痛、嘔吐の症状が現れ、急速に重症化する場合がある。
対策	日常的な手洗いの励行を促す。目やにや分泌液に触れないようにし、洗面具やタオルなどを共用しない。

（2）再登園にあたり保護者からの登園届が必要な感染症

❶溶連菌感染症*16

病原体	溶血性レンサ球菌
感染経路	主に飛沫感染、接触感染。食品を介した経口感染の場合もある。
潜伏期間	2～5日。伝染性膿痂（でんせんせいのうか）しん（とびひ）は7～10日
特徴	扁桃炎、伝染性膿痂しん、中耳炎、肺炎、化膿性関節炎、骨髄炎、髄膜炎等の症状がでる。急性腎炎やリウマチ熱を合併することがある。

❷マイコプラズマ肺炎

病原体	肺炎マイコプラズマ
感染経路	飛沫感染。家族内感染や再感染も多い
潜伏期間	2～3週
特徴	咳が出て肺炎を引き起こす。咳は徐々に激しくなり、数週間に及ぶこともある。

❸手足口病

病原体	コクサッキーウイルス A16・A10・A6、エンテロウイルス 71 など
感染経路	飛沫感染、接触感染、経口感染
潜伏期間	3～6日
特徴	発熱とのどの痛みを伴う水疱が口の中にでき、手足の末端やおしりなどにも水疱ができる。回復期に爪が脱落することがある。

❹伝染性紅（こう）斑（はん）（りんご病）*17

病原体	ヒトパルボウイルス B19
感染経路	飛沫感染
潜伏期間	4～14日
特徴	両頬に赤い発しんが現われたのち、蝶翼（ちょうよく）状の紅斑ができる。手足にはレース様の紅斑ができる。

子どもの保健

でた問!!

***16 溶連菌感染症**
溶連菌感染症の症状について出題。
R4前

***17 伝染性紅斑**
伝染性紅斑の症状について出題。
R4前、R6前

プラス1

手足口病のウイルスの排出
回復後も飛沫や鼻汁から1～2週間、便から数週～数か月間ウイルスが排出されるため、便の処理は手袋をするなどの対策をすることが大切である。

妊婦の伝染性紅斑
妊婦が伝染性紅斑に感染すると、胎児に影響を及ぼす可能性があるため、保育所内で発生した場合には、すぐに保護者に知らせて送迎時の感染防止策を講じる。

❺ウイルス性胃腸炎（ノロウイルス感染症）

病原体	ノロウイルス
感染経路	経口感染、飛沫感染、接触感染
潜伏期間	12 ～ 48 時間
特徴	嘔吐と下痢。汚物処理が不十分な場合、容易に集団感染を引き起こす。

❻ウイルス性胃腸炎（ロタウイルス感染症）

病原体	ロタウイルス
感染経路	経口感染、接触感染、飛沫感染
潜伏期間	1 ～ 3 日
特徴	主な症状は嘔吐と下痢。しばしば白色便がでる。

❼ヘルパンギーナ

病原体	コクサッキーウイルスなど
感染経路	飛沫感染、接触感染、経口感染
潜伏期間	3 ～ 6 日
特徴	初期症状は高熱、のどの痛みなど。咽頭に粘膜しんができ、水疱になったあと、潰瘍（かいよう）となる。数日、高熱が続く。
対策	回復後も飛沫や鼻汁から 1 ～ 2 週間、便から数週～数か月ウイルスが排出されるため、便の処理は手袋をする。

❽RSウイルス感染症*18

病原体	RS ウイルス
感染経路	飛沫感染、接触感染
潜伏期間	4 ～ 6 日
特徴	呼吸器感染症で乳幼児期に初感染した場合の症状は重くなり、入院管理が必要となる場合も多い。

❾帯状疱しん

病原体	水痘（すいとう）・帯状疱（たいじょうほう）しんウイルス（VZV）
感染経路	妊娠中の水痘罹患による影響。または水痘に罹患した子どもは神経節にウイルスをもつため、発症原因となる。
潜伏期間	不定
特徴	数日間、軽度の痛みや違和感、かゆみがある。多数の水疱が集まり、紅斑となる。発熱はほとんどない。

❿突発性発（ほっ）しん*19

病原体	ヒトヘルペスウイルス 6B・ヒトヘルペスウイルス 7
感染経路	抗体が消失する乳児期後半以降、家族等の唾液等から感染
潜伏期間	9 ～ 10 日
特徴	生後 6 か月～ 2 歳に多い。3 日ほど高熱が続いたあと解熱とともに全身に紅斑がでて、数日で消えてなくなる。

プラス1

ロタウイルス

5歳までの間に、すべての子どもが感染するといわれている。感染力が非常に強いため、日常的な手洗いの励行に加え、嘔吐物や下痢の処理は迅速、適切に行うようにするとよい。

***18 RSウイルス感染症**

RSウイルス感染症について出題。

R5後、R6前

RSウイルスの注意点

低月齢の子どもほど重症化するので、0歳児や0歳児のきょうだいがいる子どもがいる場合は特に注意が必要である。

初めて子どもがかかる高熱は、突発性発しんであることが多いのです。

***19 突発性発しん**

突発性発しんについて出題。

R1後、R4後、R5後

(3) 保育所で特に適切な対応が求められる感染症

❶アタマジラミ症*20

病原体	アタマジラミ
感染経路	接触感染
潜伏期間	10 ～ 30 日
特徴	頭髪の根もとに卵を産みつけ、成虫は頭皮を吸血するため、かゆみがでる。
対策	ピンポン感染（互いに感染させ合うこと）を繰り返すことも多いため、感染者の一斉治療が必要。

❷疥癬（かいせん）

病原体	ヒゼンダニ
感染経路	接触感染
潜伏期間	約 1 か月
特徴	かゆみの強い発しん、膿疱（のうほう）、結節ができる。
対策	日常的な手洗いの励行などの予防策をとる。

❸伝染性軟属腫（水いぼ）

病原体	伝染性軟属腫ウイルス（ポックスウイルスの一種）
感染経路	接触感染
潜伏期間	2 ～ 7 週
特徴	1 ～ 5mm 程度の丘しん、小結節ができる。
対策	症状のある子どもの患部を包帯等で覆い、直接接触を避ける。

❹伝染性膿痂しん（でんせんせいのうかしん）（とびひ）

病原体	黄色ブドウ球菌、溶血性レンサ球菌
感染経路	接触感染
潜伏期間	2 ～ 10 日（長期の場合もある）
特徴	水疱やびらん、痂皮（かひ）ができる。
対策	日常的な手洗いの励行などの予防策をとる。治るまではプールに入るのは控える。

❺B型肝炎*21

病原体	B 型肝炎ウイルス（HBV）
感染経路	血液感染、接触感染
潜伏期間	平均 90 日（急性感染では 45 ～ 160 日）
特徴	HBV キャリアになると、思春期以降に慢性肝炎を発症し、肝硬変や肝がんに進展する可能性がある。
対策	感染拡大防止には HB ワクチンの接種が最も有効。

アタマジラミは頭髪に接触したり、寝具やタオル等を共用したりすることでも感染してしまいます。

子どもの保健

でた問!!

*20 アタマジラミ症
シラミ発生時の対応について出題。
R3後

*21 B型肝炎
B型肝炎の感染経路について出題。
R5前

✚プラス 1

MRSA感染症
ペニシリンなどメチシリン製剤などに耐性をもった黄色ブドウ球菌に感染することで発症する。高齢者など抵抗力や体力が低下している人が感染すると、肺炎、敗血症など重篤な状態になることもある。

HBVキャリア
HBVの持続感染者のこと。0歳児が感染した場合は、約9割がHBVキャリアとなり、年長児になるにつれ、キャリア化の割合は低下する。5歳児であれば約1割がキャリア化する。

ポイント確認テスト

穴うめ問題

Q1 過R6前
（　　）は、水痘・帯状疱疹ウイルスによっておこり、紅斑、水疱、膿疱、か皮などいろいろな段階の発しんが混在していることが特徴である。 >>> p135

Q2 過R4前
（　　　）は、秋から春にかけて流行し、両頬に赤い発しんがみられ、手足にレース様の紅斑ができる。妊娠前半期に感染すると胎児に影響を及ぼす。 >>> p137

Q3 過R4後
（　　）感染症とは、ペニシリン製剤が無効であるブドウ球菌によっておこる感染症である。 >>> p139

Q4 過R5前
（　　）は、血液・体液を介して感染し、感染した時期、感染時の宿主の免疫能によって、一過性感染に終わるものと持続感染するものとに大別される。子どもへの感染は、母子感染が一般的である。 >>> p139

○×問題

Q5 過R4前
ノロウイルスの活性を失わせるためには、85°C以上で90秒以上の加熱又はアルコールによる消毒が有効である。 >>> p129

Q6 過R5後
生ワクチンは、妊婦に対しても接種することができる。 >>> p132

Q7 過R5前
水痘ワクチンは、1歳になったら3か月以上の間隔をあけて2回接種するのが重要である。 >>> p133

Q8 過R4前
溶連菌感染症は、発熱があり、顔や首のまわりに発しんが表れ、頸部のリンパ節が腫れる。妊娠初期に感染すると胎児に影響を及ぼす。 >>> p135

Q9 過R6前
RSウイルス感染症は、生後6か月未満の乳児では重症な呼吸器症状を生じ、入院管理が必要となる場合も少なくない。 >>> p138

解答・解説

Q1　水痘　Q2　伝染性紅斑（りんご病）　Q3　MRSA　Q4　B型肝炎
Q5　×　アルコールはノロウイルスには無効。次亜塩素酸ナトリウムもしくは亜塩素酸水による消毒が有効。　Q6　×　接種できない。　Q7　○　Q8　×　溶連菌感染症ではなく風しんである。　Q9　○

子どもの保健 Lesson 5

子どもの病気とその対応

頻出度 Level 5

このレッスンでは、子どもがよくかかる病気について学びます。
病気の特徴と、かかりやすい時期についておさえておきましょう。

ココに注目!!

- 新生児マス・スクリーニング検査とは
- SIDS（乳幼児突然死症候群）への対応
- 食物アレルギーとアナフィラキシーへの対応
- 保育所におけるアレルギー対応ガイドライン（2019年改訂版）が定める事項

1 周産期・新生児期特有の病気

（1）周産期・新生児期特有の病気

新生児期の発病は、出生前の病気や先天性の障害によるものが多く、その原因は、**ほとんどの場合不明**です。

❶先天性心疾患

先天性心疾患は、生まれつき心臓の形や機能に異常がある病気で、心室中隔欠損症、心房中隔欠損症、ファロー四徴症などがあります。新生児の**100人に１人**の割合で発症し、先天性の病気としては非常に高い割合といえます。呼吸が苦しそう、体重が増えない、**チアノーゼ**を起こすなどの症状があり、発育や発達が遅くなる傾向がみられます。

❷口唇口蓋裂

先天的に口唇裂（上唇が生まれつき裂けている障害）や口蓋裂（上あごが生まれつき裂けている障害）がある器官障害です。生後１～２年までに手術をして、**構音訓練**を行います。

❸染色体異常

染色体の数や形態の異常によって引き起こされる疾患で、主に**ダウン症候群**があります。ダウン症候群は、21番目の染色体が正常より１本多い**トリソミー（３本）**である場合がほとんどで、およそ出生数1,000に対して１の割合で生じます。小さな

プラス1

先天性心疾患の疾患別割合
日本で最も多くみられるのは、心臓の中の左心室と右心室を仕切る壁に穴が開いている心室中隔欠損症で、穴が小さい場合には手術をしなくても自然治癒する。

チアノーゼ
⇨p124

プラス1

トリソミー
トリソミーは偶然起こるもので、遺伝性ではない。ほとんどのダウン症は遺伝性がない。

入所している子どもの出生時の状態を知っておくことも大切なため、周産期・新生児期の病気についても理解が必要です。

頭蓋、指や耳、鼻など末端の発育不良、皮膚や筋肉の強度な弛緩、目尻の上がった細い目など、特有の容貌をもつことが多く、先天性心疾患をともなうこともあります。また、しばしば内臓の形態異常もみられます。

❹その他の病気

先天性代謝異常の一つである、**先天性甲状腺機能低下症**は、出生直後から元気がない・哺乳不良などの症状があり、長期的には成長や発達に遅れが生じる疾患です。先天性甲状腺機能低下症の発生は、3,000～5,000人に１人の割合と推定されます。現在、先天性代謝異常については**新生児マス・スクリーニング検査**（タンデムマス法）が行われており、早期発見、早期治療の取り組みが行われています。

新生児マス・スクリーニング
⇨p182

そのほか先天的な病気には、肛門が正しく形成されない鎖肛（直腸肛門奇形）、出生直後から嚥下困難がある先天性食道閉鎖症など、出生直後から治療が行われるもののほか、先天性股関節脱臼のように、出生後しばらくしてわかる病気もあります。

（2）分娩時に多い病気・障害

❶脳性麻痺

脳性麻痺は、胎児期から新生児期までの間に受けた**脳の外傷**を原因とし、**生後２年ごろ**までに発現する子どもの脳の機能障害です。**肢体不自由児**の半数以上を占める障害であり、分娩に関連して起こることも多くあります。症状には、両手足が突っ張ってけいれんを起こす型、目的もなく顔や首、両手足が動く**アテトーゼ（不随意運動）**型などの類型があります。**知的障害**、**言語障害**、**てんかん**などをともなう場合も多くみられますが、その程度はさまざまです。治療としては**機能訓練**を行います。

用語
肢体不自由児
病気やけがにより、身体の動きに関する器官に永続的な障害がある子どものこと。

❷早産児にみられる病気・障害

通常、胎児は妊娠**37～42週未満**で生まれてきますが、それよりも**早く**生まれた子どもを**早産児**といいます。早産児は、体の機能が十分に発達しないまま生まれてくる場合があり、呼吸器や網膜に障害が残ることがあります。

早産児
⇨保心 p36

新生児の呼吸障害には、妊娠**34週以前**に生まれた**低（出生）**

体重児に多くみられる呼吸窮迫症候群や、新生児一過性多呼吸などがあります。**呼吸窮迫症候群**は、肺が未熟なため**サーファクタント**（肺胞のふくらみをコントロールする物質）が不足している場合に発症します。

未熟児網膜症は、網膜の血管が異常な方向に増殖して網膜剥離を起こし、視力障害や失明に至ることもあります。

（3）新生児期の病気

❶新生児黄疸（新生児高ビリルビン血症）

生後2～3日で**黄疸**が出現し始めますが、これは生理的黄疸といい、生後1週間くらいから自然に消えていきます。それ以外の、生後すぐからの黄疸や長く続く黄疸を、病的黄疸といいます。病的黄疸の原因は、血液型不適合などの疾患で、光線療法や交換輸血などの治療が行われます。

❷新生児メレナ

消化管出血による新生児メレナは、新生児の**ビタミンKの不足**により起こります。現在は、出生後にビタミンKの投与が行われるようになり、少なくなっています。

❸胆道閉鎖症

胆道閉鎖症[*1]は、生後～数か月までの間に発症し、**胆管**が閉塞する病気です。肝臓に胆汁が溜まることで黄疸が現れたり、肝硬変になったりすることがあります。胆汁に含まれる色素が便に含まれなくなるため、**便の色は薄く**なります。母子健康手帳には、便の色を確認できる**便色カラーカード**が添付されていますが、これは胆道閉鎖症の早期発見に活用されています。

2 乳幼児期に多い病気

（1）消化器系疾患

❶嘔吐下痢症

ロタウイルスやアデノウイルス、ノロウイルスなどのウイルスが原因となり、重い嘔吐と下痢を発症する状態です。ひどい

子どもの保健

用語
黄疸
血液中のビリルビンという色素が増え、皮膚や白目が黄色くなること。

新生児はビタミンKが不足しています。それが原因で、消化管の出血が起こってしまった状態が、新生児メレナです。出血により、便が黒っぽくなるのが特徴です。

でた問!!
***1 胆道閉鎖症**
便色カラーカードと症状について出題。
R3前

用語
胆管
肝臓でつくられた胆汁が十二指腸まで運ばれる管。

脱水症状の場合は、入院して点滴による治療を行います。

❷腸重積症

乳児期に多い**腸重積症***2は、ウイルス性の感染症などが原因となり、回盲部（小腸から大腸への移行部）などで小腸が大腸のなかに入って閉塞する疾病です。周期的に激しく泣き、嘔吐や、イチゴゼリー状の血便、腹部のしこりなどの症状がみられます。重なってしまった腸は、壊死を起こす可能性があるため、対応は緊急を要します。

❸鼠径ヘルニア

鼠径部に小腸が飛びだしてしまう、**脱腸**とよばれる状態です。乳幼児では自然に治癒することもありますが、外科的処置が必要となる場合もあります。飛びだした腸が出口部分で締め付けられてしまうと、元に戻らなくなり、激しい痛みが生じ、細胞や組織の壊死が起こることがあります。

❹急性虫垂炎

盲腸の虫垂突起が化膿した状態です。２～３歳ごろからみられます。小さい子どもでは診断が難しく、腹膜炎を起こす場合があります。穿孔といって、虫垂に穴が空いてしまうこともあるため、虫垂を切除する外科的処置が基本となります。

✚プラス1

腸重積症

大腸に入りこんだ小腸

大腸

小腸

出血し、壊死することもある

***2 腸重積症**
間欠的腹痛などの症状について出題。
R3前

用語

鼠径部
股の付け根部分。

肺炎や気管支炎を繰り返す子どもでは、先天性の問題が隠れている場合があります。

（2）呼吸器系疾患

❶急性気管支炎

ウイルス性のかぜが原因となって鼻やのどの上気道に炎症が起こり、さらに気管支まで炎症することで発症します。咳とたんなどの症状が現れます。

❷肺炎

細菌、ウイルスなど多様な微生物が原因となり発症します。ウイルスによるかぜや**インフルエンザ**にかかって炎症が起こった気管支や肺の粘膜に細菌が侵入・付着して起こることもあります。

（3）小児がん

主な小児がんは、白血病、脳腫瘍、神経芽細胞腫、悪性リン

✚プラス1

小児がんの原因
白血病や悪性リンパ腫のほかは、胎児のときに器官をつくるために存在した細胞が残ってしまい、出生後に異常な細胞になったと考えられている。成人に多い、肺がん、胃がんは小児がんではみられない。

パ腫、腎腫瘍（腎芽腫、ウィルムス腫瘍）などです。白血病が最も多く、小児がんの約40%を占めます。小児がんは進行が早いかわりに、治療の効果も高く、現在の治癒率は70〜80%とされます。

（4）神経系の疾患

❶てんかん

てんかん[*3]は、３歳以下の発症が多く、**小児患者が全体の半数**を占めるといわれています。全身の筋肉の硬直、**けいれん**、卒倒などさまざまなタイプの発作がみられます。発作の防止には、十分な睡眠をとり、心身の過労を避けるなど、日常生活における配慮が重要です。治療には、場合に応じて各種の症状を抑えるための抗てんかん薬が投与され長期的な服用が必要になることもあります。

❷熱性けいれん

特に乳幼児は、**38℃以上の高熱**があるときに、けいれんを起こすことがあります。けいれんは**5分以内に治まる**ことがほとんどですが、長引くようであれば救急車を呼びます。

（5）その他の病気

❶髄膜炎

髄膜に細菌やウイルスが感染して炎症を起こした状態で、頭痛や発熱、嘔吐に始まり、病状が進行すると意識障害やけいれんといった症状がみられます。髄膜とは、頭蓋骨と脳の間にある膜で、脳を保護する役割をもっています。**細菌性髄膜炎**は、インフルエンザ菌や肺炎球菌、黄色ブドウ球菌などを原因とし、**無菌性髄膜炎**は、エンテロウイルスやアデノウイルスといったウイルスや真菌が原因となります。細菌性髄膜炎の死亡率は無菌性髄膜炎に比べて高く、後遺症のリスクがあります。

❷川崎病

川崎病[*4]は1967年に小児科医の川崎富作が発見した**原因不明の病気**です。１歳前後にかかることが多く、高熱、目の充血、真っ赤な唇と舌のブツブツ（**いちご舌**）、体の発しん、手足の

でた問!!
[*3] てんかん
てんかんについて出題。
R5前

用語
けいれん
手足を震わせたり硬直させたりし、目を見開いて歯をくいしばる発作のこと。

初めて熱性けいれんを起こした子どもをみると、びっくりするかもしれませんが、熱性けいれんには後遺症はありません。落ち着いて対処しましょう。

プラス１
細菌性髄膜炎の予防
細菌性髄膜炎には、ヒブワクチンと小児用肺炎球菌ワクチンの予防接種が有効である。

でた問!!
[*4] 川崎病
川崎病の原因や症状について出題。
R3前、R4後

子どもの保健

腫れ、首のリンパ節の腫れの6つの症状のうち5つ以上の症状があれば、川崎病と診断されます。冠動脈にこぶができる症状がみられる場合には命に関わり、長期的な治療が必要となります。

***5 SIDS**
SIDSの特徴について出題。
H31前、R3後、R5前

❸SIDS（乳幼児突然死症候群）

SIDS[*5]は、それまでの健康状態や既往歴からその死亡を予測することができず、死亡状況や解剖検査からも死亡の原因がわからず、まれに1歳以上で発症することがあるものの、原則として**1歳未満の乳児**が突然死亡する病気で、**窒息などの事故とは異なります**。わが国での発症頻度は**出生6,000〜7,000人に1人**と推定されています。危険因子としてうつぶせ寝、柔らかい寝具、暑すぎる暖房、衣服の着せすぎ、保護者の喫煙習慣、非母乳育児などがあげられています。このため、SIDSを予防するためには、うつぶせ寝を避ける、硬い布団に寝かせる、顔に掛布団などがかからないようにする、昼寝など睡眠中には保育士が定期的に呼吸状態や姿勢などを観察する、できる限り母乳で育てる、などします。

窒息
⇨p174

SIDSは、あおむけで寝かせても発症することはありますが、うつぶせ寝のほうが発症率が高いとされています。

✚プラス1

アレルギーマーチ
遺伝的にアレルギーになりやすい素質の人が、年齢を重ねるごとに、次から次へとアレルギー疾患を発症していくようす。

3 子どものアレルギー疾患とその対応

(1) アレルギーのしくみと種類

私たちは、外敵から身体を守る免疫反応という働きをもっています。**アレルギー疾患**[*6]は、本来ならば反応しなくてもよい無害なものに対しても、過剰に免疫反応が働いてしまっている状態です。アレルギー疾患は、全身疾患であるため、いずれか1つのアレルギー疾患を発症する場合は少なく、**複数の症状**が現れることが多くあります。保育所において対応が求められるアレルギー疾患には、以下のものがあげられます。

食物アレルギー
⇨栄養p287

でた問!!

***6 アレルギー疾患**
乳幼児がかかりやすいアレルギー疾患について出題。
R2後

***7 食物アレルギー・アナフィラキシー**
食物アレルギーやアナフィラキシーショックの症状などについて出題。
R1後、R3後、R5前・後、R6前

❶食物アレルギー・アナフィラキシー[*7]

食物アレルギーは、特定の食べ物を摂取したときに現れるアレルギー反応で、皮膚や呼吸器、消化器、場合によっては全身に症状がでます。

アナフィラキシーは、アレルギー反応によって蕁麻(じんま)しんや腹痛、嘔吐、息苦しさなど、皮膚や消化器、呼吸器の症状が、急激に、複数同時に現れた状態のことです。なかでも**アナフィラキシーショック**は、意識レベルの低下や脱力をきたした状態で、迅速に対応しなければ**生命の危険**にさらされます。アナフィラキシーとなる原因はさまざまですが、乳幼児期では食物アレルギーが原因となる場合がほとんどです。

❷気管支ぜんそく

喘鳴(ぜんめい)という、ゼーゼー、ヒューヒューという音をともなう呼吸困難の状態です。喘鳴は、チリやダニ、動物の毛などがアレルゲンとなり、アレルギー反応を引き起こし、気道が炎症を起こして狭くなることで起こります。一般的には**発作治療薬**で症状は改善されますが、生命に関わる危険な状態になることもあります。

アレルゲン
⇨栄養 p287

❸アトピー性皮膚炎

アトピー性皮膚炎[*8]は主に、顔や首、ひじの内側、ひざの裏側などの皮膚にでるアレルギー症状で、**かゆみのある湿しん**が出たり、治ったりを繰り返します。ダニやホコリ、食べ物、動物の毛などが疾患を悪化させる原因となるほか、シャンプーや洗剤、プールの塩素、さらには生活習慣の乱れやかぜなどの感染症が原因となることもあります。症状は、**適切なスキンケア**や治療によってある程度コントロールすることができるため、ほかの子どもと同じ保育生活を送ることができます。

でた問!!

*8 アトピー性皮膚炎
幼児によくみられるアトピー性皮膚炎について出題。
H31前、R1後

アトピー性皮膚炎は、多くの場合、3歳ごろまでに治りますが、慢性化する場合も少なくなく、成人になって再発することもあります。

❹アレルギー性結膜炎

目の粘膜や結膜にアレルギー反応によって炎症が起こります。目のかゆみやなみだ目、異物感、目やになどの症状が現れます。ハウスダストやダニ、動物の毛、スギやブタクサなどの花粉がアレルゲンとなります。

❺アレルギー性鼻炎

鼻の粘膜にアレルギー反応によって炎症が起こり、くしゃみや鼻水、鼻づまりの症状が現れます。アレルゲンは、アレルギー性結膜炎と同様で、ハウスダストやダニ、動物の毛、スギやブタクサなどの花粉です。

(2) 保育所におけるアレルギー対応

❶アレルギー対応の基本

「**保育所におけるアレルギー対応ガイドライン(2019年改訂版)**」では、アレルギー疾患のある子どもに対して、保育所は**十分な配慮を行うように努める責務**があり、保育にあたっては医師の診断や指示に基づいて行う必要があると定めています。アレルギー疾患のある子どもに対応するため、次の事項が必要になります。

- **状況の把握**……**入園面接時**に、アレルギーについて保育所で配慮が必要な場合には保護者に申しでてもらい、アレルギー疾患のある子どもを把握する。または健康診断により把握する。
- **生活管理指導表の活用**……アレルギー疾患によって配慮が必要な子どもについては、**生活管理指導表**を配布し、主治医やアレルギー専門医に記入してもらう。生活管理指導表は、**1年に1回以上**見直す。
- **職員の協力と情報共有**……生活管理指導表をもとにして保育所での生活や食事の具体的な取り組みを施設長、嘱託医、看護師、栄養士、調理員等と保護者で協議し対応する。また、保育所内の職員全体で共通理解をもつ。

❷食物アレルギー・アナフィラキシーの対応*9

食物アレルギーのある子どもに対しては、安全への配慮を重視し、アレルゲンとなる食物を完全除去した食事を提供します。保育所ではじめて口にする食物がないように、保護者と連携することも大切です。特にアナフィラキシーなどの**緊急時の対応**は、保護者へ伝えておくことが必要です。

❸気管支ぜんそくの対応

アレルゲンとなる物質を減らすために、**室内清掃や寝具の使用**には注意し、保育所での生活環境を整えることが必要です。保護者からは気管支ぜんそくの治療状況を聞き、運動などの保育活動について事前に相談しておく必要があります。

❹アトピー性皮膚炎の対応

アトピー性皮膚炎*10の症状を悪化させる原因は、子どもによってさまざまなので、保育所の室内環境を整えるだけでな

用語

「保育所におけるアレルギー対応ガイドライン」
厚生労働省による、乳幼児期の特性を踏まえた、保育所におけるアレルギー疾患を有する子どもへの対応の基本を示すガイドライン。2011(平成23)年策定され、2019(平成31)年に改訂。

生活管理指導表
「保育所におけるアレルギー対応ガイドライン」では、生活管理指導表を、保育所におけるアレルギー対応に関する、子どもを中心に据えた、医師と保護者、保育所の重要な「コミュニケーションツール」と位置づけている。アレルギーの病型や治療、原因食物や緊急時の対応、保育上の配慮点などについては、医師が作成する。

でた問!!

***9 食物アレルギーの対応**
保育所における食物アレルギーの対応について出題。
R3前、R4後、R5前・後

***10 アトピー性皮膚炎**
アトピー性皮膚炎への対応について出題。
R4後

く、保護者と外遊びやプールなどの保育活動について相談しておく必要があります。

❺アレルギー性結膜炎の対応

プールの消毒に使われる塩素が角結膜炎には悪化要因となる場合があるため配慮が必要です。季節性のアレルギー性結膜炎のある子どもには、花粉の飛散量が多い日の活動に留意します。通年性のアレルギー性結膜炎のある子どもには、土ぼこりで症状が悪化する場合があるので、顔を拭くなどの対応をします。

❻アレルギー性鼻炎の対応

特に季節性のアレルギー性鼻炎をもつ子どもは、花粉の飛散量が多い日に症状が悪化することがあるため、屋外活動では留意します。

❼緊急時の対応

保育中に**アナフィラキシーなどの重篤（じゅうとく）な反応**が起きたときは、速やかに救急車を呼ぶなど、迅速な対応が求められます。

外遊びやプールについては、アレルギーがあるからできない、ということではありません。リスクを把握して対処し、ほかの子どもと同じように活動できるよう、配慮していくことが大切です。

子どもの保健

■緊急性の高い症状の目安

消化器の症状	●繰り返し吐き続ける ●持続する強い（がまんできない）おなかの痛み
呼吸器の症状	●のどや胸が締め付けられる ●持続する強い咳き込み ●声がかすれる　●犬が吠えるような咳 ●ゼーゼーする呼吸　●息がしにくい
全身の症状	●意識がもうろうとしている ●唇や爪が青白い　●脈を触れにくい、不規則 ●ぐったりしている　●尿や便を漏らす

出典：厚生労働省「保育所におけるアレルギー対応ガイドライン（2019年改訂版）」をもとに作成

本来、医師でなければ医療行為は行えませんが、血圧が低下し意識レベルの低下や脱力などをきたす**アナフィラキシーショック**により、生命が危険な状態にある場合は、保育所の職員が**エピペン®**[*11]を使用して対応することができます。エピペン®を使用した場合は、救急搬送をし、**医療機関を受診**します。

万一の緊急時に対応できるように、保育所全体で組織的に対応ができるように日頃から準備をしておくことが大切です。

用語

エピペン®
アナフィラキシーを起こした人が医療機関に搬送されるまでの間、症状を緩和し、ショックを防ぐための治療剤（アドレナリン自己注射薬）。体重15kg以上の子どもに使用することができ、保護者あるいは保育者が子どもの太ももに注射する。エピペン®は15〜30℃で保管することが望ましいため、冷蔵庫などには入れない。

でた問!!

***11 エピペン®**
エピペン®について出題。
R5前・後、R6前

ポイント確認テスト

穴うめ問題

□ **Q1**
□ 過R3前

（　　）では、新生児期から乳児早期に出現する黄疸と白色便が見られる。早期発見のため母子健康手帳にカラー印刷の便色カードが挿入されている。>>> **p143**

□ **Q2**
□ 過R3前

（　　）では、間欠的腹痛（突然泣き出し、しばらく泣き続けた後いったん泣き止んでうとうとするなどの状況を繰り返す）、嘔吐、イチゴゼリー状の血便が見られ、時間経過とともに腸管の血流障害が進行する。>>> **p144**

□ **Q3**
□ 過R3後

SIDS は、（　a　）、（　b　）のどちらでも発症しますが、寝かせるときに（　a　）に寝かせたときの方がSIDS の発症率が高いということが研究者の調査からわかっています。そのほか（　c　）で育てられている赤ちゃんの方がSIDS の発症率が低く、（　d　）はSIDS発症の大きな危険因子です。>>> **p146**

□ **Q4**
□ 過R6前

（　　）とは、特定の食物を摂取した後にアレルギー反応を介して皮膚・呼吸器・消化器あるいは全身に生じる症状のことをいう。>>> **p146**

○×問題

□ **Q5**
□ 過R3後

ファロー四徴症は、心臓の疾患である。>>> **p141**

□ **Q6**
□ 過R6前

食物アレルギーのある幼児の割合は、年齢が上がるにつれて上昇する。>>> **p147**

□ **Q7**
□ 過R2後

幼児では、アレルギー性鼻炎はほとんどみられない。>>> **p147**

□ **Q8**
□ 過R6前

エピペン®を保管する場合は、冷蔵庫で保管する。>>> **p149**

解答・解説

Q1　胆道閉鎖症　Q2　腸重積症　Q3　a うつぶせ／b あおむけ／c 母乳／d たばこ
Q4　食物アレルギー
Q5　○　Q6　×　年齢が上昇すると低下する。　Q7　×　幼児でもよくみられる。
Q8　×　冷蔵庫には入れず、15～30℃で保管する。

子どもの保健 Lesson 6

子どもの心身の問題とその対応

頻出度 Level 2

保育所には心理的な課題を抱える子どもがいます。また、発達障害、身体障害などのある子どももいます。それぞれの特性を理解することが大切です。

ココに注目!!

- 子どもに多い問題行動と不適切行動の特徴とは
- 心身症の種類と症状、その対応とは
- 発達障害のDSM-5による分類とその特性
- 障害の発見のプロセスと専門機関との連携

1 子どもの問題行動・不適応行動

身体的、あるいは器質的には要因はなくても、心理的な原因によって機能的な異常や問題行動がみられる場合があります。発達の視点からは、環境等の影響や学習や経験がうまくいっていない不適応の状態にあることを示すもので、不適応行動ということができます。

このレッスンの内容については、「保育の心理学」で出題されることも多いので、「保育の心理学」レッスン8とあわせて学習しましょう。

(1) 退行的行動

実際の年齢よりも、明らかに幼い行動を示すことを**退行的行動**といいます。泣く、甘える、指しゃぶり、爪噛(つめか)み、夜尿、赤ちゃん言葉、かんしゃく、拒否的態度などの行動がみられます。原因としては、自己中心的な態度が容認されているため、**欲求不満耐性**が育っていない、親の養育態度が拒否的で、愛情が満たされていないなどがあります。

用語
欲求不満耐性
欲求不満に耐える力のこと。

弟や妹がもうすぐ生まれることで不安になって、退行的行動（赤ちゃん返り）をする場合もあります。

(2) 習癖異常

意図的でない習慣的な行動で、人格の健全な発達や社会生活においてマイナスであると考えられるものを**習癖異常**(しゅうへき)といいます。幼児期にみられる習癖異常の多くは成長とともに消失しますが、心理的要因だけでなく、脳に器質的要因がある場合も考えられています。無理にやめさせようとするとかえってストレスが高まるため、効果は期待できません。乳幼児に多い習癖異常では、**指しゃぶり**、**爪噛み**、鼻ほじり、抜毛などの身体をいじる習癖（身体玩弄癖）があります。

＋プラス1

ホスピタリズム
ホスピタリズムを最初に提唱したのはスピッツである。なお、現在の児童養護施設では家庭的な養護が行われるようになり、ホスピタリズムは少なくなっている。一方で、施設に限らず親の養育態度によっては家庭においてもホスピタリズムは起きる。

ホスピタリズム
母性剥奪
⇨保心p47

ボウルビィ
⇨保心p34

（3）ホスピタリズムによる症状

子どもの健全な発達に必要なさまざまな刺激（感覚刺激、愛情の刺激、社会性や学習意欲を育てるための刺激）の欠乏は、子どもの性格形成に大きな影響を及ぼします。これらの刺激の大部分は母親が与えることが多いため、**ボウルビィ**は、施設に入所している子どもが、母性的養育の喪失あるいは**母性剥奪（マターナル・デプリベーション）**によってホスピタリズムに陥り、食欲不振、睡眠障害などの身体症状、知的発達の遅れや、**指しゃぶり**、**爪噛み**などの**習癖異常**を示すとしました。

（4）非社会的行動

社会的・対人的接触を避けようとし、集団になじめずに孤立して自分の殻に閉じこもるような行動を**非社会的行動**といいます。**登所・登校拒否**、**緘黙**などがみられます。緘黙とは、会話する能力がありながら、何らかの理由によって話すことのできない状態をいいます。まったく話をしない全緘黙と、家庭では話すが学校では話さないなどの**選択性緘黙**[*1]とに分けられます。背景には他者に対する過度の不安感があることが多いとされます。

***1 選択性緘黙**
選択性緘黙の症状について出題。
R4前

選択性緘黙はDSM-5では「不安症群」に分類されています。

（5）反社会的行動

社会秩序を乱したり、社会規範に反するような行動を**反社会的行動**といいます。子どもの反社会的行動には、**虚言**（うそ）、盗癖、家出・放浪、規則・約束の放棄、暴力などがあります。反社会的、攻撃的な行動を繰り返し、年齢相応のふるまいから大きく逸脱している場合は、**行為障害**の疑いがあります。

＋プラス1

行為障害の特徴
悪いことをしているという意識をもたずに、動物を殺傷する、ものを破壊する、暴力をふるうなど。

2 精神障害・心因性の症状

保育士は、精神障害のある保護者と関わることもあります。子どもはかかりづらい病気であってもさまざまな精神障害の症状を理解しておくことが大切です。

（1）統合失調症

統合失調症は、精神障害のなかで最も多い病気です。現実と非現実を区別する能力が部分的に障害され、妄想、幻視・幻聴、自発性の低下、感覚鈍麻などの症状が現れます。慢性的になりやすいことも大きな特徴です。子どもの統合失調症は、数は少ないものの近年発症例が報告されています。

（2）うつ病（気分障害）

以前は、**うつ病**[*2]は思春期以降に発症するものと考えられていましたが、現在では成人とは異なる、子どものうつ病が広く認められています。主な症状は、**活動性の減少**、悲しそうな表情が長く続く（**憂うつ感**）、**口数の減少**、**食欲減退**または**体重の減少**、**不眠**、**無欲状態**などがあります。子どものうつ病の場合、自分で症状を表現することが難しいため、周囲の大人が早めに気づき、適切な治療を受けさせることが重要になります。

でた問!!

***2 うつ病**
うつ病の症状について出題。
R3後

（3）強迫性障害

強迫性障害[*3]では、病的な不安・恐怖・衝動から、明らかに不合理な観念や行為が自分の意思に反して現れます。学童期以降に発病することが多く、症状としては、不潔への恐怖から何度も手を洗ったり、先のとがったものに激しい恐怖を感じて近づけなかったり、戸締まりを何度も確かめたりといった強迫行動があります。また、健康について異常な注意を向け、自分は病気だと思い込む**心気症**（しんきしょう）（**ヒポコンドリー**）も、強迫性障害の一種と考えられています。幼児期の子どもの場合には、周囲の

***3 強迫性障害**
強迫性障害の「こだわり」について出題。
R3後

人の模倣(もほう)や母親の不安を投影していることが多くあります。

(4) 解離性障害

困難な事態に直面した際に、その苦しみから逃れるため知覚や記憶を自分の意識から切り離す状態を**解離性障害**(かいりせい)といいます。一時的に記憶がなくなる、無感覚、視覚障害などの感覚系の症状、失歩（歩けなくなる）、けいれんなどの運動系の症状などが現れます。青年期では男子よりも女子に多くみられます。

(5) パニック障害

周囲の状況に関係なく、**突然**強い**恐怖感**や**不安感**が起こり、動悸、息苦しさ、めまい、発汗などが現れ、パニック状態になります。このため、電車やエレベーターなどに乗れなくなったりします。また、息苦しさが強くなって呼吸が浅く速くなり、二酸化炭素が過剰に排出されると過換気症候群を起こすこともあります。子どもでは身体症状のほうが多くみられます。

(6) 子どもの心身症（身体表現性障害）

心身症は、精神的な不安や緊張が原因で、身体の諸器官に症状が現れるものです。子どもが心身症と診断された場合には、親と子の両方に対する**カウンセリング**や**精神療法**などが有効となります。

❶消化器系の症状

食欲不振・過食・異食・嘔吐(おうと)・周期性嘔吐症などがあります。下痢や便秘を繰り返したり、ガスがたまったりする**過敏性腸症候群**も心身症でみられる症状の一つで、ストレスや刺激物の摂取などが悪化の原因となります。感染症から過敏性腸症候群になる場合もあります。学童期以降では、消化器系の症状が、不登校の原因になる場合もあります。

❷泌尿器系の症状

- **夜尿症**……夜の睡眠中に、無意識で排尿（おねしょ）すること。一般に、3～5歳ごろには排尿調節が可能となるが、その後も頻繁におねしょがある場合には、排尿調節機能の障害が疑われる。過去におねしょで失敗した経験など、心因的なものである場合もある。

- **遺尿症**……日に数回少量の尿もれがあり、たえず下着が湿っている状態となる。夜尿症も遺尿症の一種である。

❸子どもの心身症の中枢神経系の症状

中枢神経系の症状としては、頭痛、**夜驚症**（やきょうしょう）、**チック**などがあります。

- **夜驚症**……夜間の睡眠中に突然起き上がり金切り声で叫び、おびえたような表情や動作をする。その間は、周囲が話しかけても反応が鈍い。覚醒（かくせい）後には何も覚えていないことが多い。強い不安や発汗、心悸亢進（しんきこうしん）などの自律神経症状がみられる。

❹そのほかの症状

思春期から20歳代の女性に多くみられる心身症として**過換気症候群（過呼吸*4）**があり、小児期にみられることもあります。症状として、空気が吸えない感じがする、胸痛、動悸（どうき）、むかむかする、嘔吐、手足のしびれ、けいれん、意識消失などがみられます。対応としてはゆっくりと（可能であれば5秒以上）、小さな呼吸をするように声をかけます。症状がひどい場合には薬を使うこともあります。

また、子どもは自律神経の調節機能が未発達であるために、心理的なストレスがそれほど強くない場合でも、自律神経失調症の症状が現れやすい傾向があります。思春期の女子に多い、立ちくらみを起こす**起立性調節障害**がその代表です。生活リズムを整え、健康的に生活することが子どもの自律神経失調症の予防になります。

3 発達障害（神経発達症群）

発達障害*5とは脳の働きに関する障害の一つで、見た目には障害があるとわかりづらいものの、対人関係や学習面で困難を抱えやすいといった特徴があります。精神疾患の診断基準の一つである**DSM-5**では、発達障害を「神経発達症群」とし、発

チック
⇨p158

突然、寝床から起き上がって部屋の中をうろうろ歩き回る夢中遊行もあります。話しかけても反応しない、覚醒後に覚えていない点は、夜驚症と同じです。

でた問!!

***4 過換気症候群（過呼吸）**
過呼吸への対応について出題。
H31前

用語

DSM-5
『精神疾患の診断・統計マニュアル第5版』（アメリカ精神医学会）。精神疾患を診断する基準として用いられる。疾患を22のカテゴリーに分類している。

でた問!!

***5 発達障害**
「発達障害者支援法」の支援対象疾患について出題。
H31前

達障害を次のように分類しています。

（1）自閉スペクトラム症（ASD）

自閉スペクトラム症[*6]は、人の心の状態や考えを推測することが困難で、**相手の立場に立って考えることが難しい**ため、社会的なコミュニケーションに問題を抱えることが多くなります。**想像力の欠如**（けつじょ）や**強いこだわり**をもつことも特徴です。

❶特徴

社会的なコミュニケーションの難しさ	●言葉を覚えても、コミュニケーションのために使うことが少ない ●ひとりごとと反響言語（おうむ返し）、同じフレーズの反復などが多い ●他人に関心をもったり、相手の気持ちを思いやるということが難しい ●自分の気持ちや興味を他人に伝えようとすることが少ない
想像力の欠如や強いこだわり	●ある特定の環境、設備、ものへの強い執着を示したり、外出の道順や日課などに一定の決まりをつくり、それに固執する ●長時間にわたる同じ遊びの繰り返しや常同運動、奇妙な癖などがみられる ●光や音、声などに過敏である一方、痛みや暑さ、寒さには鈍感である。肌触りや匂いなど特定の感覚に興味を示すことがある

共同注意ができなかったり、**三項関係**が成立しにくいことが、対人コミュニケーションを難しくさせている原因でもあるといわれています。

❷配慮

一人で遊んでいても、友だちと同じ空間のなかにいられるように配慮し、まわりの子どもたちへの興味を促すような機会をつくる工夫をします。また、急に通常とは違う活動に変更するようなことがあると、不安感を抱くこともあります。予定の変更は、早めに本人に伝えることも必要です。

（2）注意欠如・多動症（ADHD）

注意欠如・多動症[*7]は、**不注意**、**衝動性**、**多動性**など行動上の困難さが特徴です。原因は特定されておらず、遺伝的・環境

＋プラス1

発達障害の診断基準
発達障害の診断基準には、DSM-5のほかにも、ICD-10というWHO（世界保健機関）による疾病および関連保健問題に関する国際疾病分類がある。

発達障害の診断名
医療現場では「DSM-5」に基づいた診断が行われているが、法律や教育現場では「ICD-10」に基づく診断名が使われているので注意が必要。

***6 自閉スペクトラム症**
自閉スペクトラム症の特徴や行動について出題。
R1後、R3前・後
自閉スペクトラム症の子どもへの対応について出題。
R2後、R4前

共同注意
三項関係の成立
⇨保心p45

***7 注意欠如・多動症**
注意欠如・多動症の特徴や支援・治療などについて出題。
H31前、R1後、R2後、R3後

▸▸▸ ここは覚えよう!!

さまざまな発達障害のタイプ（DSM-5による）

知的な遅れをともなうこともあります

自閉スペクトラム症（ASD）
- 言葉の発達の遅れ
- コミュニケーションの障害
- 対人関係・社会性の障害
- パターン化した行動、こだわり

重度から軽度まで含まれる

注意欠如・多動症（ADHD）
- 不注意（集中できない）
- 多動・多弁（じっとしていられない）
- 衝動的に行動する（考えるよりも先に動く）

限局性学習症（SLD）
- 「読む」「書く」「計算する」などの能力が、全体的な知的発達に比べて極端に苦手

※このほか、トゥレット症候群や吃音なども発達障害に含まれる。

出典：厚生労働省ホームページを一部改変

的要因や中枢神経系の機能障害などの要因が複合的に関与しているといわれています。本人の努力や親のしつけで改善するものではありません。

✚プラス1

ADHDの診断名

「注意欠如・多動症」という診断名はDSM-5からできた新しい名前だが、今も法律や学校などでは前の病名である「注意欠陥・多動性障害」という診断名が使われているため、両方知っておくことが大切である。

❶特徴

不注意	●約束をすぐに忘れる ●忘れ物が非常に多い ●ものを片づけることを忘れる ●相手の話を最後まで聞かない ●順序立ててとりかかることができない ●最後までやりとげることができない
多動・衝動	●落ち着きがない ●順番が待てない ●かっとなると手がでる ●ささいなことでかんしゃくを起こす ●突然走り出す

❷配慮

保育の場や学校教育の場では、障害に対する職員の**正しい理解**が重要になります。注意欠如・多動症の子どもは、親から過度に厳しいしつけを受けたり、自分自身を理解してもらえないといった葛藤により、反抗や攻撃的行動、不安障害といった**二次障害**を引き起こしたりする可能性があります。社会生活に必要な基本的な行動や学習能力、態度などは、少しずつ根気強く

指導していくことに加え、問題行動がみられたときは、本人の気持ちを聞きだし、どう対応すればよかったのかなどを一緒に考えるようにします。

(3) 限局性学習症 (SLD)

限局性学習症とは、全般的な**知的発達に遅れはなく**、視聴覚障害がなく、教育環境に問題がないにもかかわらず、聞く、書く、話す、読む、計算する、推論するなどの能力のうち、**特定のものの習得と使用に著しい困難**を示す状態をいいます。これらの障害が起こる原因は、中枢神経系に何らかの機能障害があるためと考えられています。

限局性学習症は、教科授業が行われる学童期に、授業に遅れをとることから障害を疑われることが多くなります。乳幼児期にも徴候がみられるようであれば、関係機関と連携できるように、子どもの特性について記録しておきます。

でた問!!

*8 チック症
チックの定義や特徴について出題。
R4前

(4) 運動障害 (運動症)

運動障害（運動症）には**チック症***8、**発達性協調運動症（DCD）**などがあります。チック症は、**本人の意思とは無関係に生じる突発的で反復性のある運動または発声**のことです。多種類の運動チックと１つ以上の音声チックが１年以上にわたり続く重症なチック症は**ド・ラ・トゥレット症候群**といい、「発達障害者支援法」の対象に含まれます。

発達性協調運動症（DCD）は、知的な発達に遅れはないものの、協調運動技能の獲得が年齢に応じて期待されるものよりも明らかに劣っている状態、いわゆる**不器用**といわれる状態のことです。キャッチボールやボールを蹴るなどの**運動にも困難さ**がみられます。原因は不明ですが、ADHDやASDなどを併発する場合が多いため関連性が指摘されています。

プラス1

チックの発症率
チックは男子のほうが女子に比べ発症率が高いといわれる。

用語

ド・ラ・トゥレット症候群
7～11歳ごろに発症することが多く、割合は1,000～2,000人に一人とされる。意に反してわいせつな言葉など人前で言ってはいけない言葉を言ってしまう「汚言症」が出ることもある。

(5) 知的障害 (知的発達症)

知的障害は、**精神遅滞**ともいい、**知的発達の障害の総称**です。知的機能や適応機能に基づいて判断されます。有病率は**約１％前後**とされ、男女比はおよそ1.5：1です。知的機能は知能検査によって測られ、次の式により程度が分類されます。

知能指数（IQ）＝
精神年齢（発達年齢）÷ 生活年齢（実年齢）× 100

ICD-10の分類では、IQ50～69は軽度知的障害、IQ35～49は中等度、IQ20～34は重度、IQ20未満が最重度となります。

さまざまな**中枢神経系疾患**が原因となるため、正しい診断を受けて、早期に治療・療育・教育を行う必要があります。本人のみならず、家族への支援もかかせません。

■知的障害をともなう、または、ともなう場合がある疾病

ダウン症	染色体異常により起こる。中等度の知的障害をともなうことが多いが、個人差が大きい。
クレチン症、フェニルケトン尿症などの先天性代謝異常	生まれつき代謝機能に異常のある病気。新生児マス・スクリーニング検査によって発覚することが多い。重度の症状がある場合や、適切な治療を行わない場合には知的障害や発育障害を発症し、生命に関わることもある。
自閉スペクトラム症などの発達障害	自閉スペクトラム症の多くが知的障害をともなう。また、注意欠如・多動症でも知的障害をともなうことがある。

（6）言語障害

言語の発達は個人差が大きいものですが、３～４歳を過ぎても言語発達が同年齢の子どもと比べて差があったり、発音に障害がある場合には、**言語聴覚士**などの専門家による治療や周囲の配慮が必要になります。

❶言語発達遅滞

言語開始や言語発達が遅くなるものです。周囲の人の話を理解したり、自分の思っていることを的確に表現したりするのが難しい状況にあります。

❷構音異常

発語はみられるものの、発音に誤りがある場合です。幼児にはよくみられますが、６～７歳を過ぎた子どもでは治療が必要となります。

＋プラス１

小・中学校における発達障害などのある子どもの割合
文部科学省「通常の学級に在籍する特別な教育的支援を必要とする児童生徒に関する調査結果（令和4年）」によると、知的発達に遅れはないものの学習面または行動面で著しい困難を示す児童生徒の割合は小学校・中学校で8.8%にのぼり、そのなかには発達障害のある生徒も含まれる。

知的障害の診断基準
一般的にはIQ70未満を判定の目安とするが、他人との意思疎通がどの程度可能であるか、日常生活の援助の必要性の度合いなど複合的な観点から障害の程度を判断していく。

胎児性アルコール症候群
妊娠中の母親の飲酒により、低体重・顔面を中心とする奇形や知的障害が発生すること。少量の飲酒でも障害を引き起こす可能性があるため、妊娠中の飲酒は注意が必要である。

胎児期のウイルスなどへの感染
胎児期に風しんウイルスやトキソプラズマ（寄生虫）に感染することによって、知的障害になる場合もある。

✚プラス1

構音異常
子音の入れ替わりはサカナ→チャカナ、センセイ→テンテイとなり、音の省略はシマシタ→シマッタ、ヒコーキ→コーキなどがみられる。

言語障害のある子どもは、嘲笑やいじめの対象になりやすく、コミュニケーションに消極的になる傾向がみられます。周囲の大人が共感的に接し、安心感を与えることが大切です。

***9 吃音**
吃音の症状や特徴などについて出題。
R4前

言語障害のうち、文字の読み書きの障害は、「限局性学習症」に含められています。

❸吃音

吃音(きつおん)*9は、多くが6歳までにみられ、**難発**(なんぱつ)(はじめの言葉がつまる)、**連発**(ある音や語を何回か続けて繰り返す)、**伸発**(しんぱつ)(ある音を引き伸ばす)などの症状があります。顔をゆがめるなど、無意識に顔面や身体の運動をともなう場合もあります。DSM-5の分類では吃音も神経発達症群の一部と考えられています。

❹特異的言語障害

従来、言語発達遅滞として扱われていた対象のうち、器質的な問題がなく、言語や会話に障害のあるグループを、**特異的言語障害**としてほかの障害と区別する場合があります。

そのグループのなかで、相手が話している内容は理解でき、唇や舌など声を発する器官に問題がないのに、正しい発音ができない場合を**機能性構音障害**といい、限られた言葉だけを使ったり、年齢に比べて文章の構成力が未熟だったりするけれども、読む・聞く、音声にすることに関しては大きな問題はない場合を**表出性言語障害**といいます。また、対人社会性に問題がないにもかかわらず、言葉を聞いても理解できていないタイプを**受容性言語障害**といい、表出性言語障害をともないます。

4 身体的障害

(1)肢体不自由

上肢(じょうし)(肩から手指までの部分)、**下肢**(かし)(股関節から足先までの部分)、または**体幹**(頭と上肢・下肢を除いた部分)の機能に障害があり、日常生活を営むのに支障のある子どもを**肢体不自由児**といいます。日常の行動に制限が多く、介助が必要なことが多いため、**社会生活の経験が不足しがち**です。積極性や好奇心が養われるような関わりが大切です。

(2)視覚障害

視覚障害には、視力がまったくない場合と**弱視**の場合があり、さらに先天性のものと後天性のものがあります。視覚障害児は行動が制限され、身体発育や日常動作の能力に遅れが生じやすくなるため、触覚など視覚以外の感覚を活用し、自ら積極的に行動できるような環境を整えることが大切です。

(3) 聴覚障害

耳の不自由な子どもには、音のまったく聞こえない**ろう児**と、聞こえにくい**難聴児**がいます。音声言語の習得が困難なことから、言語発達が遅れる傾向があります。**手話**や読話、筆談などのコミュニケーション方法を用いて、保育所のなかでさまざまな経験ができるよう支援していくことが大切です。

5 子どもの心の健康への対応

(1) 保育所における対応の基本

保育所では、障害のある子どももそうでない子どもも分け隔てせず、ともに生活し、ともに歩んでいくことをめざす統合保育を行っています。統合保育を行うためには、できるだけ多くの人が利用しやすい**ユニバーサルデザイン**の発想を大切にし、適切な環境設定を心がけることが大切です。一方で、それぞれの障害によって子どもの困りごとが何かは変わってきます。子どもの障害の特性を十分に理解し、**必要に応じて手だてを講じること**が求められます。たとえば、自閉スペクトラム症の傾向があり、**感覚過敏**のある子どもは、活動のなかで特定の音を不快に感じることがあります。そのようなときには、耳栓やイヤーマフを使用して、その子に不快な音が届きにくいようにします。我慢を強いるのではなく、苦手としていることに応じた配慮をすることが大切です。

プラス1

新生児聴覚スクリーニング検査

新生児を対象とした「聞こえ」の検査。乳幼児は聞こえないことを伝えることが困難であるため聴覚障害は発見が遅れることが多かったが、検査により早期発見が可能となった。自費での検査となるが、費用の一部を公費負担している自治体もある。

用語

ユニバーサルデザイン

年齢、性別、人種、障害の有無などにかかわらず、さまざまな人が利用できるようにデザインすること。

感覚過敏

知覚に関連した障害で、特定の音や匂い、肌触りと接するとき、激しい苦痛を感じる。自閉スペクトラム症の子どもに多くみられる。

（2）専門機関による対応

❶障害の発見と検査

健康診査
⇨上巻 子福p264

検査
⇨心理p81

発達障害など幼児期にわかる障害は、市町村が行う**乳幼児健康診査**で発見されることが多くあります。乳幼児健康診査で障害の可能性がある、発達支援が必要であると判断された場合には、子どもの状況を確認するために、以下の**検査**が行われます。

検査の種類	主な検査名
発達検査（発達の度合いを調べる）	新版K式発達検査、改訂日本版デンバー式発達スクリーニング検査
知能検査（認知能力を判定する）	WPPSI知能検査、田中ビネー知能検査
人格検査（性格特性を判定する）	バウムテスト、内田クレペリン検査

検査の結果、継続的な支援が必要と判断された場合には、児童発達支援センターや医療機関などの**専門機関**が紹介されます。

❷療育による支援

用語

療育
障害のある子どもの発達を促し、自立して生活できるよう支援すること。

箱庭療法
砂の入った箱の中に玩具を置き、自由に何かを表現して遊ぶ心理療法。言葉にならない葛藤やイメージを伝えやすい。

児童発達支援センターでは、専門職による**療育**が行われています。療育の内容は、子どもの障害の程度や種類により異なりますが、主に以下のようなものがあります。

■主な療育の内容

SST（ソーシャルスキルトレーニング）	他者と円滑に関わり、社会性の発達を促すための力を日常場面ではなく、トレーニングとして身につける。小集団形式で、適切なやりとりを演じること（ロールプレイング）をとおして学ぶ。
心理療法	専門家が認知や行動に変化を起こさせ、症状や問題行動を軽減させる療法。障害の内容に応じて行われる。感覚統合療法（興味のある遊具で遊ぶなかで達成感を得る）、音楽療法や絵画療法などの芸術療法、**箱庭療法**などがある。
言語療法や運動療法	障害の内容に合わせて、言語聴覚士や理学療法士などによる支援が行われる。
基本的生活習慣の指導	食事や片づけ、集まりなどをとおして規則的な生活を送れるよう指導し、社会性の基礎を育てる。

ポイント確認テスト

穴うめ問題

☐ **Q1** ☐ 予想

実際の年齢よりも、明らかに幼い行動を示すことを（　　）という。 >>> p151

☐ **Q2** ☐ 予想

起立性調節障害は、（　　　　）の代表で思春期の女子に現れやすい。 >>> p155

☐ **Q3** ☐ 過R4前

（　　）チック症では、わいせつな言葉や社会的に受け入れられない言葉を発することがある。 >>> p158

☐ **Q4** ☐ 過R4前

吃音は、大半は（　　）歳までにみられる。 >>> p160

○×問題

☐ **Q5** ☐ 過R4前

選択性緘黙は、言語能力が正常であるにもかかわらず、家庭、保育所等どのような場面でも話をしない。 >>> p152

☐ **Q6** ☐ 過R2後

DSM-5の診断基準によれば、注意欠如・多動症（ADHD）の診断には、不注意、多動性及び衝動性の症状が、2つ以上の状況（例：家庭、学校）で存在する必要がある。 >>> p156

☐ **Q7** ☐ 過R4前

5歳の男児。思い通りにならないとかんしゃくがひどく、他児とのトラブルを起こしがちで、言葉の遅れもありそうなことを心配した両親に連れられ、児童精神科を受診したところ、自閉スペクトラム症（ASD）と診断された。病院で施行された発達検査でIQは95で、結果には検査項目により大きな凸凹があったと説明された。この男児への対応として、IQが95と正常域にあるので特別な配慮は必要ない。 >>> p161

☐ **Q8** ☐ 過R4後

自閉症や情緒障害などで生体リズムが乱れることがあるが、特に睡眠リズムを改善させる必要はない。 >>> p162

解答・解説

Q1　退行的行動　Q2　自律神経失調症　Q3　音声　Q4　6

Q5　×　どのような場面でもではなく特定の場面で話せなくなる。　Q6　○　Q7　×　IQが正常域であっても、子どもの抱えている困りごとを把握し、配慮することが必要である。

Q8　×　基本的生活習慣が身につけられるよう指導する。

子どもの保健 Lesson 7

環境および衛生管理と安全対策

頻出度 Level 4

保育所は、子どもにとって健康で安全に過ごせる環境でなければなりません。衛生管理や安全管理について学びましょう。

ココに注目!!

- 保育室の温熱条件の目安と対応
- 子どもの死亡事故の特徴と安全対策
- けがの症状別の救急処置
- PTSD（心的外傷後ストレス障害）の理解と支援

1 保育所の衛生管理

（1）保育のための生活環境条件

子どもが健康に暮らすために、保育を行ううえで必要な生活環境条件は、「児童福祉施設の設備及び運営に関する基準」で**最低基準**が示されています。温度、湿度、通風、換気、採光など屋内気候が適当であることも重要な条件となります。

- **保育室の温熱条件の目安**……「保育所における感染症対策ガイドライン」では、気温は、冬季**20～23℃**、夏季**26～28℃**、湿度は年間を通じて**60%**が目安の数値とされる。外気温が30℃を超える場合には、冷房病を防ぐため、外気温と室温の差を**5℃以内**にする。また、冷房の風向きを調節し、冷風が子どもに直接当たらないようにする。
- **換気**……空気を清浄に保つために、成人１人あたりの必要換気量は**通常１時間に約30㎥**といわれる。また、一般的な住宅の居室の場合、コンクリートの建物では、１時間に１～３回程度の換気回数が望ましいとされている。
- **採光**……望ましい室内の照度は150～500ルクスである。

(2) 施設内外の衛生管理

保育所は多くの子どもたちが一緒に生活をする場所であるため、常日ごろから以下の**衛生管理**[*1]を心がけ、安全で快適な環境を保つことが必要です。

■主な施設内外の衛生管理

保育室	●日常的に清掃をし、清潔にしておく。ドアノブや手すりなど大勢の人がふれる場所は、アルコールなどで消毒する。 ●室温や湿度は適度に換気をして適切に保つ。エアコンの清掃も定期的にする。
手洗い	●食事の前、調乳前、配膳前、トイレやおむつ交換後、嘔吐物の処理後は、石けんでしっかりと手洗いをする。 ●１回ずつ使用できる液体石けんを使用する。 ●タオルの共用は避ける。
おもちゃ	●午前と午後で遊具を交換する。 ●適宜、水洗いや消毒を行う。ぬいぐるみや布類は定期的に洗濯し、週１回程度は日光に干す。洗えるものは定期的に流水で洗い、洗えないものは湯拭きし、日に干す。 ●乳児がなめるものは毎日水洗いや湯拭きする。 ●糞便や嘔吐物で汚れたら**次亜塩素酸ナトリウム液**・亜塩素酸水を使用し、消毒する。
食事・おやつ	●テーブルは清潔な台布巾で水拭きする。 ●スプーン、コップなどの食器の共用を避ける。 ●テーブルやいす、床に付着した食後の食べこぼしを清掃する。
調乳・冷凍母乳	●清潔な調乳室で調乳する。清潔なエプロンを着用する。 ●哺乳瓶や乳首などは適切な消毒を行う。 ●ミルクには使用開始日を記入し、衛生的に保管する。 ●食中毒対策として調乳は70℃以上のお湯で行い、２時間以上使用しなかったものは廃棄する。 ●冷凍母乳は、保管容器に名前を明記し、ほかの子どもに誤って飲ませないように注意する。
歯ブラシ	●他の子どものものと接触したり、誤って使用したりしないように、保管に気をつける。 ●使用後は水でしっかりとすすぎ、清潔な場所で乾燥させる。
寝具	●ふとんカバーをかけて使用する。 ●ふとんカバーは定期的に洗濯し、ふとんは乾燥させる。 ●尿や糞便、嘔吐物で汚れたら消毒する。
おむつ交換	●使い捨て手袋を着用し、交換後は石けんで十分に手洗いする。 ●おむつはビニール袋で密閉し、フタつき容器などに保管する。保管場所は消毒を行う。 ●下痢便等のときは、使い捨てのおむつ交換シートを使用する。
トイレ	●日々の清掃と消毒で清潔に保つ。

[*1] 衛生管理
保育所等での衛生管理について出題。
R4前・後

子どもの保健

＋プラス1

保育所内で使用される消毒薬の種類
保育所内で使用される消毒薬は、塩素系消毒薬（次亜塩素酸ナトリウム、亜塩素酸水等）、第４級アンモニウム塩（塩化ベンザルコニウム等：逆性石けん、陽イオン界面活性剤ともいう）、アルコール類（消毒用エタノール等）。消毒薬は、用途や希釈法など使用方法を誤ると有害になることもあるので注意が必要。

消毒薬
⇨p129

保育所における消毒の方法については別冊p33の表をよく確認しておきましょう。

■主な施設内外の衛生管理（つづき）

砂場	●動物の糞便で汚染される場合があるため、夜間はシートで覆うなどの対策をする。 ●定期的に掘り起こして砂全体を日に干し、消毒する。
園庭	●安全点検表を活用し、安全・衛生管理に努める。 ●樹木や雑草の管理をし、害虫駆除をする。 ●水たまりができないよう、おもちゃやじょうろを放置しない。
プール	●水質検査を行い、塩素濃度が適切に保たれるように管理する。 ●排泄（はいせつ）が自立していない乳幼児は、他者と水を共有しないように個別のたらい等で水遊びを行う。

（3）職員の衛生管理

職員は、施設内外の衛生管理の維持とともに、自身が清潔に保ち、衛生知識の向上に努めることが求められます。

具体的には、身だしなみを清潔にし、爪は短く切っておきます。日々の体調管理に気をつけ、発熱や咳、下痢、嘔吐（おうと）がある場合は、すみやかに医療機関を受診します。感染症対策のため、手洗いを徹底し、咳の症状がみられる場合はマスクを着用します。下痢や嘔吐の症状や化膿創（かのうそう）がみられるときは、食物を取り扱ってはいけません。予防接種歴や罹患歴（りかんれき）を把握しておくことも必要です。

2 子どもの事故の現状と特徴

（1）子どもの事故の現状

近年、子どもの死亡事故が多くなっています。2022（令和3）年の「人口動態統計」（厚生労働省）で、**死亡順位を原因別にみると**、1～19歳までは「不慮の事故」が上位です。

また、2022年の不慮の事故死を種類別にみると、0歳では窒息が最も多く、その原因は、①ふとんなどの寝具による圧迫、②タオル・ぬいぐるみなどによる圧迫、③溢乳（いつにゅう）あるいは吐乳にともなう誤嚥（ごえん）、④たばこ・硬貨・ボタンなどの誤飲（乳児期後半）などがあります。1～4歳における不慮の事故死で最も多いのは窒息で、交通事故、溺死・溺水と転倒・転落・墜落が同数で続いています。０～１歳の溺水は自宅の風呂場で多く発生し、幼児期以降は川、海、プールなどの屋外で多く発生しています。

飲食物でないものを誤って飲み込んでしまう**誤飲**は、生後半年～２歳の子どもに多く、たばこや医薬品・医薬部外品が多いのが特徴です。

また、内閣府「令和４年教育・保育施設等における事故報告集計」によると、教育・保育施設等で2,461件の事故が発生し、そのうち５件の死亡事故がありました。死亡事故の発生は認可外保育施設が５人中３人で、０歳児が２人でした。

（2）子どもの事故の特徴

❶未熟性による事故

事故原因には、子どもの**未熟性**という特徴が関係しています。たとえば、大人と子どもの視野には違いがあり、大人には見えても子どもには見えない範囲があります。

❷事故の発生場所

屋内では居間が、屋外では道路が多くなっています。乳児の場合、自宅での**事故**[*2]が多く、睡眠中の窒息やベッドからの転落、風呂場での溺水事故などが多くなっています。１～４歳の幼児の溺死・溺水事故の発生場所は、川、海、堀、池が多くを占めていますが、風呂場、洗い場など自宅でも発生しています。遊んでいるときのほか、食事中、睡眠中にも事故にあう危険性があります。

3 事故防止と安全教育

（1）子どもの事故防止対策の基本

❶事故防止[*3]のポイント

事故を防止するためには、子どもの年齢や発育（成長）・発達段階に適した遊びの方法や道具の選択など、一人ひとりの成

プラス1

誤嚥と誤飲の違い
飲食物が気管に入ってしまったら「誤嚥」、飲食物でないものを飲んだら「誤飲」である。

教育・保育施設における事故と安全対策
2021（令和3）年、2022（令和4）年と園の送迎バスに子どもが残されて亡くなる事故が相次いだことを受け、「児童福祉施設の設備及び運営に関する基準」の一部が改正され、2023（令和5）年4月より保育所等では安全計画を策定することが義務付けられた。

通園バスの安全対策
通園バスでの置き去りによって死亡事故が発生するなどしたため、降車時等に点呼等で幼児等の所在確認、通園バスへの安全装置の設置が義務づけられた。

でた問!!
***2 乳児の事故**
乳児に起こりやすい事故について出題。
R5前

でた問!!
***3 事故防止**
年齢別の事故防止対応について出題。
R4後

子どもの保健

長に合わせた細やかな配慮が行われなければなりません。

転倒・転落しやすい服装（着ぶくれなど）を避けることも重要なポイントです。フードつきの洋服、すそにひものあるズボン、金属製の髪飾りやアクセサリーは、事故の原因になることがあります。

❷環境の整備

子どもの事故を防止するためには、子どもを取り巻いているさまざまな**環境の安全性を点検**することが必要です。年齢別のチェックリストや設備、玩具、遊具、園庭等の安全点検表を作成するなどして、定期的に点検し、その結果に基づいて問題のあるところの改善を行います。

万一事故が発生した場合は、そのときのようすや保育士が行った処置について記録し、必要に応じて事故報告書を作成します。また、事故がどうして起きたのか分析し、保育者間で情報や経験を共有します。事故が起きそうになった**ヒヤリハット**についても同様です。

（2）子どもに対する安全教育

人形劇や紙芝居、絵本など、みてわかる方法を使うことも有効です。

事故や危険を自分で避けることができるように、子どもの年齢や心身の発育（成長）・発達段階に応じて**安全教育**を行うことが大切です。２～４歳ごろは、**周囲の大人の行動をまねる**時期です。保育士が示したことを模倣することによって安全な行動を身につけていきます。５歳以降は何が危険なのか、危険から身を守るにはどうしたらよいかを、ゆっくりと説明すれば理解できます。日常生活のなかで繰り返し行わせることによって、安全な行動様式を習得していくようにします。

けがや病気をした友だちがいたら、その子をいたわり静かにしているという配慮ができるように指導します。家庭でも同じように安全な行動がとれるよう、保護者と十分に連携を図ることも必要です。

4 救急処置

（1）子どもの事故発生時の救急処置について

子どもの命を守るために、「**救急蘇生法*4のCAB**」は必ず覚えておかなければなりません。

■救急蘇生法のCAB

C（Circulation）心臓マッサージ	手で胸部を圧迫し、心臓から血液を送りだして循環させる。
A（Airway）気道確保	舌が気道に落ち込んで息ができなくなるのを防ぐ。
B（Breathing）人工呼吸	口（新生児・乳児の場合は鼻と口）から息を吹き込み、呼吸作用を維持させる。

（2）外傷

保育の場では、子どもたちが転んでけがをすることはよくあります。ひっかき傷やかみ傷から出血することもあります。皮膚の傷からは病原体が体内に侵入する可能性がありますし、**血液媒介感染予防**の観点から血液や浸出液にまわりの人がさらされることを防がなければなりません。そのため、**できるだけ早く傷の手当**[*5]を行い、ほかの人に触れないようにすることが大切です。

すり傷、切り傷などの**応急処置**[*6]の原則は、傷による**出血を止める**ことと、傷口を**流水でよく洗い**、傷口を乾かさないことです。傷口を流水できれいに洗ったあとは、絆創膏やガーゼなどで**きちんと覆います**。出血が止まらない場合には、医師の治療を受けます。ガラスやくぎなどが深く刺さっている場合には、**抜かずにそのままにして**至急医師の診察を受けます。

打撲や**ねんざ**の場合には、皮下出血や痛みがあります。ねんざでは腫れも伴います。**患部は冷やして**腫れや痛みを和らげるとともに、心臓より高い位置にあげて内出血が少なくなるようにします。

（3）出血・止血

外傷により出血があった場合には、部位によって出血のしかたに違いがあります。

出血している部位を**心臓より高く**し、静脈出血の場合は出血部位より末梢（まっしょう）の血管を、動脈出血の場合は出血部位より心臓に近い**血管を圧迫して止血**します。動脈出血は自然に止まること

でた問!!
***4 救急蘇生法**
救急蘇生法の流れなどについて出題。
R4後

プラス1
救急箱
救急箱を常備し、定期的に点検して期限の切れたものは処分し、足りないものは補充しておく。救急箱は、保管場所を必ず決め、その場所は子どもの手の届かない所にする。

でた問!!
***5 傷の手当**
血液媒介感染防止の観点からの傷の手当方法について出題。
R5後

***6 応急処置**
けがやねんざをしたときの応急処置について出題。
R5後

プラス1
虫刺され
蜂などに刺されて針が刺さったときには、ピンセットを使って皮膚を傷つけないように抜き、刺された部分の毒を絞り出す。針が抜けないときには、医師の診察を受ける。

間接圧迫止血
⇨p170

子どもの保健

はなく、出血量が多くなると死に至ることもあるため、すぐに止血の処置を行い、救急車を呼びます。

- **間接圧迫止血**……出血部位より**心臓に近い動脈**（止血点）などを、骨に向かって押し付けるように、手や指で圧迫する。主に医療機関で用いられる方法。
- **直接圧迫止血**……動脈、静脈ともに、出血箇所にガーゼなどを当てて押さえる。大出血している場合には、包帯を強く巻くのが最も確実で簡単な方法。

なお、鼻出血の場合は、鼻をつまんで小鼻を**鼻中隔**（びちゅうかく）の方向に約15分間圧迫することで止血できます。この際にガーゼや脱脂綿をそっとつめることもあります。

（4）頭部打撲

頭部打撲[*7]では、どの部分を打ったかや、落ちた高さ、落下した場所の状況を確認することが重要です。

（5）熱傷（やけど）

保育の現場では火を使う場面は多くはありませんが、真夏の屋外では熱くなった鉄棒、ベンチ、アスファルトなどに触れ、やけどをしてしまう場合があります。子どもは大人に比べると皮膚が薄く、やけどしやすいので、注意が必要です。

❶熱傷の分類

第一度	皮膚が赤くなってヒリヒリする。
第二度	皮膚が赤くなって水疱（すいほう）ができ、激しい痛みがある。
第三度	皮膚が白くなったり黒くこげ、創面（傷の表面）の組織が壊死（えし）する。

❷救急処置

軽症の場合は、流水をかけたり水や氷につけたりして、痛みがなくなるまで十分に冷やすことが大切です。

このとき、衣服は**無理に脱がそうとせず**、服の上から水や氷で冷やします。熱傷の部位をこすって傷つけたり、水疱（すいほう）をつぶしたりして、感染を起こさないように注意します。また、保育

プラス1

間接圧迫止血

直接圧迫止血

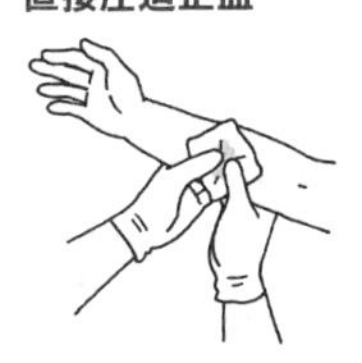

用語

鼻中隔
鼻の左右を分ける部分。

プラス1

軽い頭部打撲
打ったあとすぐ泣き、泣きやんだあとの機嫌がふだんと変わらなければ、それほど心配はいらない。子どもの様子を観察し、元気がないなどの変化があれば医師に連絡する。

重い頭部打撲
打ったあとすぐには泣かず、ぼんやりしたり、意識を失う、吐き気、嘔吐、頭痛、けいれん、手足の動かし方がおかしいなどの症状がみられるときには、大至急、病院に運ぶ。

***7 頭部打撲**
頭部打撲後の対応について出題。
R3前

士の判断で、すぐに薬などを塗らないようにします。

焼けて黒くなっている場合には、時間の経過とともに悪化し、ショック状態になることもあるので、ただちに救急車を呼びます。また、子どもでは、熱傷の範囲*8が体表面積の10%以上に及ぶ場合は重症のため、その場合も救急車を呼びます。

（6）異物による事故

❶異物がのどにつかえたとき*9

大きなものは咽喉部（いんとう）に引っかかり、呼吸困難を起こして窒息死する危険があります。また、小さなものは気管に引っかかり、息苦しそうな咳をしたり、呼吸困難、チアノーゼを起こします。１歳未満の乳児には、異物の除去のために、必ず背部叩打法（こうだ）をとります。

❷異物が耳・鼻・目に入ったとき

耳に虫が入ったときは、部屋を暗くして懐中電灯などの光を耳に近づけると、虫は耳の外へでていきます。豆などは、鼓膜を傷つけやすいため、耳鼻科で取り除いてもらいます。鼻に異物が入ったときは、口を閉じさせ、異物の入っていないほうの鼻翼（びよく）を押さえて、鼻をかむようにさせます。目に異物が入ったときは静かに目を閉じていれば涙と一緒に流れでることが多いため、目を手でこすらないようにします。

（7）誤飲

誤飲*10してしまったら、いつ、何を、どのくらいの量飲んだのかを確かめ、子どものようすを観察します。残ったものは医師にみせ、治療に役立てます。

基本的には、のどに指を入れて嘔吐させたり、繰り返し水や牛乳などを飲ませ、異物を吐きださせます。ただし、意識がないとき、けいれんを起こしているとき、けいれんが起きそうなときは無理に吐かせようとせず、すぐ医師の診察を受けさせます。また、灯油・シンナー・ベンジンなどの石油類、漂白剤や酸性・アルカリ性の洗剤、殺虫剤を飲んだときは、吐くときに食道や口の粘膜に炎症を起こしたり、気管に入って炎症を起こ

でた問!!

***8 熱傷の範囲**
熱傷で救急車を呼ぶ体表面積について出題。
R5後

***9 気道異物による窒息**
気道異物による窒息への対応について出題。
R3後

***10 誤飲**
たばこの誤飲への対応について出題。
R5後

チアノーゼ
⇨p124

子どもの保健

プラス1

背部叩打法
片方の腕に子どもをうつぶせにして乗せ、手のひらで子どもの顔を支えながら保育者のひざまたは大腿部に子どもを乗せた腕を乗せる。頭は胸よりも低い位置に保ち、もう一方の手の手のひらの付け根で子どもの背中の中央を強く数回たたく。

たばこの誤飲
たばこに含まれているニコチンが水に溶けだして体内に吸収されやすくなるため、たばこを誤飲したときには水や牛乳を飲ませない。

したりする危険があるので、吐かせてはいけません。判断に迷ったら、**中毒110番**も利用します。誤飲の事故は２歳以下に多いのですが、それより上の年齢でも、薬品や洗剤を誤って飲んでしまう事故がしばしば起きています。

（8）誤嚥

誤嚥は、食べ物が誤って**気管**に入ってしまうことをいいます。「教育・保育施設等における事故防止及び事故発生時の対応のためのガイドライン」では、食事中の**誤嚥を防ぐポイント**[*11]として、下記をあげています。

- **ゆっくり落ち着いて食べることができるように子どもの意志に合ったタイミングで食事を与える**
- **１回で多くの量をつめすぎないようにし、子どもの口に合った量で与える**
- **食べ物が口の中に残っていないことを確認する**
- **汁物などの水分を適切に与える**
- **食事の提供中に驚かせない**
- **食事中に眠くなっていないか注意する**
- **姿勢よく座っているか注意する**

（9）肘内障・ねんざ・骨折

子どもは、関節の周囲の組織がまだ軟らかく、骨の成長も不十分なため、うでを強く引っ張っただけでも**肘内障**[*12]になることがあります。肘内障は「ひじが抜ける」などともいいます。腕を上げると痛みが出るため、子どもが片腕を下げて動かさないときには肘内障を疑います。骨折には皮膚に傷がなく、経過も軽くすむことが多い**単純骨折**と、皮膚や粘膜をとおして骨が外にでてしまう**複雑骨折（開放骨折）**があります。ねんざは関節をひねって傷めてしまう症状ですが、腫れが消えず痛みが激しいときには**剥離骨折**をしている場合もあります。いずれも患部を冷やし安静にし、副え木や身近にあるものを当てて固定し、医師の診察を受けます。

プラス１

中毒110番
たばこや医薬品など毒性の高いものを誤飲した場合、対応方法を相談できる365日24時間体制の電話窓口。

***11 誤嚥を防ぐポイント**
食事中の誤嚥の予防について出題。
H31前、R3後、R5後

剥離骨折
急激な筋肉の収縮などで腱やじん帯に強い力が加わり、それらが切れる代わりに骨との接合部がはがれてしまうことをいう。ねんざと間違われることが多い。

■骨折部位の固定例

副え木の当て方

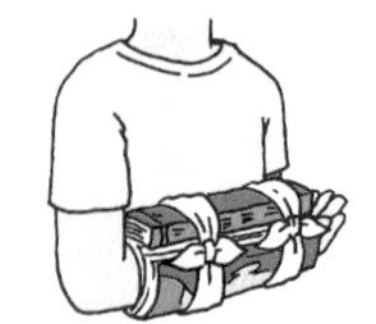
雑誌などの当て方

***12 肘内障**
肘内障の原因や症状について出題。
R5後、R6前

（10）熱中症

熱中症*13は長時間、高温多湿の環境にいて、体内の熱の放射がうまくいかないときに起こります。症状の変化は速く、急激に悪化するため、意識がもうろうとしているときや、ようすがおかしいときにはすぐに**医療機関への緊急搬送**が必要です。救急処置としては、風通しがよく涼しい場所に連れて行き、衣服をゆるめて身体からの熱を放散させます。全身の動脈が通るわきの下、太もものつけ根、頸部（けいぶ）を氷枕や氷のうで冷やし、水分をとらせます。保育活動を行ううえでは、暑さ指数を計測し、安全な環境を整えることも予防策の一つです。

日本スポーツ協会は、熱中症予防のための目安として「熱中症予防運動指針」をだしています。

気温	暑さ指数	熱中症予防指針	
35℃以上	31℃以上	運動は原則中止	特別の場合以外は運動を中止する。特に子どもの場合には中止すべき。
31～35℃	28～31℃	厳重警戒	激しい運動や持久走など体温が上昇しやすい運動は避ける。運動する場合、10～20分おきに休憩をとり水分・塩分を補給する。
28～31℃	25～28℃	警戒	積極的に休憩をとり適宜、水分・塩分を補給する。激しい運動では、30分おきくらいに休憩をとる。
24～28℃	21～25℃	注意	熱中症の兆候に注意するとともに運動の合間に積極的に水分・塩分を補給する。
24℃未満	21℃未満	ほぼ安全	危険は小さいが、適宜水分・塩分の補給は必要。

出典：日本スポーツ協会「熱中症予防運動指針」をもとに作成

***13 熱中症**
熱中症の特徴や予防について出題。 R1後
熱中症の際、医療機関へ緊急搬送する目安について出題。 R4後
「熱中症予防のための運動指針」について出題。 R6前

熱中症では、顔が紅潮しているときは頭を高く、蒼白になっているときには頭を低くして安静にしてあげましょう。

プラス1

暑さ指数（WBGT：温球黒球温度）
熱中症予防を目的に、1954年にアメリカで提案された指標。気温、湿度、日射・輻射、気流を加味してだされる。

（11）溺水

溺水（できすい）*14の場合、生命が助かっても、低酸素血症により脳障害が残る場合があります。万一事故が発生したら呼吸の有無、心停止の有無、意識状態を観察し、すみやかに救急処置を行います。呼吸が止まっている場合には、**人工呼吸**を行います。呼吸停止後３分以上経過すると死亡率が高くなるため、すみやかに処置を行うと同時に救急車を呼びます。

***14 溺水**
溺水時の処置について出題。 R6前

子どもの保健

プール活動や水遊び[15]の際には、監視する保育者は監視のみを行う、子どもたちが活動している全体に注意を払う、動かない子どもや不自然な動きをしている子どもがいないか注意するなどして事故が起こらないようにします。また、少しの水でも子どもは溺水することがあるため、子どものそばに水を入れたバケツなどを置かないなどの配慮も必要です。

でた問!!
*15 事故防止
プール活動・水遊びの事故防止について出題。
H31前、R4前

（12）窒息

窒息事故を防ぐためには、安全な睡眠環境を整えることや誤飲する可能性のあるものを周囲に置かないこと、発達段階に考慮した形態の食事を提供し、食事中の見守りを行うことなどが大切です。万一、窒息事故が起こった場合は、119番へ連絡します。意識があるときは背部叩打法を試み、意識がない場合は心肺蘇生法（しんぱいそせい）[16]を試みます。

でた問!!
*16 救急処置
意識がなく、呼吸がみられない子どもへの救急処置について出題。
H31前

（13）救急処置の実際

人工呼吸を行う際は、気道を確保するため、舌が奥に落ち込んでいたら手に布を巻いて引っ張りだし、異物は取り除きます。呼吸が停止してから2分以内に人工呼吸を行えば、90%の救命が可能となります。

用語
循環サイン
呼吸、咳、身体の動きといった反応のこと。

AED（自動体外式除細動器）
医療関係者以外でも救急時に使用できる。電極のついたパッドによって心臓の状態を判断し、不整脈（心室細動）が起きていたら強い電流を流してショックを与え、心臓の状態を正常に戻す。

（14）心肺蘇生法

心臓マッサージと人工呼吸を組み合わせたもので、循環サインがみられない場合に行います。大声で応援を呼び、119番通報とAED[17]を持ってくることを依頼してから行います。

- **小児の場合**……胸骨の下半分に片手のつけ根を当て、1分間に100～120回以上の速さで、胸の厚さの3分の1の深さで圧迫する。
- **乳児・新生児の場合**……左右の乳首を結ぶ線から横にした指1本分下に中指・薬指2本の指先を当て、1分間に100～120回以上の速さで胸の厚さの3分の1の深さで圧迫する。

いずれの場合も人工呼吸ができる救助者の場合は、胸骨圧迫

でた問!!
*17 AED
意識のない子どもへの対応、心臓マッサージの速さ、AEDの使用方法について出題。
R2後、R4前

30回のあと、気道確保ののち**人工呼吸を2回**行います。人工呼吸の訓練を受けていない救助者の場合には、人工呼吸を省略し、胸骨圧迫だけを続けてもかまいません。

AEDによって電気ショックの必要性があると判断されれば、電気ショックを与え、その後、心肺蘇生を繰り返します。使い方は、音声メッセージやランプによる手順の誘導がありますが、日ごろから使い方の研修を受けておくことが大切です。なお、現在のところ保育所・幼稚園に設置の義務はありません。

+プラス1

一次救命処置
心肺停止した人に対し、119番への通報を行うともに、気道確保、人工呼吸、心臓マッサージ、AEDを用いた処置により自発的な血液循環を回復させる試みのこと。これに対し、医療機関が行う救命処置のことを二次救命処置という。

一般市民が心肺蘇生法に関する知識をもち、適切に医療機関へとつなぐことが、救命率を上げます。

■口対口人工呼吸（マウス・ツー・マウス法）

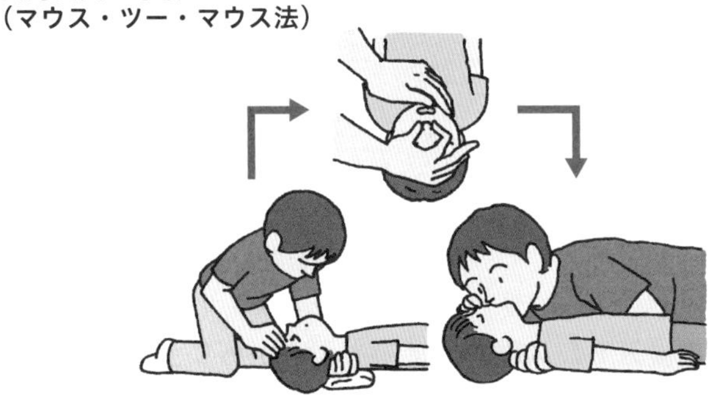

5 事故・災害における子どもの心の問題

(1) 事故や災害による影響

子どもは、まだ自分の感情をコントロールできないため、事故や災害にあったときの影響は、大人よりも大きいといわれています。小さな事故であっても、強い痛みや不安を体験することによって、臆病になったり、活発な行動ができなくなったりすることがあります。

❶心身の影響への対処

災害や事故の発生直後、心身に影響を受けた子どもには、次の点に注意して、そばについていることが大切です。

- **疼痛を減らす**……移送するときや、身体の向きを変えたりするときは、痛い部分を保育士が手でしっかり支えて、痛みが増すのを抑える。騒音や振動は強い痛みをさらに増強させるため、ほかの子どもにも説明し、静かにしているように協力を求める。

- **不安の軽減**……緊急時には、子どものそばにいて優しく話しかける。子どもが話したいことは何でもうなずきながら聞く。一人にしないよう、その場を離れなければならないときには、ほかの誰かがついていられるよう配慮する。

❷保護者への支援

保護者も災害時には心の傷を受けたり、忙しくて子どもの相手ができなくなる傾向にあります。それによって子どもはさらに心の傷を大きくしてしまいます。落ち着いた態度で子どもの気持ちを受け止めることの大切さを保護者に説明したり、支援したりすることが重要になります。

❸専門家との連絡体制

事故や災害時の対策について話し合うなど、日ごろから専門家との連絡体制を整えておくことも必要です。

❹PTSD

事故や災害で心に受けた傷（トラウマ）により、**PTSD***18**（心的外傷後ストレス障害）**になる場合があります。災害のあとに次のようなようすが1か月以上続く場合は、PTSDの疑いがあるので、保護者や専門家と連携し、支援していきます。

子どもは、災害時の遊びを繰り返したり、絵に描いたりすることがありますが、子どもの多くはこうした遊びを通じて回復していくので、落ち着いて見守るようにしましょう。

■PTSDが疑われる子どもの症状

乳児	夜泣き、寝つきが悪い、少しの音にも反応する、表情が乏しくなる。
幼児	赤ちゃん返り、食欲低下、落ち着きがない、無気力、無感動、無表情、集中力低下、泣きやすい、怒りやすい、突然暴れる。
学童	成績低下、無気力、いらいら、怒りやすい、暴力的な遊び、不眠、悪夢、摂食障害など。

***18 PTSD**
子どものPTSDについて出題。
R3前

***19 避難訓練**
「児童福祉施設の設備及び運営に関する基準」の避難訓練の規定について出題。
R3後、R5後

（2）災害への備え

保育所の**避難訓練***19の実施については、「**消防法**」で義務付けられており、「児童福祉施設の設備及び運営に関する基準」において少なくとも**月１回**は行わなければならないと定められています。「保育所保育指針」第３章では、**防火設備**の整備や**避難訓練計画**などに関するマニュアル作成、避難訓練の実施などについて述べられています。

別冊付録の「保育所保育指針」で原文を確認しましょう。

ポイント確認テスト

できたらチェック！

穴うめ問題

Q1 過R4前
糞便や嘔吐で汚れたぬいぐるみ、布類は、汚れを落とし、0.02%(200ppm) の（　　）に十分に浸し、水洗いする。>>> p165

Q2 過R5前
6か月ごろの子どもは、（　a　)をするため、ベッドに一人にしておくと（　b　)が起きる。>>> p167

Q3 過R5後
誤嚥防止のため、幼児が食事中（　　）座っているか注意する。>>> p172

Q4 過R4前
心肺蘇生法では、胸骨圧迫（　　）回に対して人工呼吸を2回行う。
>>> p175

Q5 過R3後
避難訓練の実施については、（　a　）で義務付けられ、「児童福祉施設の設備及び運営に関する基準」（昭和23年厚生省令第63号）第６条第２項において、少なくとも（　b　）１回は行わなくてはならないと規定されている。>>> p176

○×問題

Q6 過R4後
嘔吐物や排泄物の処理等は、塩素系消毒薬を用いる。>>> p165

Q7 過R5後
小児では、熱傷面積が全身の 10%以上を占める場合は、救急車を要請する。>>> p171

Q8 過R6前
子どもに起こりがちな肘内障は、肘の関節の腱が抜けるために起こるもので、手を上にあげると痛がる。>>> p172

Q9 過R3後
気道異物による窒息の子どもを発見した場合、心肺蘇生の途中で口の中をのぞき込み、指を入れて異物を探る。>>> p174

解答・解説

Q1 次亜塩素酸ナトリウム液　Q2 a 寝返り／b 転落事故　Q3 姿勢よく　Q4 30
Q5 a 消防法／b 月
Q6 ○　Q7 ○　Q8 ○　Q9 ×　気道確保のため、異物は取り除いてから心肺蘇生を行う。

子どもの保健 Lesson 8

母子保健施策と施設における保健活動

頻出度 Level 2

このレッスンでは、子どもと妊産婦を対象とした母子保健施策について学びましょう。また、保育所においてもさまざまな保健活動が行われています。

ココに注目!!
- 母子保健法の目的とは
- 健やか親子21（第2次）の目的と位置づけ
- 母子健康手帳の交付としくみ
- 保育施設で行う健康教育と保健計画

1 母子保健施策と地域における保健活動

（1）母子保健事業の概要

❶母子保健の目的

母子保健[*1]に関する支援体制は、2023（令和５）年４月に新設された**こども家庭庁**が担っています。こども家庭庁では、すべての子どもが健やかに育つ社会の実現を目指し、「**母子保健法**」「成育基本法」などに基づく妊産婦健診、乳幼児健診、産後ケア事業などを通じて、地域における**妊娠期から子育て期**にわたる**切れ目のない支援**を推進するとしています。

また、乳幼児の健康や育児に関する保健活動は、地域保健活動でも重要な位置づけにあります。地域の保健対策は、「**地域保健法**」によって、そのあり方が定められています。都道府県は、広域的・専門的な内容の活動と市町村に対する連絡調整・指導・助言を行い、市町村は健康診査や保健指導、保健教育といった基本的サービスを実施するように定めており、都道府県、市町村それぞれの役割が明示されています。

❷健やか親子21

「**健やか親子21**」は、2000（平成12）年に策定された国民運動計画です。母子保健水準向上のために残されている課題や、深刻化が予測される問題への対応が示され、これらは国民全体

でた問!!

*1 母子保健
母子保健の対象や根拠法について出題。
R6前

母子保健法
⇨上巻 子福p226,262

で母子保健の向上に向けて活動する、国民運動として位置づけられています。2015（平成27）年度からは、「健やか親子21（第２次）」が開始されており、基盤課題は、切れ目のない妊産婦・乳幼児への保健対策、学童期・思春期から成人期に向けた保健対策、子どもの健やかな成長を見守り育む地域づくりです。さらに、重点課題としては育てにくさを感じる親に寄り添う支援、妊娠期からの児童虐待防止対策があげられています。

（2）母子保健事業の実際

❶母子保健事業の実施施設

母子保健事業の実施施設には、以下のようなものがあります。**地域の関係機関**[*2]として、保育所と連携・協働しています。

■母子保健事業の主な実施施設

保健所	地域における母子保健サービスの活動の拠点となる施設。都道府県・政令に定められた保健所を設置する市・特別区（東京 23 区）などが設置する。
こども家庭センター	子育て世代包括支援センターと市区町村子ども家庭総合支援拠点の設立の意義や機能は維持したうえで、すべての妊産婦、子育て世帯、こどもへ一体的に相談支援を行う機能をもった機関として、市町村は設置するように努める。こども家庭センターでは、できる限り妊産婦、こども、保護者の意見や希望を確認またはくみとり、関係機関とコーディネートしながら地域のサービス等とつないでいくソーシャルワーカーの中心的な役割を担う。
福祉事務所	都道府県、市、特別区（義務）などに設置される。助産施設、母子生活支援施設、保育所への入所受付のほか、児童および妊産婦からの相談に応じ、調査・指導や児童相談所への協力や依頼などを行う。
児童相談所	都道府県および政令指定都市（義務）、児童相談所設置市・特別区（希望）に設置される。18 歳未満の児童やその家庭に対する指導・相談を行う。さらに健康診査の精密検査、心身障害児の診断、児童福祉施設への入所手続きなどを行う。
保健センター	保健所とともに「地域保健法」に規定され、市町村が設置する。保健所より身近な住民の健康づくりのための拠点として、母子保健事業、一般的な健康相談や保健指導、予防接種、定期検診などの業務を行う。

でた問!!

*2 地域の関係機関
保育所と連携・協働する機関として保健所、保健センター、子育て世代包括支援センターについて出題。
R3後

子どもの保健

❷母子保健事業の内容

具体的には、以下のようなことが実施されています*3。

❶ 妊婦健康診査

- **市町村**が実施主体。
- 健康診査（医療機関や保健所などで公費により受診できる）と、精密検査（必要に応じて行われる）がある。
- 妊婦の健康状態や疾病の有無を調べ、出産・育児指導を行う。

❷ 乳児健康診査

- 市町村が公費により、必要に応じて行う2回の健康診査。
- 乳児の発育・健康状態、疾病異常の有無を調べ、育児・養護指導を行う。

❸ 1歳6か月児健康診査

- **市町村**が実施主体となり、**保健センター**などで行う。
- 1歳6か月以上2歳未満の幼児が対象。
- 心身障害や発達障害の早期発見、う歯の予防、栄養指導に重点を置き、保護者に対する育児指導や相談なども行っている。

❹ 3歳児健康診査

- **市町村**が実施主体となり、**保健センター**などで行う。
- 3歳児が対象。
- 発達障害の早期発見と指導に重点を置き、視聴覚検査や尿検査も行う。

❺ 保健指導

- **市町村**が実施主体。
- 妊産婦や配偶者、乳幼児の保護者が対象。
- 未熟児での出産や妊娠高血圧症候群を防止するための指導や、乳幼児の育児方法、食事内容、しつけ、疾病予防、予防接種などの指導が行われる。
- 保健指導には、**集団指導**（多くの人に対して共通した内容を指導する）と**個別指導**（一人ひとりに必要な個別の内容を指導する）がある。

❻ 訪問指導

- **市町村**が実施主体。
- 妊産婦や新生児、乳幼児のいる家庭を保健師、助産師などが訪問し、生活に適した指導を行う。
- 育児不安をもつ母親に対する育児支援の意味からも重要な活動。
- 「新生児訪問指導」は「母子保健法」に基づく事業で、生後28日以内（里帰り出産の場合は60日以内）に保健師や助産師が訪問し、育児指導を行う。

❼ 思春期における保健・福祉体験学習事業

- **市町村**が実施主体。
- 思春期の子どもが対象。
- 乳幼児や育児者とふれあうことで、早期から父性・母性を育成することを目的とする事業。

❽ 健全母性育成事業

- **市町村**が実施主体。
- 思春期の子ども、あるいは家族が対象。
- 性に関する問題・心身の問題などの相談に応じ、母性の意識向上を図る。

でた問!!

***3 母子保健事業**
「母子保健法」に規定されている事業の内容について出題。
R2後、R3後、R6前

プラス1

精密検査の実施
1歳6か月児と3歳児健康診査で異常が認められた場合は、身体面は専門医、精神面は児童相談所で精神科医、児童心理司などによる精密検査が行われる。

プラス1

乳児家庭全戸訪問事業（こんにちは赤ちゃん事業）
「児童福祉法」に定められた事業で、生後4か月までの乳児がいるすべての家庭を保健師等が訪問し、子育て支援に関する情報提供や養育環境を把握する。

養育支援訪問事業
「児童福祉法」に定められた事業で、乳児家庭全戸訪問事業などで把握した養育支援が特に必要な家庭などを訪問し、養育に関する指導・助言等を行う。

❾ 母子健康手帳*4の交付

- 市町村が実施主体。
- 妊娠した人が妊娠届を市町村へ提出することで交付される。
- 手帳には、妊娠・出産の状態を記録するほか、新生児から就学前までの発育・発達、健康診査の結果、予防接種歴などを記録する。
- 市町村は、母子健康手帳の交付時が妊婦と関わる最初の接点となるため、妊婦健康診査や両親学級などの保健事業について説明を行う。

❿ 産後ケア事業

- 市町村が実施主体（努力義務）。
- 出産後１年を経過しない女子および乳児が対象。
- 心身の状態に応じた保健指導、療養に伴う世話、育児に関する指導、相談その他の援助（産後ケア）を行う。
- 産後ケアセンターに短期間入所、通所あるいは、居宅を訪問して産後ケアを行う。

でた問!!

***4 母子健康手帳**
母子健康手帳の交付と記録内容について出題。
R3前

子どもの保健

（3）医療援護対策

疾病や発達の異常、身体障害のある子どもや妊婦のための治療や療育に対する経済的支援および生活支援などが行われています。実施主体は、都道府県および市町村などです。

❶ 妊娠高血圧症候群などの医療援護対策

- 都道府県などが実施主体。
- 妊娠高血圧症候群や糖尿病などの疾患をもつ妊婦が対象。
- 出生児も疾病異常を起こしやすいため、早期に適切な医療が受けられる。

❷ 未熟児養育対策（未熟児養育医療の給付）

- 市町村が実施主体。
- 低（出生）体重児が出生した場合に、その保護者が市町村に提出する届け出に基づいて、未熟児訪問指導が行われる。
- 高度な養育医療を必要とする未熟児には、養育医療の給付を行う。

❸ 小児慢性特定疾病医療支援（「児童福祉法」）

- 都道府県および指定都市のほか、中核市も実施主体になる。
- 小児慢性特定疾病対象疾患の治療にかかった費用の一部支給、医療・福祉に関する相談援助等などの自立を支援する。
- 小児慢性特定疾病とは、18 歳までの児童または 20 歳未満の者がかかった疾病のうち、長期の療養を必要とし、また生命に危険が及ぶおそれがある疾病で、療養に多額の費用がかかるものとして厚生労働大臣が定めた疾病で、以下のものがあげられる。

・悪性新生物
・慢性心疾患
・糖尿病
・免疫疾患
・染色体または遺伝に変化を伴う症候群
・骨系統疾患
・慢性腎疾患
・内分泌疾患
・先天性代謝異常
・神経・筋疾患
・脈管系疾患
・慢性呼吸器疾患
・膠原（こうげん）病
・血液疾患
・慢性消化器疾患
・皮膚疾患群

プラス１

学校における健康診断と医療費補助
「学校保健安全法」に基づいて、就学時の健康診断、児童、生徒、学生および幼児の健康診断が実施されている。また、公立の義務教育諸学校の児童・生徒が、感染性または学習に支障が生じるおそれのある疾病にかかった場合には、保護者が生活保護の要保護者あるいは要保護者に準ずる者の場合には都道府県および市町村により医療費の補助が行われる。

用語

養育医療
指定養育医療機関に入院させ、その養育に必要な医療を行うこと。

❹ 児童に対する自立支援医療の給付

- 市町村が実施主体。
- 治療による効果が期待できる身体の障害に対して、「障害者総合支援法」に基づいて行われる医療の給付。指定自立支援医療機関に入院させ、必要な治療が行われる。

❺ 療育の給付

- 根拠法は「児童福祉法」。
- 都道府県および指定都市のほか、中核市も実施主体になる。
- 結核にかかっている子どもを指定療育機関に入院させ、専門的な治療を受けやすくし、入院中に教育や生活に必要な物品（学用品など）が支給される。

新生児マス・スクリーニング検査
⇨p142

❻ 新生児マス・スクリーニング検査

- **都道府県**および**政令指定都市**が実施主体。
- 先天性代謝異常等の病気をみつけるための検査で、生後 4 ～ 6 日の新生児の踵（かかと）から微量の血液を採取して行う。
- 検査費用は公費負担。
- 先天性代謝異常等の病気とは先天性代謝異常、先天性甲状腺機能低下症、先天性副腎過形成症を指す。いずれも早期に適切な治療を開始することによって、発症を抑えたり、正常な発育を促したりすることができる。
- 新しい検査法であるタンデムマス法が導入されたことにより、20 種類の疾患が検査できる。

（4）基盤整備対策

❶ 病棟保育士配置促進モデル事業

小児病棟などで長期入院している子どもに対し、保育士を配置して、遊びをとおしての心身面でのケアや発育（成長）・発達の援助を行う事業。

*5 病児保育
病児保育事業について出題。
R6前

❷ 病児保育事業*5

- 根拠法は「児童福祉法」。
- 「子ども・子育て支援法」に基づく地域子ども・子育て支援事業。
- **病児対応型**・**病後児対応型**・**体調不良児対応型**・**非施設型（訪問型）**・**送迎対応**がある。

病児対応型および病後児対応型……病院や診療所、保育所などに付設された専用スペースで、市町村が必要と認めた乳幼児、小学校就学児童を対象として実施される。

体調不良児対応型……事業を実施している保育所に通所している児童が保育中に微熱を出すなど体調不良になったときに、保護者が迎えに来るまでの間、緊急的な対応が必要な場合に実施される。

非施設型（訪問型）……回復期に至らない、または回復期だが集団保育が困難な時期にある乳幼児、小学校就学児童の自宅に**看護師等**を派遣して、児童の自宅で保育を行う。

送迎対応……保育所等に通っている子どもが急に体調不良になったときに、保護者の代わりに病児対応型、病後児対応型、体調不良児対応型の看護師などが診療所などに送迎したあと保護者が迎えにくるまで保育する。

>>> ここは覚えよう!!

「母子保健法」における定義

未熟児
身体の発育が未熟のまま出生した乳児であって、正常児が出生時に有する諸機能を得るに至るまでの者

新生児
出生後28日を経過しない乳児

乳児
1歳に満たない者

幼児
満1歳から小学校就学の始期に達するまでの者

妊産婦
妊娠中または出産後1年以内の女子

保護者
親権を行う者、未成年後見人その他の者で、乳児または幼児を現に監護する者

2 保育所における保健活動

(1) 健康診断

保育所では、「児童福祉施設の設備及び運営に関する基準」第12条によって、**保育所への入所時と1年に最低2回の健康診断**[*6]を行うことが、義務づけられています。

入所時の健康診断では、子どものこれまでの**予防接種**や**罹患歴**(りかん)を把握します。集団生活においては感染症の予防が重要なため、予防接種の受け忘れがある場合は、保護者へ受けるように指導をします。健康診断は嘱託医(しょくたく)が主体となって行いますが、保育士が日々の保育で気になる点や保護者からの相談を伝えるなどをして連携をとり、専門的な助言を受けられるようにします。

(2) 健康教育

健康教育とは、子どもに自身の健康を保持または活性化させるために必要な知識を与え、日常生活における態度や行動に対

でた問!!

***6 健康診断**
保育所の健康診断の根拠法と回数について出題。
R6前

プラス1

健康診断のチェック項目
①発育・発達状態の判定
②栄養状態(やせ、肥満など)
③身体各部の診察(虐待の発見含む)
④視聴覚検査
⑤尿・便検査
⑥う歯の有無、歯列や口腔(こうくう)内の歯科学的診察

感染症
⇨p127

食物アレルギー
⇨p146、148、
栄養p287

SIDS
⇨p146

***7 保健計画**
保健計画の内容について出題。
R4後

保育所や幼稚園における集団保育は、一人ひとりの健康状態を正しく把握し、健康に障害が発生した場合は、ほかの子どもに影響を及ぼさないように配慮することが大切です。

✚プラス1

子どもの特性
保健活動を適切に行うために把握しておくべき子どもの特性
- 出生時の状態
- 体質やかかりやすい病気
- 発育（成長）・発達の過程
- 予防接種歴や健康診断結果
- 事故と受傷状況

などがある。

***8 嘱託医**
嘱託医の役割について出題。
R5前

して指導を行うことです。たとえば、手洗いやうがい、歯磨きなどの**日常的な生活習慣**が身につくように指導をします。

また、健康教育には職員に対するものも含まれます。具体的には、**感染症**や**食物アレルギー**による事故、**乳幼児突然死症候群**（SIDS）などを防ぐための対策を共有したり、実際に問題が起きたときには適切な対応ができるように確認したりしておきます。

（3）保健計画

保育所や幼稚園などの就学前の子どものための施設における保健活動は、職員が立てる組織的・計画的な**保健計画**[*7]が基本となって、実践されていきます。保健計画は、施設の形態や規模、構造、職員構成、施設周辺の地域特性など、それぞれの施設のもつ条件を踏まえて立てられます。「保育所保育指針」では、保健計画を**全体的な計画に基づいて**作成することを義務づけています。保健計画の内容には、施設内外の安全点検や全職員による**安全管理の体制づくり**、子どもたちへの**安全教育**も含まれています。

子ども自身の特性や、子どもの家族の生活様式、子育てについての考え方、心身の健康状態などの利用者側の条件を把握しておくことも必要で、一人ひとりの子どもの成長や発達に見合い、健康の保持、増進につながるものが求められます。

3 保健活動における連携の重要性

（1）保健活動に関わる職種と連携

施設の保健活動を担当する専門職員として、①**嘱託医**[*8]、②保健師・看護師、③栄養士、④**調理員**、⑤心理関係職員（カウンセラー）などがあげられます（嘱託医、調理員以外は必置ではない）。なかでも嘱託医は、子どもの健康診断を行い、日常的に子どもの健康全般についての相談を受け、指導をする役割を担っています。また、食事を提供する施設では、栄養士が配置されている場合には栄養士が献立をつくり、栄養の管理、指導、教育を行います。

❶職種間の連携

施設において保健活動を行う各職種は、ともに連携し、協力し合うことが大切です。それぞれの受けもつ分野を相互に理解し、相談し合いながら、保健計画の立案や実践を行います。それぞれの職種が、ほかの職種と互いに情報を交換し、自由に意見をだし合えるような関係づくりが必要となります。

❷家庭との連携

保健活動には、**家庭との連携**[*9]がとても重要です。保護者からは、家庭での食事・排泄(はいせつ)・睡眠・遊びのようすや機嫌、家族間の関係性などを聞き、一方で、施設内での健康状態や食生活、健康診断の結果、ほかの子どもとの関係などを保護者に知らせ、互いに共有します。その情報から家庭と職員の間で話し合い、統一した育児方針のもとで子どもに関わることが大切です。

❸専門機関との連携

子どもの健康は、施設内での活動だけでは十分に守ることができません。食中毒や感染症が発生したときには、被害の拡大を防ぐため、**地域の保健所との連携**[*10]が重要です。また、事故が起きたときには、病院や診療所など医療機関との連携が必要になります。そのほか、虐待防止の問題でも市町村との連携が求められています。

（2）要保護児童対策地域協議会

近年、児童相談所での児童虐待相談対応件数は増加の一途をたどっています。**要保護児童対策地域協議会**は、虐待が疑われる子どもの早期発見や防止を目的として設置された協議会です。支援が必要な子どもについては、それぞれの関係機関と連携して情報の交換を行い、保護につなげていきます。保育者は、保育活動のなかで気づきがあれば、子どもの命や安全を守るために協議会と連携をとることが求められます。

子どもの保健

***9 家庭との連携**
保健活動の保護者との連携について出題。
R5前

連絡帳を用いると家庭との情報交換もスムーズにいきますね。

***10 保健所との連携**
感染症が発生した際の保健所との連携について出題。
R5後

ポイント確認テスト

穴うめ問題

□ **Q1** □ 過R2後

母子健康手帳の交付については（　　　）に規定されている。 >>> p181

□ **Q2** □ 予想

病児保育事業には、病児対応型、病後児対応型、（　　　　）、非施設型（訪問型）、送迎対応がある。 >>> p182

□ **Q3** □ 過R6前

保育所では、入所時健康診断及び少なくとも1年に（　）回の定期健康診断を行うことと、「児童福祉施設の設備及び運営に関する基準」に定められている。 >>> p183

□ **Q4** □ 過R5前

子どもの心身の健康状態や（　a　）等の把握のために、（　b　）等により定期的に（　c　）を行い、その結果を記録し、保育に活用するとともに、（　d　）が子どもの状態を理解し、日常生活に活用できるようにすること。（「保育所保育指針」第3章「健康及び安全」1（2）「健康増進」） >>> p184

○×問題

□ **Q5** □ 過R3後

「地域保健法」による保健所は、都道府県や指定都市など広域・専門的サービスを行い、市町村の保健センターは住民に身近な保健サービスを提供している。 >>> p179

□ **Q6** □ 過R6前

「令和3年度地域保健・健康増進事業報告の概況」（令和5年3月 厚生労働省）によると、日本における乳幼児健康診査の受診率は、年月齢を問わず70%前後である。 >>> p180

□ **Q7** □ 過R6前

病児保育事業には、法的根拠がある。 >>> p182

□ **Q8** □ 過R4後

保健計画には、安全管理や安全教育は含まれない。 >>> p184

解答・解説

Q1　母子保健法　Q2　体調不良児対応型　Q3　2

Q4　a 疾病／b 嘱託医／c 健康診断／d 保護者

Q5　○　Q6　×　80～95%である。なお、令和4年度の受診率は82～96%である。

Q7　○　Q8　×　含まれる。

子どもの食と栄養

子どもの食と栄養

食に関連する子どもへの援助・教育や栄養学的な知識について学ぶ科目です。国が定めたガイドラインや、食と栄養に関する統計データが多く扱われます。

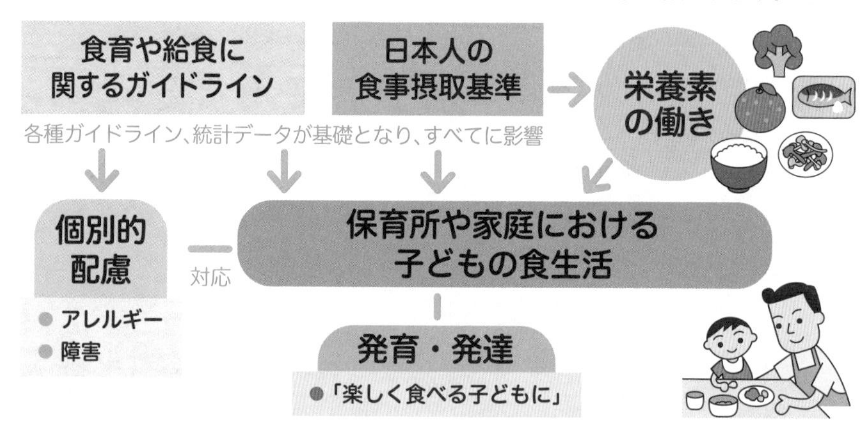

合格のコツは？

ガイドラインなど資料をもとにした出題が多い科目です。例年出題される資料や統計の内容を必ず確認しておくことが必要です。学校給食についても出題されるため**学校給食法**の達成目標、**学校給食実施基準**もおさえておきましょう。子どもの保健と関連させて、食物アレルギーや食中毒についても理解しておきましょう。各分野でポイントを絞った浅く広い学習をすることがコツです。

関連法律・制度

・学校給食法　・食育基本法

関連統計・資料

・第４次食育推進基本計画　・授乳・離乳の支援ガイド　・日本人の食事摂取基準
・国民健康・栄養調査　・児童福祉施設における食事の提供ガイドライン
・食生活指針　・食事バランスガイド　・保育所におけるアレルギー対応ガイドライン
・楽しく食べる子どもに～食からはじまる健やかガイド～　・学校保健統計

関連が強い科目

（下）保育の心理学／子どもの保健

出題分析 出題数：20問

- **妊娠期の栄養、授乳・離乳期、食育、食物アレルギー**や障害のある子ども関連の問題が増えてきている。
- **「日本人の食事摂取基準」「国民健康・栄養調査」**からの出題もみられる。
- **栄養素**に関する問題のほか、食材の旬や郷土料理を問う問題や、和食の基本を問う問題など幅広く出題されている。
- 保育の心理学、子どもの保健と試験範囲が少しずつ重複しているので、子どもの発達と対応については**年齢別**にみていくとよい。

■過去6回の項目別出題数実績一覧　※項目名は出題範囲の小項目を学習しやすいように改変しています

項目		R3後	R4前	R4後	R5前	R5後	R6前
子どもの健康と食生活の意義							
子どもの心身の健康と食生活	L1	2	1	1	1	1	1
子どもの食生活の現状と課題	L7	1	0	1	1	1	2
栄養に関する基本的知識							
国民健康・栄養調査	L5	1	1	1	0	0	0
栄養の基本的概念と栄養素の種類と機能	L2	2	3	3	4	2	2
食事摂取基準と献立作成・調理の基本	L3,4,8	3	2	3	2	2	4
子どもの発育・発達と食生活							
乳幼児期の授乳・離乳の意義と食生活	L6	3	6	2	4	3	4
幼児期の心身の発達と食生活	L7	1	1	0	1	2	1
学童期の心身の発達と食生活(思春期を含む)	L7	1	1	2	1	2	2
生涯発達と食生活	L1	0	1	0	0	0	0
食育の基本と内容							
食育における養護と教育の一体性	L10	0	0	0	0	0	1
食育の内容と計画及び評価	L10	0	0	3	2	0	1
食育のための環境	L10	2	1	1	1	2	0
地域の関係機関や職員間の連携	L10	0	0	0	0	1	1
食生活指導及び食を通した保護者への支援	L10	0	0	0	0	1	0
家庭や児童福祉施設における食事と栄養							
家庭における食事と栄養	L8	0	0	0	0	0	0
児童福祉施設における食事と栄養	L8	1	0	1	2	2	0
特別な配慮を要する子どもの食と栄養							
疾病及び体調不良の子どもへの対応	L9	1	1	0	0	0	0
食物アレルギーのある子どもへの対応	L9	1	2	1	1	0	1
障害のある子どもへの対応	L9	1	0	1	0	1	0

子どもの食と栄養 Lesson 1

子どもの健康と食生活の意義

頻出度 Level 1

難

子どもの成長の基礎となるのが、食生活です。子どもにとって望ましい食生活とはどのようなものかみていきましょう。

ココに注目!!

- 楽しく食べる子どもに成長するための5つの姿とは
- 食生活指針が掲げる具体的な方向性
- 発育指数を示すカウプ指数・ローレル指数とは
- 年齢別の発育の特徴と発育急進期

1 食生活のあり方とその評価

(1) 子どもの望ましい食生活のあり方

食べることは、生きていくための基本です。望ましい栄養を摂取することだけでなく、食生活の場が精神的にも社会的にも良好な状態であることが、子どもの心身の発達には不可欠です。乳幼児が「いつ」「どこで」「誰と」「どのように」食べるかは心の安定と深く関係するとともに、健康な食生活習慣、生きる力を身につけるうえで大変重要なのです。

近年、食生活の多様化や変化により、朝食の欠食や家族で食卓を囲む機会の減少など、さまざまな問題が指摘されています。このような状況を受け、厚生労働省は、食を通じた健全育成のねらいとして**「楽しく食べる子どもに~食からはじまる健やかガイド~**[*1]」を2004(平成16)年に策定しました。

「楽しく食べる子どもに~食からはじまる健やかガイド~」

現在をいきいきと生き、かつ生涯にわたって健康で質の高い生活を送る基本としての食を営む力を育てるとともに、それを支援する環境づくりを進めること。

「楽しく食べる子どもに~食からはじまる健やかガイド」

⇨p295

でた問!!

***1「楽しく食べる子どもに~食からはじまる健やかガイド~」**

発育・発達過程において配慮すべき側面について出題。

R3後

➕プラス1

「楽しく食べる子どもに~保育所における食育に関する指針~」

3歳以上児の食育のねらいおよび内容は、

- 食と健康
- 食と人間関係
- 食と文化
- いのちの育ちと食
- 料理と食

以上をあげている。

ここは覚えよう!!

発育・発達過程において配慮すべき側面

目標とする子どもの姿
-楽しく食べる子どもに-

心と身体の健康
食の文化と環境
人との関わり
食のスキル

発育・発達過程において配慮すべき側面

出典：「楽しく食べる子どもに～食からはじまる健やかガイド」2004年をもとに作成

幼いときの食との出合いや、食事場面でのふれあいは大切です。子どもの食に対する感情を育て、生涯に及ぶ食習慣・生活態度の形成に大きく影響します。

目標とする「楽しく食べる子ども」の姿は、上記のように示されます。ここで示されているのは、授乳期から思春期にかけて、それぞれの発育・発達過程において、「食を営む力」を育てるためにとくに配慮すべき側面です。

また、健全な食生活を送ることが必要なのは子どもだけでなく、大人も同様です。2000（平成12）年には文部省（現：文部科学省）、厚生省（現：厚生労働省）、農林水産省の３省共同で「**食生活指針**[*2]」が策定されました。「食生活指針」は、国民の一人ひとりが健全な食生活を実践できるように、献立計画から廃棄まで食生活全般にわたって具体的な方向づけをするものです。

食の楽しみ、家族のコミュニケーション、日本の伝統的な食文化の継承などにも広く言及しており、季節感や地域性を取り入れて豊かな食生活を営むことが推奨されています。

***2「食生活指針」**
「食生活指針」の内容の一部について出題。
R1後、R3前、R4後、R5前

子どもの食と栄養

「食生活指針」

2000年閣議決定
2016年6月一部改正

食事を楽しみましょう。
- 毎日の食事で、**健康寿命**をのばしましょう。
- おいしい食事を、**味わいながらゆっくりよく噛ん**で食べましょう。
- 家族の団らんや人との交流を大切に、また、食事づくりに参加しましょう。

1日の食事のリズムから、健やかな生活リズムを。
- **朝食**で、いきいきした１日を始めましょう。

●夜食や間食はとりすぎないようにしましょう。
●飲酒はほどほどにしましょう。

適度な運動とバランスのよい食事で、適正体重の維持を。

●普段から体重を量り、**食事量に気をつけましょう**。
●普段から意識して身体を動かすようにしましょう。
●無理な減量はやめましょう。
●特に**若年女性のやせ、高齢者の低栄養**にも気をつけましょう。

主食、主菜、副菜を基本に、食事のバランスを。

●**多様な食品**を組み合わせましょう。
●調理方法が偏らないようにしましょう。
●手作りと外食や加工食品・調理食品を上手に組み合わせましょう。

ごはんなどの穀類をしっかりと。

●**穀類**を毎食とって、**糖質**からのエネルギー摂取を適正に保ちましょう。
●日本の気候・風土に適している米などの穀類を利用しましょう。

野菜・果物、牛乳・乳製品、豆類、魚なども組み合わせて。

●たっぷり野菜と毎日の果物で、ビタミン、ミネラル、食物繊維をとりましょう。
●牛乳・乳製品、緑黄色野菜、豆類、小魚などで、**カルシウム**を十分にとりましょう。

食塩は控えめに、脂肪は質と量を考えて。

●食塩の多い食品や料理を控えめにしましょう。食塩摂取量の目標値は、**男性で１日８ｇ未満、女性で７ｇ未満**とされています。
●動物、植物、魚由来の脂肪をバランスよくとりましょう。
●栄養成分表示を見て、食品や外食を選ぶ習慣を身につけましょう。

日本の食文化や地域の産物を活かし、郷土の味の継承を。

●「**和食**」をはじめとした日本の食文化を大切にして、日々の食生活に活かしましょう。
●地域の産物や旬の素材を使うとともに、**行事食**を取り入れながら、自然の恵みや四季の変化を楽しみましょう。
●食材に関する知識や調理技術を身につけましょう。
●**地域や家庭で受け継がれてきた料理**や作法を伝えていきましょう。

食料資源を大切に、無駄や廃棄の少ない食生活を。

●まだ食べられるのに廃棄されている**食品ロス**を減らしましょう。
●調理や保存を上手にして、食べ残しのない適量を心がけましょう。
●賞味期限や消費期限を考えて利用しましょう。

「食」に関する理解を深め、食生活を見直してみましょう。

●子供のころから、食生活を大切にしましょう。
●家庭や学校、地域で、食品の安全性を含めた**「食」に関する知識や理解を深め**、望ましい習慣を身につけましょう。
●家族や仲間と、食生活を考えたり、話し合ったりしてみましょう。
●自分たちの健康目標をつくり、よりよい食生活を目指しましょう。

(2) 栄養状態の評価・判定

子どもの栄養状態が適切であるかを評価するには、定期的な身体発育値の記録から判定する方法と、指数によって判定する方法があります。また、日々の食事内容の記録から判定する方法もあります。

❶乳幼児身体発育値

母子健康手帳には、体重、身長、頭囲、胸囲の**パーセンタイル値**による乳幼児身体発育値の統計的分布曲線が示され、子どもの発育状態の評価ができるようになっています。パーセンタイル値とは、同じ月齢、年齢の子どもの100人の測定値を並べたなかで、小さいほうから何番目になるかを示した数値です。

パーセンタイル値
⇨保健 p107

❷カウプ指数、ローレル指数

カウプ指数や**ローレル指数**は、2つ以上の計測値を組み合わせて求める発育指数を用いた評価方法です。身長や体重の各測定値のみを評価するのではなく、それらのバランスをみることで発育状態の全体像を知ることができます。

カウプ指数は**乳幼児期**、ローレル指数は**学童期以降**の栄養状態評価に適しており、いずれも肥満や、やせの判定に用いられています。

＋プラス1

カウプ指数、ローレル指数の計算式

●カウプ指数
体重g ÷ (身長cm)^2 ×10

●ローレル指数
体重kg ÷ (身長cm)^3 ×10^7

⇨保健 p108

❸食生活調査

毎日の食事によって摂取した栄養の状態を**食生活調査**(アンケート方式の簡易調査、質問法、聞き取り法など)により把握し、評価判定します。1日の料理数や組み合わせ、食品の使用状況、特定の食品の出現率、食生活リズムや食べ方などを分析して、栄養状態を判定します。

2 子どもの身体発育の区分

人間は、出生時は身長約**50**cm、体重約**3**kgほどですが、約20年かけて成長していきます。成長の速度は一定ではなく、最も急速に発達するのが、乳児期と学童期後半の**発育急進期**です。

＋プラス1

乳幼児期の身体機能の発達

乳幼児期は、身体だけでなく運動機能の発達も盛んである。2010(平成22)年の「乳幼児身体発育調査」によると、1歳で約50%、1歳4～5か月でほぼ100%の子どもがひとり歩きできるようになる。

⇨保心 p41

乳幼児は自分で食べ物を選ぶことはできず、何をどれだけ食べるのかは、親や保育士にまかされています。だからこそ、保育に携わる人には子どもに必要な栄養と発育についての知識をつけ、正しく活用することが求められます。「**子どもが健康に発育し、成長する権利**」を担う保育士の責任は重大といえるのです。

(1) 乳児期(0歳)

この時期は体重増加率が高いので、順調に体重が増加しているかどうかは、発育や栄養状態の目安とされます。

第一発育急進期
⇨保健p104

乳児期は最も発育が盛んで、**第一発育急進期**ともいわれます。体重は、出生から生後3か月ぐらいまでは1日に25~30g、生後3~6か月になると15~20gずつ増えていきます。体重は生後3か月で出生時の約**2**倍に、生後1年で約**3**倍に増加します。身長は、生後1年で出生時の約**1.5**倍になります。

頭囲は、出生時には成人の約**60%**ですが、乳児期に成長が著しく、1年後には約**80%**になります。

乳歯は生後**6~7**か月ごろから生え始めます。

(2) 幼児期(1~5歳)

幼児期前半には乳児期からの急速な発育が続きますが、後半には発育は緩慢になってきます。この時期には筋肉が付き、皮下脂肪が減少するため、乳児期に比べると体つきは締まってきます。1歳を過ぎたころから歩き始め、しだいに駆け回るようになりますので、**活動量に見合った栄養**が必要となります。

▸▸▸ ここは覚えよう!!

乳幼児期の体重・身長の増加の目安

	出生時	3か月	1歳	2歳	3~4歳
体重	約3kg	6kg 2倍	9kg 3倍	12kg 4倍	15kg 5倍
身長	約50cm		75cm 1.5倍		100cm 2倍

体重は2歳～2歳半で出生時の約**4**倍、3歳半～4歳で約**5**倍に増加します。身長は4歳前半で出生時の約**2**倍になります。

(3) 学童期 (6～12歳)

学童期の前半は比較的発育が安定します。後半になると身長や体重が急速に増加する**第二発育急進期**を迎えます。

第二発育急進期は、女子が男子より2～3年ほど早く、これに前後して**第二次性徴**が始まります。男女差や個人差が大きくなる時期です。

(4) 思春期 (8、9～17、18歳)

身体面では、子どもから大人へと急速な変化を遂げます。また第二次性徴もすすむため、性に関するさまざまな問題がみられるようになり、心身ともに不安定な時期です。

3 子どもの栄養と食生活

(1) エネルギー・栄養量

子どもは、生命維持のほかに、発育・発達のための**エネルギー必要量**が多く、単位体重あたりの**基礎代謝量**や発育・発達・活動に要するエネルギーの割合が高いという特徴があります。

また、たんぱく質やビタミン、ミネラルの必要量も多くなるため、各栄養素を十分に摂取する必要があります。

(2) 子どもの食物摂取機能の発達

乳児は、**吸啜**(きゅうてつ)という摂食機能により**哺乳**(ほにゅう)を行います。乳汁を吸うのは本能的な反射運動で、乳首に限らず口唇(こうしん)にふれたものを吸う傾向があります。

生後5～6か月ごろに離乳期に入ると、なめらかにすりつぶ

用語

第二次性徴
女子は女性ホルモン（主にエストロゲン）、男子は男性ホルモン（主にテストステロン）の影響を受けて、女子は脂肪が沈着して丸みを帯びた体形になり、男子は骨格筋が発達し、ごつごつした体形になる。

第二発育急進期
第二次性徴
⇨保心p65
⇨保健p104

プラス1

思春期
広義の思春期は、女子に第二次性徴が現れ始めるころからとされる。

基礎代謝量
⇨p220

吸啜
⇨保心p39、40

用語

吸啜
強く吸うことをいう。

した状態の食物が飲み込めるようになります。そして、しだいに舌を上手に動かして口内の食べ物を舌の中央に集め、上あごと舌でつぶしたり、上下の歯茎で**咀(そ)しゃく**できるようになっていくのです。

3歳ごろまでに、**乳歯**[*3]が上下10本ずつ、合計20本生えそろうと、咀しゃく機能はめざましく発達しますが、大人とはかなり差があります。咀しゃく能力は10歳で大人の約75%になるといわれます。固さや食感など、さまざまなかみごたえを経験できるよう、発達段階に合わせた咀しゃく力を促す調理形態が求められます。なお、もちやこんにゃくゼリーには**誤嚥(ごえん)**による窒息の危険があります。子どもに食材を与えるときには適した年齢であるかを確認し、必ず大人がそばについて、よくかんで食べさせましょう。また、食材の切り方や提供のしかたについても注意が必要です。**永久歯**は**6～7**歳ごろから生え始めます。

細菌や食べもののかすが歯の表面などに蓄積し、歯のエナメル質が溶かされて内部が侵食されることをむし歯（う歯）といいます。**むし歯**[*4]になる子どもの割合は、昭和40～50年のピーク時には90%以上にのぼりましたが、**その後徐々に減少し**、令和4年では幼稚園で24.93%、小学生で37.02%となっています。子どもがむし歯にならないよう、健康的な食生活や口の中を清潔に保つことについて指導することが大切です。

■むし歯（う歯）の者の割合の推移

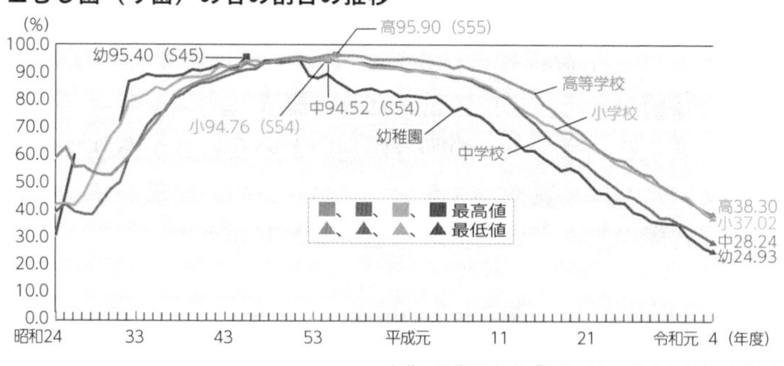

出典：文部科学省「令和4年度学校保健統計調査」

（3）子どもの消化吸収機能の発達

小児は栄養素の消化・吸収や代謝の機能が未熟なため、栄養

用語

咀しゃく
食物をかみ砕くことをいう。

***3 乳歯**
乳歯の生えそろう時期について出題。
R6前

プラス1

誤嚥による窒息事故
過去に保育所などではパン、白玉団子、ぶどうなどで窒息事故が起きている。

永久歯
乳歯の脱落後に生える歯。学童期には乳歯に代わり永久歯が生え始める。10～14歳で第二臼歯（きゅうし）、15～30歳で第三臼歯（親しらず）が生え、合計32本となる（「親しらず」4本を除いて数えた場合は合計28本）。ただし、第三臼歯は、はじめから永久歯。
⇨保健p105

でた問!!

***4 むし歯**
むし歯になる子どもの割合について出題。
R5前

や調理上での細やかな配慮が求められます。

乳児は乳を飲みこんだあと、口の端からダラダラと吐いたり（**溢乳**）、勢いよく吐き出したり（**吐乳**）することがあります。これは、乳児の胃の形態が未発達で、縦長の筒状のためです。

乳児の胃の容量は大人の**7%**ほど、**6歳児**で約**30%**弱しかありません。年齢が低いほど1回に摂取できる食物量は少ないので、そのなかで適切にエネルギー量と栄養素を満たす計画性が必要となります。

小児期は細菌などに対する抵抗力も弱いので、感染した場合、重症化しやすくなります。調理、食事の際の衛生面には十分に注意しましょう。

用語

溢乳
少量の乳汁をダラダラと吐くこと。病気ではない。

吐乳
乳汁を勢いよく吐くこと。泣いたり咳き込んだりした際の刺激で起こることもあるが、幽門狭窄（ゆうもんきょうさく）などの病気により生じることもある。

ここは覚えよう!!

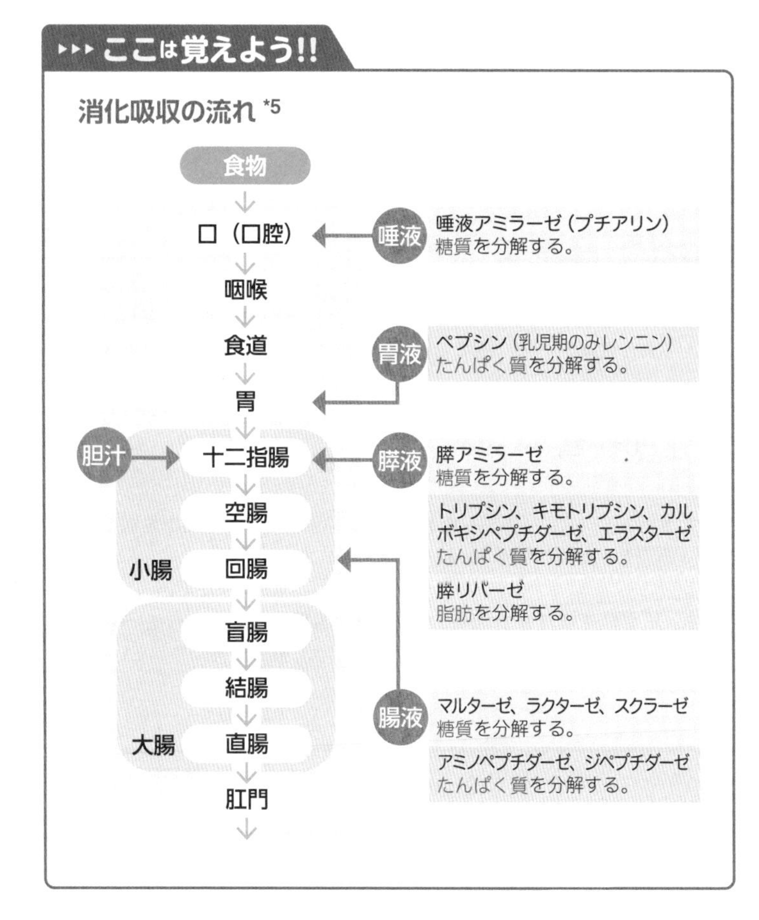

でた問!!

***5 消化**
栄養素の消化について出題。
H31前

プラス1

腸粘膜
小腸上皮細胞の絨毛（じゅうもう）で消化酵素の働きによって分解・吸収されることを膜消化という。

子どもの食と栄養

ポイント確認テスト

穴うめ問題

Q1 過R3後

下の図は、「楽しく食べる子どもに～食からはじまる健やかガイド～」（平成16年：厚生労働省）に示された「発育・発達過程において配慮すべき側面」である。図中のa～dについて当てはまる語句を書きなさい。 >>> p191

目標とする子どもの姿
-楽しく食べる子どもに-

（ a ）（ b ）
（ c ）（ d ）

発育・発達過程において配慮すべき側面

Q2 過R5前

「食生活指針」では、「（　　　）や間食はとりすぎないようにしましょう」としている。 >>> p192

Q3 予想

第一発育急進期は主に（　　　）を指し、第二発育急進期は主に思春期を指す。 >>> p194

Q4 過R6前

ほとんどの子どもは（　）歳頃になるまでにすべての乳歯が生え揃う。
>>> p196

○×問題

Q5 過R4前

「楽しく食べる子どもに～保育所における食育に関する指針～」に記載されている3歳以上児の食育のねらいと内容の組み合わせとして、以下は正しい。
ねらい：食と健康 ―― 内容：自分たちで育てた野菜を食べる。 >>> p190

Q6 過R5前

「食生活指針」では、「特に若年女性のやせ、高齢者の肥満にも気を付けましょう」としている。 >>> p192

Q7 過R4後

「食生活指針」では、「牛乳・乳製品、緑黄色野菜、豆類、小魚などで、糖質・脂質を十分にとりましょう」としている。 >>> p192

Q8 過R5前

「令和４年度学校保健統計調査」（文部科学省）によると、むし歯（う歯）と判定された者は、ピーク時（昭和40～50年代）より減少傾向が続いている。
>>> p196

解答・解説

Q1　a 心と身体の健康／b 食の文化と環境／c 人との関わり／d 食のスキル（順不同）
Q2　夜食　Q3　乳児期　Q4　3
Q5　×　問題にある内容は「ねらい：いのちの育ちと食」のものである。　Q6　×　肥満ではなく低栄養。　Q7　×　糖質・脂質ではなくカルシウム。　Q8　○

子どもの食と栄養 Lesson 2

栄養の基礎知識

頻出度 Level 3

食物から摂取できる栄養は、どのようなものがあるのでしょうか。栄養素とよばれる成分の種類と働きについてみていきましょう。

ココに注目!!

- 五大栄養素に含まれる種類としくみ
- 糖質（単糖類、少糖類、多糖類）の含有物と働き
- 細胞膜を形成する脂質（単純脂質、複合脂質、誘導脂質）とは
- 身体の機能に重要なミネラル、ビタミンとは

1 五大栄養素の働き

人間は、生きて活動するために必要な食べ物を取り入れ、これを利用して体を動かし、不要になった成分を排泄（はいせつ）します。栄養とは、この一連の営みのことです。

食べ物に含まれるさまざまな物質のなかで、人間の体に必要不可欠な成分のことを**栄養素**といいます。**五大栄養素**は糖質、脂質、たんぱく質、ビタミン、ミネラルです。五大栄養素のうち、糖質、脂質、たんぱく質は、**三大栄養素**とよばれ、身体の主な構成成分となります。

糖質と脂質は食物を摂取できないときのために、脂肪のかたちで体内に蓄えられています。

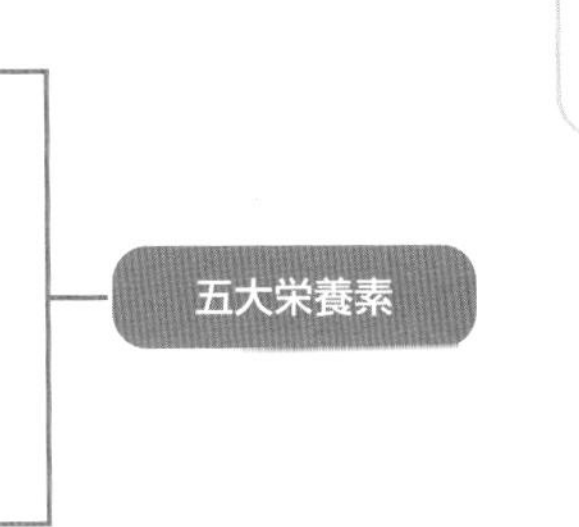

2 炭水化物

糖質と食物繊維を合わせて**炭水化物**[*1]とよんでいます。この

*1 炭水化物
炭水化物の特徴について出題。
R2後、R3前、R6前

うち、エネルギー源として働くのが**糖質**です。

（1）糖質

糖質[*2]は消化がよく、**エネルギー源**として重要で、１日に摂取するエネルギーの約**60%**を占めています。糖質は単糖類、少糖類、多糖類に分けられ体内に取り込まれた**少糖類**、**多糖類**は、ブドウ糖、果糖、ガラクトースなどの単糖類に分解されたあと、吸収されます。糖質のエネルギー供給量は、１gあたり約**4**kcalです。

***2 糖質**
糖質について出題。
H31前、R1後、R5前、R6前

糖質はエネルギー源として子どもの発育には欠かせませんが、肥満の原因にもなるためとりすぎは禁物です。

❶単糖類

単糖類は、１個の糖分子（単糖）で成り立っています。糖質の性質や特徴を示すものとして最小の単位です。

■単糖類の代表的なもの

ブドウ糖（グルコース）	・穀類、果実、野菜、はちみつに含まれる ・甘みをもち、ショ糖、乳糖、麦芽（ばくが）糖、でんぷん、セルロースなどを構成する ・血液中に**血糖**として約 0.1% 含まれる重要なエネルギー源
果糖（フルクトース）	・果物やはちみつに含まれ、糖類のなかで最も甘みの強いもの ・**ブドウ糖**とともにショ糖を構成する
ガラクトース	・単独ではほとんど存在せず、ブドウ糖と結合して、乳糖を構成する ・乳糖として**母乳**に多く含まれ、脳や神経組織の構成成分となる。乳幼児の大脳の発育に重要な働きをする

ブドウ糖
肝臓や筋肉に、グリコーゲンとして貯蔵されている。

❷少糖類

少糖類（オリゴ糖）は、単糖類の分子が２～10個くらい結合したものです。２個結合したものを特に**二糖類**ともいいます。食品に含まれている少糖類はほとんどが二糖類です。

■少糖類の代表的なもの

ショ糖（スクロース）	・果糖とブドウ糖が結合した二糖類 ・砂糖の主成分。さとうきびや甜菜（てんさい）に多く含まれる

麦芽糖(ばくがとう)（マルトース）	・ブドウ糖の分子が２個結合した二糖類 ・水飴の主成分で、麦芽に多く含まれる。飴や甘酒などに含まれる甘味物質 ・エキス剤にしたものを乳児の便秘に用いると効果がある
乳糖（ラクトース）	・ブドウ糖とガラクトースが結合した二糖類 ・水に溶けにくく、甘みは薄い ・**乳汁**の重要な成分。母乳に約５～７％、牛乳に約４％含まれる ・乳児の**脳神経組織**の構成成分となる ・乳酸菌を発育促進させて整腸作用に役立ち、**カルシウム**の吸収を促進する

プラス１

麦芽糖の生成
でんぷんが唾液中の消化酵素である唾液アミラーゼ（プチアリン）によって分解されることによっても生成される。

❸多糖類

多糖類は単糖類が多数結合したものです。甘味はありません。食品に含まれるのは、でんぷんとグリコーゲンです。

■多糖類の代表的なもの

でんぷん	・多数のブドウ糖が結合したもの ・穀類、いも類、豆類などの主成分で、植物に貯蔵糖質として存在する ・でんぷんは、**アミロース**と**アミロペクチン**からなる 　・アミロース……直鎖状にブドウ糖が結合。粘性なし 　・アミロペクチン……ブドウ糖鎖が枝分かれして結合。粘性あり
グリコーゲン	・ブドウ糖が多数結合したもので、動物の肝臓に約５～６％、筋肉に約 0.5 ～１％貯蔵されている ・体内でブドウ糖が不足すると、グルカゴンによってブドウ糖に分解されて血糖が維持され、エネルギー源になる

❹糖質の消化吸収

糖質が体内でエネルギーとして利用されるためには、単糖類に分解されなければなりません。そのために、口腔(こうくう)に唾液(だえき)アミラーゼ（**プチアリン**）、十二指腸に膵(すい)アミラーゼといった**分解酵素**[*3]が分泌され、小腸の上皮細胞にはマルターゼ、スクラーゼ、ラクターゼといった分解酵素が存在しています。

***3 分解酵素**
プチアリンについて出題。
R6前

❺糖質の働き

●エネルギー源となる

糖質は体内でブドウ糖、果糖、ガラクトースなどの単糖類に分解されます。小腸から吸収されたブドウ糖の一部は、血糖として体内各部に運ばれエネルギー源となります。残りは門脈を

子どもの食と栄養

ここは覚えよう!!

単糖類・二糖類・多糖類

単糖類

ブドウ糖 ブ
果糖 果
ガラクトース ガ

二糖類

ショ糖 ブ＋果
麦芽糖 ブ＋ブ
乳糖 ブ＋ガ

多糖類

でんぷん、グリコーゲン
ブ＋ブ＋ブ＋ブ＋ブ＋ブ＋ブ……

でた問!!
*4 糖質の消化・吸収
糖質からのエネルギー摂取について出題。
R1後、R6前

ここは覚えよう!!

糖質の消化・吸収 *4

	口腔	十二指腸	小腸・上皮細胞	生成物
でんぷん →	唾液アミラーゼ（プチアリン） →	膵アミラーゼ →	マルターゼ →	ブドウ糖
ショ糖 →			スクラーゼ →	ブドウ糖・果糖
乳糖 →			ラクターゼ →	ブドウ糖・ガラクトース

とおって肝臓内に運ばれ、グリコーゲンや脂肪に変えられたあと、肝臓や筋肉に貯蔵されます。蓄えられたグリコーゲンは再びブドウ糖に分解され、血液中で約0.1%の血糖となります。

血糖は全身の各組織で筋肉中の酵素の働きによって燃焼し、その際に発生する体熱がエネルギーを生み出し、生命維持や生活活動に使われます。

● **（一部はたんぱく質や脂質と結び付いて）身体組織成分となる**

過剰摂取された糖質は主に皮下脂肪として体内に貯蔵されま

用語
燃焼
身体の細胞内で物質が化学変化を起こし、水と二酸化炭素に変化する際に、発生する体熱がエネルギーを生み出すこと。生成された水と二酸化炭素は、呼気や汗、尿として体外に排出される。

す。特にショ糖は、血液中の中性脂肪を増加させるため、過剰摂取から肥満になりやすく、**動脈硬化**を促進するといわれています。

❻糖質の燃焼

糖質の体内分解には、ビタミンB_1、B_2、パントテン酸が必要となります。ビタミンB群が不足すると、燃焼が不完全となって乳酸やピルビン酸が生じ、血液が酸性化されるなどの障害が生じます。特に、糖質を過剰摂取した場合は**ビタミンB_1**が不足するので注意が必要です。

❼血糖値

血糖値とは、血液中のブドウ糖濃度のことです。正常な場合は、約**0.1%**（70～110mg/100ml）でほぼ一定です。食事後、血糖値は一時上昇しますが、２～３時間で正常に戻ります。これは、膵臓から分泌される**インスリン**の働きにより、ブドウ糖の一部が肝臓でグリコーゲンに変えられるためです。

（2）食物繊維

食物繊維[*5]とは消化酵素の作用を受けない、食物中の難消化性成分の総称です。エネルギー源となる糖質とは異なり、消化酵素で消化されませんが、便秘予防や血糖値上昇を抑制するなどすぐれた働きをします。食物繊維は、水に溶けるかどうかによって**水溶性食物繊維**と**不溶性食物繊維**に分けられます。

■食物繊維の種類と効果

	種類	効果
水溶性食物繊維	・ペクチン（果物に多い） ・グアーガム（粘性を上げるのに使われる） ・グルコマンナン（こんにゃくいもの成分） ・アルギン酸（海藻に含まれる）	・血糖値の上昇抑制、糖尿病予防 ・血中コレステロール値の上昇抑制や正常化、**動脈硬化**予防 ・腸内環境の適正化 ・有害物質の吸収を阻害
不溶性食物繊維	・セルロース（繊維素。植物の繊維を形成している。ブドウ糖が結合したもの） ・リグニン ・**キチン、キトサン**	・整腸作用（腸壁を刺激）、便秘の予防 ・唾液分泌量の増加 ・満腹感の維持（肥満防止）

用語
動脈硬化
動脈の壁が厚く硬く、もろくなった状態をいう。血管の壁は年齢とともに弾力性が失われていく。

プラス1
血液の酸性化
血液中に乳酸などがたまって酸性化されると、疲れやすくなる。

インスリン
⇨p286

子どもの食と栄養

食物繊維は、日本食品標準成分表では糖質とは区別されていますが、構造上は糖質に分類されます。

でた問!!
***5 食物繊維**
食物繊維の定義について出題。
R1後、R4前

用語
キチン、キトサン
キチンは甲殻類の殻の主成分。キチンを化学変化させたものがキトサン。

糖アルコールや難消化性オリゴ糖などの難消化性糖類も人間の体内では消化されにくい物質です。消化されずに大腸に達したあと、腸内細菌の働きで発酵し、代謝されます。難消化性オリゴ糖は、便通を改善したり、腸内ビフィズス菌の増殖を促進する働きなどが注目されています。

3 脂質

（1）脂質の種類

***6 脂質**
脂質の特徴などについて出題。
R3前、R4前、R5後

脂質[*6]はアルコール類と脂肪酸からなり、単純脂質、複合脂質、誘導脂質に分類されます。主要なエネルギー源となり、細胞膜を形成します。

油脂
食用や工業用などとして利用されている。食品のなかで、常温で液状のものを油、常温で固体のものを脂という。

❶単純脂質

代表的なものは**脂肪（中性脂肪）**で、脂肪酸３分子が結合したトリグリセリドと、アルコールの一種であるグリセロール１分子からできています。植物性の油や動物性の脂、硬化油などがあります。

グリセロールは、どの脂肪にも含まれていますが、そのほかに含まれる脂肪酸の種類によって、脂肪の性状（固体や液体）や栄養価が異なってきます。

脂肪酸は、炭素（C）の**二重結合**の有無、またその数と位置により、**飽和（ほうわ）脂肪酸**と**不飽和脂肪酸**に分けられます。

飽和脂肪酸は、**炭素の二重結合をもたない**脂肪酸です。ラウリン酸（やし油）、パルミチン酸（豚油、牛脂）、ステアリン酸（豚油、牛脂）などがあります。

不飽和脂肪酸は、**炭素の二重結合を持つ脂肪酸**です。代表的なものにオレイン酸（オリーブ油など）、リノール酸（大豆油、紅花油など）、γ（ガンマ）-リノレン酸（植物油、母乳など）、アラキドン酸（肉、魚、卵など）、α（アルファ）-リノレン酸（しそ油、えごま油など）。また魚油に含まれるエイコサペンタエン酸（EPA）、ドコサヘキサエン酸（DHA）があります。不飽和脂肪酸は、炭素の二重結合が１つだけの一価不飽和脂肪酸、２つ以上の多価不飽和脂肪酸に分けられます。

食事摂取基準では、脂質の総エネルギー量に占める割合の目標量は１歳以上で20〜30%とされています。

❷複合脂質

脂肪にリン酸や糖質などが結合したものです。

■複合脂質の代表的なもの

糖脂質	●脂肪酸と糖が結合したもの。動物の脳や神経組織に多く含まれている ●リン脂質とともに、脳や神経系の作用を活発化する
リン脂質	●脂肪酸とグリセロールに、リン酸、ビタミン、アミノ酸が結合したもの。動植物の細胞、特に脳や心臓、卵黄や大豆などに多く含まれている ●レシチンは、コレステロールやたんぱく質とともに細胞膜の構成成分で、脂肪の**乳化**を促す作用がある

❸誘導脂質

単純脂質や複合脂質の分解物です。

■誘導脂質の代表的なもの

コレステロール	●細胞膜や副腎皮質ホルモン、性ホルモンなどの成分。体内では肝臓で合成され、脳や神経組織、血管に多く含まれる ●コレステロールは血液中では、たんぱく質やリン脂質などで覆われ、リポたんぱく質となっている。リポたんぱく質は比重の違いにより分けられ、代表的なものに次の2つがある ・**HDL（高比重リポたんぱく質）……善玉コレステロール** 末梢組織の余分なコレステロールを肝臓などへ運ぶ ・**LDL（低比重リポたんぱく質）……悪玉コレステロール** 肝臓で合成されたコレステロールを各組織に運ぶ。血管内で酸化されると酸化LDLになり、血管壁に沈着、動脈硬化の原因となる
エルゴステロール	●酵母、菌類、しいたけなどに多く含まれる植物組織のステロール

（2）脂質の消化吸収

脂肪は水に溶けないので、消化管に排出された胆汁酸が脂肪を乳化させ、消化しやすくします。乳化された脂肪は、膵液中の脂肪分解酵素である膵リパーゼ（**ステアプシン**）によって脂肪酸とグリセロールに分解され、腸壁から吸収されます。

吸収された一部は、**門脈**を通って**肝臓**に運ばれ、大部分はトリグリセリドに再合成されて脂肪球（リポたんぱく＝**カイロミ**

用語

乳化
水と油が混じり合った状態になること。

＋プラス1

プロビタミンD
7-デヒドロコレステロールとエルゴステロールは紫外線に当たるとビタミンDに変化することから、プロビタミンDとよばれる。

＋プラス1

脂質の消化吸収
体内の糖質が不足した状態で脂肪を過剰摂取するとケトン体を生成し、ケトン尿症（尿中の脂質が増加）、ケトン血症（血液が酸化）などの障害を引き起こすことがある。

クロン）になり、リンパ管と静脈を経て、筋肉や皮下脂肪の脂肪組織になります。

（3）脂質の働き

脂質には、次のような働きがあります。

- **エネルギー源となる**……脂質は、1gあたり約9kcal[*7]という高いエネルギーを発生させる。
- **貯蔵脂肪となる**……炭素結合が水を多く含まないのでエネルギー密度が高く、体内エネルギー貯蔵に適している。
- **必須脂肪酸源である**……リノール酸、リノレン酸、アラキドン酸、EPA、DHAなどn-6、n-3系脂肪酸は、体内で必要量が合成されず、食物からとる必要があるので必須脂肪酸とよばれる。多くは天然の植物性の油に含まれる。生命維持や発育に必要であり、欠乏すると小児の発育を遅らせ、皮膚炎（特に湿しん）を起こす。ただし、必要量は1日数gであり、極度の偏食がない限り不足することはない。
- **脂溶性ビタミンの供給源となる**……脂質に溶けているビタミンA、D、E、Kも同時に摂取できる。

脂肪を過剰にとると、消化機能の障害を起こし、銅（Cu）やマグネシウム（Mg）の吸収を妨げます。動物性脂肪をとりすぎると、血管や組織にLDLコレステロールが蓄積され、脂質異常症（高脂血症）や動脈硬化、高血圧などの誘因になります。動物性の脂、植物性の油、魚油をバランスよくとることが大切です。

*7 脂質のエネルギー量
脂質の1gあたりのエネルギー量について出題。
R2後

リノール酸は大豆油、紅花油に多く含まれています。血清脂質改善効果が認められていますが、とりすぎると動脈硬化の要因になります。

脂溶性ビタミン
⇨p211

4 たんぱく質

たんぱく質[*8]は、20種類のアミノ酸が結合している複雑な化合物です。人間の体を構成する主要な成分であり、エネルギー源となる重要な栄養素です。三大栄養素である糖質、脂肪はほとんどが炭素、水素、酸素でできていますが、たんぱく質はこれに加えて窒素が含まれています。

でた問!!

*8 たんぱく質
たんぱく質の特徴や1gあたりのエネルギー量などについて出題。
R3前
たんぱく質の構成成分について出題。
R2後、R4後

(1) たんぱく質の種類

たんぱく質には、アミノ酸のみで構成される単純たんぱく質、アミノ酸とほかの物質とが結合した複合たんぱく質、たんぱく質に熱や酸、酵素などが作用して変化した誘導たんぱく質とがあります。

(2) たんぱく質の消化吸収

たんぱく質の消化吸収では、次の消化酵素が作用します。

- **胃液**……ペプシン
- **膵液**……トリプシン、キモトリプシン、カルボキシペプチダーゼ
- **腸液**……ジペプチダーゼ、アミノペプチダーゼ

たんぱく質は、さまざまな消化酵素の作用によって小さく分解されていきます。胃液や十二指腸内での膵液で数個のアミノ酸から構成される化合物になり、十二指腸では、オリゴペプチド、ジペプチド、トリペプチドなどに分解されます。

さらに、小腸でアミノ酸にまで分解されて消化吸収され、門脈を経て肝臓に送られます。そこから血液によって身体の各組織に運ばれ、体(たい)たんぱく質に再合成されます。

(3) たんぱく質の働き

たんぱく質は体内でアミノ酸として消化吸収されると、次のような働きをします*9。

- **身体を構成する**……たんぱく質は、人体の細胞や各組織、酵素やホルモン、抗体などの主成分。身体に含まれているたんぱく質（体たんぱく質）は平均15%。そのうち60%は筋肉、内臓、赤血球などの細胞内に存在し、残りの40%は血漿(けっしょう)、骨、脂肪組織、肺などの細胞外にある。
- **エネルギー源となる**……アミノ酸が分解され熱量素となり、エネルギーをつくる。たんぱく質は、1gあたり約4kcalのエネルギーを発生し、糖質や脂質が不足したときにエネルギー源として消費される。エネルギー源となる栄養

プラス1

乳児の胃液
乳児の胃には凝乳酵素レンニンがあり、乳汁を凝固させて滞留時間を長くし、消化酵素の働きを受けやすくしている。

用語

体たんぱく質
体を構成しているたんぱく質のこと。

でた問!!

***9 たんぱく質の働き**
たんぱく質の働きや特徴について出題。
R4後

用語

血漿
血液の液状成分。血清とフィブリノーゲンからなる。物質の輸送・ガス交換・血液凝固・免疫に関与する。また、浸透圧や水素イオン濃度の調節などによって内部環境を整えるのに重要な役割を果たす。

素は、**糖質→脂質→たんぱく質**という順序で利用される。

- **酵素、ホルモン、抗体を生成する**
- **体液を調整する**……たんぱく質の分子内にある酸基（酸性反応をする）とアミノ基（アルカリ性反応をする）の働きにより、体液を弱アルカリ性に保つ。また、細胞内外の体液の浸透圧を調節する役割もある。

（4）たんぱく質の栄養価（アミノ酸価）

***10 アミノ酸**
アミノ酸価について出題。
R4後

たんぱく質は**20種類のアミノ酸**[*10]から構成されています。このうちの９種類は体内で生成できず、食物からとる必要があるので**必須アミノ酸**といいます。トリプトファン、メチオニン＋シスチン、リシン、フェニルアラニン＋チロシン、ロイシン、イソロイシン、バリン、スレオニン、**ヒスチジン**の９種類です。このほか、発育期にはアルギニンも欠かせません。

動物性たんぱく質には必須アミノ酸が比較的多く含まれていますが、植物性たんぱく質にはリシン、スレオニン、トリプトファンなどの含有量が少ないため、効率が低く、栄養価も劣ります。

ヒスチジンは発育になくてはならない必須アミノ酸だけど、子どもの体内では少ししか合成できません。チーズやヨーグルトなどの乳製品、鶏肉、青魚などから補給できます。

一方、人間の体内で生成されるものを**非必須アミノ酸**といいます。たんぱく質を有効に摂取するには、複数の食品を組み合わせ、欠けている必須アミノ酸や非必須アミノ酸を補うようにします。これを、**たんぱく質の補足効果**といいます。

アミノ酸価（アミノ酸スコア）は、食品中の各必須アミノ酸

ここは覚えよう!!

アミノ酸評点パターン

アミノ酸評点パターンにおいては、最も数値が少ないアミノ酸を「第一制限アミノ酸」として、その数値によってアミノ酸価が決まります。右図は精白米のアミノ酸の体内での利用効率を桶にたとえて示したものです。桶板は必須アミノ酸の含有量を示しており、一番低いリシンのライン以上の分は流れだしてしまうので、ほかに含有量の高いものがあってもリシンのラインでしか体内では活用できないということを示しています。

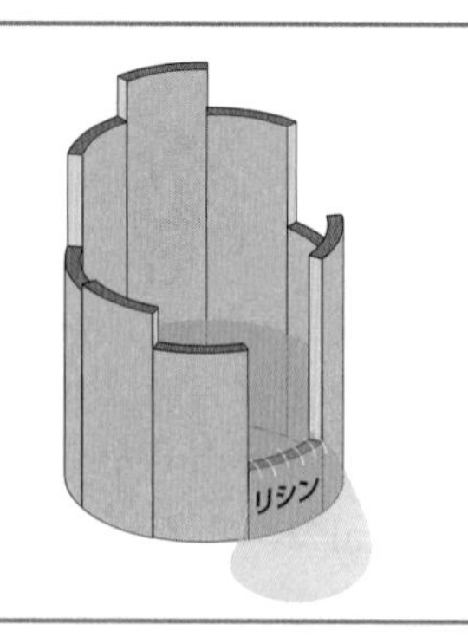

の量をアミノ酸評点パターンに当てはめ、たんぱく質の栄養価を評価するものです。**アミノ酸評点パターン**は必須アミノ酸の理想的な構成バランスを示しています。

5 ミネラル（無機質）

人体を構成する主な元素は、炭素、酸素、水素、窒素で、この４つが全体の約96%を占めています。**ミネラル**[*11]はこの４元素を除く、残りの約４％にあたる元素です。燃やしたあとに灰として残るので灰分（かいぶん）ともよばれます。人体を構成するミネラルは多数ありますが、大半をカルシウムとリンが占めています。構成量は少ないものの身体機能の調整など重要な役割を果たします。ミネラルは体内でつくることができないので、食物から摂取する必要があります。体内に多く存在しているものを**多量ミネラル**、わずかな量が存在しているものを**微量ミネラル**といいます。

- **多量ミネラル**……ナトリウム、カリウム、カルシウム、マグネシウム、リン、塩素、硫黄
- **微量ミネラル**……**鉄**[*12]、**亜鉛**[*13]、銅、マンガン、ヨウ素、セレン、クロム、モリブデン

主なミネラルの役割は、次の通りです。

- **骨や歯などの体の組織をつくる**
- **筋肉や血球などの体の構成成分となる**
- **ホルモン、酵素などの構成成分となる**
- **浸透圧やpHのバランスを調節する**
- **筋肉や心臓の興奮性を調節する**

では、次ページでは、それぞれのミネラルの特徴と役割、欠乏したときや過剰に摂取したときの症状をみていきましょう。

ミネラルは不足してもとりすぎても体に影響がありますよ。適量をとることが大切です。

***11 ミネラル**
ミネラルの特徴と働きについて出題。
R3前、R4前、R5前
ミネラルが体内で合成できないことについて出題。
R2後

***12 鉄**
鉄の特徴について出題。
R3後、R5前

***13 亜鉛**
亜鉛の欠乏症状について出題。
R3前、R5前

用語

骨粗鬆症
骨密度が極端に低下することによって骨の中がスカスカの状態になって骨折しやすくなる病気。閉経後の女性や高齢者に多いが、ダイエット中の若い女性にみられることもある。

リンパ液
組織液がリンパ管系に入ったもので、無色または淡黄色の透明な液体。リンパともいう。

ヘモグロビン
脊椎（せきつい）動物の赤血球に含まれる鉄を含む色素（ヘム）とたんぱく質（グロビン）とからなる複合たんぱく質。血色素。

ミオグロビン
肉の色素。ヘモグロビンに類似した色素たんぱく質の一種で、酸素を貯蔵する働きがある。

プラス1

ヘム鉄と非ヘム鉄
肉や魚に含まれる鉄（ヘム鉄）は、野菜や穀物、鶏卵などに含まれる鉄（非ヘム鉄）に比べて吸収されやすい。ヘムはヘモグロビンの構成成分で、鉄を含む色素。

■主なミネラルの働き

多量ミネラル	**カルシウム（Ca）**	●体内のカルシウムの99%は人体の骨や歯に存在する ●1%は、血液、体液、筋肉などに含まれる 【欠乏】成長阻害、骨粗鬆症（こつそしょうしょう）、乳幼児期ではテタニー（手足の強いけいれん） 【過剰】通常の食事の場合心配ない
	リン（P）	●体内のリンの80%は、カルシウムと結合して骨や歯を形成する。そのほかはたんぱく質や脂質とともに、筋肉、脳、神経などの組織に存在している ●身体の働きを調整する役割がある ●糖質、脂質、たんぱく質の代謝に関与する 【欠乏】通常の食事の場合心配ない 【過剰】胃の機能低下
	ナトリウム（Na）と塩素（Cl）	●ナトリウムは塩素と結合して塩化ナトリウム（NaCl）となり、体液中に含まれる ●リンパ液など体液の浸透圧を調節し、体液をアルカリ性に調整する役割がある ●水分平衡の維持に関与する ●筋肉の収縮や神経の刺激伝達の際に重要な働きをする 【欠乏】疲労感、筋肉のけいれん 【過剰】浮腫（ふしゅ）
	カリウム（K）	●細胞内の浸透圧や酸・アルカリの調節に関与する ●筋肉や神経に刺激を伝達し、心臓機能の調節をする 【欠乏】筋力低下、麻痺 【過剰】通常の食事の場合心配ない
	マグネシウム（Mg）	●体内のマグネシウムの約60～65%が骨や歯に存在し、筋肉や脳にも含まれる ●筋肉の刺激性を高め、神経の興奮を抑制する 【欠乏】成長遅延、骨がもろくなる 【過剰】通常の食事の場合心配ない
微量ミネラル	**鉄（Fe）**	●体内で繰り返し使われ、体内の鉄の60～70%が血液（赤血球ヘモグロビン）に存在する。肺で酸素と結合して、各組織に酸素を運搬する役目を果たす ●筋肉中のミオグロビンにあるものは、体内での酸化反応に関係し、血液中の酸素を細胞内に取り入れる働きをする 【欠乏】鉄欠乏性貧血、認知機能の低下 【過剰】通常の食事の場合心配ない
	ヨウ素（ヨード）（I）	●甲状腺ホルモンのサイロキシンに含まれる ●発育や基礎代謝を促進する。クレチン症（甲状腺機能障害）を予防する働きもある 【欠乏】甲状腺機能低下症、クレチン症（胎児期） 【過剰】甲状腺機能低下症、甲状腺腫

微量ミネラル	亜鉛（Zn）	● たんぱく質の合成に関与し、多くの酵素の構成成分ともなる。膵臓から分泌されるホルモンであるインスリンに含まれる 【欠乏】味覚障害、乳児では皮膚炎 【過剰】通常の食事の場合心配ない
	銅（Cu）	● 大部分は肝臓に存在する。各種の酵素の構成成分 ● 骨髄に存在する銅は、ヘモグロビンの生成の際に、鉄の働きを助ける 【欠乏】貧血、中枢神経障害 【過剰】通常の食事の場合心配ない

6 ビタミン

ビタミン*14は体内の代謝を調節し、身体機能を正常に保つ働きをする有機化合物です。多くは体内で生成できないため、食品から栄養素として摂取する必要があります。不足すると欠乏症状が現れます。

ビタミンは、脂溶性と水溶性のものに大別されます。

- **脂溶性ビタミン（A、D、E、K）**……油脂に溶ける。調理によって損なわれにくい。
- **水溶性ビタミン（B群〔ナイアシン、葉酸、ビオチン、パントテン酸〕、C）**……水に溶ける。調理によって損なわれやすく、余剰分は貯蔵されずに尿中に排泄されてしまうので、常時摂取することが必要。

ビタミンA、B_2、C、Eには抗酸化作用があり、これらを抗酸化ビタミンといいます。

でた問!!

***14 ビタミン**
ビタミンについて出題。
H31前、R2後、R3後、R4後、R6前
ビタミンの分類について出題。
R3前

■主なビタミンの働き

（　）内はビタミンの別称

<table>
<tr><td rowspan="4">脂溶性ビタミン</td><td>ビタミンA
(レチノール)</td><td>●油脂に溶けるが、酸化すると分解されて効力を失う
●皮膚や粘膜を保護、細菌感染に対する抵抗力をつける、成長や発育を促進、光に対する目の働きを正常に保つ
●抗酸化作用がある
【欠乏】夜盲症（やもうしょう）、成長障害、皮膚や粘膜の角質化
【過剰】頭痛、吐気、食欲不振、肝臓障害</td></tr>
<tr><td>ビタミンD
(カルシフェロール)</td><td>●腸管からのカルシウムやリンの吸収利用を助け、歯や骨の形成を促す
●紫外線照射によって、エルゴステロールはビタミン D_2、7-デヒドロコレステロールはビタミン D_3となり、プロビタミンDとよばれる
【欠乏】くる病、発育障害、骨軟化症、骨粗鬆症
【過剰】高カルシウム血症・腎臓障害</td></tr>
<tr><td>ビタミンE
(トコフェロール)</td><td>●脂肪代謝を円滑にし、血液の循環を盛んにする働きがある
●抗酸化作用がある
●生殖機能の正常化に関与する
【欠乏】動脈硬化、筋萎縮（きんいしゅく）
【過剰】出血傾向</td></tr>
<tr><td>ビタミンK
(フィロキノン)</td><td>●血液凝固作用を助ける（血液凝固に必要なプロトロンビンの生成を正常に保つ）
●新生児や乳児に与えると、出血性疾病の予防に効果がある
【欠乏】出血時の血液凝固の遅れ、肝機能障害、新生児の出血性疾患（新生児メレナ、頭蓋内出血）
【過剰】通常の食事の場合心配ない</td></tr>
<tr><td rowspan="2">水溶性ビタミン</td><td>ビタミンB_1
(チアミン)</td><td>●糖質の代謝に関係が深い。胃液分泌を高める
●貝類、淡水魚、ぜんまいなどにはアノイリナーゼが含まれ、ビタミン B_1を分解する。この働きは、加熱によって抑えることができる
【欠乏】脚気（かっけ）、運動障害
【過剰】通常の食事の場合心配ない</td></tr>
<tr><td>ビタミンB_2
(リボフラビン)</td><td>●リン酸などと結合して補酵素となり、栄養素の分解・エネルギー代謝に欠かせない。成長の促進に必要
●抗酸化作用がある
【欠乏】口内炎、口唇炎、皮膚炎、成長阻害
【過剰】通常の食事の場合心配ない</td></tr>
</table>

カロテン

緑黄色野菜に含まれるカロテンは、体内に入ってからビタミンAになるので、プロビタミンAとよばれる。食品に多く含まれるカロテンはβ-カロテン。

エルゴステロール、7-デヒドロコレステロール（プロビタミンD）

⇨p205

用語

くる病

小児における骨格異常で、骨変形や低成長などの症状を起こす。

脚気

末梢神経が冒されて、足のしびれやむくみ、腱反射消失、知覚鈍麻、腓腹筋（ひふくきん）痛、心臓血管機能異常、心不全などの症状がでる。

ビタミンB_1は、調理の過程で穀類で20%、野菜・肉で30～40%損失します。また、ビタミンCは、調理の過程で野菜では50～70%損失します。

水溶性ビタミン		
	ナイアシン（ニコチン酸＋ニコチンアミド）	●必須アミノ酸のトリプトファンから体内でも合成できるため、通常の食事をしている限り欠乏することはない 【欠乏】**ペラグラ** 【過剰】通常の食事の場合心配ない
	ビタミンC（アスコルビン酸）	●コラーゲン（結合組織の成分）の生成と維持に関与する ●体内の酸化・還元反応に関与する ●**抗酸化作用**がある ●細菌感染に対する抵抗力を高める ●鉄の吸収率を高める 【欠乏】**壊血病**（乳幼児の場合はメルレル・バロウ病）、皮下出血、骨折 【過剰】通常の食事の場合心配ない
	葉酸	●核酸の合成やアミノ酸の代謝に関与する ●血球やヘモグロビンの生成に関与する 【欠乏】**神経管閉鎖障害**（受胎前後の欠乏で胎児に影響する）、巨赤芽球性貧血

用語
ペラグラ
下痢、皮膚炎、脳神経症状などさまざまな症状が全身にみられる。

プラス1
メルレル・バロウ病
骨格形成障害、出血、貧血、発育不良などの症状をともなう。

7 水

水は、栄養素ではありませんが、すべての生命現象に必要な物質です。水分は人体構成成分のなかで**最も大きな割合**を占めています。小児に必要な体内水分量は、胎児では体重の約**90%**、新生児を含めて乳児では**70〜75%**を目安とします。成人では約65%程度です。

1日の水分の必要量は、年齢が低いほど**多く**なります。体重1kgあたりでみると、乳児が120〜150ml、幼児が90〜125ml、学童が50〜90ml、成人が40〜70ml（成人では1日量として2〜3l）です。

体内における水の働きは、次のようなものです。

- **栄養素を溶解して、身体の各組織に運ぶ**
- **老廃物を溶解し、排泄作用によって体外へ出す**
- **汗や尿あるいは呼気として排出し、体温調節を図る**
- **体液の浸透圧を調節する**

用語
浸透圧
濃度の異なる水溶液を、ごく小さい分子だけを透過させる膜で隔てておくと、膜を通して水だけが濃度の低いほうから高いほうへ移動することを「浸透」という。浸透圧とは水を引き込む圧力のこと。

ポイント確認テスト

穴うめ問題

□□ **Q1** 過R6前

炭水化物には、ヒトの消化酵素で消化されやすい（ a ）と消化されにくい（ b ）がある。（ a ）は、1g あたり（ c ）kcal のエネルギーを供給し、一部は、肝臓や筋肉でエネルギー貯蔵体である（ d ）となって体内に蓄えられる。 >>> **p199〜204**

□□ **Q2** 過R4前

食物繊維は水溶性食物繊維と（　　）食物繊維に分類される。 >>> **p203**

□□ **Q3** 過R1後

食物繊維は、ヒトの消化酵素で消化されない食品中の（　　）の総体と定義される。 >>> **p203**

□□ **Q4** 過R5後

脂質は、1gあたり約（　　）kcalのエネルギーを産生する。 >>> **p204〜206**

○×問題

□□ **Q5** 過R4後

たんぱく質は、炭素、酸素、水素のみで構成されている。 >>> **p206**

□□ **Q6** 過R4前

鉄の過剰症として、貧血があげられる。 >>> **p210**

□□ **Q7** 過R5前

亜鉛が不足すると、味覚障害の一因となる。 >>> **p211**

□□ **Q8** 過R6前

ビタミンKは、血液の凝固に関与する。 >>> **p212**

□□ **Q9** 過R4後

ビタミンAは、カルシウムの吸収を促進させ、骨形成を促進する。 >>> **p212**

解答・解説

Q1　a 糖質／b 食物繊維／c 4／d グリコーゲン　**Q2**　不溶性　**Q3**　難消化性成分
Q4　9
Q5　×　たんぱく質には、炭素、酸素、水素に加え、窒素も含まれる。　**Q6**　×　貧血は鉄が欠乏したときに起こる。　**Q7**　○　**Q8**　○　**Q9**　×　ビタミンAではなくビタミンD。

子どもの食と栄養 Lesson 3

日本人の食事摂取基準①

頻出度 Level 4

「日本人の食事摂取基準」とはどのようなものなのでしょうか。その目的と最新版のポイントについてみていきましょう。

ココに注目!!
- 日本人の食事摂取基準（2020年版）が示す栄養素の基準と指標
- 高齢者のフレイル予防とは
- エネルギーと栄養素の設定指標と構成
- 年代別にみる推定エネルギー必要量

1 「日本人の食事摂取基準」とは

「**日本人の食事摂取基準**」は「**健康増進法**」に基づき、国民の健康の保持や増進、生活習慣病の発症予防のために参照するエネルギーおよび栄養素の量の基準を示したガイドラインです。科学的根拠に基づく策定を基本とし、厚生労働省から**5年ごと**に改定されたものが発表されます。

年齢区分は、**1～17歳を小児、18歳以上を成人**としています。乳児は「**0～5か月**」、「**6～11か月**」の２区分ですが、特に重視すべきエネルギーおよび栄養素については「０～５か月」「６～８か月」、「９～11か月」の３区分に分かれています。また高齢者は65～74歳、75歳以上の２区分です。

「日本人の食事摂取基準」を活用するにあたっては、対象者によって、どの栄養素を優先的に考慮するかが変わってきます。乳児、小児の場合、生命の維持、健全な成長、生活活動のため**適切なエネルギー量**が不足なく摂取できることを重視します。栄養素については不足しがち、あるいは過剰になりがちなものに配慮し、食事計画を立案することが必要となります。優先順位は①エネルギー、②たんぱく質、③脂質、④ビタミンA、ビタミンB_1、ビタミンB_2、ビタミンC、カルシウム、鉄、⑤飽和脂肪酸、食物繊維、ナトリウム（食塩）、カリウム、⑥その他対象者にとって重要とされる栄養素、と考えます。

食事摂取基準をみれば、どの栄養素をどれだけとったらいいかわかるのですね。

「日本人の食事摂取基準（2020年版）」の主な活用先
学校の給食提供や、保健所・保健センターにおける栄養指導などで、最も基礎となる科学データとして活用されている。

2 「日本人の食事摂取基準（2020年版）」の概要

（1）2020年版のポイント

最新の「**日本人の食事摂取基準（2020年版）**[*1]」では、生活習慣病の発症予防、重症化予防に加え、**高齢者の低栄養予防**や**フレイル予防**が策定目的に加えられています。

対象は、**健康な個人および健康な者を中心に構成されている集団**としています。この策定は、現在は健康でおおむね自立した日常生活を営んでいても、生活習慣病等に関する危険因子を有していたり、フレイルに関する危険因子を有している人への予防的対策を訴求したものです。

これまで高齢者が要介護状態に陥るきっかけの多くは病気や

***1 日本人の食事摂取基準（2020年版）**
「日本人の食事摂取基準（2020年版）」の概要について出題。 R5前
対象者について出題。 R5後

用語
フレイル
「日本人の食事摂取基準（2020年版）」では、健常な状態と要介護状態の中間的な段階としている。体重減少、主観的疲労感、日常生活活動量の減少、身体能力の低下、筋力の低下のうち、3項目該当する場合をいう。

プラス1
「日本人の食事摂取基準」の改訂
「日本人の食事摂取基準」は、2025年版が2024年度中に公表される予定。栄養素の摂取量等が変更される可能性がある。

「日本人の食事摂取基準（2025年版）」は、令和7年後期試験からの出題が予想されます。

■日本人の食事摂取基準（2020年版）策定の方向性

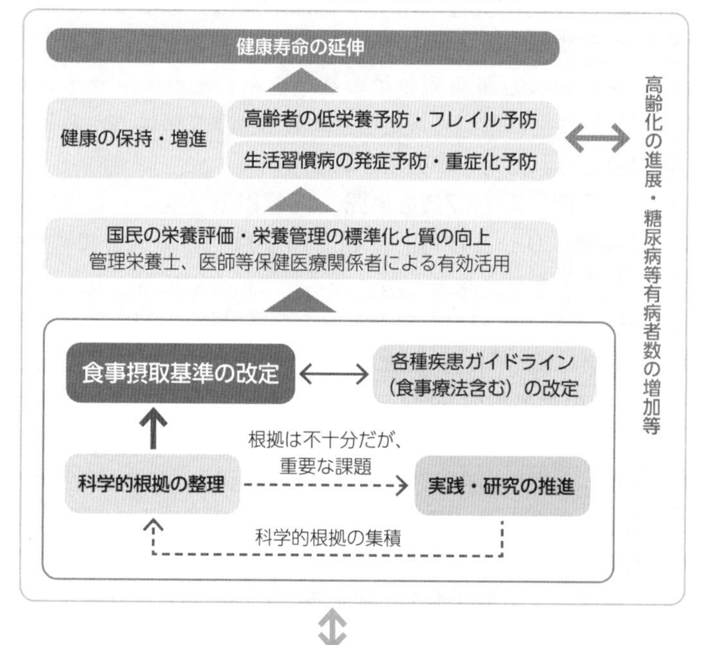

健康日本21（第二次）の推進〈平成25～令和4年度〉
主要な生活習慣病の発症予防と重症化予防の徹底
社会生活を営むために必要な機能の維持及び向上

出典：厚生労働省「日本人の食事摂取基準（2020年版）」をもとに作成

事故などに起因すると考えられていましたが、近年ではフレイルの関与が注目されています。食事摂取基準を活用し、フレイル予防として低体重、低栄養などの改善に取り組むことで高齢者の健康保持に役立てることが望まれます。

そのほか、主なポイントは次の通りです。

❶活力ある健康長寿社会の実現に向けて

- **50歳以上について、より細かな年齢区分による摂取基準を策定（50～69歳・70歳以上⇒50～64歳・65～74歳・75歳以上）**
- **高齢者のフレイル予防の観点から、65歳以上の総エネルギー量に占めるべきたんぱく質由来エネルギー量の割合について目標量の下限を引き上げ（13%エネルギー⇒15%エネルギー）**

❷若いうちからの生活習慣病予防推進のため

- **飽和脂肪酸、カリウムの目標量を小児にも設定**
- **成人のナトリウム（食塩相当量）を0.5 g引き下げ、高血圧および慢性腎臓病（CKD）の重症化予防目的のための摂取量を6 g/日未満として新たに設定**
- **脂質異常症の重症化予防のため、コレステロールの摂取量は200mg/日未満に留めることが望ましいと記載**

若いうちからの生活習慣病予防が重視されているのですね。

子どもの食と栄養

（2）指標について

❶エネルギーの指標

エネルギーについては、**BMI**と**推定エネルギー**の必要量が示されています。2020年版からは、目標とする成人期（18歳以上）のBMIの範囲を**4つの年齢区分**で**男女共通**として示しています。BMIを把握することは、エネルギー摂取と消費のバランス維持の評価に役立ちます。

なお、乳児・小児のエネルギー摂取量の過不足の評価はBMIではなく**成長曲線**（身体発育曲線）を用いて評価します。

用語

成長曲線
横軸に年月齢、縦軸に身長や体重のデータを記入して作成するグラフ。成長の度合い、スピードを視覚的にとらえることができる。

■目標とする成人期のBMIの範囲 (kg/m²)

18〜49歳	18.5 〜 24.9
50〜64歳	20.0 〜 24.9
65〜74歳	21.5 〜 24.9
75歳以上	21.5 〜 24.9

*2 栄養素の設定指標
栄養素の設定指標の内容について出題。
H31前、R5後、R6前

*3 推定エネルギー必要量
子どもの推定エネルギー必要量について出題。
R1後

■エネルギーと栄養素の設定指標*2

エネルギー	BMI	エネルギーの摂取量および消費量のバランス（エネルギー収支バランス）の維持を示す。 体重（kg）÷身長（m）^{2}で求められる。
	推定エネルギー必要量*3	エネルギーの不足のリスクおよび過剰のリスクの両者が最も小さくなる摂取量。
栄養素	推定平均必要量	その区分に属する人々の50%が必要量を満たすと推定される１日の摂取量（同時に50%の人は必要量を満たさない）。
	推奨量	その区分に属する人々の**ほとんど**（97〜98%）が必要量を満たすと推定される１日の摂取量。
	目安量	推定平均必要量を算定するのに十分な**科学的根拠が得られない場合**に、その区分に属する人々がある一定の栄養状態を維持するのに十分な量。
	目標量	生活習慣病の発症予防のために、現在の日本人が当面の目標とすべき摂取量。
	耐容上限量	**健康障害をもたらすリスクがないとみなされる**習慣的な摂取量の上限の量。

出典：厚生労働省「日本人の食事摂取基準（2020年版）」

❷栄養素の指標

栄養素の指標は、①**摂取不足**の回避、②**過剰摂取**による健康障害の回避、③**生活習慣病**の予防という３つの目的を基盤に、**推定平均必要量・推奨量・目安量・耐容上限量・目標量**の５つの指標が構成されています。

推定平均必要量・推奨量・目安量の基準は「摂取不足の回避」に基づきます。摂取不足の程度を判断するのが「推定平均必要量」で、これを補助する目的で設定されているのが「推奨量」です。推奨量はほとんどの人が充足している量です。「目安量」は、一定の栄養状態を維持するのに十分な量です。

特定の栄養素だけを過剰摂取することには、健康被害が起こるリスクがあります。「耐容上限量」はこの過剰摂取の評価に用います。「目標量」は、生活習慣病の予防を目的として設定されています。

指標の有無に注目してみると、「目標量」が設定されているものはかなり限られていることがわかりますね。

■基準を策定した栄養素と指標（1歳以上）

栄養素			推定平均必要量（EAR）	推奨量（RDA）	目安量（AI）	耐容上限量（UL）	目標量（DG）
たんぱく質			○	○	—	—	○
脂質		脂質	—	—	—	—	○
		飽和脂肪酸	—	—	—	—	○
		n-6系脂肪酸	—	—	○	—	—
		n-3系脂肪酸	—	—	○	—	—
		コレステロール	—	—	—	—	—
炭水化物		炭水化物	—	—	—	—	○
		食物繊維	—	—	—	—	○
		糖類	—	—	—	—	—
主要栄養素バランス			—	—	—	—	○
ビタミン	脂溶性	ビタミンA	○	○	—	○	—
		ビタミンD	—	—	○	○	—
		ビタミンE	—	—	○	○	—
		ビタミンK	—	—	○	—	—
	水溶性	ビタミンB_1	○	○	—	—	—
		ビタミンB_2	○	○	—	—	—
		ナイアシン	○	○	—	○	—
		ビタミンB_6	○	○	—	○	—
		ビタミンB_{12}	○	○	—	—	—
		葉酸	○	○	—	○	—
		パントテン酸	—	—	○	—	—
		ビオチン	—	—	○	—	—
		ビタミンC	○	○	—	—	—
ミネラル	多量	ナトリウム	○	—	—	—	○
		カリウム	—	—	○	—	○
		カルシウム	○	○	—	○	—
		マグネシウム	○	○	—	○	—
		リン	—	—	○	○	—
	微量	鉄	○	○	—	○	—
		亜鉛	○	○	—	○	—
		銅	○	○	—	○	—
		マンガン	—	—	○	○	—
		ヨウ素	○	○	—	○	—
		セレン	○	○	—	○	—
		クロム	—	—	○	○	—
		モリブデン	○	○	—	○	—

出典：厚生労働省「日本人の食事摂取基準（2020年版）」

主な栄養素の指標についてはLesson5で学習します。

3 推定エネルギー必要量

推定エネルギー必要量とは、「エネルギー摂取量」と「エネルギー消費量」がイコールになる確率が最も高いと試算される、**1日あたりのエネルギー摂取量**のことです。

成人は子どもと違って組織量の増減がない状態であるため、必要量よりも過剰にエネルギーを摂取すると、消費されない分が主に脂肪組織に蓄積され、肥満や生活習慣病のリスクが高まります。一方、エネルギー摂取量が少なすぎると、蓄積脂肪や体たんぱく質量が減少し、身体機能の低下につながります。

体たんぱく質 ⇨p207

成人の場合、生活環境や仕事などにより1日のエネルギー消費量は異なります。個人に見合った推定エネルギー必要量を算出するため、**身体活動レベル**が3段階に分けて示され、数値は次のように算出されます。

推定エネルギー必要量
＝基礎代謝量（kcal/日）×身体活動レベル

用語
基礎代謝量
覚醒（かくせい）状態で消費される最小限のエネルギーのことであり、早朝空腹時に快適な室内において、安静に横たわって目覚めている状態で測定される。

小児の場合は、成長期にあたるため体重増加に相当するエネルギー（エネルギー蓄積量）が付加されます。

計算式は以下の通りです。

推定エネルギー必要量
＝基礎代謝量（kcal/日）×身体活動レベル＋エネルギー蓄積量

BMIが同じでも、身体活動レベルによって推定エネルギー必要量は異なります。

また、妊婦・授乳婦においてもそれぞれに胎児・乳児の発育に問題ないとされる量のエネルギー量が付加されます。

参照体位から大きく外れた体格の場合は、個別にバランスを図る評価の必要が生じます。体重が多く身体活動レベルの低い人は、少ないエネルギー消費量に見合った少ないエネルギー摂取量を維持することになりますが、健康保持、生活習慣病予防の観点からは望ましい状態とはいえません。身体活動量を増やし、**エネルギー出納（すいとう）**のバランスを考慮する必要性があります。

■ 推定エネルギー必要量*4 (kcal/日)

性別		男性			女性		
身体活動レベル		Ⅰ	Ⅱ	Ⅲ	Ⅰ	Ⅱ	Ⅲ
0～5（月）		−	550	−	−	500	−
6～8（月）		−	650	−	−	600	−
9～11（月）		−	700	−	−	650	−
1～2（歳）		−	950	−	−	900	−
3～5（歳）		−	1,300	−	−	1,250	−
6～7（歳）		1,350	1,550	1,750	1,250	1,450	1,650
8～9（歳）		1,600	1,850	2,100	1,500	1,700	1,900
10～11（歳）		1,950	2,250	2,500	1,850	2,100	2,350
12～14（歳）		2,300	2,600	2,900	2,150	2,400	2,700
15～17（歳）		2,500	2,800	3,150	2,050	2,300	2,550
18～29（歳）		2,300	2,650	3,050	1,700	2,000	2,300
30～49（歳）		2,300	2,700	3,050	1,750	2,050	2,350
50～64（歳）		2,200	2,600	2,950	1,650	1,950	2,250
65～74（歳）		2,050	2,400	2,750	1,550	1,850	2,100
75以上（歳）		1,800	2,100	−	1,400	1,650	−
妊婦（付加量）	初期				+50	+50	+50
	中期				+250	+250	+250
	後期				+450	+450	+450
授乳婦（付加量）					+350	+350	+350

出典：厚生労働省「日本人の食事摂取基準（2020年版）」

***4 成長期の推定エネルギー必要量**
成長期の推定エネルギー必要量について出題。
R4前

（1）身体活動レベル

***5 身体活動レベル**
子どもの身体活動レベルの区分について出題。
R2後

身体活動レベル[*5]は、健康な日本人の成人（20～59歳、150人）で測定したエネルギー消費量と推定基礎代謝量のデータをもとに、「**低い（Ⅰ）**」「**ふつう（Ⅱ）**」「**高い（Ⅲ）**」の３段階を設定しています。

身体活動の強度の単位は、**メッツ（METs）**などの指標により算定しています。

子どもの身体活動レベルについては、０～５歳までは生活活動にそれほど差が生じないと考えられるため、身体活動レベルⅡのみの**１段階**です。６歳からは、成人と同様**３段階**に分かれています。

用語
メッツ
座って安静にしている状態のときの何倍のエネルギーが必要かを数値で表したもの。

■身体活動レベル別に見た活動内容と活動時間の代表例

身体活動レベル	低い（Ⅰ）	ふつう（Ⅱ）	高い（Ⅲ）
	1.50 （1.40〜1.60）	1.75 （1.60〜1.90）	2.00 （1.90〜2.20）
日常生活の内容	生活の大部分が座位で、静的な活動が中心の場合	座位中心の仕事だが、職場内での移動や立位での作業・接客等、通勤・買い物での歩行、家事、軽いスポーツ、のいずれかを含む場合	移動や立位の多い仕事への従事者、あるいは、スポーツ等余暇における活発な運動習慣を持っている場合
中程度の強度（3.0〜5.9メッツ）の身体活動の1日当たりの合計時間（時間/日）	1.65	2.06	2.53
仕事での1日当たりの合計歩行時間（時間/日）	0.25	0.54	1.00

出典：厚生労働省「日本人の食事摂取基準（2020年版）」

（2）乳児〜小児

生後11か月までは、0〜5か月、6〜8か月、9〜11か月の**3つの時期**に分けて示されています。乳児期は著しく成長する時期にあたるため、推定エネルギー必要量は**1年で2倍**近く増加します。推定エネルギー必要量は、**男子で15〜17歳**、**女子で12〜14歳**をピークとして、徐々に減少していきます。

（3）妊婦

プラス1

妊婦
初期は14週未満、中期は14〜28週未満、後期は28週以後。

授乳婦のエネルギー付加量
母乳のエネルギー量（kcal/日）ー体重減少分のエネルギー量（kcal/日）として求める。

妊婦は、胎児や胎盤、臍帯、卵膜、羊水などの**増加した組織**に対応するエネルギー量と、母体の**基礎代謝量の増加**などを考慮に入れたエネルギー消費量を付加しています。

（4）授乳婦

授乳婦は、泌乳量を**780ml/日**とし、泌乳にともなって増加するエネルギー消費量を付加しています。

ポイント確認テスト

穴うめ問題

□□ **Q1** 過R5前

「日本人の食事摂取基準」は、「(　　　)」に基づき、5年ごとに改定されている。 >>> p215

□□ **Q2** 過R5後

「日本人の食事摂取基準」の年齢区分は、(　a　)～(　b　)歳を小児、(　c　)歳以上を成人とする。 >>> p215

□□ **Q3** 過R5後

「日本人の食事摂取基準」では基本的に健康な、(　a　)及び(　b　)を対象としている。 >>> p216

□□ **Q4** 予想

「日本人の食事摂取基準(2020年版)」では、脂質異常症の重症化予防のため、コレステロールの摂取量は(　　　)mg /日未満に留めることが望ましいとしている。 >>> p217

□□ **Q5** 予想

「日本人の食事摂取基準」では、エネルギー収支バランスの維持を示す指標として、体格 (　　　) が採用されている。 >>> p217

○×問題

□□ **Q6** 過R5前

「日本人の食事摂取基準(2020年版)」では、生活習慣病の発症予防・重症化予防に加え、高齢者の低栄養予防やフレイル予防も視野に入れて策定された。 >>> p216

□□ **Q7** 過R5後

「日本人の食事摂取基準」の栄養素の指標として、推定平均必要量、推奨量、目安量、耐容上限量、目標量の5種類が設定されている。 >>> p218

□□ **Q8** 過R6前

「日本人の食事摂取基準」における耐容上限量の設定目的は生活習慣病の予防である。 >>> p218

□□ **Q9** 過R3前

「日本人の食事摂取基準」では、学童期の年齢区分は6～8歳、9～11歳の2区分となっている。 >>> p221

解答・解説

Q1　健康増進法　Q2　a 1／b 17／c 18　Q3　a 個人／b 集団（順不同）　Q4　200
Q5　BMI：body mass index
Q6　○　Q7　○　Q8　×　過剰摂取による健康障害の回避である。
Q9　×　6～7歳、8～9歳、10～11歳の3区分。

子どもの食と栄養 Lesson 4

日本人の食事摂取基準②

頻出度 Level 3

このレッスンでは、各栄養素の食事摂取基準をみていきます。
栄養素によって設定されている目標量や目安量に注目しましょう。

ココに注目!!

- 炭水化物の食事摂取基準とは
- エネルギー産生栄養素バランスが表すものとは
- 生活習慣病の予防に関わる飽和脂肪酸の目標量
- 乳幼児の成長に関わるビタミンの目標量とは

1 炭水化物

炭水化物については、食物繊維と、炭水化物の食事摂取基準が示されています。

便の材料になるのは不溶性食物繊維、糖質の吸収を穏やかにするのは水溶性食物繊維です。不溶性、水溶性ともにバランスよく摂取するのが理想的です。

(1) 食物繊維の食事摂取基準

*1 食物繊維の食事摂取基準
目標量について出題。
R4前

■食物繊維の食事摂取基準*1

(g/日)

性　別	男　性	女　性
年齢等	目標量	目標量
0～5（月）	—	—
6～11（月）	—	—
1～2（歳）	—	—
3～5（歳）	8以上	8以上
6～7（歳）	10以上	10以上
8～9（歳）	11以上	11以上
10～11（歳）	13以上	13以上
12～14（歳）	17以上	17以上
15～17（歳）	19以上	18以上
妊婦		18以上
授乳婦		18以上

妊婦・授乳婦に示されている数値が付加量でないことに注意しましょう。

食物繊維については生活習慣病との関連が深いことから、2010年版では**18歳**以上から目標量が設定されていました。しかし、成人後の循環器疾患が小児期の食習慣と関係している可能性が示唆(しさ)されているため、2015年版では、6～7歳から目標量が設定され、2020年版からは**3～5歳**の目標量が新たに設定されました。

食物繊維には整腸作用のほかに、糖の吸収スピードを下げ、血糖値の上昇をゆるやかにする効果もあります。

(2) 炭水化物の食事摂取基準

1歳以上の男女について、1日の総エネルギーに占める炭水化物の割合は、**50～65%**が**目標量**とされています。

2 脂質

脂質については、脂質の総エネルギーに占める割合（脂肪エネルギー比率）と、飽和脂肪酸、n-6系脂肪酸、n-3系脂肪酸の食事摂取基準が示されています。

(1) 脂質の総エネルギーに占める割合（脂肪エネルギー比率）

■脂質の食事摂取基準*2

（%エネルギー）

性別	男性		女性	
年齢等	目安量	目標量	目安量	目標量
0～5（月）	50	―	50	―
6～11（月）	40	―	40	―
1～2（歳）	―	20～30	―	20～30
3～5（歳）	―	20～30	―	20～30
6～7（歳）	―	20～30	―	20～30
8～9（歳）	―	20～30	―	20～30
10～11（歳）	―	20～30	―	20～30
12～14（歳）	―	20～30	―	20～30
15～17（歳）	―	20～30	―	20～30
妊婦			―	20～30
授乳婦			―	20～30

***2 脂質の食事摂取基準**
小児の脂質の目標量について出題。 R2後
1歳以上の脂肪エネルギー比率の目標量について出題。 R5後

子どもの食と栄養

0～5か月児の目安量は、哺乳量と母乳の脂質の濃度から設定されています。6～11か月児の目安量は、0～5月児の目安量と1～2歳児の目標量の中間値から設定されています。

（2）飽和脂肪酸の食事摂取基準

飽和脂肪酸には、生活習慣病の予防の観点から目標量が設定されています。

■飽和脂肪酸の食事摂取基準　（%エネルギー）

性　別	男　性	女　性
年齢等	目標量	目標量
0～5（月）	—	—
6～11（月）	—	—
1～2（歳）	—	—
3～5（歳）	10以下	10以下
6～7（歳）	10以下	10以下
8～9（歳）	10以下	10以下
10～11（歳）	10以下	10以下
12～14（歳）	10以下	10以下
15～17（歳）	8以下	8以下
妊婦		7以下
授乳婦		7以下

プラス1

トランス脂肪酸
トランス脂肪酸は飽和脂肪酸と同じく、冠動脈疾患に関係する栄養素。日本人の大多数は、WHO（世界保健機関）の目標値を下回っているため、健康への影響は小さいと考えられている。しかし、脂質に偏った食事をしている場合には留意する必要がある。トランス脂肪酸は人体に必要な栄養素ではないため、摂取量はできるだけ少なく、多くてもエネルギー比率を1%未満に留めることが望ましい。

飽和脂肪酸の過剰摂取は、肥満の危険因子となります。また、血中コレステロールやLDLコレステロールを上昇させ、動脈硬化疾患のリスク要因でもあります。2020年度版から、小児の目標量（上限）が設定されています。

（3）n-6系、n-3系脂肪酸の食事摂取基準

必須脂肪酸であるn-6系脂肪酸、n-3系脂肪酸には目安量が設定されています。いずれも体にとって重要ですが、体内では生成されないため、食事から摂取する必要があります。

■n-6系脂肪酸とn-3系脂肪酸の食事摂取基準 (g/日)

	n-6系脂肪酸		n-3系脂肪酸	
性 別	男 性	女 性	男 性	女 性
年齢等	目安量	目安量	目安量	目安量
0～5（月）	4	4	0.9	0.9
6～11（月）	4	4	0.8	0.8
1～2（歳）	4	4	0.7	0.8
3～5（歳）	6	6	1.1	1.0
6～7（歳）	8	7	1.5	1.3
8～9（歳）	8	7	1.5	1.3
10～11（歳）	10	8	1.6	1.6
12～14（歳）	11	9	1.9	1.6
15～17（歳）	13	9	2.1	1.6
妊婦		9		1.6
授乳婦		10		1.8

n-6系脂肪酸にはリノール酸、アラキドン酸（体内でリノール酸が代謝して生成される）があります。男女とも15～17歳を最高値として、目安量は18歳以降減少します。リノール酸は大豆油、コーン油、ごま油などに多く含まれています。

n-3系脂肪酸にはα-リノレン酸、DHA、EPAが属しています。α-リノレン酸はえごま油、キャノーラ油、アマニ油などに、DHAとEPAはサバやイワシなどの青魚に多く含まれています。

DHA、EPAには、血中の中性脂肪やコレステロールを減少させたり、血液をサラサラにする働きがあり、動脈硬化予防に有効とされています。また、DHAは脳の構成成分で、脳を活性化させる働きがあり「脳の栄養素」ともよばれています。

n-6系脂肪酸
n-3系脂肪酸
⇨p206

3 たんぱく質

性別、年齢、身体の大きさなどにより**たんぱく質の必要量**は異なり、発育が盛んなときほど単位体重あたりの量が多くなります。

■たんぱく質の食事摂取基準

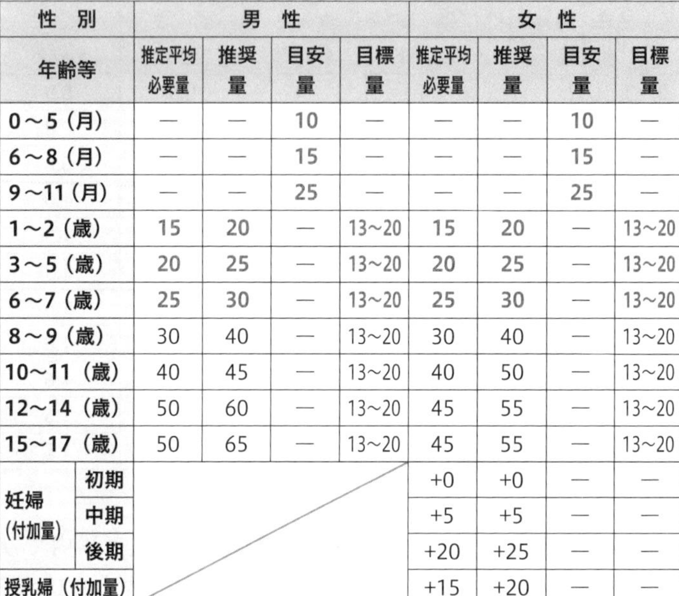

（推定平均必要量、推奨量、目安量：g/日、目標量：%エネルギー）

性別		男性				女性			
年齢等		推定平均必要量	推奨量	目安量	目標量	推定平均必要量	推奨量	目安量	目標量
0～5（月）		—	—	10	—	—	—	10	—
6～8（月）		—	—	15	—	—	—	15	—
9～11（月）		—	—	25	—	—	—	25	—
1～2（歳）		15	20	—	13～20	15	20	—	13～20
3～5（歳）		20	25	—	13～20	20	25	—	13～20
6～7（歳）		25	30	—	13～20	25	30	—	13～20
8～9（歳）		30	40	—	13～20	30	40	—	13～20
10～11（歳）		40	45	—	13～20	40	50	—	13～20
12～14（歳）		50	60	—	13～20	45	55	—	13～20
15～17（歳）		50	65	—	13～20	45	55	—	13～20
妊婦（付加量）	初期					+0	+0	—	—
	中期					+5	+5	—	—
	後期					+20	+25	—	—
授乳婦（付加量）						+15	+20	—	—

年齢ごとの必要量をしっかりおさえましょう。

エネルギー産生栄養素のなかでたんぱく質だけが、**1歳以上**の推定平均必要量、推奨量、目標量が設定されています。分解されたアミノ酸は尿素などとして体外に排泄（はいせつ）されるため、たんぱく質は成人でも毎日とる必要があるのです。また、乳児の目安量は、健康な乳児が1日に摂取する哺乳量や、母乳などに含まれるたんぱく質量から設定しています。妊婦・授乳婦については付加量が設定されていることにも注目しましょう。

4 エネルギー産生栄養素バランス

エネルギー産生栄養素バランスは、たんぱく質、脂質、炭水化物（アルコールを含む）が総エネルギー摂取量に占めるべき割合を目標量で表すものです。乳児については、母乳の栄養素の構成比を好ましいエネルギー産生栄養素バランスと考えるため、**1歳以上**から設定されています。

■エネルギー産生栄養素バランス*3　（%エネルギー）

<table>
<tr><th colspan="2">性　別</th><th colspan="4">男　性</th><th colspan="4">女　性</th></tr>
<tr><th colspan="2" rowspan="3">年齢等</th><th colspan="4">目標量</th><th colspan="4">目標量</th></tr>
<tr><th rowspan="2">たんぱく質</th><th colspan="2">脂質</th><th rowspan="2">炭水化物</th><th rowspan="2">たんぱく質</th><th colspan="2">脂質</th><th rowspan="2">炭水化物</th></tr>
<tr><th>脂質</th><th>飽和脂肪酸</th><th>脂質</th><th>飽和脂肪酸</th></tr>
<tr><td colspan="2">0～11（月）</td><td>—</td><td>—</td><td>—</td><td>—</td><td>—</td><td>—</td><td>—</td><td>—</td></tr>
<tr><td colspan="2">1～2（歳）</td><td>13～20</td><td>20～30</td><td>—</td><td>50～65</td><td>13～20</td><td>20～30</td><td>—</td><td>50～65</td></tr>
<tr><td colspan="2">3～5（歳）</td><td>13～20</td><td>20～30</td><td>10以下</td><td>50～65</td><td>13～20</td><td>20～30</td><td>10以下</td><td>50～65</td></tr>
<tr><td colspan="2">6～7（歳）</td><td>13～20</td><td>20～30</td><td>10以下</td><td>50～65</td><td>13～20</td><td>20～30</td><td>10以下</td><td>50～65</td></tr>
<tr><td colspan="2">8～9（歳）</td><td>13～20</td><td>20～30</td><td>10以下</td><td>50～65</td><td>13～20</td><td>20～30</td><td>10以下</td><td>50～65</td></tr>
<tr><td colspan="2">10～11（歳）</td><td>13～20</td><td>20～30</td><td>10以下</td><td>50～65</td><td>13～20</td><td>20～30</td><td>10以下</td><td>50～65</td></tr>
<tr><td colspan="2">12～14（歳）</td><td>13～20</td><td>20～30</td><td>10以下</td><td>50～65</td><td>13～20</td><td>20～30</td><td>10以下</td><td>50～65</td></tr>
<tr><td colspan="2">15～17（歳）</td><td>13～20</td><td>20～30</td><td>8以下</td><td>50～65</td><td>13～20</td><td>20～30</td><td>8以下</td><td>50～65</td></tr>
<tr><td rowspan="3">妊婦</td><td>初期</td><td colspan="4" rowspan="4"></td><td>13～20</td><td rowspan="4">20～30</td><td rowspan="4">7以下</td><td rowspan="4">50～65</td></tr>
<tr><td>中期</td><td>13～20</td></tr>
<tr><td>後期</td><td>15～20</td></tr>
<tr><td colspan="2">授乳婦</td><td>15～20</td></tr>
</table>

＊3 エネルギー産生栄養素バランス
1歳以上のエネルギー産生栄養素バランスについて出題。
R1後

　あくまで必要なエネルギー量を確保したうえでのバランスとします。脂質については、その構成成分である飽和脂肪酸など、**質への配慮**を十分に行う必要があります。炭水化物においては、食物繊維の目標量に十分注意しましょう。

5 ビタミン、ミネラル

「日本人の食事摂取基準（2020年版）」では、**13**種類ずつのビタミンとミネラルの基準が設定されています。このうち、妊産婦や、乳幼児の成長にも深く関わるビタミンA、B_1、B_2、葉酸、ビタミンC、ナトリウム、カルシウム、カリウム、マグネシウム、鉄、ヨウ素については次の通りです。

■ビタミンAの食事摂取基準

（μgRAE/日）

性別		男性				女性			
年齢等		推定平均必要量	推奨量	目安量	耐容上限量	推定平均必要量	推奨量	目安量	耐容上限量
0～5（月）		—	—	300	600	—	—	300	600
6～11（月）		—	—	400	600	—	—	400	600
1～2（歳）		300	400	—	600	250	350	—	600
3～5（歳）		350	450	—	700	350	500	—	850
6～7（歳）		300	400	—	950	300	400	—	1,200
8～9（歳）		350	500	—	1,200	350	500	—	1,500
10～11（歳）		450	600	—	1,500	400	600	—	1,900
12～14（歳）		550	800	—	2,100	500	700	—	2,500
15～17（歳）		650	900	—	2,500	500	650	—	2,800
妊婦（付加量）	初期					+0	+0	—	—
	中期					+0	+0	—	—
	後期					+60	+80	—	—
授乳婦（付加量）						+300	+450	—	—

耐容上限量とは、「健康被害をもたらすリスクがないとみなされる習慣的な摂取量の上限」でしたね。

ビタミンAは、動物性食品からは主に**レチノール**として、植物性食品からは主にβ-カロテンなどが変化したプロビタミンAである**カロテノイド**として摂取します。ビタミンAは摂取しすぎると健康障害が起きる可能性があるため、**耐容上限量**が設定されています。過剰摂取による健康障害はレチノールによって起きるものなので、レバーの食べ過ぎやサプリメントの過剰摂取に注意しましょう。

■ビタミンB_1の食事摂取基準

（mg/日）

性別	男性			女性		
年齢等	推定平均必要量	推奨量	目安量	推定平均必要量	推奨量	目安量
0～5（月）	—	—	0.1	—	—	0.1
6～11（月）	—	—	0.2	—	—	0.2
1～2（歳）	0.4	0.5	—	0.4	0.5	—
3～5（歳）	0.6	0.7	—	0.6	0.7	—
6～7（歳）	0.7	0.8	—	0.7	0.8	—
8～9（歳）	0.8	1.0	—	0.8	0.9	—
10～11（歳）	1.0	1.2	—	0.9	1.1	—
12～14（歳）	1.2	1.4	—	1.1	1.3	—
15～17（歳）	1.3	1.5	—	1.0	1.2	—
妊婦（付加量）				+0.2	+0.2	—
授乳婦（付加量）				+0.2	+0.2	—

7歳までは男女の数値が各区分で同じですね。

推定平均必要量は、ビタミンB_1の欠乏症である脚気(かっけ)を予防するのに足りる最少限必要量からではなく、体内飽和量（尿中に排泄し始める摂取量）から算出しています。

妊婦・授乳婦には付加量が設定されていることに注意しましょう!

■ビタミンB_2の食事摂取基準　（mg/日）

性別	男性			女性		
年齢等	推定平均必要量	推奨量	目安量	推定平均必要量	推奨量	目安量
0～5（月）	—	—	0.3	—	—	0.3
6～11（月）	—	—	0.4	—	—	0.4
1～2（歳）	0.5	0.6	—	0.5	0.5	—
3～5（歳）	0.7	0.8	—	0.6	0.8	—
6～7（歳）	0.8	0.9	—	0.7	0.9	—
8～9（歳）	0.9	1.1	—	0.9	1.0	—
10～11（歳）	1.1	1.4	—	1.0	1.3	—
12～14（歳）	1.3	1.6	—	1.2	1.4	—
15～17（歳）	1.4	1.7	—	1.2	1.4	—
妊婦（付加量）				+0.2	+0.3	—
授乳婦（付加量）				+0.5	+0.6	—

推定平均必要量は、ビタミンB_2の欠乏症である口唇（こうしん）炎、口角炎などの皮膚炎を予防するのに足りる最小限必要量からではなく、体内飽和量（尿中に排泄し始める摂取量）から算出しています。

■葉酸の食事摂取基準　（μg/日）

性別	男性				女性			
年齢等	推定平均必要量	推奨量	目安量	耐容上限量	推定平均必要量	推奨量	目安量	耐容上限量
0～5（月）	—	—	40	—	—	—	40	—
6～11（月）	—	—	60	—	—	—	60	—
1～2（歳）	80	90	—	200	90	90	—	200
3～5（歳）	90	110	—	300	90	110	—	300
6～7（歳）	110	140	—	400	110	140	—	400
8～9（歳）	130	160	—	500	130	160	—	500
10～11（歳）	160	190	—	700	160	190	—	700
12～14（歳）	200	240	—	900	200	240	—	900
15～17（歳）	220	240	—	900	200	240	—	900
妊婦（付加量）					+200	+240	—	—
授乳婦（付加量）					+80	+100	—	—

狭義の葉酸(きょうぎ)は、プテロイルモノグルタミン酸を基本とした化合物です。母体に**葉酸欠乏症**[*4]があると胎児の神経管閉鎖障害を引き起こすため、妊娠の可能性がある女性および妊娠初期の妊婦はリスク低減のために、通常の食品以外の食品に含まれる葉酸（狭義の葉酸）を400μg/日摂取することが望まれます。妊婦の付加量は、妊娠中期、後期のみ設定しています。

子どもの食と栄養

***4 葉酸欠乏症**
葉酸欠乏症の症状について出題。
R2後

プラス1

狭義の葉酸
自然界にはまれにしか存在せず、サプリメントや強化食品などに含まれている葉酸。一方で、食品中に含まれている葉酸は、食事性葉酸とよばれる。推定平均必要量と推奨量は食品から摂取する葉酸を対象として、耐容上限量はサプリメント等から摂取する葉酸を対象として設定されている。

■ビタミンCの食事摂取基準

(mg/日)

性別	男性			女性		
年齢等	推定平均必要量	推奨量	目安量	推定平均必要量	推奨量	目安量
0~5(月)	—	—	40	—	—	40
6~11(月)	—	—	40	—	—	40
1~2(歳)	35	40	—	35	40	—
3~5(歳)	40	50	—	40	50	—
6~7(歳)	50	60	—	50	60	—
8~9(歳)	60	70	—	60	70	—
10~11(歳)	70	85	—	70	85	—
12~14(歳)	85	100	—	85	100	—
15~17(歳)	85	100	—	85	100	—
妊婦(付加量)				+10	+10	—
授乳婦(付加量)				+40	+45	—

*5 ビタミンC
ビタミンCの働きと欠乏症について出題。
H31前

ビタミンC*5の推定平均必要量は、欠乏症である壊血病(かいけつびょう)を予防するのに足りる最小限必要量ではなく、生活習慣病予防を目的とし、心臓血管系の疾病予防および抗酸化作用の観点から算定しています。妊婦の付加量は、新生児の壊血病を予防できる量を参考に算定しています。

■ナトリウムの食事摂取基準

(mg/日、( )は食塩相当量〔g/日〕)

性別	男性			女性		
年齢等	推定平均必要量	目安量	目標量	推定平均必要量	目安量	目標量
0~5(月)	—	100(0.3)	—	—	100(0.3)	—
6~11(月)	—	600(1.5)	—	—	600(1.5)	—
1~2(歳)	—	—	(3.0未満)	—	—	(3.0未満)
3~5(歳)	—	—	(3.5未満)	—	—	(3.5未満)
6~7(歳)	—	—	(4.5未満)	—	—	(4.5未満)
8~9(歳)	—	—	(5.0未満)	—	—	(5.0未満)
10~11(歳)	—	—	(6.0未満)	—	—	(6.0未満)
12~14(歳)	—	—	(7.0未満)	—	—	(6.5未満)
15~17(歳)	—	—	(7.5未満)	—	—	(6.5未満)
妊婦				600(1.5)	—	(6.5未満)
授乳婦				600(1.5)	—	(6.5未満)

ナトリウムは食塩相当量の目標量で示されます。過剰摂取は高血圧や慢性腎臓病の原因となりますので、摂りすぎに注意しましょう。

■カルシウムの食事摂取基準*6

(mg/日)

性別	男性				女性			
年齢等	推定平均必要量	推奨量	目安量	耐容上限量	推定平均必要量	推奨量	目安量	耐容上限量
0～5(月)	—	—	200	—	—	—	200	—
6～11(月)	—	—	250	—	—	—	250	—
1～2(歳)	350	450	—	—	350	400	—	—
3～5(歳)	500	600	—	—	450	550	—	—
6～7(歳)	500	600	—	—	450	550	—	—
8～9(歳)	550	650	—	—	600	750	—	—
10～11(歳)	600	700	—	—	600	750	—	—
12～14(歳)	850	1,000	—	—	700	800	—	—
15～17(歳)	650	800	—	—	550	650	—	—
妊婦(付加量)					+0	+0	—	—
授乳婦(付加量)					+0	+0	—	—

*6 カルシウムの食事摂取基準
カルシウムの妊婦付加量について出題。
R4後、R6前
3～5歳のカルシウム推奨量について出題。
R2後

カルシウムは、妊婦の付加量が+0であることがよく出題されていますよ。

妊娠、授乳時にはカルシウムの吸収率が上昇します。このため、**妊婦・授乳婦の付加量は＋０**となっています。

■カリウムの食事摂取基準

(mg/日)

性別	男性		女性	
年齢等	目安量	目標量	目安量	目標量
0～5(月)	400	—	400	—
6～11(月)	700	—	700	—
1～2(歳)	900	—	900	—
3～5(歳)	1,000	1,400以上	1,000	1,400以上
6～7(歳)	1,300	1,800以上	1,200	1,800以上
8～9(歳)	1,500	2,000以上	1,500	2,000以上
10～11(歳)	1,800	2,200以上	1,800	2,000以上
12～14(歳)	2,300	2,400以上	1,900	2,400以上
15～17(歳)	2,700	3,000以上	2,000	2,600以上
妊婦			2,000	2,600以上
授乳婦			2,200	2,600以上

カリウムはほうれん草などの野菜や里芋などのイモ類、バナナや納豆に多く含まれますね。

子どもの食と栄養

日本人は塩分の摂取量が多いため、ナトリウムの尿中排泄を促すカリウムの摂取が重要になります。目標値は、３歳以上において、WHOの提案による高血圧予防のための摂取量と、現在の日本人の摂取量の中間値を目標量算定の参照値としています。

■マグネシウムの食事摂取基準 (mg/日)

性別	男性				女性			
年齢等	推定平均必要量	推奨量	目安量	耐容上限量★	推定平均必要量	推奨量	目安量	耐容上限量★
0～5（月）	—	—	20	—	—	—	20	—
6～11（月）	—	—	60	—	—	—	60	—
1～2（歳）	60	70	—	—	60	70	—	—
3～5（歳）	80	100	—	—	80	100	—	—
6～7（歳）	110	130	—	—	110	130	—	—
8～9（歳）	140	170	—	—	140	160	—	—
10～11（歳）	180	210	—	—	180	220	—	—
12～14（歳）	250	290	—	—	240	290	—	—
15～17（歳）	300	360	—	—	260	310	—	—
妊婦（付加量）					+30	+40	—	—
授乳婦（付加量）					+0	+0	—	—

★通常の食品以外からの摂取量の耐容上限量は、成人の場合350mg/日、小児では5mg/kg体重/日とした。それ以外の通常の食品からの摂取の場合、耐容上限量は設定しない。

マグネシウムの推定平均必要量と推奨量は出納試験の結果をもとに求められましたが、授乳婦への付加量は必要ないと判断されました。また、**通常の食品を摂取している分には過剰摂取の心配はない**ということで、耐容上限量については通常の食品以外の摂取量のみが設定されています。

■鉄の食事摂取基準 (mg/日)

性別	男性				女性					
年齢等	推定平均必要量	推奨量	目安量	耐容上限量	月経なし 推定平均必要量	月経なし 推奨量	月経あり 推定平均必要量	月経あり 推奨量	目安量	耐容上限量
0～5（月）	—	—	0.5	—	—	—	—	—	0.5	—
6～11（月）	3.5	5.0	—	—	3.5	4.5	—	—	—	—
1～2（歳）	3.0	4.5	—	25	3.0	4.5	—	—	—	20
3～5（歳）	4.0	5.5	—	25	4.0	5.5	—	—	—	25
6～7（歳）	5.0	5.5	—	30	4.5	5.5	—	—	—	30
8～9（歳）	6.0	7.0	—	35	6.0	7.5	—	—	—	35
10～11（歳）	7.0	8.5	—	35	7.0	8.5	10.0	12.0	—	35
12～14（歳）	8.0	10.0	—	40	7.0	8.5	10.0	12.0	—	40
15～17（歳）	8.0	10.0	—	50	5.5	7.0	8.5	10.5	—	40

✚プラス1

乳児の推定平均必要量、推奨量

母乳栄養の場合、6～11か月児になると鉄欠乏性貧血のリスクが高まるため、推定平均必要量、推奨量が設定された。

■鉄の食事摂取基準（つづき）

(mg/日)

性別	男性				女性					
					月経なし		月経あり			
年齢等	推定平均必要量	推奨量	目安量	耐容上限量	推定平均必要量	推奨量	推定平均必要量	推奨量	目安量	耐容上限量
妊婦（付加量） 初期					+2.0	+2.5	—	—	—	—
妊婦（付加量） 中期・後期					+8.0	+9.5	—	—	—	—
授乳婦（付加量）					+2.0	+2.5	—	—	—	—

鉄は、女性の場合、10～11歳から「月経なし」「月経あり」の区分で摂取基準が設定されています。また、胎児や乳児の成長にともなって母体に鉄を貯蔵しておくことが必要なため、**妊婦・授乳婦には付加量が設定**されています。

■ヨウ素の食事摂取基準

(μg/日)

性別	男性				女性			
年齢等	推定平均必要量	推奨量	目安量	耐容上限量	推定平均必要量	推奨量	目安量	耐容上限量
0～5（月）	—	—	100	250	—	—	100	250
6～11（月）	—	—	130	250	—	—	130	250
1～2（歳）	35	50	—	300	35	50	—	300
3～5（歳）	45	60	—	400	45	60	—	400
6～7（歳）	55	75	—	550	55	75	—	550
8～9（歳）	65	90	—	700	65	90	—	700
10～11（歳）	80	110	—	900	80	110	—	900
12～14（歳）	95	140	—	2,000	95	140	—	2,000
15～17（歳）	100	140	—	3,000	100	140	—	3,000
妊婦（付加量）					+75	+110	—	—
授乳婦（付加量）					+100	+140	—	—

ヨウ素は、摂取されたあと、ほぼ完全に吸収され、**甲状腺ホルモン**を構成します。幼児期、学童期（6～9歳）の推奨量よりも、乳児期の目安量のほうが高い値となっています。過剰摂取は甲状腺機能低下、甲状腺腫のリスクが考えられるため、**耐容上限量**が設定されています。

✚プラス1

ヨウ素の耐容上限量

妊婦および授乳婦の耐容上限量は、2,000μg /日としている。過剰摂取すると、胎児・乳児が甲状腺機能低下症を引き起こすリスクがある。

ポイント確認テスト

穴うめ問題

☐☐ **Q1** 過R4前

「日本人の食事摂取基準（2020年版）」において、食物繊維は3歳以上で（　　）が示されている。 >>> **p224**

☐☐ **Q2** 過R5後

「日本人の食事摂取基準（2020年版）」では、脂肪エネルギー比率（総脂質からの摂取エネルギーが総摂取エネルギーに占める割合）の目標量を、1歳以上の全年齢で（　a　）～（　b　）%としている。 >>> **p225**

☐☐ **Q3** 予想

「日本人の食事摂取基準（2020年版）」では、n-3系脂肪酸、n-6系脂肪酸に（　　）を示している。 >>> **p226**

☐☐ **Q4** 予想

「日本人の食事摂取基準（2020年版）」では、葉酸（推奨量：μg/日）の妊婦付加量を（　　）としている。 >>> **p231**

○×問題

☐☐ **Q5** 過R2後

「日本人の食事摂取基準（2020年版）」の小児（1～17歳）の脂質の目標量は、男女で異なる。 >>> **p225**

☐☐ **Q6** 過R2後

葉酸の欠乏症は、新生児の頭蓋内出血症である。 >>> **p231**

☐☐ **Q7** 過R6前

「日本人の食事摂取基準(2020年版)」において、妊婦にカルシウムの付加量は設定されていない。 >>> **p233**

☐☐ **Q8** 過R2後

「日本人の食事摂取基準（2020年版）」の3～5歳におけるカルシウムの推奨量は、骨塩量増加に伴うカルシウム蓄積量が生涯で最も増加する時期であるため、他の年代に比べて高い。 >>> **p233**

解答・解説

Q1　目標量　**Q2**　a 20／b 30　**Q3**　目安量　**Q4**　＋240
Q5　×　男女ともに20～30%エネルギーである。　**Q6**　×　葉酸の欠乏症は胎児の神経管閉鎖障害である。　**Q7**　○　**Q8**　×　骨塩量増加に伴うカルシウム蓄積量が生涯で最も増加するのは12～14歳である。

子どもの食と栄養 Lesson 5

国民健康・栄養調査

頻出度 Level 2

「国民健康・栄養調査」についてみていきましょう。20～40代の保護者世代の食生活をみることで、子どもの食生活を知ることができます。

ココに注目!!
- 国民健康・栄養調査の目的と意義
- 国民健康・栄養調査の概要とは
- 年代別、朝食の欠食率からみえるもの
- 肥満およびやせの状況が示すリスクの要因

1 国民健康・栄養調査の目的

「**国民健康・栄養調査**」とは、国民の健康の増進の総合的な推進を図るための基礎資料です。その目的と意義は「**健康増進法**」第10条に規定されています。

「健康増進法」第10条

厚生労働大臣は、国民の健康の増進の総合的な推進を図るための基礎資料として、国民の身体の状況、栄養摂取量及び生活習慣の状況を明らかにするため、国民健康・栄養調査を行うものとする。

＋プラス1

国民健康・栄養調査

調査は毎年11月ごろに実施され、結果は翌年公表される。

2 国民健康・栄養調査の概要

（1）調査の方法

「国民健康・栄養調査」は、毎年１回、厚生労働大臣が定める時期・調査地区において実施されます。調査は**都道府県**、**保健所を設置する市**および**特別区**が執行に関する事務を行い、調査は調査地区を管轄する**保健所**が行います。

＋プラス1

調査の対象者

対象者はその年の調査地区から無作為に抽出される。

（2）調査項目

次の３つの調査が行われます。

- **身体状況調査**…身長、体重、血圧、その他身体状況に関する事項
- **栄養素等摂取状況調査**…世帯および世帯員の状況、食事の状況、食事の料理名、食品の名称および摂取量、その他栄養摂取状況に関する事項
- **生活習慣調査**…食習慣の状況、運動習慣の状況、休養習慣の状況、喫煙習慣の状況、飲酒習慣の状況、歯の健康保持の状況、その他生活習慣に関する事項

栄養素・食事摂取量等の調査では、**朝食の欠食率**[*1]、身体状況の調査では、**肥満およびやせの状況**などが毎年（項目によっては不定期）調査されています。

[*1] 朝食の欠食率
食生活に関する朝食の欠食率について出題。
H31前、R2後

（3）調査結果から見る現代の食生活の課題

ここからは、「令和元年国民健康・栄養調査」の結果をもとに、食生活における現状と課題を見ていきましょう。

プラス1

欠食の定義
錠剤などや菓子・果物のみの場合も欠食としている。

保護者の食習慣と子どもの摂取状況
「平成27年度乳幼児栄養調査」によると、親が朝食を「ほとんど食べない」「全く食べない」と回答した場合には、朝食を必ず食べる子どもの割合がそれぞれ78.9%、79.5%と低くなっている。

■朝食の欠食率の内訳（20歳以上、性・年齢階級別）

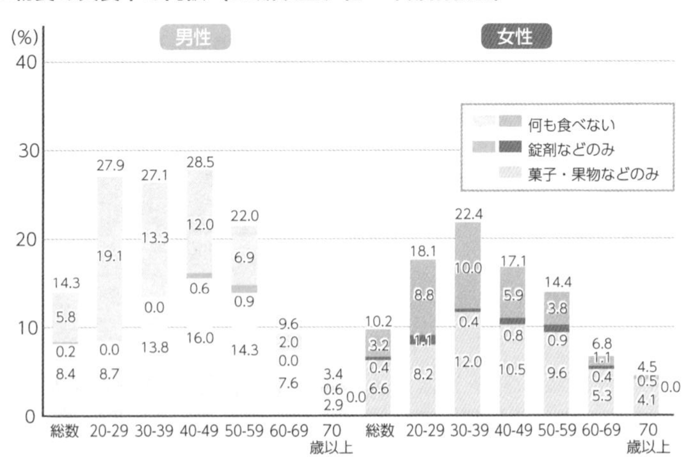

出典：厚生労働省「令和元年国民健康・栄養調査」をもとに作成

朝食の欠食率は1999（平成11）年以降、男女ともに増加傾向

にあります。**男性**は**40代**、**女性**は**30代**が**一番多く**、**男性**で約**3**割、**女性**で約**2**割となっています。20～40代を中心とする保護者の食生活は、そのまま乳幼児の**食生活**に影響を与えます。近年、朝食を食べずに登校・登園する子どもが問題になっていますが、子どもの朝食習慣は、起床時刻および就寝時刻、親の生活習慣と関連していることがわかっています。

■肥満者（BMI≧25kg/㎡）の割合（20歳以上、性・年齢階級別）

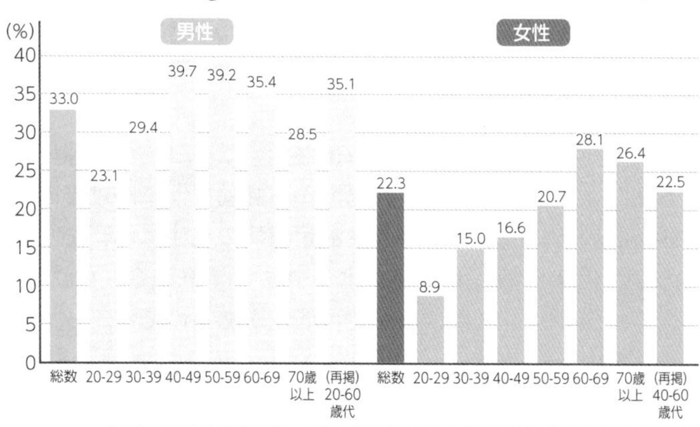

※妊婦除外

（参考）「健康日本21（第二次）」の目標
適正体重を維持している者の増加
（肥満〔BMI25 以上〕、やせ〔BMI18.5 未満〕の減少）
目標値：20～60 歳代男性の肥満者の割合　28%
40～60 歳代女性の肥満者の割合　19%

出典：厚生労働省「令和元年国民健康・栄養調査」をもとに作成

■やせの者（BMI≧18.5kg/㎡）の割合（20歳以上、性・年齢階級別）

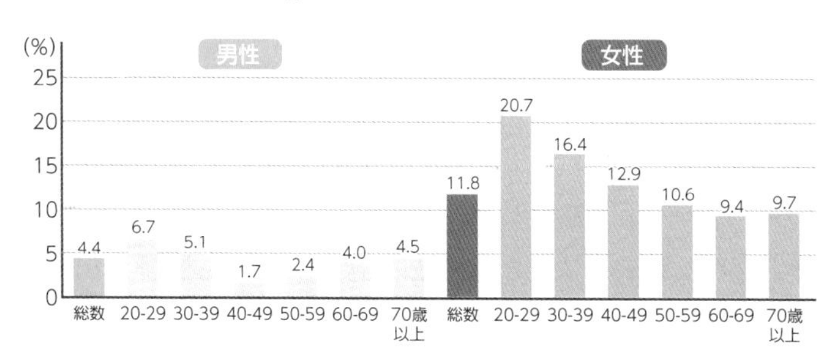

（参考）「健康日本21（第二次）」の目標
適正体重を維持している者の増加
（肥満〔BMI25 以上〕、やせ〔BMI18.5 未満〕の減少）
目標値：20歳代女性のやせの者の割合　20%

出典：厚生労働省「令和元年国民健康・栄養調査」をもとに作成

***2 肥満者の割合**
20〜29歳の男性、女性の肥満者の割合について出題。
H31前

***3 女性のやせ**
女性のやせの割合について出題。
R2後

低（出生）体重児
⇨保健 p104

肥満者の割合[*2]は、全体では**男性**は約３割、**女性**は約２割です。年齢別にみると**男性では40代が最も高く、女性では高齢者で高く**なっています。親が肥満である場合、子どもが受ける影響は大きいと考えられます。子どもの肥満は家庭の生活習慣、食行動の影響を大きく受けることになるためです。

女性の20代、30代のそれぞれ２割近く、すなわち**５人に１人が「やせ」**[*3]（BMI18.5未満）の状態であることにも注目しましょう。妊娠前に「やせ」の状態である女性が妊娠した場合、**低（出生）体重児**を出産するリスクが高いことから、「やせ」の女性の増加は、低出生体重児の出生の一因になっていると推察されます。

また、母体のエネルギー摂取量が低いことは、子宮環境にも影響を与えます。さらに、胎児期から乳幼児期にかけての栄養状態が悪いと、成人期以降の生活習慣病の発症に影響を及ぼすことが、近年指摘されています。つまり、小さく生まれると、将来の病気のリスクにつながる可能性があるのです。

■低栄養傾向の者（BMI≦20kg/㎡）の割合（65歳以上、性・年齢階級別）

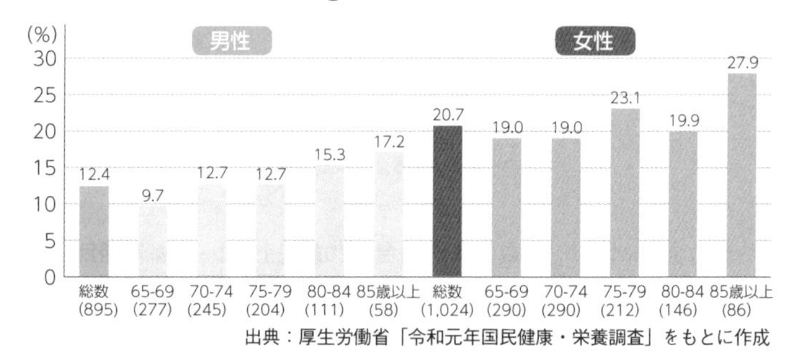

出典：厚生労働省「令和元年国民健康・栄養調査」をもとに作成

また、BMI20以下の**低栄養傾向にある高齢者**の割合が高くなっており、男女とも80代以上で高い割合になっています。高齢になると体を動かす機会が減り、お腹がすかないため食事量が減り、低栄養状態になると、認知機能にも影響が出ます。**健康寿命**を延ばすためには、高齢期になっても十分な栄養をとることが大切です。

■食塩摂取量の平均値（20歳以上、性・年齢階級別）

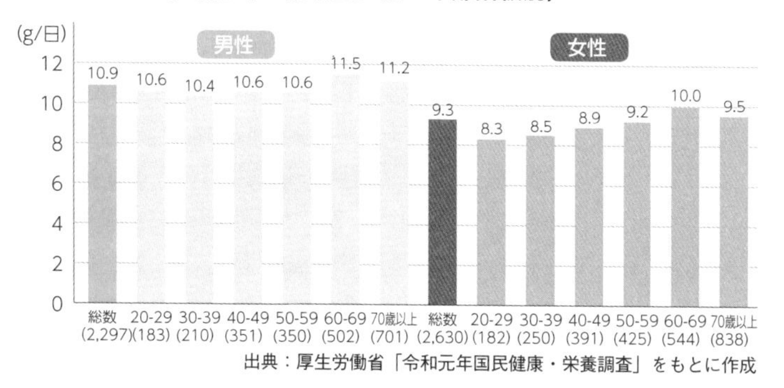

出典：厚生労働省「令和元年国民健康・栄養調査」をもとに作成

「日本人の食事摂取基準（2020年版）」で設定されている成人のナトリウム（食塩相当量）の目標量は**男性が7.5g未満、女性は6.5g未満**となっていますが、いずれの年代でも男性・女性ともに**食塩摂取量[*4]は目標量を上回っています**。とくに男女ともに**60代の摂取量**が多くなっています。高血圧をはじめとした生活習慣病には食塩摂取が関わっています。外食の利用頻度や、塩分の強いインスタント食品の摂取を控えたり、日頃の食事で減塩の工夫をすることが必要です。

でた問!!

***4 食塩摂取量**
20歳以上の食塩摂取量について出題。
R4前・後

子どもの食と栄養

プラス1

外食を利用する割合
外食を週1回以上利用している人の割合は男性41.6%、女性26.7%であり、若い世代ほどその割合は高く、20代の男性が最も高い。

■野菜摂取量の平均値（20歳以上、性・年齢階級別）

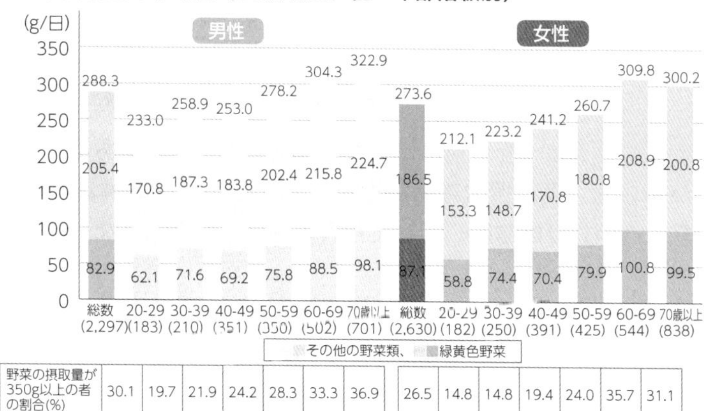

野菜の摂取量が350g以上の者の割合(%)	30.1	19.7	21.9	24.2	28.3	33.3	36.9	26.5	14.8	14.8	19.4	24.0	35.7	31.1

出典：厚生労働省「令和元年国民健康・栄養調査」をもとに作成

「健康日本21（第二次）」では、野菜の摂取量の**目標値を1日350g**としています。しかし**野菜摂取量[*5]**の平均は、280.5g（男性288.3g、女性273.6g）と目標値を下回り、とくに男女ともに**20〜40代の摂取量**が少なくなっています。

***5 野菜摂取量**
20歳以上の野菜摂取量について出題。
H31前、R4前・後

■食習慣改善の意思（20歳以上、性・年齢階級別）

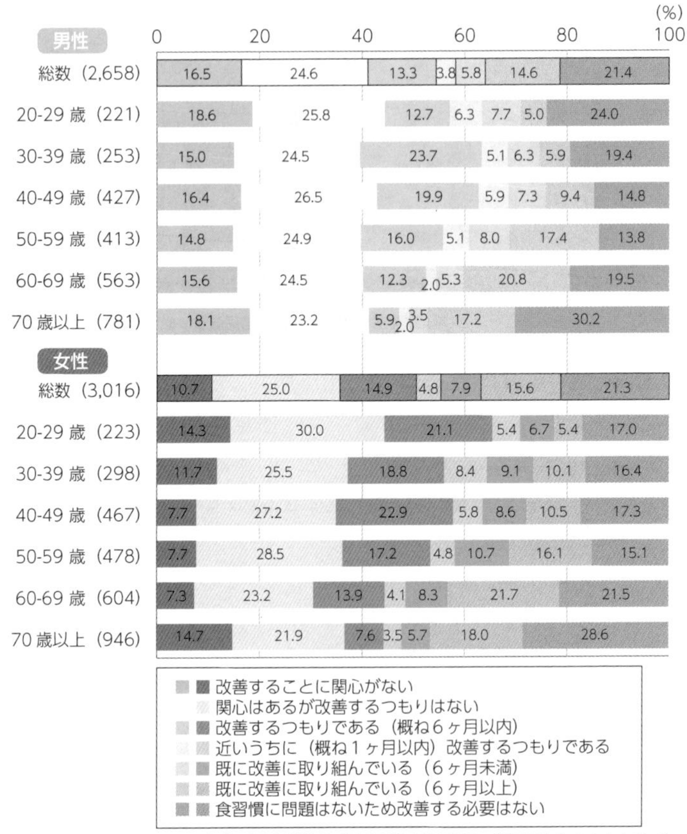

出典：厚生労働省「令和元年国民健康・栄養調査」をもとに作成

でた問!!

[*6] 食習慣改善の意思
20歳以上の食習慣改善の意思について出題。
R4後

このように、食生活においてはさまざまな問題があるにもかかわらず、**食習慣改善の意思**[*6]については、「**関心はあるが改善するつもりはない**」と答えた人の割合が最も高くなっています。

調査結果をもとに、大人の食生活に関するさまざまな問題を見てきましたが、子どもの食生活の課題と共通する部分も多くあります。生活習慣病を発症しやすい因子は、子どものころからの食生活によってつくられます。保育士は、日々の子どもの栄養バランスに気を配るとともに、栄養のことや、適切な食物の選択について、食育などの活動をとおして伝えていくことが大切です。

大人の食生活の課題を知ることで、子どもの食生活の状況もみえてきます。

ポイント確認テスト

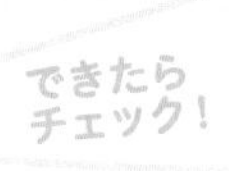

穴うめ問題

□ **Q1**
□ 予想

健康増進法では、「(　　　　)は、国民の健康の増進の総合的な推進を図るための基礎資料として、国民の身体の状況、栄養摂取量及び生活習慣の状況を明らかにするため、国民健康・栄養調査を行う」と規定している。 >>> **p237**

□ **Q2**
□ 過R2後

「令和元年国民健康・栄養調査報告」によると、女性のやせ(BMI<18.5kg／㎡)の割合は、(　　)歳代が最も高い。 >>> **p239**

□ **Q3**
□ 過R3後

外食を週1回以上利用している者の割合は、20歳代の(　　)が最も高かった。 >>> **p241**

□ **Q4**
□ 過R4後

野菜摂取量の平均値は、男女ともに20～40歳代で少なく、(　　)歳以上で多かった。 >>> **p241**

○×問題

□ **Q5**
□ 予想

「国民健康・栄養調査」は、毎年1回実施される。 >>> **p237**

□ **Q6**
□ 過R2後

「令和元年国民健康・栄養調査報告」(厚生労働省)によると、全ての年代で昼食・夕食に比べ、朝食を欠食する割合が高い。 >>> **p238**

□ **Q7**
□ 予想

「令和元年国民健康・栄養調査」によると、肥満者の割合は、男性では約2割である。 >>> **p240**

□ **Q8**
□ 過R4前

「令和元年国民健康・栄養調査結果の概要」によると、20歳以上の者における食塩摂取量の平均値は、減少傾向にあるものの、男女ともに食事摂取基準の目標量を超えて摂取している。 >>> **p241**

解答・解説

Q1　厚生労働大臣　Q2　20　Q3　男性　Q4　60
Q5　○　Q6　○　Q7　×　男性は約3割で、40代が最も多く39.7%である。　Q8　○

子どもの食と栄養 Lesson 6

妊娠・授乳期〜乳児期の栄養と食生活

頻出度 Level 4

難

妊娠・授乳期に必要な栄養素、食生活の注意点をみていきましょう。また、乳汁栄養のポイントについても押さえておきましょう。

ココに注目!!

- 妊娠前からはじめる妊産婦のための食生活指針とは
- 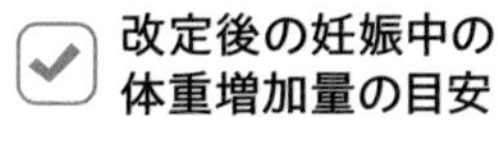

- 乳汁栄養の種類と特徴
- 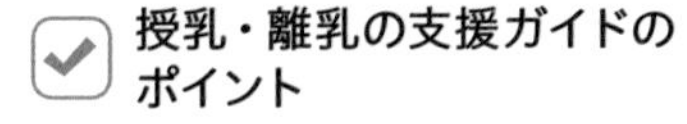

1 妊娠中の栄養と食生活

(1) 妊婦にとって望ましい食生活とは

妊娠中、胎児は母体からの栄養で成長します。つまり、妊娠中の不適切な生活は、胎児にも大きな影響を及ぼすことになります。「**妊娠前からはじめる妊産婦のための食生活指針**[*1]」(2021〔令和3〕年、厚生労働省)には、妊娠前から気をつけるべき食生活の注意点がまとめられています。

① 妊娠前から、バランスのよい食事をしっかりとりましょう
②「主食」を中心に、エネルギーをしっかりと
③ 不足しがちなビタミン・ミネラルを、「副菜」でたっぷりと
④「主菜」を組み合わせてたんぱく質を十分に
⑤ 乳製品、緑黄色野菜、豆類、小魚などでカルシウムを十分に
⑥ 妊娠中の体重増加は、お母さんと赤ちゃんにとって望ましい量に
⑦ 母乳育児も、バランスのよい食生活のなかで
⑧ 無理なくからだを動かしましょう
⑨ たばことお酒の害から赤ちゃんを守りましょう
⑩ お母さんと赤ちゃんのからだと心のゆとりは、周囲のあたたかいサポートから

健康な子どもを生み育てるためには、妊娠前からバランスのとれた食事と適正な体重を心がけることが必要です。妊娠・授乳期は、主食、ビタミン・ミネラルの摂取により気を配りましょう。胎児の神経管閉鎖障害のリスクを低減することが数多

プラス1

「妊娠前からはじめる妊産婦のための食生活指針」
2021年の改訂前は「妊産婦のための食生活指針」であったが、若い世代の「やせ」の割合の高さや野菜の摂取量の少なさが、国際的にみて低出生体重児割合が高いことに影響しているなどの課題を受けて、「妊娠前からはじめる」という文言が追加された。

***1「妊娠前からはじめる妊産婦のための食生活指針」**
注意点について出題。
R3後、R4前、R5前・後

くの研究でわかっている葉酸については、多くの場合、妊娠を知るのは神経管ができる時期よりも遅いため、**妊娠に気づく前の段階**からの摂取がすすめられています。また葉酸の種類については、サプリメントや強化食品などに含まれる**狭義（きょうぎ）の葉酸**を1日400μg摂取することが望ましいとされています。

体づくりの基礎となる「主菜」は適量を心がけ、肉、魚、卵、大豆料理をバランスよく取り入れましょう。「**妊婦への魚介類の摂食と水銀に関する注意事項**[*2]」（2010〔平成22〕年）においては、魚介類は、良質なたんぱく質や、**EPA、DHAなどの不飽和脂肪酸**をほかの食品より多く含み、健康的な食生活には不可欠であるとされています。魚介類には微量の水銀が含まれていますが、一般的には含有量が低いので健康には害を及ぼさないとされています。しかし、なかにはキンメダイやメカジキ、クロマグロ、メバチマグロなど、注意すべき魚介類もあります。通常の摂食で差し支えない魚介類としてキハダ、ビンナガ、メジマグロ（クロマグロの幼魚）、ツナ缶があげられます。

喫煙（受動喫煙を含む）は血管を収縮させて胎盤への血液量を減少させることから、周産期死亡、低出生体重児の出現率の増加が報告されています。また、アルコールは胎盤を容易に通過するため、多量に摂取した場合には胎児の低体重など胎児性アルコール症候群を招きます。

狭義の葉酸
⇨p231

でた問!!

[*2]「妊婦への魚介類の摂食と水銀に関する注意事項」
注意事項の内容について出題。
R3前・後

プラス1

妊娠中に気をつけたい食品
妊娠初期のビタミンAの過剰摂取により先天奇形が増加することが報告されているため、レバーなどビタミンAを多く含む食品の大量摂取は避けるべきである。また、生ハム、スモークサーモン、ナチュラルチーズなど加熱していない食品には、リステリア菌が増殖している可能性があり、胎児に影響がでることがあるため摂取を避けるべきである。

ここは覚えよう!!

妊娠中の体重増加指導の目安 [*1 *3]

妊娠前体格[*2]	体重増加量指導の目安
低体重（やせ）BMI 18.5未満	12～15kg
普通体重 BMI 18.5以上 25.0未満	10～13kg
肥満（1度）BMI 25.0以上 30.0未満	7～10kg
肥満（2度以上）BMI 30.0以上	個別対応 （上限5kgまでが目安）

*1「増加量を厳格に指導する根拠は必ずしも十分ではないと認識し、個人差を考慮したゆるやかな指導を心がける」（産婦人科診療ガイドライン産科編2020 CQ010より）
*2 日本肥満学会の肥満度分類に準じた。
出典：厚生労働省「妊娠前からはじめる妊産婦のための食生活指針」2021年をもとに作成

[*3] 妊娠期間中の体重増加量
妊娠期間中の体重増加量の目安設定について出題。
R6前

(2) 妊娠中によくみられる症状と食生活

❶妊娠初期(14週未満)のつわり

妊娠初期は、多くの妊婦につわりの症状が出現します。つわりのある時期は、十分に栄養摂取ができなくても胎児への影響は少ないので、食べられるときに食べられるものを摂取するようにします。嘔吐が続く場合は、脱水予防のために十分な水分補給に努めます。注意点は以下の通りです。

- **1回の食事量を減らし、回数を増やす**
- **消化のよいものを選ぶ**
- **酸味のある味つけをする**
- **においが気になる場合は冷たい料理を用いる**
- **空腹時間が長くならないようにする**

❷貧血の予防

妊娠中には、母体は胎児に多くの鉄分を吸収され、また分娩(ぶんべん)時には大量の出血により鉄分が失われるため、**鉄欠乏性貧血**が起こりやすくなります。妊婦の貧血は胎児への影響が大きく、分娩後も母体の体力回復や母乳の分泌に影響を与えるため、非妊娠時から食生活への注意が必要です。貧血の予防には、不規則な食生活は避け、良質のたんぱく質、鉄分、ビタミンC、B_6、B_{12}、**葉酸**、銅などを多く含むレバーや貝類、豆類、緑黄色野菜、海藻類、牛乳などを十分にとります。鉄分はレバーや肉類、赤身の魚などの**ヘム鉄**から摂取すると吸収率が高く、効率がよいでしょう。

❸妊娠中の運動

妊娠中の運動*4については、早産のリスクを増加させないことがわかってきましたが、運動のやりすぎは悪影響を及ぼす可能性があるので、妊娠中に運動を始める場合には医師に相談をしたうえで、無理なく実践することが大切です。また、「令和元年国民健康・栄養調査」(厚生労働省、2020年)によると、女性の歩数の平均値は1日あたり5,832歩であり、「健康日本21(第二次)」の目標値8,500歩を大幅に下回っています。妊娠前から積極的に運動習慣を取り入れることが必要です。

❹便秘の予防

妊娠後期(28週以降)には、胎児の発育、黄体ホルモンの

✚プラス1

つわり
つわりは、妊娠5〜6週ごろに始まり、12〜16週ごろにおさまる。また、この時期は胎児がまだ小さいので、妊婦が栄養素をバランスよく摂取できていなくても、あまり神経質になる必要はない。

非ヘム鉄の吸収
大豆、大豆製品、卵、魚介類、海藻類など吸収率の悪い非ヘム鉄の場合は、柑橘(かんきつ)類、緑黄色野菜などからビタミンC、B_6、B_{12}、葉酸、銅を同時にとると、鉄分の吸収が促進される。

ヘム鉄
⇨p210

***4 妊娠中の運動**
妊娠中の運動について出題。
R6前

✚プラス1

「健康日本21(第三次)」
「健康日本21」は2023年に改訂されて第三次となり、第三次の女性の歩数の目標値は8,000歩となった。

分泌増加にともない、腸の動きが鈍ったり、大腸が子宮に圧迫されるために便秘になりやすくなります。予防のため、食物繊維の多い食品、野菜、果物、水分の摂取に努めます。また、**妊娠高血圧症候群**、**妊娠糖尿病**などが現れやすいので、塩分の濃い料理は避けます。

2 授乳期の栄養と食生活

母乳の生成に不可欠なのが、下垂体前葉（かすいたいぜんよう）から分泌される**プロラクチン**というホルモンです。妊娠中はこのプロラクチンの乳腺への作用を、胎盤から分泌される**エストロゲン**、**プロゲステロン**が抑制しています。出産後はエストロゲンなどは減少するため、速やかにプロラクチンが乳腺に働きかけ、乳汁の分泌が始まります。**射乳を促すホルモン**である**オキシトシン**は、乳児が乳首を吸う刺激（**吸啜（きゅうてつ）刺激**）によって下垂体後葉から分泌されます。また、オキシトシンは子宮の筋肉を収縮させて、**子宮の回復**を促す作用があります*5。

授乳期には、健康を保ち、十分な母乳分泌ができるよう食生活に注意する必要があります。特に**産褥期（さんじょくき）**には、分娩で消耗した体力や創傷（そうしょう）の回復と、母乳の分泌の両面に配慮することが大切です。エネルギーおよびたんぱく質、ビタミンA、ビタミンB_1、ビタミンB_2、ナイアシン、ビタミンB_6、ビタミンB_{12}、葉酸、ビタミンC、鉄、亜鉛、銅、ヨウ素、セレン、モリブデンは、妊娠前よりも多く摂取することが推奨されています。また、水分の摂取を心がけ、３回の食事で摂取しにくい栄養素については、間食で補う工夫も必要です。なお、アルコールや一部の薬剤は母乳に移行するため、授乳中のアルコール摂取は控え、服薬の際には医師の指示に従うことが大切です。

3 乳児期の栄養

乳児は、**生後５～６か月**まで乳だけで栄養をとります。これを**乳汁（にゅうじゅう）栄養**といい、乳汁栄養の種類には母乳栄養、人工栄養、混合栄養があります。

用語

妊娠高血圧症候群
妊娠20週以降に高血圧になり、産後12週まで高血圧がみられるか、または高血圧に前後してたんぱく尿をともなう症状のこと。妊婦約20人に1人の割合で発症する。

妊娠糖尿病
妊娠中にはじめて発見または発症した糖尿病に至っていない糖代謝異常のこと。

でた問!!

***5 母乳分泌のしくみ**
母乳の分泌を促すしくみについて出題。
R4後、R5後、R6前

用語

射乳
母乳がでてくること。

産褥期
分娩後、母体が妊娠前の状態に回復するまでの期間。通常は６～８週間。

プラス1

母親の影響
母親の飲酒、喫煙、服薬、環境汚染物質（ダイオキシンなど）の摂取などが、母乳の成分に影響する。

（1）母乳栄養

❶初乳と成熟乳

■母乳の初乳と成熟乳

初乳*6	分娩後約１週間までの間に分泌される乳のこと。分泌量は少なく、黄色で粘りがある。新生児に適した性質をもち、酵素や免疫性に富み、乳児の胎便の排出を促す作用もある。成熟乳に比べ、たんぱく質やミネラルを多く含んでおり、乳糖が少ない。
成熟乳（成乳）	分娩後10日目くらいで、初乳から移行乳をへて成熟乳になる。初乳よりは低いが免疫性があり、また腸内に乳酸菌の繁殖を促す作用がある。組成は一定し、乳児の健康な発育成長に必要な栄養素をバランスよく含んでいるため、生後数か月は母乳だけで育てることができる。

❷母乳栄養の特徴

母乳*7は、乳児に必要な栄養素のすべてを適切な割合で含んでおり、ほとんど全部が消化吸収されるので、代謝負担がきわめて少ないという特徴があります。ほかにも、感染抑制物質や乳酸菌を含むため抵抗力・腸内環境を改善するという健康面や、**母と子の愛着形成**といった心理面のメリットがあります。しかし、「母乳が不足気味」、「母乳が出ない」、「子どもが母乳を飲むのを嫌がる」といったケースに加え、母親が外出先や勤務先で授乳を行うデメリットも指摘されています。

❸授乳法

授乳については、次のような点に気をつけます。

回数や間隔は特に決まっていません。乳児が欲しがるとき（**自律授乳**）、あるいは母親が与えたいときに行います。授乳時間は１回10～15分程度です。

乳児をゆったり抱き、清拭（せいしき）した乳首を深く含ませます。一方の乳房だけで１回分が十分足りる場合は、授乳ごとに左右を交互に与え、足りない場合は、一方を飲ませきってからもう一方に移り、次の授乳の際には反対の側から飲ませるようにします。目と目を合わせ、優しく声をかけるなど、安心して心をふれあわせる時間としての意義も重要です。授乳がすんだら乳児を縦に抱いたままか、乳児の胃部を母親のほうに当てて、軽く背中を叩いて排気（げっぷ）をさせます。授乳のときに乳と一緒に飲み込んだ空気をだし、吐乳（とにゅう）を防ぐためです。

***6 初乳**
初乳と成乳について出題。
R5後、R6前
初乳の成分について出題。
R6前

***7 母乳栄養**
「母乳育児がうまくいくための10のステップ」の支援内容について出題。
R3後

プラス1

母乳と乳幼児突然死症候群（SIDS）の関連性
母乳育児の場合、SIDSの発症率が低いと報告されている。

「母乳育児がうまくいくための10のステップ（2018年改訂）」
ユニセフとWHOの共同宣言として1989年に発表された「母乳育児成功のための10か条」が2018年に改訂され、病院で乳児用調整粉乳や哺乳びんの販売促進をしない、病院のスタッフに母乳育児支援のためのトレーニングを行う、医療的な理由がある場合以外は母乳だけを与える、母子同室を推奨する、哺乳瓶・人工乳首・おしゃぶりのリスクについて母親に助言することなどが10のステップの形にまとめられた。

（2）人工栄養

人工栄養とは、母乳の代用品として育児用ミルクを与えることをいいます。

❶乳児用調製粉乳の特徴

乳児用調製粉乳[*8]（育児用ミルク）を用いる場合には、衛生上の観点から特に気をつける点があります。

- **使用する湯は70℃以上を保つこと**
  （高温の湯を扱うので、やけどに注意する）
- **調乳後２時間以内に使用しなかったミルクは廃棄すること**

乳児用調製粉乳の製造工程を無菌にすることは困難です。開封後も病原微生物に汚染される恐れがあることから、上記の点をしっかりと守ることが必要です。

❷調乳の方法

調乳の方法には、**無菌操作法**[*9]と**終末殺菌法**があります。

■**無菌操作法による乳児用調製粉乳の調乳方法**

①	調乳する場所を清潔にし、消毒する。
②	石けんと水で手を洗い、**清潔なふきん**で水を拭き取る。
③	飲料水を沸かす。やかんや鍋を使う場合は完全に**沸騰**させ、電気ポットを使う場合は、スイッチが切れるまで待つ。
④	粉ミルクの容器にある説明文を読み、必要な水の量と粉の量を確認する。量は正確でなくてはならない。
⑤	洗浄・殺菌した哺乳瓶に、正確な量の湯を注ぐ。湯は**70℃以上**に保ち、沸かしてから30分以上放置しないこと。
⑥	哺乳瓶の湯の中に、粉ミルクを加える。
⑦	やけどしないよう清潔なふきんを使って哺乳瓶を持ち、中身が完全に混ざるよう哺乳瓶をゆっくり振るか回転させる。
⑧	ミルクが混ざったら、流水を当てるか、冷水または氷水の入った容器に入れ、**授乳できる温度**まで冷やす。このとき、中身を汚染しないよう、冷却水は哺乳瓶のキャップより下に当てること。
⑨	哺乳瓶の外側についた水滴を、清潔なふきんで拭き取る。
⑩	腕の内側に少量のミルクを垂らして、授乳に適した温度になっているか確認する。**生暖かく感じ**、熱くなければ問題ない。熱く感じた場合は、授乳前にもう少し冷ます。
⑪	ミルクを与える。
⑫	調乳後**2時間以内**に使用しなかったミルクは捨てること。

✚プラス1

育児用ミルクの感染リスク
育児用ミルクには乳幼児の髄膜炎（ずいまくえん）や腸炎の発生に関連しているとされるサカザキ菌の感染リスクがある。

[*8] 乳児用調製粉乳
乳児用調製粉乳の特徴について出題。
R2後、R4前

[*9] 無菌操作法
無菌操作法の調乳について出題。
H31前、R1後、R4後、R5前、R6前

用語

終末殺菌法
複数回分をまとめて調乳して哺乳瓶に振り分け、最後に哺乳瓶ごと殺菌する方法。大量に乳汁が必要となる産院や乳児院で用いられている方法。

育児用ミルクを温める際は、加熱が不均一になったり、一部が熱くなる「ホット・スポット」ができ、乳児の口にやけどを負わせる可能性があるので、電子レンジは使わないようにしましょう。

❸人工栄養の種類

人工栄養には一般的な乳児用調製粉乳のほか、次のものがあります。

- **治療用ミルク**……病気の治療用に調製されたもの。牛乳たんぱくに対するアレルギー用の**大豆乳**、心臓疾患や腎臓疾患用の**低ナトリウム粉乳**、腎不全用の**低リンミルク**、牛乳たんぱく質を消化しやすいよう分解した**ペプチドミルク**などがある。
- **フォローアップミルク**（離乳期用調製粉乳）……離乳後期から離乳完了期（1歳以降）に、鉄不足のリスクがあるような場合に、不足しがちな栄養素を補う目的で成分を調製してある。母乳代替食品ではないので、離乳が順調な場合は摂取する必要はない。
- **乳児用液体ミルク**[*10]……液状の人工乳を容器に密封したもので、**常温保存**が可能なものをいう。調乳を行う必要がないため、すぐに飲むことができる。

でた問!!

***10 乳児用液体ミルク**
液体ミルクの特徴について出題。
R4前、R5後

***11 牛乳と母乳の成分**
母乳のたんぱく質含量について出題。
R2後
牛乳と母乳の成分の違いについて出題。
R5前

＋プラス1

フェニルアラニン除去ミルク
フェニルケトン尿症の場合はフェニルアラニンが入っていない特殊ミルクを治療用として与える。
フェニルケトン尿症
⇨保健 p159

ビタミンK
調製粉乳（育児用ミルク）は、母乳に不足しているビタミンKが添加されている。新生児はビタミンKの欠乏に陥りやすく、消化管出血、乳児では頭蓋（ずがい）内出血を起こすおそれがある。このため、出生間もなく産院で、また退院後の複数回、ビタミンKの入ったシロップ（K_2シロップ）を飲ませることが一般的である。

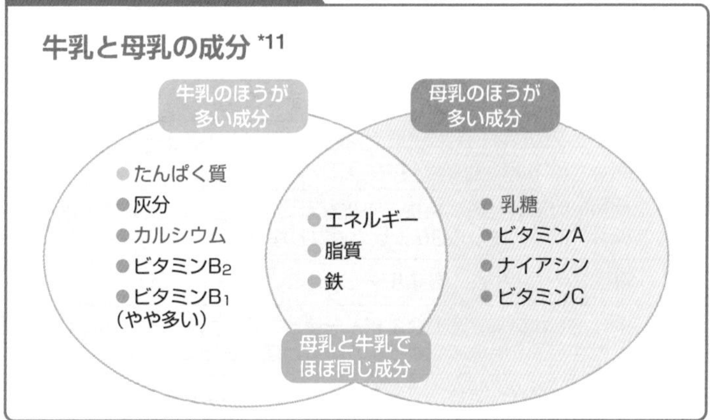

（3）混合栄養

混合栄養とは、母親が何らかの理由で母乳を十分に与えられない場合に、母乳と育児用ミルクを合わせて与えることです。混合栄養を取り入れる要因には、母乳の分泌不足、母親の健康上の事情、疲労などがあげられます。

（4）「授乳・離乳の支援ガイド」における支援のポイント

授乳や離乳の望ましい支援のあり方について、厚生労働省は「**授乳・離乳の支援ガイド**（2019年改定版）*12」（2019〔平成31〕年）にまとめています。ここでは、授乳等の支援のポイントとして、次のような内容を示しています。

***12「授乳・離乳の支援ガイド」**
「授乳・離乳の支援ガイド」の記述から出題。
R1後

❶妊娠期の支援

妊娠期には、母乳で育てたいと思っている人が無理せず自然に実現できるよう、支援を行います。妊婦やその家族に対し、具体的な授乳方法や母乳（育児）の利点等について、両親学級や妊婦健康診査等の機会を通して情報提供を行います。

❷授乳開始期～授乳のリズム確立までの支援

出産後から退院までの間は母親と子どもが終日、一緒に居られるようにし、子どもが欲しがるとき、**母親が飲ませたいときにはいつでも授乳**できるようにします。静かな環境で、目と目を合わせて優しく声をかけるなど、授乳時の関わりを伝えます。母親と子どもの状態を把握し、母親の感情を受け止め、**焦らず授乳のリズムを確立できるよう支援する**ことが必要です。父親や家族等への情報提供も行います。また、子育て世代包括支援センターなど、困ったときに相談できる場所の紹介や仲間づくり、産後ケア事業等を活用し、きめ細かな支援を行うことも考えられます。

母乳栄養の場合、出産後はできるだけ早く、**母子がふれあって母乳を飲めるよう支援**します。子どもが欲しがるサインや、授乳時の抱き方、乳房の含ませ方等について伝え、適切に授乳できるよう支援します。また、母乳が足りているか等の不安がある場合は、子どもの体重や授乳状況等を把握するとともに、母親の不安を受け止めながら、自信をもって母乳を与えることができるよう支援します。

母親は授乳量が足りているかということに不安を抱きやすいので、乳幼児身体発育曲線を使用して発育の状況を評価するだけでなく、授乳回数や量、便の回数、量、機嫌などから判断し、子どもの状況に応じた支援を行うことが重要です。

母親の疾患や感染症、薬の服用、子どもの状態、母乳の分泌状況などのさまざまな理由から育児用ミルクを選択する母親に対しては、十分な情報提供のうえ、**その決定を尊重する**とともに母親の心の状態にも十分配慮した支援を行います。また、育児用ミルクについては、使用方法や飲み残しの取扱等について、安全に使用できるよう指導します。

＋プラス１

哺乳量の測定法
授乳直前と直後に体重を量り、その差が哺乳量となる。

乳児の体重増加
乳児は、月齢が小さいほど、１日の体重の増加量が多い。

1日の哺乳量（g）
１か月　600～700
２か月　700～800
３か月　800～900
４か月以降
900～1,000

母乳栄養の場合には、子どもがどのくらい母乳を飲んだのかが把握しづらいため不安を抱きやすいのです。逆に、育児用ミルクの場合は、飲んだ量がはっきりとわかることから、目安量より多い、少ないなどの理由で母親が不安を抱きやすくなります。

混合栄養の場合、**母乳育児を続けるために育児用ミルクを有効に利用する**という考え方に基づき支援を行います。母乳のでで方や量は異なるため、母親の思いを傾聴するとともに、母乳分泌のリズムや子どもの授乳量に合わせた支援を行います。

❸授乳の進行

授乳のリズムが確立するのは、生後６～８週といわれていますが、個人差があるので、母親等と子どもの状態を把握しながら支援していきます。

母乳栄養の場合、母乳不足感や体重増加不良などへの専門的支援や、困ったときに相談できる母子保健事業の紹介等、**社会全体で支援できるように**関わっていきます。

育児用ミルクの場合、授乳量は、子どもによって異なるので、**回数よりも１日に飲む量を軸に考える**ようにします。１日の目安量に達しなくても、子どもが元気で、順調に体重が増えているならば心配はありません。母親等と子どもの状態を把握しながら焦らず授乳のリズムを確立できることが大切です。

混合栄養の場合、授乳回数を減らすことによって、母乳分泌が減少するなどして母乳育児の継続が困難になる場合がありますが、**母親の思いを十分傾聴**し、育児用ミルクを利用するなど適切に判断します。

❹離乳への移行

いつまで乳汁を継続することが適切かに関しては、**母親等の考えを尊重しながら**支援をすすめます。母親等が子どもの状態や自らの状態から、授乳を継続するか離乳へ以降するかを判断できるよう、情報提供を行う必要があります。

4　離乳期の栄養と食生活

（1）離乳食のすすめ方と内容

離乳とは、乳汁のみの栄養から、半固形食（離乳食）を経て、しだいに主食を固形食形態に移すことです。「**授乳・離乳の支援ガイド**」では、離乳の支援のポイントを次のように示しています。

❶離乳の開始

- **離乳の開始**[*13]とは、**なめらかにすりつぶした状態の食物**をはじめて与えたときをいい、時期は**生後5、6か月**ごろ。
- 開始時期の目安は、**首のすわり**がしっかりして寝返りができ、5秒以上座れる、食物に興味を示す、スプーンなどを口に入れても舌で押しだすことが少なくなる（哺乳反射の減弱）など。
- 発育および発達には個人差があるので、月齢はあくまでも目安であり、子どものようすを確認しながら、親が子どもの「**食べたがっているサイン**」に気づくように支援することが必要である。

***13 離乳の開始**
「授乳・離乳の支援ガイド」における離乳の開始について出題。
R6前

❷離乳の進行

- 離乳初期（生後5～6か月ごろ）には、離乳食は1日**1**回与える。母乳または育児用ミルクは授乳のリズムに沿って子どもの欲するままに与える。この時期は、**離乳食**[*14]を飲み込むこと、その舌触りや味に慣れることが主目的である。口唇を閉じて、捕食や嚥下（えんげ）ができるようになり、口に入ったものを舌で前から後ろに送り込むことができる。
- 生後7～8か月ごろ（離乳中期）からは、離乳食は1日**2**回にして生活リズムを確立していく。かたさの目安は、**舌でつぶせる程度**。食べ方は、舌とあごの動きは前後から上下運動へ移行し、それにともなって、口唇は左右対称に引かれるようになる。食べさせるときは平らな離乳食用のスプーンを下唇に乗せ、上唇が閉じるのを待つ。母乳または育児用ミルクは離乳食のあとにそれぞれ与え、離乳食とは別に母乳は授乳のリズムに沿って子どもの欲するままに、育児用ミルクは1日に**3**回程度与える。
- 生後9か月ごろ（離乳後期）から、離乳食を1日**3**回にしていく。舌で食べ物を歯ぐきの上に乗せられるようになるため、**歯や歯ぐきでつぶすことができる**ようになり、口唇は**左右非対称**の動きとなる。このころから始まる**手づかみ食べ**は、子どもの発育および発達を促す行動である。食べ物に触ることでかたさや触感を体験することは、食べ物への関心、食べる意欲につながる。離乳食の量は食欲に応じて増やし、離乳食のあとに母乳または育児用ミルクを与え

***14 離乳食**
離乳食のすすめ方について出題。
H31前、R3前・後、R4前、R5前

離乳中期ごろには、調味する前のものを取り分けたり、薄味のものを適宜取り入れたりして、食品の種類や調理法が多様になるような食事内容にします。

る。離乳食とは別に、母乳は授乳のリズムに沿って子どもの欲するままに、育児用ミルクは1日2回程度与える。

- 離乳の進行は、子どもの発育および発達の状況に応じて食品の量や種類、形態などを調整しながら、食べる経験を通じて摂食機能を獲得し、成長していく過程である。食事を規則的にとることで生活リズムを整え、食べる意欲を育み、食べる楽しさを体験していくことを目標とする。
- 食べる楽しみの経験としては、いろいろな食品の味や舌触り、手づかみによって自分で食べることを楽しむだけでなく、家族で食卓を囲むことを通じてコミュニケーションを図るといった食育の観点も含めて進めていくことが重要である。

乳歯が生え始めるのは生後6～7か月ごろ。前歯が8本生えそろうのは1歳前後。離乳完了期（生後12～18か月ごろ）の後半ごろに奥歯が生え始めます。

❸離乳の完了

- **離乳の完了**とは、生後12～18か月ごろに、**形のある食物をかみつぶす**ことができるようになり、**エネルギーや栄養素の大部分が母乳または育児用ミルク以外の食物からとれるようになった状態**をいう。
- 食事は1日3回、そのほかに1日1～2回の補食を必要に応じて与え、母乳または育児用ミルクは、子どもの離乳の進行や完了の状況に応じて与える。

乳児ボツリヌス症
ボツリヌス菌に汚染された食品によって発症する感染症で、筋力の低下などの症状がみられる。主な原因食品としてははちみつがある。

でた問!!

***15 乳児ボツリヌス症**
乳児ボツリヌス症の予防について出題。
R3前、R5前
乳児ボツリヌス症の原因食品について出題。
R6前

（2）離乳食のすすめ方の目安

❶食品の種類と組み合わせ

- 離乳の進行に応じて、与える食品の種類や量を増やしていく。
- 離乳の開始時期には、アレルギーの心配の少ない**米がゆ**から始める。新しい食品を与える場合には、離乳食用スプーンで1さじずつ与え、乳児のようすをみながら量を増やしていく。慣れてきたらじゃがいもやにんじんなどの野菜、果物を、さらに慣れたら豆腐や白身魚、かたゆでした卵黄など種類を増やしていく。
- **はちみつは乳児ボツリヌス症***15予防のため**満1歳**まで使わない。
- 離乳の進行にともない、卵は卵黄から**全卵**へ、魚は**白身魚**

から**赤身魚**、**青皮魚**(せいひぎょ)へとすすめていく。ヨーグルト、塩分や脂肪の少ないチーズも用いてよい。食べやすく調理した脂肪の少ない肉類、豆類、各種野菜、海藻というように種類を増やしていく。脂肪の多い肉類については、与える時期を少し遅らせる。

- 母乳育児の場合、生後6か月の時点で**ヘモグロビン濃度が低く**、**鉄やビタミンDの欠乏**を生じやすいなどの指摘がある。そのため適切な時期に離乳を開始し、進行に応じて鉄やビタミンDの供給源となる食品を意識的に取り入れていくことが重要である。
- **ベビーフード**も適切に利用することができる。

離乳食用のベビーフードは、各月齢の子どもに適する多彩な市販品があります。足りない栄養素を補完するなど、用途に合わせて上手に選択して取り入れましょう。

❷調理形態・調理方法

- 離乳の進行に応じて食べやすく調理したものを与える。子どもは細菌やウイルスへの抵抗力が弱いので、調理を行う際には衛生面に十分配慮する。
- 米がゆは、初めは**つぶしがゆ**、慣れてきたら**粗つぶし**、つぶさないままへとすすめ、**軟飯**(なんはん)へと移行する。
- 野菜類、たんぱく質性食品などは、はじめは滑かに調理し、しだいに粗くしていく。
- 離乳の開始ごろには**調味料**は必要ない。離乳の進行に応じて、調味料を使用する場合には、各食品のもつ味を生かしながら、薄味でおいしく調理する。**油脂類**の使用も少量とする。

子どもの食と栄養

5 乳児の栄養方法や食事に関する状況

「**乳幼児栄養調査**」は、全国の乳幼児の栄養方法および食事の状況等の実態を把握し、母乳育児の推進や乳幼児の食生活の改善を目的として厚生労働省が10年に1度行っている調査で、平成27年度のものが最新です。この調査をもとに乳幼児の栄養方法や食事に関する状況をみていきましょう。

授乳期の栄養方法は前回調査(平成17年度)と比べて、**母乳栄養**の割合が増加しました。生後1か月では51.3%、生後3か月では54.7%となっています。混合栄養も含めると生後1か月

▸▸▸ ここは覚えよう!!

離乳のすすめ方の目安

以下に示す事項は、あくまでも目安であり、子どもの食欲や成長・発達の状況に応じて調整する。

		離乳の開始 → 離乳の完了			
		離乳初期 生後5～6か月頃	離乳中期 生後7～8か月頃	離乳後期 生後9～11か月頃	離乳完了期 生後12～18か月頃
食べ方の目安		●子どもの様子をみながら1日1回1さじずつ始める。 ●母乳や育児用ミルクは飲みたいだけ与える。	●1日2回食で食事のリズムをつけていく。 ●いろいろな味や舌ざわりを楽しめるように食品の種類を増やしていく。	●食事リズムを大切に、1日3回食に進めていく。 ●共食（きょうしょく）を通じて食の楽しい体験を積み重ねる。	●1日3回の食事リズムを大切に、生活リズムを整える。 ●手づかみ食べにより、自分で食べる楽しみを増やす。
調理形態		なめらかにすりつぶした状態	舌でつぶせる固さ	歯ぐきでつぶせる固さ	歯ぐきでかめる固さ
1回当たりの目安量 Ⅰ	穀類(g)	つぶしがゆから始める。 すりつぶした野菜等も試してみる。 慣れてきたら、つぶした豆腐・白身魚・卵黄等を試してみる。	全がゆ 50～80	全がゆ 90～ 軟飯 80	軟飯 90～ ご飯 80
Ⅱ	野菜・果物(g)		20～30	30～40	40～50
Ⅲ	魚(g)		10～15	15	15～20
	又は肉(g)		10～15	15	15～20
	又は豆腐(g)		30～40	45	50～55
	又は卵(個)		卵黄1～全卵1/3	全卵1/2	全卵1/2～2/3
	又は乳製品(g)		50～70	80	100
歯の萌出の目安			乳歯が生え始める。	1歳前後で前歯が8本生えそろう。	離乳完了期の後半頃に奥歯（第一乳臼歯）が生え始める。
摂食機能の目安		口を閉じて取り込みや飲み込みが出来るようになる。	舌と上あごでつぶしていくことが出来るようになる。	歯ぐきでつぶすことが出来るようになる。	歯を使うようになる。

注：衛生面に十分に配慮して食べやすく調理したものを与える

出典：厚生労働省「授乳・離乳の支援ガイド（2019年改定版）」をもとに作成

では96.5%、生後３か月では89.8%となっています。また、出産後１年未満の乳児の母親のうち、就業していた母親においても生後３か月では49.3%が母乳栄養で授乳しています。

離乳の開始時期は「**平成27年度乳幼児栄養調査**[*16]」によると、生後６か月が44.9%で最も高く、前回調査と比べると**１か月遅くなって**います。完了時期についても、生後13〜15か月が33.3%と最も高く、前回調査に比べ１〜３か月遅くなっています。

離乳食について、**約75%**の保護者が何らかの困りごとを抱えています。０〜２歳児の保護者が最も困ったこととしているのは「**作るのが負担、大変**」の33.5%です。次いで「もぐもぐ、かみかみが少ない（丸のみしている）」の28.9%となっています。

でた問!!

***16「乳幼児栄養調査」**
調査の目的について出題。
R5前
授乳で困ったことについて出題。
R5前・後
離乳食で困ったことについて出題。
R3後、R5後
乳幼児の栄養方法や食事に関する状況について出題。
R4前・後

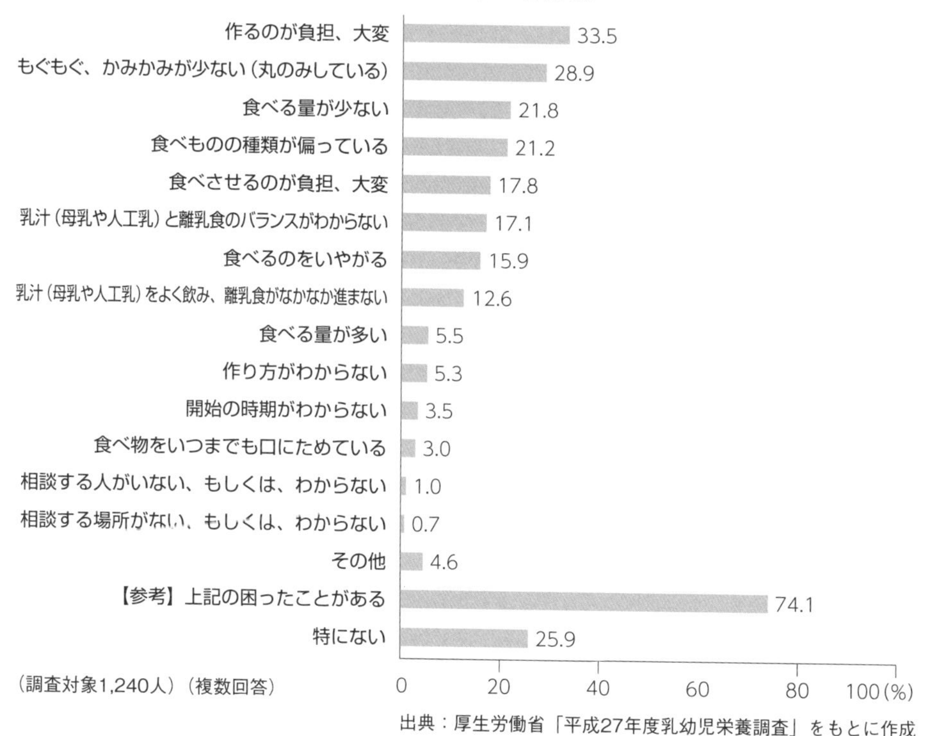

出典：厚生労働省「平成27年度乳幼児栄養調査」をもとに作成

子どもの食と栄養

ポイント確認テスト

穴うめ問題

Q1 過R5前

「妊娠前からはじめる妊産婦のための食生活指針」（令和３年　厚生労働省）では、「『主菜』を組み合わせて（　　　）を十分に」とされている。 >>> p244

Q2 過R5後

乳児が乳首を吸う（　a　）反射とその刺激は、間脳視床下部を経て脳下垂体へと伝わる。下垂体前葉から（　b　）が分泌されて乳汁の合成が促進され、下垂体後葉から（　c　）が分泌され、乳汁を放出して射乳が起こる。 >>> p247

Q3 過R4前

離乳後期は、（　a　）でつぶせる固さのものを与える。離乳食は1日（　b　）回にし、食欲に応じて、離乳食の量を増やす。食べているときの口唇は、（　c　）の動きとなる。 >>> p253

Q4 過R3前

乳児ボツリヌス症予防のために、（　　）歳未満の乳児にはちみつは与えない。 >>> p254

○×問題

Q5 過R3後

「妊娠前からはじめる妊産婦のための食生活指針～妊娠前から、健康なからだづくりを～」（令和３年　厚生労働省）では、特に妊娠を計画していたり、妊娠初期の人には、神経管閉鎖障害発症リスク低減のために、ビタミンKの栄養機能食品を利用することも勧められている。 >>> p244

Q6 過R4後

出産後、エストロゲンが急激に分泌されるため、乳汁の生成と分泌が始まる。 >>> p247

Q7 過R5後

乳児用液体ミルクは、液状の人工乳を容器に密封したものであり、常温での保存が可能なものである。 >>> p250

Q8 過R1後

「授乳・離乳の支援ガイド」（2019年改定版:厚生労働省）の、「授乳等の支援のポイント」では、特に出産後から退院までの間は母親と子どもが終日、一緒にいられるように支援するとしている。 >>> p251

Q9 過R4後

「平成27年度乳幼児栄養調査結果」（厚生労働省）（回答者：０～２歳児の保護者）によると、生後３か月の栄養方法は、母乳栄養と混合栄養を合わせると、約６割であった。 >>> p255

解答・解説

Q1　たんぱく質　Q2　a 吸てつ／b プロラクチン／c オキシトシン　Q3　a 歯ぐき／b 3／c 左右非対称　Q4　1　Q5　×　ビタミンKではなく葉酸。　Q6　×　エストロゲンではなくプロラクチン。　Q7　○　Q8　○　Q9　×　約９割である。

子どもの食と栄養 Lesson 7

幼児期～学童期・思春期の栄養と食生活

頻出度 Level 4

幼児期から学童期・思春期の食生活における注意点をみていきましょう。子どもに寄り添い、正しい食生活をさせることが大切です。

ココに注目!!

- 間食の必要性と、それが示す効果
- 偏食問題とその対応
- 子どもの食事に関する困りごとのまとめ
- 学童期・思春期の肥満と痩身の問題とは

1 幼児期の発達と食生活

(1) 食事の与え方と留意点

幼児期の栄養[*1]では、次のような点に留意します。

- 身体的な**発育**や**運動量**の増加を考慮し、体重１kgあたりのエネルギーや栄養素の必要量を考える。
- **消化・吸収**機能が未熟であるため、食べ物の質や調理方法、与え方に配慮する。
- 自我や情緒の発達にともない食べ物の好き嫌い、食欲のむらが多くなる。無理強いはせず、幼児の意思表示を重視する。
- この時期を正しい**食習慣**を身につけるための第一歩ととらえ、食事も含めた生活リズムを整える。
- １回の食事で消化できる量がまだ**少ない**ので、食事回数や食事量を考慮する。
- 細菌やウイルスに対する抵抗力が弱いため、**衛生面**には十分に注意を払い、**感染予防**を心がける。
- 咀(そ)しゃくに必要な**乳歯**が生えそろう２歳６か月以降は、あごの発達も意識して「６つの基礎食品」からさまざまな味・食感の食品を組み合わせて与える。

でた問!!

[*1] 幼児期の栄養と食生活
幼児期の栄養と食生活の注意点について出題。
R1後

幼児期は、「食」への興味が深まる大切な時期なんですね。

プラス１

乳歯
乳歯は虫歯になりやすく、放置すると咀しゃく機能が遅滞し胃腸に障害を起こす。永久歯にも影響を及ぼすので注意する。

（2）食べ方の発達と援助

脳の発達が著（いちじる）しい幼児期の食生活では、家族関係のなかで食べることを体験として積み重ねながら意識に定着させ、習慣化していくことが求められます。

幼児期は大人の食生活へ移行する**過渡期**にあたります。自我の発達に合わせ、自立を目標とした食生活を営んでいけるよう、周囲の大人の援助や働きかけが重要です。

（3）間食の必要性と与え方

❶間食の意義

幼児は発育が盛んなため、体重１kgあたりのエネルギーや栄養素を大人よりも多く必要とします。しかし、幼児は胃の容量が小さく、消化機能も未熟であるため、３度の食事だけでは十分に栄養素を摂取することが難しく、**間食***2が必要となります。また、代謝が激しい時期なので、**水分補給**の意味でも間食は欠かせません。

*2 間食
間食の役割などについて出題。
H31前、R1後、R4前、R5後

間食は遊びに夢中になっている幼児の休息や気分転換の機会でもあり、**情緒の安定**を図る意義もあります。さらに、間食を通じて親子やきょうだい、友人と楽しみを共有し、**社会性の発達**につながる効果も有します。

間食というと「おやつ」のイメージがあるけれど、幼児にとっては大切な栄養補給です。

❷間食の与え方

1日の総エネルギー量の**10～20%**が適当です。１～２歳児は１日**５回食**（**間食２回**）で、間食は100～200kcal。３歳以上児は１日**４回食**（**間食１回**）で、間食は130～250kcalを目安とします。

間食は時間を決めて規則的に与え、生活リズムの獲得と結びつけます。１～２歳児では**午前、午後の２回**に分け、３歳以上児は**午後１回**が適当です。食事前２～３時間はあけるようにし、起床時や夕食後は避けます。低年齢児は体格や消化能力に個人差があり、食欲は日によって変化しますので細かい観察による配慮が必要です。

❸間食に取り入れたいもの、避けたいもの

間食には、水分が多く消化がよいものを選びます。カルシウ

ムなど、食事で**不足しがちな栄養素**を補うことができる食品を取り入れるのもよいでしょう。

避けたほうがよいのは①消化が悪い、②糖類を多く含む（チョコレート、あめ、洋菓子）、③食塩、脂肪を過剰に含む（スナック菓子）、④刺激が強い（コーヒー、香辛料）、⑤安全、衛生上問題があるもの（合成着色料、期限切れの食品）などがあげられます。

幼児にとって間食は必要なものですが、与え方を誤ると肥満、偏食、食欲不振、虫歯、生活習慣の乱れなどの原因となるので、十分に配慮することが望まれます。甘い飲み物やお菓子を、子どもが欲しがるままに与えすぎないよう注意しましょう。市販品を与えるときは**適量を皿に盛りつけて**食べすぎない工夫をします。子どもと一緒に簡単な**手作りおやつ**を作るのもよいでしょう。

プラス1

間食の状況

「平成27年度乳幼児栄養調査」によると、2〜6歳では、間食として1日に1回甘い飲み物やお菓子をとっている子どもが約半数で最も割合が高い。また、間食の与え方については、「時間を決めてあげることが多い」が約半数で最も割合が高い。

子どもの食と栄養

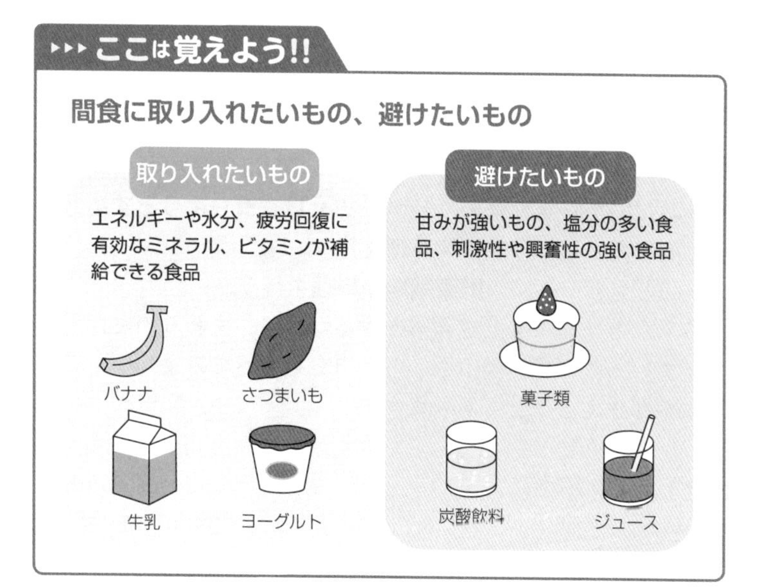

2 幼児期の食生活上の問題点とその対応

（1）好き嫌い・偏食

食べ物の好き嫌いが長期にわたって続くと、成長にともなって**偏食**となることがあります。厚生労働省による「平成27年度乳幼児栄養調査」では、４～５歳で約33%の子どもが偏食であるという結果がでています。

嫌いなものを無理に食べさせることは避けるべきですが、少しずついろいろな食材に挑戦し、食べられるようにすることが望ましいといえます。好き嫌いへの対応としては、子どもごとに特定の食材を食べたがらない理由を分析し、それをもとに以下のような対応を試してみます。

- **小さく切る**、**柔らかくする**、味つけを変えるなど調理を工夫する。
- 好きな食材に少し混ぜる。
- ピーマンなどにおいの強い食材は、調理によってにおいを弱めるなどの工夫をする。
- おだてたり無理強いはせず、**チャレンジしようとする好奇心を育てる**ように言葉かけを行う。
- 子どもと一緒に、**野菜栽培**や**料理**を行う。

みんなと一緒に楽しく食事をするなかで、まわりの友だちが食べているのを見て競争心から「自分も食べてみよう」という意欲が芽生えることもあります。

＋プラス１

自閉スペクトラム症と偏食

自閉スペクトラム症など発達障害のある場合、偏食の出現率が高くなる。揚げ物やスナック菓子、濃い味など刺激の強いものを好む場合、好みの食感に対応しながら少しずつ普通食に近づくような工夫をする。慣れた食べ物にこだわる場合には視覚優位のため、使用食材をわかりやすくし、食べられるものを増やしていくなどの対応をとるとよい。

発達障害

⇨保健p155

（2）食欲不振

幼児期における**食欲不振**（食事を食べない、食べても小食、あるいは食べるときと食べないときの差が大きい、いわゆる「むら食い」など）は、幼児期の食行動の特徴の一つでもあります。１週間のトータルで食べていれば問題はなく、発育が順調ならば、特に心配する必要はありません。

しかし、食欲不振が長期間にわたる、または強度になる場合は、疾病などのほか、次のような原因が考えられます。

ビタミンB_1の不足、糖質のとりすぎも食欲不振を招きます。

まず、考えられるのは**間食のとりすぎ**です。量や回数が多く、不規則に与えすぎていないか確認してみましょう。

また、**精神面の影響**から**食欲不振**をきたすこともあります。親がしつけなどに神経質になり、強制が多くなることで子どもの欲求が満たされていない、家庭内の不和、食事の場の環境などについて調査が必要な場合もあります。

(3) 孤食

1人だけで食事をすることを「**孤食**(こしょく)*3」といいます。孤食は、食事を楽しむという雰囲気が失われ、食事に費やす時間が概して短くなる、家庭や地域で昔から伝承されてきた食文化の喪失につながるという問題があります。

また、孤食においては、食事内容も簡単に作れることなどが優先され、画一的になりがちです。テイクアウトや惣菜など**中食**(なかしょく)*3の増加による、食の簡便化も指摘されています。食事は、ただ栄養を摂取するだけのものではなく、できるだけ家族や仲間と一緒に食べ、**コミュニケーション**の場として意識することが重要です。ともに同じ食事をとり、感じたことを共有する「**共食・共感**」は社会性を育てる大切な機会でもあります。

(4) 生活・食事リズムの乱れ

夜型の大人の生活が、子どもにも影響を及ぼしています。2023(令和5)年の「幼児健康度調査」(日本小児保健協会)によると、満1〜7歳未満の幼児では、夜10時以降に就寝する割合が全年齢平均で約20%を占めています。

就寝時間が遅いと、起床時刻の遅れにつながって朝食を満足にとれない要因になり、1日の**生活リズム**に影響するおそれがあります。対応としては、午睡(ごすい)をとりすぎて夜の就寝を妨げないように注意し、夕食、就寝時間ともに遅くならないように配慮します。

でた問!!

***3 孤食、個食、中食**
食生活の課題について出題。
R3前、R5前
中食について出題。
H31前

プラス1

個食
家族それぞれが別々の料理を食べること。

子食
子どもだけで食べること。

中食
できあがった料理を購入して家庭で食べること。

内食
家庭内で手づくりした料理を食べること。

共食の状況
「平成27年度乳幼児栄養調査」によると、朝食では「おとなの家族の誰かと食べる」、夕食では「家族そろって食べる」がそれぞれ最も高くなっている。しかし、朝食では18.1%の子どもで孤食がみられる。

幼児の就寝時間
「幼児健康度調査」で10年ごとに実施されている。2023(令和5)年で5回目となる。

(5) 幼児期の食事に関する状況

「乳幼児栄養調査」
⇨p255

***4 子どもの食事で困っていること**
子どもの年齢階級別の食事で困っていることについて出題。
H31前、R2後、R3前、R4後、R5後

「平成27年度乳幼児栄養調査」（厚生労働省、2016年）では、２歳以上の子どもの保護者の約８割が**食事に関する困りごと**[*4]を抱えているとしています。そのなかで、２～３歳未満では**「遊び食べ」**が最も多く、**41.8%**となっています。食べ物をいじったり口に入れた食べ物を口からだして確認したりする行動は、３歳以降になるとしだいに減少します。

また、３歳以上になると**「食べるのに時間がかかる」**が多く、各年齢とも**30%**台となっています。食欲がない、食事量が多すぎる、嫌いなものを無理に食べさせようとしているなど、さまざまな要因が考えられるため、適切に対応することが求められます。テレビや、食卓の近くにおもちゃがあると、食事に集中できなくなることが多いので、気をつけましょう。生活リズムを整える面からも、だらだら時間をかけて食べることが習慣化しないよう30～40分で切り上げるようにします。**「偏食」「むら食い」**なども回答として多くみられ、咀しゃく能力や集中力がまだ未熟なことや、好き嫌いがはっきりとしてくることなどが原因として考えられます。

■現在子どもの食事で困っていること（抜粋）

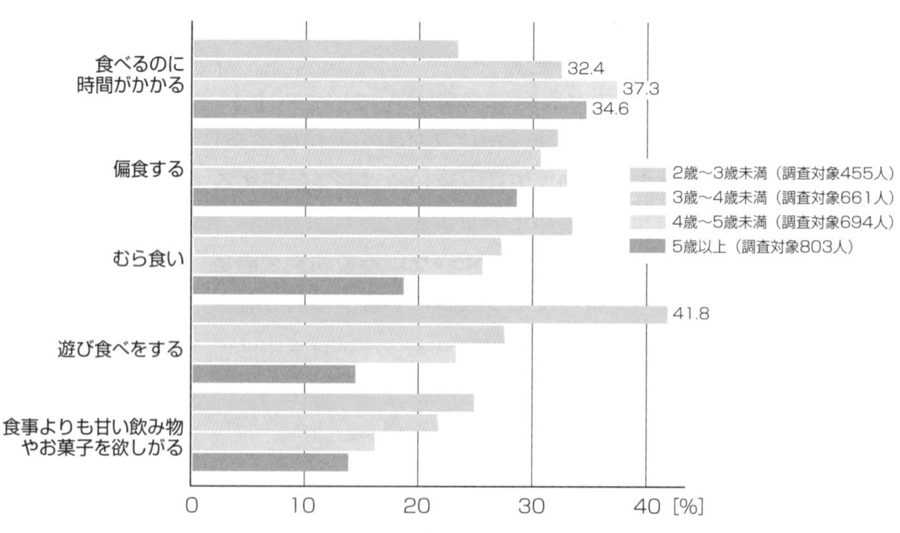

出典：厚生労働省「平成27年度乳幼児栄養調査」を一部改変

3 学童期・思春期の食生活

（1）食生活の問題点

学童期は、一般に6～12歳までの小学生を指します。思春期は、個人差や男女差が大きく、さまざまな定義がありますが、第二次性徴の始まりから生殖機能が成熟するまでの時期といえます。

学童期・思春期には身体の成長が著しく、内臓や筋肉・骨格なども発育するため、それに対応する栄養素が必要となります。しかし、実際の生活では、夜食や間食の多さ、欠食、偏食、減食、節食、孤食などの問題が指摘されています。

栄養面では、脂質や**糖質**の摂取が多い一方、**鉄**や**カルシウム**、**食物繊維**の摂取が少なく、思春期の女子では無理なダイエットを行うなど、栄養素摂取のアンバランスや摂取不足が指摘されています。その結果、貧血、**肥満**、**脂質異常症**（**高脂血症**）、やせ、神経性食欲不振症（拒食症）などさまざまな問題を引き起こし、**生活習慣病**の予備群が増加しています。

学童期後半になると、学校以外に塾やスポーツクラブなどのけいこごとに通う子どもが多く、コンビニエンスストアやファストフードなどの外食を子どもだけで利用する機会も増えます。その結果、食事時間が不規則になったり、栄養素の過不足が起こりやすくなったりします。子ども自身が自分の体の成長や食事に興味をもち、食物を選択する知識を身につけていくことが大切です。

＋プラス1

思春期

WHO（世界保健機関）では思春期を次のように定義。

①第二次性徴の出現から、性成熟までの段階。

②子どもから大人に向かって発達する心理的過程ならびに自己を認識するパターンの確立段階。

③社会経済上の相対的な依存状態から完全自立までの過渡期。

用語

脂質異常症

血液中の中性脂肪（トリグリセリド）や低比重リポたんぱく質（LDL）コレステロールが異常に増加、高比重リポたんぱく質（HDL）コレステロールが低下した状態をいう。

子どもの食と栄養

（2）学童期・思春期における肥満・痩身傾向

「**令和4年度学校保健統計調査**[*5]」（**文部科学省**）によると、小学生の男女とも、高学年になると肥満・痩身（そうしん）傾向児ともに割合が高くなる傾向にあります。

でた問!!

***5「学校保健統計調査」**

小学生の肥満傾向児の出現率について出題。

R3前、R6前

ここは覚えよう!!

年齢別肥満傾向児および痩身傾向児の出現率

● 年齢別　肥満傾向児の出現率の推移

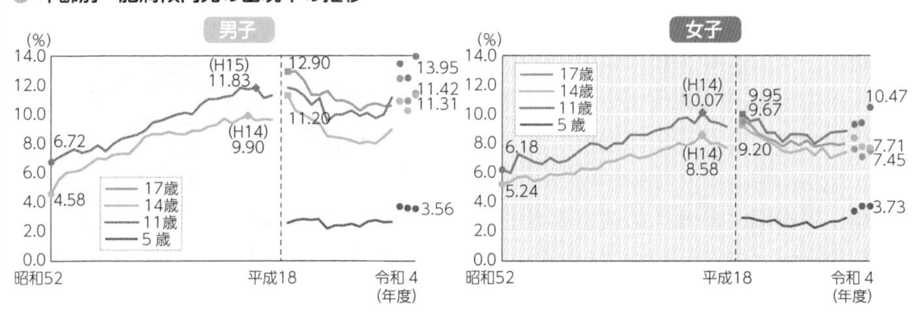

● 年齢別　痩身傾向児の出現率の推移

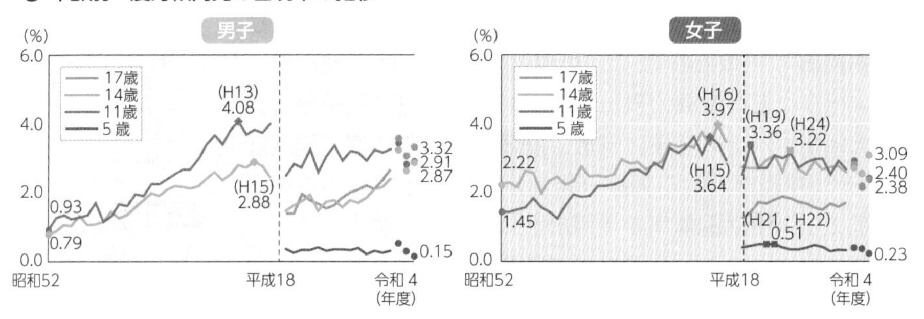

出典：文部科学省「令和４年度学校保健統計調査」をもとに作成

統計の数字が出題されることもありますので
チェックしておきましょう。思春期の女子に
痩身傾向児が増えることも読み取れます。

（3）肥満への対応

❶肥満の危険性

一般に、肥満とは身体の脂肪、主として**皮下脂肪**が過剰に増加した状態をいいます。肥満を放置すると、心臓などに負担がかかりやすくなり、その結果、運動能力が低下し、体力の増進

に支障が生じます。

特に注意が必要な例として、肥満が原因となって脂質異常症や高インスリン血症、糖尿病、脂肪肝による肝機能障害などが生じる場合もあります。さらに、身体的なコンプレックスから消極的な性格になることもあります。また、学童期の肥満は成人期の肥満に移行しやすいとされています。

❷肥満（単純性肥満）の原因

糖質のとりすぎや、運動不足からエネルギー消費が少なすぎることが主な原因となります。夜型の生活から夕食をとるのが遅いことや、朝食の欠食、間食や夜食の回数の増加なども原因にあげられます。体質によっては、糖質をとると脂肪となって体内に蓄積されやすい場合もあるため、自分にとっての適切な糖質の量を把握することが大切です。

❸肥満（単純性肥満）の対応

以下のような対応があげられます。

- **糖質（甘いもの、スナック菓子など）に偏ったエネルギー摂取の食生活を改善する**
- **生活リズムや生活態度の見直し、改善**
- **身体を動かすことの習慣化**
- **１日の食事は３食欠かさず規則正しく**
- **ゆっくりよくかんで楽しい食事を**
- **夜食・むら食べを避ける**

（4）小児のメタボリックシンドローム

メタボリックシンドロームとは、内臓脂肪型の肥満に、高血圧、脂質異常、高血糖などが組み合わさることで、将来的に心臓病などを発症するリスクが高まっている状態をいいます。メタボリックシンドロームの予防は、成人のみが取り組むべき課題ではありません。近年では小児肥満が深刻化し、メタボリックシンドロームとの関連が問題視されています。そこで小児（６～15歳）の診断基準が設けられ、早期発見、早期予防の取り組みが求められるようになりました。

＋プラス１

病的な肥満
単純性肥満のほかに、ホルモンの異常や脳腫瘍、精神的な因子などによる先天的な病気を原因とする病的な肥満がある。

糖尿病
⇨p286

肥満の予防はふだんからの心がけが大事ですね。

成人の診断基準と違って小児では腹囲の基準に男女差はないのですね。

【小児メタボリックシンドロームの診断基準】

腹囲 80cm 以上（小学生は 75cm 以上）、腹囲 ÷ 身長 = 0.5 以上のいずれかに該当する場合であって、

❶中性脂肪 120mg/dl 以上、HDL コレステロール 40mg/dl 未満
❷血圧…収縮期血圧（最高血圧）125mmHg 以上、拡張期血圧（最低血圧）70mmHg 以上
❸空腹時血糖値…100mg/dl 以上

❶〜❸の項目のうち２つ以上に該当する場合を、小児メタボリックシンドロームと診断する。

出典：2007年、厚生労働省研究班による

（5）学童期・思春期のやせの問題

近年では、学童期の後半から思春期にかけて、女子は生理的に脂肪がつきやすくなるため、極端なダイエットに向かう子どもがいることも問題となっています。

「平成30年度・令和元年度児童生徒の健康状態サーベイランス事業報告書」（公益財団法人日本学校保健会、2020年）によると、中学生の女子では３割以上、高校生の女子では５割以上がダイエット経験があると答えています。また、女子のダイエットの開始年齢は低年齢化しており、小学校低学年でもダイエットを実行する子どもがいます。肥満が問題となる一方で、肥満傾向にない子どもたちがダイエットをする傾向が顕著です。

学童期・思春期の成長著しい時期に、必要なエネルギーや栄養素を摂取できない場合、貧血、月経不順、無月経や骨粗鬆症（こつそしょうしょう）を引き起こすこともあります。誤った知識や方法で安易にダイエットを行うことにより、**摂食障害**につながるケースもみられます。

用語

摂食障害
食物の摂取と回数に異常な偏りが生じる、精神障害。体重が増えることへの強い不安から食べることを拒否してしまう「拒食症」、食べたい欲求をコントロールできなくなる「過食症」があり、思春期の女性に多い。

（6）朝食の欠食

「令和元年度全国学力・学習状況調査」（文部科学省）によると、朝食を食べないことがある子どもは小学校６年生で**4.6%**、中学校３年生で**6.9%**になっています。同調査によると、毎日朝食を食べる子どもほど学力調査の**平均正答率が高い**[*6]傾向にあり、「全国体力・運動能力、運動習慣等調査」の**体力合計点も高い**傾向にあります。

***6 朝食の欠食**
朝食の欠食と学力調査の関係について出題。
R3後、R4後

ポイント確認テスト

穴うめ問題

☐☐ **Q1** 過R4前

3歳以上児の間食は、1日の摂取エネルギーの（　a　）%程度を、1日（　b　）回与える。 >>> **p260**

☐☐ **Q2** 過R5後

幼児期では、間食を食事の一部と考え、間食で（　a　）や栄養素、（　b　）の補給を行うことが望ましい。 >>> **p260**

☐☐ **Q3** 過R3後

学童期後半および思春期の肥満傾向児の出現は、（　a　）よりも（　b　）に多い。 >>> **p266**

☐☐ **Q4** 過R4後

「令和元年度全国学力・学習状況調査」（文部科学省）によると、毎日（　　）を食べる子どもほど、学力調査の平均正答率が高い傾向であった。 >>> **p268**

○×問題

☐☐ **Q5** 過R4前

幼児期の間食は幼児の生活に休息を与え、気分転換の場となる役割を果たす。 >>> **p260**

☐☐ **Q6** 過R5後

幼児期には「偏食する」「むら食い」「遊び食べする」などが起きやすい。 >>> **p264**

☐☐ **Q7** 過R4後

「平成27年度乳幼児栄養調査結果の概要」（厚生労働省）の「現在子どもの食事について困っていること」のうち、2～3歳未満児の保護者の回答で割合が、最も高かったのは「遊び食べをする」である。 >>> **p264**

☐☐ **Q8** 過R6前

神経性やせ症（神経性食欲不振症）の思春期女子の発症頻度は、思春期男子と差がない。 >>> **p268**

解答・解説

Q1　a 10～20／b 1　Q2　a エネルギー／b 水分（順不同）　Q3　a 女子／b 男子
Q4　朝食
Q5　○　Q6　○　Q7　○　上位5つは、遊び食べをする、むら食い、偏食する、食事よりも甘い飲み物やお菓子を欲しがる、食べるのに時間がかかる、である。　Q8　×　女子に多くみられる。

子どもの食と栄養 Lesson 8

家庭や児童福祉施設等の食と栄養

頻出度 Level 4

食品に関する基礎知識を身につけることは、バランスのよい献立作成につながります。また、調理の際に気をつけるべき衛生管理についても学びましょう。

ココに注目!!

- 栄養成分の基礎データ 日本食品標準成分表とは
- 6つの基礎食品が示す食品の分類
- 食事バランスガイドの単位と料理区分
- 調理法の種類と食中毒への対応

1 食品の基礎知識

「**日本食品標準成分表**[*1]」とは、各食品に含まれる成分を平均した値をまとめたもので、文部科学省科学技術・学術審議会資源調査分科会により公表されています。

現在は2020（令和2）年に5年ぶりに改訂された「日本食品標準成分表2020年版（八訂）」が用いられています。成分表では、よく使われる2,538食品（2023年増補）を18の食品群に分け、**可食部**100gあたりの数値を載せています。日本人が摂取する食品の栄養成分に関する基礎データとして、広く食や栄養、健康をつかさどる仕事に関わる人、家庭などで活用されています。

でた問!!
*1「日本食品標準成分表」
野菜の分類について出題。
R4前

用語
可食部
食品の骨や皮など食べられない部分を取り除き、実際に食べられる部分をいう。

(1) 食品の分類[*2]

「**6つの基礎食品**」は、中学・高等学校、保健所などで指導に使われる最も一般的な分類です。食品に含まれる栄養素を1～6群に分類しています。

ほかには、食品の色を赤・黄・緑の3つの色に分けて分類する「**3つの食品群（3色食品群）**」もあります。分類は以下の通りです。

- **赤**……肉類、魚類、豆類、乳類、卵など。主に血や肉をつくる。

でた問!!
*2 食品の分類
6つの基礎食品について出題。
R1後、R4前、R5後
3つの食品群について出題。
R5前

- **黄**……穀類、いも類、油脂類など。主にエネルギー源となる。
- **緑**……野菜類、果物類、海藻類など。主にビタミン、ミネラル源となり、体の調子を整える。

▸▸▸ ここは覚えよう!!

6つの基礎食品

出典：厚生省（現厚生労働省）「栄養教育としての「6つの基礎食品」の普及について」1958年をもとに作成

（2）特別用途食品

乳児、幼児、妊産婦、病者などの発育、健康の保持・回復などに適するという特別の用途について表示をした食品と、保健機能食品のうち**特定保健用食品**を**特別用途食品**といいます。

保健機能食品は、医薬品と一般食品の中間に位置するもので、**特定保健用食品**と、**栄養機能食品**と、**機能性表示食品**があります。

✚プラス1

特別用途食品の許可証票

特定保健用食品の許可証票

特別用途食品は、内閣総理大臣の許可が必要。許可されたものには、許可認票をつけることができます。

✚プラス1

機能性表示制度

2015（平成27）年4月から始まった制度。安全性や有効性等の科学的根拠情報などを含めた製品情報を消費者庁に販売前に届けでるだけで、機能性表示ができる。国の評価を受けていないこと、疾病の診断や治療、予防を目的としていないことなどを表示しなければならない。

***3 特定保健用食品**
特定保健用食品の定義について出題。
R4前・後

- **特定保健用食品[3]（トクホ）**……身体の生理学的機能などに影響を与えることが科学的に証明された保健成分を含む食品。血中コレステロール値の降下作用、整腸作用など、特定の作用が期待できることを表示できる。
- **栄養機能食品**……１日に必要な栄養成分の摂取が困難なときに利用する食品（主にサプリメントなど）。基準を満たしていれば個別の許可申請は不要（規格基準型）。

2 献立作成と「食事バランスガイド」

（1）献立作成

***4 献立**
献立の作成について出題。
R3後

献立[4]は、食事の目的に合わせて料理の種類や組み合わせを考え、その順序を定めたものをいいます。作成においては、健やかな発育や健康を保つために栄養バランスがよい献立とすることが大切です。

献立は、**主食→主菜→副菜→汁物→間食**、の順番に作成します。メニューを決めるにあたって、次の点に留意します。

- **対象になる子どもの食事摂取基準や食品構成を確認する**
- **アレルギーのある子どもの場合、使用できない食品があるので注意する**
- **主食と主菜を決める**
- **主菜に用いるたんぱく質性食品を決める（この際、同じ食品の繰り返し、また肉あるいは魚どちらかに偏ることを避ける）**
- **野菜料理を中心とした副菜を決める**
- **盛りつけたときの色の調和も考慮する**
- **味つけや調理法が重ならないようにする**
- **季節感のあるメニューを心がける**
- **年齢により、調理の形態が異なることに注意する**

✚プラス１

一汁三菜
主食と汁物、おかずを３種類(主菜と副菜２つ)で構成される献立をいう。肉や魚、卵などの動物性のおかずを主菜として、野菜や海藻、豆腐などのおかずを副菜として２つというような献立である。

「食事バランスガイド」は、レッスン１で取り上げた「食生活指針」を基本的な考え方としています。

（2）食事バランスガイドの概要

2005（平成17）年に厚生労働省・農林水産省が発表した「食

事バランスガイド*5」は、１日に「何を」「どれだけ」食べたらよいかを考える際のモデルとして、食事の望ましい組み合わせとおおよその量をコマを模したイラストでわかりやすく示したものです。

図のように、主食、副菜、主菜、牛乳・乳製品、果物を５つの料理区分とし、「１つ（SV）」という単位を用い、料理区分ごとに１日にとる料理の組み合わせとおおよその量を表しています。

でた問!!

***5「食事バランスガイド」**
「食事バランスガイド」の単位や料理区分などについて出題。
R2後、R5後

■食事バランスガイド
SV（サービング・食事の提供量）

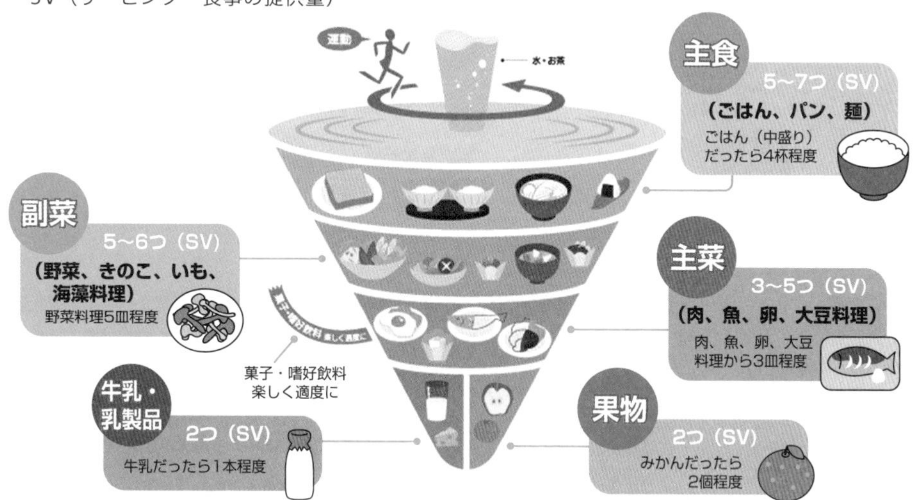

基本となる「食事バランスガイド」は成人向けにつくられたもので、コマのイラストには2,200±200kcalを想定した料理が示されています。

コマの軸は水やお茶を示し、水分の摂取が重要であることを表しています。また、コマを回すひもには「菓子・嗜好飲料楽しく適度に」と書かれ、食事全体のなかでの量的なバランスを考えたうえで楽しみとして適量とることを促しています。

✚プラス１

栄養のバランス
１日の献立の構成を、回数や量のバランスがよい配分にすると、栄養効果が高まる。「６つの基礎食品」から食品を選んで組み合わせれば自然にバランスのよい献立になる。

6つの基礎食品 ⇨p270

（3）幼児向け、妊産婦向けの「食事バランスガイド」

成人向けとは別に、幼児向け、妊産婦向けの「食事バランスガイド」もあります。

子どもの食と栄養

幼児向けのコマは３～５歳児向けに作成されたものです。主食、副菜、主菜のSVの数が成人向けのものより**少なく**、ひもの文言が「お菓子やジュースはちょうどよい量を楽しく」と、わかりやすくなっています。

■幼児向けの「食事バランスガイド」

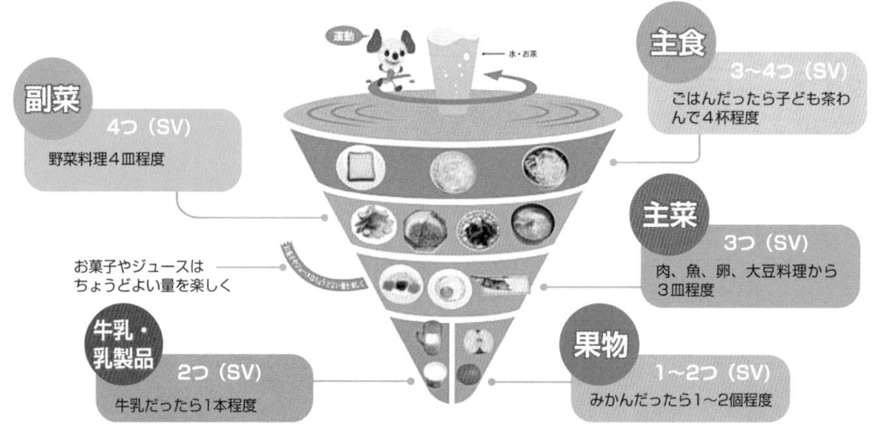

でた問!!

*6「妊産婦のための食事バランスガイド」
「妊産婦のための食事バランスガイド」の妊娠中期付加量について出題。
R6前

妊婦・授乳婦向けの「食事バランスガイド」*6では、非妊娠時と妊娠初期のSVを基本として、**妊娠中期**、**妊娠後期・授乳期**の１日分の付加量がSVで示されています。

■妊産婦のための「食事バランスガイド」

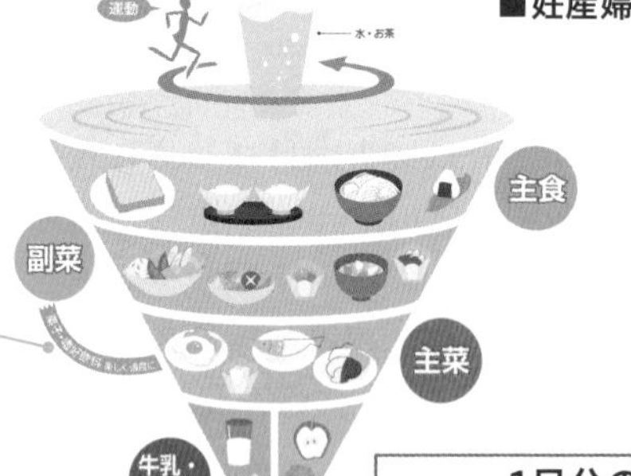

非妊娠時、妊娠初期の1日分を基本とし、妊娠中期、妊娠後期・授乳期の方はそれぞれの枠内の付加量を補うことが必要です。

	1日分の付加量　単位：つ（SV）				
	主食	副菜	主菜	牛乳・乳製品	果物
非妊娠時	5～7	5～6	3～5	2	2
妊娠初期	ー	ー	ー	ー	ー
妊娠中期	ー	+1	+1	ー	+1
妊娠後期・授乳期	+1	+1	+1	+1	+1

非妊娠時に比べ、妊娠中期は副菜、主菜、果物が1SV分、妊娠後期・授乳期は主食、副菜、主菜、牛乳・乳製品、果物がそれぞれ1SV分増えます。

3 調理の基本と食中毒予防

(1) 調理の意義

調理とは、食品に手を加えて食べられるようなものに変えることと定義されています。食品の準備や料理の盛りつけなども調理に含まれます。

調理には、以下のような意義があります。

- **安全性を高める**……食品を洗ったり加熱したりすることにより、体に有害なものを除去したり、寄生虫やウイルス感染を防いだりする。
- **栄養性を高める**……食品を加熱したりすることにより消化吸収を助ける。また複数の食品を組み合わせるなどして、まんべんなく栄養素が摂取できる。
- **嗜好性を高める**……おいしいと感じることで食欲が増進し、精神的にも充足する。
- **食文化を伝承し、形成する**……さまざまな調理法や食に関する文化を伝えるとともに、さらに新しい調理法が生まれる。

(2) 調理の方法

調理の方法[*7]は、大きく**非加熱調理法**と**加熱調理法**に分けられます。調理法によっては、食品そのものの栄養素が失われたり、逆に栄養価が高まったりします。

非加熱調理法には食品の洗浄、包丁などによる切断、混ぜる、こねる、しぼる、つぶす、冷やすなどがあります。最大のメリットは、**熱**によって破壊されやすい栄養素を失わずにとることができることですが、衛生面に十分な配慮が必要です。

加熱調理法は、焼く、煮る、炒める、揚げる、蒸すなどです。病原菌や寄生虫卵を殺す、腐敗を防ぐなどの効果があり、食品をより安全に食べることができる反面、熱により栄養素の一部が失われやすいデメリットもあります。

それぞれの調理法の特性は、次ページでみていきましょう。

でた問!!

***7 調理の方法**
調理の基本について出題。
R4前
調理用語について出題。
R4後

プラス1

加熱調理法の種類
湿式加熱：ゆでる、蒸す、煮るなど水を利用して加熱する方法
乾式加熱：焼く、揚げる、炒めるなど水以外のものを利用して加熱する方法
電磁誘導加熱：電磁誘導による熱を利用して火を使わずに加熱する方法（例：IHコンロ）
誘電加熱：マイクロ波により食品中の水分を振動させて加熱する方法（例：電子レンジ）

■非加熱調理法と加熱調理法の特性

非加熱調理法	●野菜をおろすなどして水分がでることで、水分に含まれるビタミンやミネラルなどの栄養分が失われる ●生食する食品には、アノイリナーゼ（ビタミンB_1分解酵素）やアスコルビナーゼ（ビタミンC酸化酵素）を含むものがあるので、食品相互の栄養が損なわれないように組み合わせに注意する
加熱調理法	●消化をよくする。また、調味料が浸透しやすくなる ●加熱によって風味が増す。また、食感が変化する ●炒める、揚げるなど油を使うことで栄養価が高まる

また、加熱調理法により栄養素は次のように変化します。

■加熱調理法による栄養素の変化

たんぱく質	●加熱によって表面が固まって皮膜をつくるので栄養分の流出を防げるが、最初に低温で加熱すると流出量が大きくなる
脂質	●損失は少ないが、加熱すると油脂の分解が起こる。各油脂の分解温度以上になると有毒なアクロレインガスを発生する。調理の適温は160～180℃
ミネラル	●汁中に溶出するので、煮汁を利用するとよい
ビタミン	●最も損失の大きい栄養素。特にビタミンB_1、Cの損失が大きい ●ビタミンB_1はアルカリ性の溶液中で損失しやすい ●ビタミンCは熱に不安定で損失が大きい。食品の切り方、加熱温度や時間などの要因によって損失率が異なる

加熱調理法ではビタミンが失われやすいのですね。

（3）調理に関する注意事項

ブドウ球菌
黄色ブドウ球菌は、化膿した傷や鼻腔などに存在する。化膿した傷がある場合には、調理に従事しないように注意する。

調理を行うときに注意することは、衛生面と安全面です。

- **調理者は、まず自分自身の健康管理に注意する**
- **爪を短く切る、調理前には必ず手洗いをするなど、常に衛生に気を配る。身体や服装も清潔に保つ**
- **料理は、食事の直前に出す。調理後すぐに食べない場合には、冷蔵庫に保存する**
- **調理器具、食器類は常に清潔に保つ**
- **食中毒が発生した場合の検査用として保存食（調理前・調理ずみの両方）をとっておく**

(4) 食中毒の予防

食中毒[*8]とは、食中毒を起こす原因となる細菌やウイルス、有毒な物質がついた食品の摂取により下痢、腹痛、発熱、嘔吐などの症状が起こる病気のことです。

大人に比べて免疫力が不十分な子どもの場合、少量の食中毒原因菌でも発症しやすく、また重症化しやすい特徴があります。

- **食中毒予防の三原則**……病原体を**付着**させない、**増殖**させない、**死滅**させる。このためには、食品は冷蔵庫や冷凍庫などで保存し、調理する際には十分に洗浄する。
- **検食保存**……食中毒が発生したときに、速やかに原因物質を特定するために、原材料・調理ずみ食品ともに、食品ごとに50g程度ずつ清潔な容器に入れ、−20℃以下で2週間以上**保存**する。
- **HACCP(ハサップ)**……食品の安全性や品質を確保するために危害要因を確認し、それを制御するための管理を行うことをハサップ方式といい、保育所などにおいても導入が必要とされている。

(5) 食中毒の発生状況

食中毒の原因は大きく3つに分類されます。

> **①微生物……細菌(サルモネラ属菌、病原性大腸菌O157、カンピロバクターなど)。ウイルス(ノロウイルスなど)**
> **②天然毒素(ふぐ毒、きのこ毒、ジャガイモの芽[*9]など)**
> **③化学物質(メタノールなど)**

食中毒の発生状況は年度によって異なります。2023(令和5)年の病因物質別発生順位は、細菌・ウイルスではカンピロバクター・ジェジュニ/コリ、**ノロウイルス**、**ウェルシュ菌**、サルモネラ属菌、ぶどう球菌、腸管出血性大腸菌の順でした。また、原因施設別順位は**飲食店**、家庭、販売店の順になります。

でた問!!

***8 食中毒**
黄色ブドウ球菌やO157について出題。
R4前
食中毒予防の衛生管理について出題。
H31前、R1後、R3前・後、R5前・後、R6前

プラス1

HACCP
HACCPの考え方に基づいて、集団調理の場で用いられる「大量調理施設衛生管理マニュアル」が策定されている。

ソラニン
じゃがいもの芽や未熟なもの、日光に当たって緑化した部分にはソラニンが含まれている。食中毒の原因になるため、完全に取り除くことが必要である。

でた問!!

***9 ソラニン**
ジャガイモのソラニンについて出題。
R5後

用語

O157
腸管出血性大腸菌の一種。人体に入ると腸管内でベロ毒素を産生し、下痢、出血性下痢、腹痛を起こし、小児や高齢者では溶血性尿毒症症候群から急性腎不全になり、死に至ることもある。75℃で1分間の加熱で菌が死滅するため、食品の十分な加熱処理が予防に有効である。

■細菌、ウイルス性食中毒の原因、症状、特徴*10

原因菌	原因食品	症状	その他の特徴
サルモネラ属菌	十分に加熱していない卵、肉、魚、生クリームなど	下痢（粘血便）、発熱、腹痛、嘔吐	生卵を割りおきしたものは使用しない。 乾燥に強く、熱に弱い。
カンピロバクター	生肉、十分に加熱していない肉（特に鶏肉）	下痢（粘血便）、発熱、腹痛	乳児の細菌性下痢で最も多い。
黄色ブドウ球菌	化膿した傷やおでき、にきび等の化膿巣を触った手指。鼻の穴、髪の毛などにも存在。	激しい嘔吐、腹痛、発熱はない	食品中で増えるときに毒素をつくる。潜伏期間が30分から6時間と早く症状がでる。
腸炎ビブリオ菌	生の魚や貝などの魚介類が原因	激しい下痢（血便）、腹痛、発熱、嘔吐	真水や熱に弱い。生鮮魚介類は10℃以下で保管し、調理前に流水で洗浄。
腸管出血性大腸菌（O157を含む）	十分に加熱していない肉や生野菜	激しい嘔吐、下痢、腹痛、血便	中心温度が75℃で1分以上の加熱により死滅。
ノロウイルス	汚染された二枚貝（かき、あさり、しじみ）、井戸水など	激しい嘔吐、下痢、腹痛	患者の糞便、汚物からの二次感染に注意。
ウェルシュ菌	カレー、シチューなどの大量加熱調理品	下痢、腹痛	熱に強く、大量調理で発生しやすい。

***10 食中毒原因菌と原因食品**
食中毒原因菌と原因食品について出題。
R4後、R5前

4 児童福祉施設における食事

子どもは家庭のなかで生活し、成長していくことが望ましいのですが、心身の障害などにより家庭での養育が難しい場合や、不適切な家庭環境など、何らかの事情がある場合、家庭に代わる役割を担うのが児童福祉施設です。

児童福祉施設は、「入所施設」と「通所施設」に大別されます。入所施設では１日３食、通所施設ではおおむね１食の食事を提供しますが、入所児童の状況に応じて治療食を提供することもあります。

「児童福祉施設の設備及び運営に関する基準」
⇨保実p320

「**児童福祉施設の設備及び運営に関する基準**」第11条では、児童福祉施設における食事について規定しています。そのなかで、助産施設を除き、入所している者に食事を提供する場合には、その施設内で調理する方法によらなければならないことや、献立はできる限り変化に富み、健全な発育に必要な栄養量を含むこと、入所している者の身体的状況や嗜好（しこう）を考慮したものであること、調理はあらかじめ作成された献立に従って行われなければならないことなどが示されています。

児童福祉施設では、食を通じて子どもたちが身体的にも精神的にも豊かに成長し、食生活や健康を主体的に考え、自分らしい食生活を営む力を育み、社会的自立ができるような環境を設定することをめざします。

（1）施設の種類と食事

児童福祉施設の種類とその性格は多岐にわたり、そこに入所している子どもの状態もさまざまです。

❶児童養護施設

児童養護施設には、保護者のいない児童や被虐待経験のある子ども、身体の虚弱な子どもなどが入所しています。温かな家庭の雰囲気を知らない児童も多いため、適切な指導によって食生活面の問題を正すことが大切です。

栄養面だけでなく、なごやかな雰囲気のなかで食事に対する興味をもたせ、望ましい食習慣が身につくようにすることも忘れてはなりません。

また、障害のある子どもや慢性疾患のある子どもに対しては、それぞれの状態に合わせた**栄養指導**や調理を行うようにします。子どもの発育・発達状況、健康状態・栄養状態と合わせ、養育環境なども考慮した実態の把握も必要となります。

❷障害児入所施設

障害児入所施設に入所している児童は、それぞれに障害の程度や部位，行動などの個人差が大きく、食事面でも拒食や偏食に陥りやすいといえます。少量でもバランスのとれた質のよい食事を提供するように心がけましょう。栄養補給を目的とするだけでなく、食事の提供やその他の活動を通じて、適切な食事のとり方や望ましい食習慣を身につけ、食をとおして豊かな人間性を育むことをねらいとします。心身の健全育成を図る「食育」の実践に努めましょう。

児童養護施設の概要
⇨保実p315

障害児入所施設の概要
⇨保実p316

保育所における食事提供の意義
発育・発達段階に応じて豊かな食に関わる体験を積み重ね、生涯にわたって健康で質の高い生活の基本となる「食を営む力」の基礎を培うことが重要である。

食事提供時の保育者等の配慮
子どもの身体発育・発達、食べる機能、食欲、味覚の発達過程を丹念に観察することが必要である。発達状況に応じて、食品の種類、量、大きさ、固さ、食具等に配慮し、食に関わる体験が広がるように工夫する。

(2) 保育所における食生活

保育所に入所する子どもは0～6歳と年齢差が大きく、また同じ年齢であっても個人差が大きい時期でもあるので、集団生活であっても個々に合ったきめ細かな対応が求められます。入所前に、子どもに関するさまざまな情報を保護者と共有し、把握・記録しておくことが必要です。

「児童福祉施設における食事の提供ガイド*11」(厚生労働省、2010年)においては、各時期の食事の与え方について次のように示しています。

- **乳汁**……「授乳・離乳の支援ガイド」を参考にすすめ、一人ひとりの子どもが、**お腹のすくリズム**が持てるよう、個々の状態に応じた授乳の時刻、回数、量、温度に配慮することが必要である。授乳環境にも配慮が必要である。
- **離乳食**……「授乳・離乳の支援ガイド」を参考にすすめていく。月齢や目安量にこだわった画一的なすすめ方ではなく、**一人ひとりの子どもの発育・発達**が尊重される支援を基本とする。
- **幼児食**……大きく1～2歳児の食事と3歳以上児の食事に分けられる。1～2歳児は乳歯が生えそろう時期であり、離乳が完了しても食品の種類や調理形態に引き続き配慮が必要である。3歳以上児の食事については、さまざまな食べ物を食べる楽しさが味わえるように、多様な食品や料理を組み合わせるよう配慮する。

保育所では保育時間が長いため、昼食だけでなく間食も与えます。一般には**午前の間食**、**昼食**、**午後**の間食を提供しています(延長保育や夜間保育では夕食を提供するケースもあります)。

保育所での食事提供は、子どもが自らの意欲をもって食に関わることのできる体験の場となるように設定します。栽培・収穫、給食食材にふれる体験を保育に取り入れている保育所も少なくありません。また食事の環境を整える当番活動や、栄養の知識に触れる体験を実践している保育所もあります。

保育所における食事では、右ページのような利点と注意点があります。

***11「児童福祉施設における食事の提供ガイド」**
提供ガイドにある「子どもの健やかな発育・発達を目指した食事・食生活支援」の図について出題。
R5前

プラス1

家庭と保育所の食事の連続性
家庭での生活を把握し、朝からの保育所での生活を見通すことが必要である。何を食べたのか、便通はどうか、食欲の有無、体調などを把握して個別対応を行う。日々の献立予定表を保護者に配布して、家庭での食事とバランスをとってもらうなどの工夫も必要である。

■保育所における食事の利点と注意点

利点	注意点
●同じものを一緒に食べることで、子ども同士に親近感が生まれる ●**しつけや教育の場**として、子ども一人ひとりの食事について、援助や指導ができる ●**偏食**を直し、何でも食べる食習慣を育てることができ、望ましい食習慣の形成に役立つ ●子どもの食生活や栄養が改善されるだけでなく、**地域や家庭**の食生活改善にも役立つ	●**集団食中毒**が発生する可能性がある ●集団のため、個人差を考慮しにくく、**画一化**されやすい。各年齢に応じた**食事摂取基準**、**調理形態**、**摂取方法**に配慮する必要がある

(3) 保育所における食事提供の際の安全対策

子どもは、食品をかみ砕いたり、飲み込んだりする力が未熟なため、食べ物がのどに詰まって窒息したり、気管や気管支に入って誤嚥が起こる恐れがあります。硬くてかみ砕かなければならない食品は避け、球状で滑りやすい食品は加熱したり小さく切ったりするなどの工夫が必要です。窒息は命に関わります。月齢・年齢に合わせた食事を提供したうえで、周囲が十分に注意することが必要です。消費者庁は「**食品による子どもの窒息・誤嚥事故に注意！*12**」として次のような注意点を示しています。

誤嚥
⇨p291
⇨保健p172

①**豆やナッツ類**など、硬くてかみ砕く必要のある食品は**5歳以下**の子どもには食べさせないでください。喉頭や気管に詰まると窒息しやすく、大変危険です。小さく砕いた場合でも、気管に入りこんでしまうと肺炎や気管支炎になるリスクがあります。
②**ミニトマトやブドウ**等の球状の食品を丸ごと食べさせると、窒息するリスクがあります。乳幼児には、4等分する、調理して軟らかくするなどして、**よくかんで**食べさせましょう。
③食べているときは、**姿勢を良く**し、**食べることに集中**させましょう。物を口に入れたままで、走ったり、笑ったり、泣いたり、声を出したりすると、誤って吸引し、窒息・誤嚥するリスクがあります。
④**節分の豆まき**は個包装されたものを使用するなど工夫して行い、子どもが拾って口に入れないように、後片付けを徹底しましょう。

***12「食品による子どもの窒息・誤嚥事故に注意！」**
注意点について出題。
R4前、R5前、R6前

子どもの食と栄養

ポイント確認テスト

穴うめ問題

Q1 □□ 過R5前

3色食品群では、（ a ）のグループは主に体を作るもとになり、（ b ）のグループは主に体を動かすエネルギーのもとになる。>>> p270

Q2 □□ 過R5後

「6つの基礎食品」において、果物は、淡色野菜とともに（　　）に分類されている。>>> p271

Q3 □□ 過R6前

「妊産婦のための食事バランスガイド」（令和3年厚生労働省）において、妊娠後期・授乳期の1日分付加量は、主食、副菜、主菜、牛乳・乳製品、果物の5つの区分すべてにおいて、（　　）（SV：サービング）である。>>> p274

Q4 □□ 過R4後

食中毒の原因菌となる（　　）は、主にカレーなどの大量加熱調理品に発生する。>>> p278

○×問題

Q5 □□ 過R5後

「食事バランスガイド」（平成17年厚生労働省・農林水産省）に示されている5つの料理区分に「果物」は含まれていない。>>> p273

Q6 □□ 過R4前

調理で焼く、揚げる、炒めるなど水を利用しない加熱操作を湿式加熱という。>>> p275

Q7 □□ 過R5前

カンピロバクターの食中毒は、十分に加熱していない鶏肉が原因となることが多い。>>> p278

Q8 □□ 過R4前

調理をするとき手指に化膿している傷があると、化膿創に存在する細菌による食中毒を起こす可能性がある。>>> p278

Q9 □□ 過R6前

「食品による子どもの窒息・誤嚥事故に注意！」（令和3年1月消費者庁）では、「硬い豆やナッツ類を乳幼児に与える場合は、小さく砕いて与える」と示されている。>>> p281

解答・解説

Q1　a 赤／b 黄　Q2　第4群　Q3　+1　Q4　ウェルシュ菌

Q5　×　5つの料理区分は「主食」「副菜」「主菜」「牛乳・乳製品」「果物」である。

Q6　×　湿式加熱ではなく乾式加熱である。　Q7　○　Q8　○

Q9　×　5歳以下の子どもには与えない。

子どもの食と栄養 Lesson 9

特別な配慮が必要な子どもの食と栄養

頻出度 Level 3

保育所には慢性的な疾病や障害のある子どもも入所しています。
それぞれの子どもにどのような食の配慮が必要かみていきましょう。

ココに注目!!

- 体調不良時の判断と対応とは
- 食事療法の必要な病気とその留意点
- 食物アレルギーの状況と配慮
- 摂食機能異常で必要な栄養量と対応

1 子どもの病気への配慮

子どもは、体調不良を自分で伝えられない場合が多いため、日ごろのようすと違うことに気づくことが体調不良の発見につながります。

(1) 子どもの疾病の特徴

小児期の疾患には、次のような特徴があります。

- **感染症にかかりやすいうえ、いったんかかると進行が速く、全身症状を起こしやすくなる**
- **消化不良による下痢や嘔吐(おうと)、食中毒などの感染症や腸内細菌による感染、アレルギー疾患など食事に起因する疾病が多い**
- **嘔吐、下痢、高度発汗、多尿などにより脱水症状を起こしやすい**

特別な配慮については、「**体調不良時**[*1]」と「慢性疾患のため食事療法が必要な場合」があります。アレルギー疾患、腎臓病、糖尿病、先天性代謝異常などで治療食が決められている場合には、常に医師、家庭、保育施設などの間で連絡を密にとることが必要です。

用語

感染症
病原微生物が経口・経皮その他種々の経路により体内に侵入して増殖し、発熱・下痢・咳などの症状がでること。
⇨保健p127

生後3～6か月ごろは、母体からもらったIgG（免疫グロブリンの一つ）の濃度が最も低くなるため、この時期感染症にかかると、大変危険です。くれぐれも注意してください。

***1 体調不良時**
体調不良時の対応について出題。
R2後、R4前

（2）体調不良時の対応

❶下痢

下痢
⇨保健p122

下痢とは、通常の便よりも軟らかく水分が多い状態です。排便回数が増えることが多く、においなどにも変化がみられます。便の状態には個人差があるので、通常の便と比較して判断します。

下痢の原因には、食べすぎや胃腸炎、消化不良、感染症のほか、心因性によることもあります。

下痢とともに**発熱**、**吐き気**、**嘔吐**などの症状がなければ脱水症に気をつけ、水分や電解質の補給を心がけます*2。**発熱**、**吐き気**、**嘔吐などが**ある場合には、感染症（ウイルスや細菌）が疑われます。

***2 水分補給**
水分補給のポイントについて出題。
H31前、R4前

特に、生後6か月から2歳くらいまでの乳幼児では冬場にノロウイルス、ロタウイルスなどによるウイルス性の胃腸炎が多くみられます。これらは感染力が非常に強いため、嘔吐物や便を処理する際にはウイルスを拡散させないよう注意が必要です。ロタウイルスは乳幼児嘔吐下痢症の原因の中で一番多く、突然嘔吐し、発熱や白色の水様便をともなうことが特徴です。

＋プラス1
乳児の溢乳（いつにゅう）
乳児の場合、飲んだ乳汁を口の端からダラダラと吐く溢乳がよくみられるが、これは胃の形態が未発達で縦長の筒状なために起こり、病的なものではないことがほとんどである。

下痢が2週間以上続く場合（遷延（せんえん）性下痢）は、食物アレルギーや腸管感染が心配されます。

乳児の場合は特に下痢によって**脱水症状を起こしやすいので注意が必要です**。医師に禁止されていなければ母乳やミルクは飲みたいだけ飲ませます。下痢が長引く場合は、乳糖を含まないミルクに切り替えます。

軽症の下痢の際に母乳や人工栄養を与える場合、授乳の間隔をきちんと空けるようにしましょう。

嘔吐もあるときは水分以外の食物を中止します。離乳食を中止した場合は、水分や乳汁を十分飲めるようになったら、離乳開始のときの要領で、元に戻していきます。

❷嘔吐

嘔吐は、胃の内容物が胃壁の強い収縮によって口まで戻され吐きだされる状態で、腹筋の収縮もあって苦痛をともないます。嘔吐は、消化器疾患の主な症状の一つですが、呼吸器疾患や中枢（ちゅうすう）神経疾患、ストレスなどの心因性、発熱など原因はさまざまです。発生時の状況をよく観察しておくことが大切です。同じ症状が何人か同時に起こった場合は、食中毒の可能性もあります。

嘔吐や吐き気がおさまったら、嘔吐により喪失した**水分**と**電解質**を補給するため、常温程度の幼児用経口電解質液を、ようすをみながら、少しずつ与えます。ウイルス性胃腸炎の場合、吐き気がおさまる前に多くの水分を与えると、さらに嘔吐してしまう場合があるので、ゆっくり少しずつ水分補給します。その後は、刺激がなく水分の多い軟らかい食べ物（かゆやめん類など）を少量ずつ与え、回復を待ちます。回復状態をみて、軟らかく煮た野菜や豆腐、白身魚、卵など、**消化のよい**良質なたんぱく質を与えます。

❸脱水症

脱水症とは、体内の水分が異常に減った状態をいいます。水分の排出量が増えたり、摂取量が減ったり、同時に両方の状態が起こった際などにみられます。

たとえば、暑さのなかで大量に発汗し、水分補給が不足している場合や、嘔吐などで水分が摂取できない場合、発熱や下痢などで水分の排出量が多くなっているときに起こりやすくなります。子どもは大人よりも体重に占める水分の割合が大きく、水分代謝も多いので、脱水症になりやすいのです。

脱水症の症状としては、排尿回数が減る、排尿間隔が長い、唇が乾いている、目が落ちくぼむ、元気がないなどがあります。半日以上まったく排尿がなく、ぐったりしている場合は中度以上の脱水症と判断し、すぐに医療機関を受診します。

汗をたくさんかく場合にはこまめに水分補給をし、脱水症予防に努めましょう。

（3）食事療法

食事療法は、疾病の進行を防止するために行われます。具体的な実施内容については、医師の指示に従う必要があります。ここでは、食事療法の必要な主な疾病について、それぞれの留意点について説明します。

❶急性腎炎

腎臓病のなかで10歳未満の子どもに多い病気です。急性腎(じん)炎(えん)ではたんぱく尿、血尿、浮腫(ふしゅ)（むくみ）、血圧上昇などがみ

子どもの食と栄養

られます。食事療法の目的は腎臓への負荷を軽減し、尿成分が体内に蓄積するのを防ぐことです。たんぱく質の大部分は腎臓で尿中に排泄（はいせつ）されるため、腎臓に負担がかからないよう、たんぱく質の摂取を制限します。また、ナトリウムが体内に蓄積されると浮腫や血圧上昇の原因となるため、塩分の摂取も制限します。浮腫や**乏尿**（ぼうにょう）がある場合には水分も制限します。

❷ネフローゼ症候群

急性腎炎と並び、小児に多い腎臓病の一種です。症状として高度のたんぱく尿がみられ、血液中のたんぱく質が大量に失われますが、治療に用いられる**ステロイド剤**の使用によって血液中のたんぱく質量が正常になるため、たんぱく質を通常より多く摂取する必要はありません。

浮腫に対しては、**水分**と**塩分**の制限を行います。また、治療薬の副作用によって**カリウム**の排泄量が増加する場合は、果物などカリウムの多い食品を摂取するようにします。

❸糖尿病

糖尿病は血糖値が異常に上がり、全身にさまざまな障害が起こる病気です。のどが渇き、尿の回数が多くなります。疲れやすく、空腹感があるのも特徴です。**インスリン**の供給異常による**1型糖尿病**と、主にインスリンの消費異常による**2型糖尿病**に分けられます。

治療の基本は、食事療法、運動療法、薬物療法で、1型では、体内のインスリンの量が絶対的に不足しているため、インスリンを投与します。

1型の場合、健常児とほぼ同じエネルギー量が必要ですが、2型で肥満度**20%**以上の場合、健常児の80%程度の**エネルギー制限**を行います。

脂肪については、健常児と同じように摂取しますが、2型の場合は**不飽和脂肪酸**の多いリノール酸などの植物性の油を多くとるようにします。また、糖質のとりすぎに注意します。

❹先天性代謝異常

先天性代謝異常は、物質代謝に関わる酵素が欠損していたり、活性が低下しているために、体内での物質代謝が先天的に阻害されたりする疾患です。治療としては欠損している物質を補充したり、蓄積する物質を除去した食品を与えるなどしま

用語

乏尿
乏尿とは、尿の排泄量が減ること。小児では1日の尿量が【0.5ml/体重（kg）/時】未満の状態。

ステロイド剤
副腎皮質から分泌されるステロイドホルモンを基礎にしてつくられた薬剤。炎症を抑えるなどの効果があるが、副作用も多いため注意が必要。

プラス1

インスリン
膵臓（すいぞう）から分泌されるホルモンで、血糖値の恒常性を保つ重要な役割をもっている。

糖尿病の分類
現在は1型・2型糖尿病と成因別に分類されているが、それ以前は治療法により、インスリン依存型・インスリン非依存型糖尿病と分類されていた。日本の糖尿病患者の95～97%が2型糖尿病といわれている。

不飽和脂肪酸
⇨p204

す。多くの場合、**治療用ミルク**が用いられます。

先天的に乳糖分解酵素が欠如している**先天性乳糖不耐症**の場合は、乳糖を含まない特殊ミルクや食品を与え、離乳食も乳糖を含む食品を除去します。

2 食物アレルギーのある子どもへの配慮

(1) 食物アレルギーとは

ある特定の食物を食べたあとに、消化器（嘔吐、下痢、腹痛）、呼吸器（喘息、ショック症状）、皮膚（じんましん、かゆみ）など全身の臓器や組織にさまざまな症状が現れることがあります。こうした症状を**食物アレルギー**[*3]といいます。血圧が下がるショック症状が現れるアナフィラキシーも1割程度あるので、厳重な注意が必要です。

消費者庁では、アレルギー発生防止の観点から、加工食品に以下の原材料を使用している場合の**表示**[*4]を義務づけたり、奨励したりしています。

表示が義務づけられている原材料	穀類（小麦・そば）、豆類（落花生）、種実類（くるみ）、畜産物（卵・乳）、海産物（えび・かに）
表示が推奨されている原材料	豆類（大豆）、果実類（もも・りんご・キウイフルーツ・オレンジ・バナナ）、その他の農産物（マカダミアナッツ・やまいも・カシューナッツ・アーモンド・ゴマ）、海産物（さば・さけ・いくら・あわび・いか）、畜産物（牛肉・豚肉・鶏肉）、その他（ゼラチン）

食物アレルギーの多くは食物に含まれる**たんぱく質**が原因です。**アレルゲン**となる食品には**卵**、**牛乳**、**小麦**、**大豆**など、日常的に摂取するものが多くあります。乳児の場合、卵、牛乳、小麦が多く、年長になるにしたがい、ピーナッツ、くるみ、果物、そばなど症状がでる食品が多くなってきます。食物アレルギーは、一般的には年齢が上がると改善して食べられるようになることが多いのですが、重篤な症状となるアナフィラキシーは年齢が上がっても認められる場合が多くあります。

アレルギー治療方法の一つとして、原因食物の除去がありま

でた問!!

***3 食物アレルギー**
食物アレルギーへの対応について出題。
R3前・後、R4前・後、R6前
原因食品と症状について出題。
H31前

用語

アレルゲン
アレルギーの原因となる抗原（身体の成分とは異質の物質）。

でた問!!

***4 アレルギー表示**
アレルギー表示が義務づけられている食品について出題。
R2後、R3後、R6前

プラス1

食物アレルギーの原因となる食品
厚生労働省研究班「食物アレルギーの栄養食事指導の手引き2022」によると、年齢ごとの新規発症の原因食物は0-2歳では、鶏卵の割合が最も高く、3-6歳ではくるみなどの木の実類の割合が最も高い。

保育所におけるアレルギー対応については、別冊38〜39ページの「保育所におけるアレルギー対応ガイドライン」を参照しましょう。

すが、牛乳や卵は発育期の小児には重要な栄養源であるため、制限は必ず**医師の診断**に基づいて行います。

多くの保育所では、アレルギーのある子どもに対して、医師の指示に基づいた除去食（原因となる物質を取り除いた食事）を提供しています。保育士は専門職（嘱託医、看護師、調理員）などと連携して、子どもが誤ってアレルギーの原因となる食物を食べないように気をつけます。食物だけでなく、小麦粘土や牛乳パックの工作などにも注意しなければなりません。

（2）食物アレルギーの状況

「平成27年度乳幼児栄養調査」の結果によると、食事が原因と思われるアレルギー症状を起こしたことがある子どもの割合は14.8%で、そのうち、医療機関を受診した子どもの割合が87.8%、食物アレルギーであると診断された子どもは76.1%です。一方、未受診の子どもは11.2%で、祖母などに相談するなどして対応した割合が高くなっています。

食物アレルギーは症状によっては、生命に関わることがあるため、保護者に対して**病院を受診することの必要性**などを説明しておくことが必要です。**食物除去**[*5]については、行ったことがある割合が23.6%で、そのうちの46.4%は医師の指示で行っていますが、42.1%は**医師の指示を受けずに**行っています。また、食物除去の解除についても、医師の指示で行った者は39.0%で、60.6%は医師の指示を受けずに解除しています。

用語

食物除去
アレルギーの原因となる物質を除去すること。原因となる物質を取り除いた食事のことを除去食という。

でた問!!

***5 食物除去**
食物除去の方法について出題。
R5前

（3）離乳期の食物アレルギーの対応

離乳期の食物アレルギーの対応について、厚生労働省の「授乳・離乳の支援ガイド（2019年改定版）」では、「食物アレルギーの発症を心配して、離乳の開始や特定の食物の摂取開始を遅らせても、食物アレルギーの予防効果があるという科学的根拠はないことから、**生後5〜6か月ごろ**から離乳を始めるように情報提供を行う。離乳を進めるに当たり、食物アレルギーが疑われる症状がみられた場合、自己判断で対応せずに、必ず**医師の診断**に基づいて進めることが必要である。なお、食物アレルギーの診断がされている子どもについては、必要な栄養素等を過不足なく摂取できるよう、具体的な離乳食の提案が必要である。」としています。

(4) 保育士として必要なアレルギー対応

保育所で対応が必要となる主なアレルギー疾患は、アトピー性皮膚炎と食物アレルギーです。そのなかで特に重要な事柄が食物除去の管理です。食物アレルギーで緊急対応が必要になるアナフィラキシー*6ショックは死に至ることもあるため、十分な注意と万が一のときのための準備が必要となります。

*6 アナフィラキシー
アナフィラキシーについて出題。
R6前

食物除去を保護者から依頼された場合には、主治医かアレルギー専門医が記入した生活管理指導表を提出してもらったうえで対応します。調理員と対面して確認し、トレイの色分けをしたり記名するなど、除去食をわかりやすく区別できるようにします。食事の際は、除去食をとる子どものそばについて、ほかの子どもの食べこぼしなどを誤って口にすることがないよう見守ります。

アナフィラキシー
⇨保健p146、148

もしアレルゲンを含む食品を誤って食べたり触ったりしたときは、ただちに口からだしてすすいだり、洗い流したりします。症状の進行がみられた場合、対応する薬を預かっているときには主治医の指示に従って投与します。状況によっては医療機関の受診、救急車を呼ぶなど迅速な対応と判断が必要です。

アナフィラキシーの症状がみられ緊急性が高いと判断した場合には、職員を集め、処方されたエピペン®を預かっている場合には迷わず打ち、救急車を要請します。冷静に対応できるよう、日ごろから保護者と情報共有し、職員間で緊急対応時の役割分担やシミュレーションを行っておきましょう。

エピペン®
⇨保健p149

3 障害のある子どもへの配慮

障害のある子どもの場合は、食べ物を口に取り込む一連の動作や食具の使用に遅れが生じることがあります。しかし、指導による学習効果は高いので、介助者は摂食機能の発達を促せる

保育士は障害児施設でも働くことができるので、障害のある子どもの食事についても知っておくことが大切です。

ような食事の与え方を心がけます。

麻痺や筋肉の緊張でたんぱく質の消費が高まることや、身体活動の低下によりたんぱく質の消化・吸収が低下することがあります。その場合、「日本人の食事摂取基準」の数値に10〜20%付加して対応する必要があります。

(1) 障害のある子どもの食生活の特徴(摂食機能障害)

❶食べる機能の発達

ものを食べる機能は次の3段階に大別されます。

- **捕食**……口に食べ物を取り込む。
- **咀しゃく**……取り込んだ食べ物をすりつぶして唾液と混ぜる。
- **嚥下**……呼吸運動と協調して、食塊を口腔から咽頭へ送る。

運動機能の発達などに重い障害のある子どもは、この一連の協調動作を行う機能の発達に遅れや障害があるために、**摂食機能異常**を起こすことがあります。そうした場合は、どの段階まで発達しているかを把握し、調理形態を選択します。同じ食べ物でも大きさや硬さ、舌触りなどを調理方法で変化させることで発達を促すことができるようになります。

+プラス1

嚥下しやすくするための工夫

子どもの嚥下機能に合わせて、食材を細かく刻んだり(きざみ食)、ミキサーにかけたり(ミキサー食)、とろみをつけたりする。

❷必要な栄養量

障害のある子どもの場合、必要な栄養量は障害の状況や運動量によって変化します。

- **自分で歩くことのできない子ども**……**基礎代謝量**を目安とする。
- **多動な子ども、麻痺や筋肉の緊張が強い子ども**……必要量は**増加**する。
- **重い障害があって摂食機能異常をともなう場合**……食事量が減り、エネルギーやたんぱく質量が不足しやすいため、**高エネルギー・高たんぱく質**の食事内容が望まれる。

❸必要な水分量

尿量や皮膚の乾燥度などを目安に調節しますが、障害の重さや状況によって個人差が大きいので注意が必要です。

- **非常に動きの少ない子ども**……一般の必要量の**約半分**を目安とする。
- **多動な子ども、よだれの多い子ども、発汗が多い子ども**……必要量は**増加**する。

(2) 食べる機能の発達を促す食事

「食べさせる」のではなく、子どもが自立して食事ができるようになるために、調理形態、感覚や運動を体験学習するための介助の工夫、食事の姿勢の視点からすすめることが大切です。正しい姿勢をとるためにクッションなどを用意する、持ちやすい、口に入れやすい食具[*7]の選択など、それぞれの状態に合わせて検討し、子ども自身が楽しさ、おいしさを感じながら食べられる環境を考えます。

(3) 障害による摂食時の問題点

咀しゃく機能が未発達の子どもの場合、誤嚥（ごえん）・窒息の心配があります。誤嚥防止[*8]のため以下の点に注意しながら介助します。

- **むせ**……誤嚥の危険性のサイン。
- **舌突出**（ぜつとっしゅつ）……不随意運動（自分の意思で動かせない）のために舌が突出したり、形態的に舌が突出したりしている。
- **乳児様嚥下**……上下の歯が合わせられず、その間に舌が入り、口を大きく開いて舌を突出させる。
- **丸飲み**……咀しゃくせずに嚥下してしまう。

■嚥下が困難な子どもが誤嚥しやすい食品、飲み込みやすい食品[*9]

誤嚥しやすい	液体状のもの	水、みそ汁など
	スポンジ状のもの	カステラ、高野豆腐、食パンなど
	弾力の強いもの	かまぼこ、こんにゃくゼリーなど
	口腔内に付きやすいもの	のり、ウエハース、わかめなど
	繊維質のもの	もやし、ごぼう、たけのこなど
	のどにつまりやすいもの	ナッツ、大豆など
	酸味が強いもの	柑橘類の果汁など
飲み込みやすい	プリン状のもの	プリン、豆腐など
	ゼリー状のもの	ゼリー、煮こごり、寒天など
	トロトロ状のもの	山芋のすりおろしなど
	かゆ状のもの	米がゆ、パンがゆなど
	ポタージュ状のもの	ポタージュスープなど
	マッシュ状のもの	マッシュポテトなど

障害のある子どもが食事をしやすいようにするためのさまざまな補助具もあります。

でた問!!

***7 食具の選択**
障害のある子どもに適した食具・食器について出題。
R3後、R4後

***8 誤嚥防止への対応**
誤嚥防止のための対応について出題。
R5前

***9 嚥下困難な子どもの食事**
誤嚥しやすい食品、飲み込みやすい食品について出題。
R3前、R5後

用語

誤嚥
水や食物が、誤って気管に入ってしまうこと。
⇨保健p172

プラス1

食物の大きさ
一般的には球形の場合、直径4.5cm以下、球形でない場合は直径3.8cm以下の食物が危険とされているが、咀しゃく機能が未発達の大きさが1cm程度のものであっても注意が必要である。

ポイント確認テスト

穴うめ問題

☐☐ **Q1** 過R2後
嘔吐後に、吐き気がなければ、様子を見ながら経口補水液などの水分を（　　）ずつ摂らせる。 >>> p285

☐☐ **Q2** 過R6前
アレルギーを起こす原因物質を（　　）という。 >>> p287

☐☐ **Q3** 過R4後
乳幼児の食物アレルギーの原因食物として最も多いのは、（　　）である。 >>> p287

☐☐ **Q4** 過R3後
容器包装された加工食品では、特定原材料である（ a ）、乳、小麦、えび、かに、（ b ）、くるみ、落花生の8品目は表示義務がある。 >>> p287

○×問題

☐☐ **Q5** 過R2後
下痢の時には、食物繊維を多く含む料理を与える。 >>> p284

☐☐ **Q6** 過R4前
体調不良の子どもの食事は消化のよい豆腐や白身魚などを与える。 >>> p285

☐☐ **Q7** 過R4前
体調不良の子どもの水分補給には、白湯、ほうじ茶や、小児用電解質液等を用いる。 >>> p285

☐☐ **Q8** 過R5前
鶏卵アレルギーは卵黄のアレルゲンが主原因である。 >>> p287

☐☐ **Q9** 過R5後
誤嚥しやすい飲食物には、水やみそ汁などがある。 >>> p291

解答・解説

Q1　少量　Q2　アレルゲン　Q3　鶏卵　Q4　a 卵／b そば（順不同）
Q5　×　食物繊維を多く含んだ料理は下痢を誘発する。　Q6　○　Q7　○
Q8　×　卵白が主原因である。　Q9　○

子どもの食と栄養 Lesson 10

食育の基本と内容

頻出度 Level 5

食育の目的や内容についてみていきましょう。給食も食育の一部です。給食の意義や実情についてもおさえておきましょう。

ココに注目!!

- 食育基本法が掲げる基本的施策とは
- 第4次食育推進基本計画が掲げる3つの項目
- ガイドラインが示す「楽しく食べる子ども」の定義
- 学校給食の目的・意義とは

1 食育

(1)「食育基本法」

近年わが国では、肥満や過度のダイエットによるやせすぎ、生活習慣病の増加などのさまざまな問題が生じています。これらの問題を国や社会全体の問題ととらえ、食育を推進していこうと2005(平成17)年に制定されたのが「**食育基本法**[*1]」です。

*1「食育基本法」
「食育基本法」について出題。
R3後、R5後、R6前
「食育推進基本計画」について出題。
R1後

■「食育基本法」の目的と食育の定義

目的	国民が生涯にわたって健全な心身を培い、豊かな人間性を育むことができるよう、食育を総合的かつ計画的に推進すること。
定義	①生きるうえでの基本であって、**知育**、**徳育**、および体育の基礎となるべきもの。 ②さまざまな経験を通じて「食」に関する知識と「食」を選択する力を習得し、健全な食生活を実践することができる人間を育てること。

実際には、農林水産省に「**食育推進会議**」が設置され、食育推進に関する施策についての基本的方針や目標に関する事項を定めた「**食育推進基本計画**」が作成され、具体的な取り組みと施策を推進しています。これに基づいて、**都道府県**や**市町村**はその地域における「食育推進計画」を作成するよう求められて

います。

「食育基本法」のなかでは、国民運動として食育を推進するための基本的施策として、次の項目を掲げています。

- **家庭における食育の推進**
- **学校、保育所等における食育の推進**
- **地域における食生活の改善のための取組の推進**
- **食育推進運動の展開**
- **生産者と消費者との交流の促進、環境と調和のとれた農林漁業の活性化等**
- **食文化の継承のための活動への支援等**
- **食品の安全性、栄養その他の食生活に関する調査、研究、情報の提供及び国際交流の推進**

(2)「第4次食育推進基本計画」

2021（令和3）～2025（令和7）年度までの5年間を期間とする「**第4次食育推進基本計画**[*2]」では、国民の健康や食を取り巻く環境の変化、**社会のデジタル化**など、食育をめぐる状況や**SDGs**（エスディージーズ）**の考え方**を踏まえ、基本的な方針として以下の3つの重点事項を掲げ、施策を推進しています。

- **重点事項1**……**生涯を通じた心身の健康**を支える食育の推進（国民の健康の視点）
- **重点事項2**……**持続可能な食**を支える食育の推進（社会・環境・文化の視点）
- **重点事項3**……**「新たな日常」やデジタル化に対応した食育**の推進（横断的な視点）

これらをSDGsの観点から相互に連携して総合的に推進するとしています。そのうえで、以下のように食育推進の目標と推進する内容を掲げています。

・食育推進の目標
①栄養バランスに配慮した食生活の実践
②学校給食での地場産物を活用した取組等の増加
③産地や生産者への意識
④環境に配慮した農林水産物・食品の選択　等

でた問!!

*2 食育推進基本計画
「第4次食育推進基本計画」の前身にあたる「第3次食育推進基本計画」について出題。
R2後
第4次食育推進基本計画について出題。
R4後、R5前・後、R6前

SDGs
⇨上巻 教原p128

・推進する内容
①家庭における食育の推進
②学校、保育所等における食育の推進
③地域における食育の推進
④食育推進運動の展開
⑤生産者と消費者の交流促進、環境と調和のとれた農林漁業の活性化等
⑥食文化の継承のための活動への支援等
⑦食品の安全性、栄養その他の食生活に関する調査、研究、情報の提供及び国際交流の推進

「第４次食育推進基本計画」では、「食は命の源であり、私たち人間が生きるために食は欠かせない。また、国民が健康で心豊かな生活を送るためには、健全な食生活を日々実践し、おいしく楽しく食べることやそれを支える社会や環境を持続可能なものにしていくことが重要である」としています。

しかしながら、高齢化、食品ロスの増加、異常気象の頻発化などの環境問題、新型コロナウイルス感染症の流行による人びとの行動や意識の変容などにより、食をめぐる環境が大きく変化しており、こうした「新たな日常」において、食育が主体的に取り組まれるためにはデジタルツールやインターネットを活用していくことが重要であるとしています。

(3)「楽しく食べる子どもに」

人の体は食べたものでつくられていき、その関わりのなかで身体的にも精神的にも発達します。人間は授乳期から毎日「食」に関わり、「食を営む力」を形成していきます。「楽しく食べる子どもに～食からはじまる健やかガイド～」では、発育・発達時期に応じて、どのような「食べる力」を育んでいくかを示しています。

「楽しく食べる子どもに～食からはじまる健やかガイド～*3」

①**授乳期・離乳期**―安心と安らぎの中で食べる意欲の基礎づくり―
- 安心と安らぎの中で母乳（ミルク）を飲む心地よさを味わう
- いろいろな食べ物を見て、触って、味わって、自分で進んで食べようとする

プラス1

食文化の継承
「第４次食育推進基本計画」では日本の伝統的な和食文化の継承のため、郷土料理や伝統料理を受け継ぎ次世代に伝えたり、食べたりする国民を増やすことを目標としている。

郷土料理
⇨別冊p42

「楽しく食べる子どもに～保育所における食育に関する指針～」
2004（平成16）年に厚生労働省より公表された「楽しく食べる子どもに～保育所における食育に関する指針～」では、食育の目標の内容として以下の5つが示されている。
①お腹がすくリズムのもてる子ども
②食べたいもの、好きなものが増える子ども
③一緒に食べたい人がいる子ども
④食事づくり、準備にかかわる子ども
⑤食べ物を話題にする子ども
⇨p190

でた問!!

***3「楽しく食べる子どもに～食からはじまる健やかガイド～」**
幼児期の内容について出題。
R2後、R5前、R6前
学童期の内容について出題。
R1後、R3前、R5後

②**幼児期**―食べる意欲を大切に、食の体験を広げよう―

- おなかがすく**リズム**がもてる
- 食べたいもの、好きなものが**増える**
- **家族や仲間**と一緒に食べる楽しさを味わう
- 栽培、収穫、調理を通して、食べ物に触れはじめる
- 食べ物や身体のことを**話題**にする

③**学童期**―食の体験を深め、食の世界を広げよう―

- **1日3回**の食事や間食のリズムがもてる
- 食事のバランスや適量がわかる
- 家族や仲間と一緒に食事づくりや準備を楽しむ
- **自然**と食べ物との関わり、地域と食べ物との関わりに関心をもつ
- 自分の食生活を振り返り、評価し、改善できる

④**思春期**―自分らしい食生活を実現し、健やかな**食文化**の担い手になろう―

- 食べたい食事の**イメージ**を描き、それを実現できる
- 一緒に食べる人を気遣い、楽しく食べることができる
- 食料の生産・流通から食卓までのプロセスがわかる
- 自分の身体の成長や体調の変化を知り、自分の身体を**大切**にできる
- 食に関わる活動を**計画**したり、積極的に参加したりすることができる

(4)「保育所保育指針」における食育

子どもの食育においては、保護者および教育、保育を行う者が重要な役割を担います。食育の重要性を自覚し、積極的に子どもの食育の推進に関する活動に取り組むこと、家庭、学校、保育所、地域などを利用してさまざまな体験活動を行うことが望まれます。

「食を営む力」は生涯にわたって培(つちか)っていくものです。乳幼児期においては、小学校就学前までにその基礎を固めることが期待されています。食物や栄養素の特性を知ることや、マナーが守れるといった知識や技能の習得だけが必要なことではありません。子どもが「食」を通じて何を培っていくのか、どのような意義があるのかを考え、保育の目標を設けて食育を展開することが大切です。食育の目標が、保育の目標と一貫性のない

ものにならないように注意して、食育の活動・目標を設定することが大切です。

食育について、「保育所保育指針」では以下のように述べられています。

> **「保育所保育指針」第3章 健康及び安全**
>
> **2 食育の推進**
>
> **（1）保育所の特性を生かした食育*4**
>
> ア 保育所における食育は、健康な生活の基本としての「食を営む力」の育成に向け、その基礎を培うことを目標とすること。
>
> イ 子どもが生活と遊びの中で、意欲をもって食に関わる体験を積み重ね、食べることを楽しみ、食事を楽しみ合う子どもに成長していくことを期待するものであること。
>
> ウ 乳幼児期にふさわしい食生活が展開され、適切な援助が行われるよう、食事の提供を含む食育計画を全体的な計画に基づいて作成し、その評価及び改善に努めること。栄養士が配置されている場合は、専門性を生かした対応を図ること。
>
> **（2）食育の環境の整備*5**
>
> ア 子どもが自らの感覚や体験を通して、自然の恵みとしての食材や食の循環・環境への意識、調理する人への感謝の気持ちが育つように、子どもと調理員等との関わりや、調理室など食に関わる保育環境に配慮すること。
>
> イ 保護者や地域の多様な関係者との連携及び協働の下で、食に関する取組が進められること。また、市町村の支援の下に、地域の関係機関等との日常的な連携を図り、必要な協力が得られるよう努めること。
>
> ウ 体調不良、食物アレルギー、障害のある子どもなど、一人一人の子どもの心身の状態等に応じ、嘱託医、かかりつけ医等の指示や協力の下に適切に対応すること。栄養士が配置されている場合は、専門性を生かした対応を図ること。

2 学校給食と栄養教育

（1）学校給食の意義・目標

全国の学校で実施されている学校給食ですが、その実施にあたってはすべての児童・生徒の健康の増進と体力の向上を図る

子どもの食と栄養

***4 保育所の特性を生かした食育**
「保育所保育指針」の保育所の特性を生かした食育について出題。
R1後、R3後、R4後、R5前、R6前

***5 食育の環境の整備**
「保育所保育指針」の食育の環境の整備について出題。
R4前、R5後、R6前

昭和29年に制定された「学校給食法」は平成20年に、制定以来初めての大幅な改正を行っています。その際に第1条に示した目標として「食育の推進」を掲げました。

ための配慮がなされています。

学校給食は「学校給食法」の規定により実施されます。

「学校給食法」第１条

この法律は、学校給食が児童及び生徒の心身の健全な発達に資するものであり、かつ、児童及び生徒の食に関する正しい理解と適切な判断力を養う上で重要な役割を果たすものであることにかんがみ、学校給食及び学校給食を活用した食に関する指導の実施に関し必要な事項を定め、もって学校給食の普及充実及び学校における食育の推進を図ることを目的とする。

具体的な達成目標は、第２条にあげられています。

*6「学校給食法」
「学校給食法」第２条の内容について出題。
R3前、R5後、R6前

「学校給食法」第2条*6

一 適切な栄養の摂取による**健康の保持増進**を図ること
二 日常生活における食事について正しい理解を深め、健全な食生活を営むことができる判断力を培い、及び望ましい食習慣を養うこと
三 学校生活を豊かにし、明るい社交性及び協同の精神を養うこと
四 食生活が**自然の恩恵**の上に成り立つものであることについての理解を深め、生命及び自然を尊重する精神並びに環境の保全に寄与する態度を養うこと
五 食生活が食にかかわる人々の様々な活動に支えられていることについての理解を深め、勤労を重んずる態度を養うこと
六 我が国や各地域の優れた伝統的な食文化についての理解を深めること
七 食料の**生産、流通及び消費**について、正しい理解に導くこと

学校給食では、栄養豊かでおいしい食事を提供すること、地域の食生活改善に役立つことなどが求められています。

また、学校給食では、文部科学省が定めている「学校給食摂取基準」などに基づいて献立を作成するとともに、家庭の食生活や地域性にも配慮するようにします。

現在使用されている「学校給食摂取基準」は「日本人の食事摂取基準（2020年版）」を参考に、エネルギー・各栄養素の１日の必要量の３分の１を基準としていますが、家庭で不足しがちな**カルシウム**、ビタミンA、B_1などは高い割合で設定されています。

「日本人の食事摂取基準」
⇨p215、224

給食には、健康や栄養といった側面だけでなく、食への感謝や食文化についての理解を深めるというねらいもあるのですね。

■学校給食において摂取すべき各栄養素の基準（抜粋）

	エネルギー（kcal）	たんぱく質（%エネルギー）	脂質（%エネルギー）	ビタミンB_1（mg）	ナトリウム（食塩相当量）（g）	カルシウム（mg）
5歳	490	13 ～ 20	20 ～ 30	0.3	1.5 未満	290
6～7歳	530	13 ～ 20	20 ～ 30	0.3	1.5 未満	290

出典：文部科学省「学校給食摂取基準」2021年をもとに作成

（2）学校給食の実施率*7

文部科学省の調査によれば、ほとんどの小学校で**完全給食**が実施されており、中学校でも９割近くの学校で完全給食が実施されています。

区　分	実施率（学校数比）		
	完全給食	補食給食	ミルク給食
小学校	98.8%	0.1%	0.2%
中学校	89.8%	0.2%	1.6%
特別支援学校	88.9%	0.1%	0.8%

出典：文部科学省「令和５年度学校給食実施状況等調査」をもとに作成

（3）学校給食における栄養教育

学校給食では、児童・生徒に給食を行うだけではなく、学習のなかで栄養教育を行う、給食の目的が達成できるように家庭との連携を図る、地域と密接な連携を保ちながら学校給食の意義を高める、などの役目があります。

栄養士免許を有する**学校栄養職員**は、児童・生徒の栄養管理を行うだけではなく、これらの実践活動を行ううえでも中心となる職種です。

用語

完全給食
パンまたは米飯（これらに準ずる小麦粉食品、米加工食品その他の食品を含む）、ミルクおよびおかずが給食内容である。

補食給食
完全給食以外で、給食内容がミルクおよびおかず等の給食。

ミルク給食
給食内容がミルクのみの給食。

でた問!!

***7 学校給食の実施率**
小学校の学校給食の実施率について出題。
R3前、R5後

用語

学校栄養職員
学校栄養職員の主な仕事は給食管理である。教職員ではないため、栄養教育を行う際は、学級担任などの補佐役として指導に携わる。直接、栄養・食事指導ができるのは平成17年度に制度化された「栄養教諭」。栄養教諭になるためには「栄養教諭普通免許状」が必要である。

ポイント確認テスト

穴うめ問題

□□ **Q1** 過R6前

子どもたちに対する食育は、心身の成長及び人格の形成に大きな影響を及ぼし、生涯にわたって（ a ）を培い（ b ）をはぐくんでいく基礎となるものである。>>> **p293**

□□ **Q2** 過R5前

「第4次食育推進基本計画」では、重点事項として「（　　）心身の健康を支える食育の推進」をあげている。>>> **p294**

□□ **Q3** 過R3後

「保育所保育指針」第3章「健康及び安全」の2「食育の推進」では、「乳幼児期にふさわしい食生活が展開され、適切な援助が行われるよう、（ a ）を含む食育計画を（ b ）計画に基づいて作成し、その（ c ）及び（ d ）に努めること。」としている。>>> **p297**

□□ **Q4** 過R6前

「学校給食法」に示された「学校給食の目標」においては、「食生活が（ a ）の恩恵の上に成り立つものであることについての理解を深め、（ b ）及び（ a ）を尊重する精神並びに（ c ）の保全に寄与する態度を養うこと」としている。>>> **p298**

○×問題

□□ **Q5** 過R4後

「第4次食育推進基本計画」は、4つの重点事項を柱に、SDGsの考え方を踏まえ、食育を総合的かつ計画的に推進する。>>> **p294**

□□ **Q6** 過R6前

「楽しく食べる子どもに～食からはじまる健やかガイド～」における「発育・発達過程に応じて育てたい“食べる力”」の一つとして、幼児期では「家族や仲間と一緒に食べる楽しさを味わう」をあげている。>>> **p295**

□□ **Q7** 過R6前

「保育所保育指針」第3章「健康及び安全」2「食育の推進」では、「子どもと調理員等との関わりや、調理室など食に関わる保育環境に配慮すること」としている。>>> **p297**

□□ **Q8** 過R3前

「学校給食法」の「学校給食の目標」の一つに、「我が国や各地域の優れた伝統的な食文化についての理解を深めること」があげられている。
>>> **p298**

解答・解説

Q1 a 健全な心と身体／b 豊かな人間性　Q2 生涯を通じた
Q3 a 食事の提供／b 全体的な／c 評価／d 改善　Q4 a 自然／b 生命／c 環境
Q5 × 4つではなく3つ。　Q6 ○　Q7 ○　Q8 ○

保育実習理論

保育実習理論

保育に関する実践的な知識や対応に関する科目です。
表現についての内容では音楽、造形、言語に関する基礎的な理論を学びます。

保育の計画

保育士の専門性と倫理

自立支援計画

基礎となる

保育所における保育

入所施設・里親家庭における生活

- 言葉の発達
- 感性を育む

言語

音楽

造形

合格のコツは？

保育所保育指針の第１章、第２章をとくによく読んでおきましょう。また、保育所以外の児童福祉施設の概要についてもおさえておきましょう。事例問題では、**ソーシャルワーク**を関連させた出題や**障害のある子どもへの支援の方法**に関する出題がありますので**社会福祉**や**社会的養護**とあわせて学習しておきましょう。

楽典に関する出題の傾向はあまり変化がないため、苦手な分野や、出題頻度の高い「音楽」「造形」に時間をかけて学習しておくことが得点につながります。

関連法律・資料

・児童福祉法　・児童福祉施設の設備及び運営に関する基準
・保育所保育指針（解説も含む）　・全国保育士会倫理綱領

関連が強い科目

（上）保育原理／社会福祉／社会的養護／保育の心理学

出題分析 出題数：20問

- 音楽は６問、造形は4～５問がほぼ決まって出題されている。
- 言語については出題数が減っているが、絵本の作者や内容を関連させた出題や紙芝居の演じ方などの出題がみられる。
- 「保育所保育指針」の原文からの出題がみられる。

■過去6回の項目別出題数実績一覧 ※項目名は出題範囲の小項目を学習しやすいように改変しています

項目		R3後	R4前	R4後	R5前	R5後	R6前
保育所保育							
保育所の役割と機能	L1	1	0	0	0	2	1
全体的な計画と指導計画	L1	1	2	1	2	0	0
保育の内容 ①養護にかかわる保育の内容	L1	1	1	1	1	0	0
②教育にかかわる保育の内容		2	1	3	1	2	2
記録と自己評価	L1	1	2	0	1	0	1
保育士の役割と職業倫理	L1	1	0	1	1	1	1
児童福祉施設(保育所以外)							
施設の役割と機能	L2	0	1	0	0	1	0
児童の生活の実際	L2	0	0	0	0	0	0
支援計画の作成と実践	L2	0	0	1	0	0	0
記録と自己評価	L2	1	1	1	1	1	0
保育士の役割と職業倫理	L2	0	0	0	1	0	2
音楽							
歌	L3	1	1	1	1	1	1
音楽標語	L4	1	1	1	1	1	1
コードネーム	L5	1	1	1	1	1	1
移調	L5	1	1	1	1	1	1
調判定	L5	1	1	1	1	1	1
基礎問題	L3	1	1	1	1	1	1
造形							
描画	L6	2	1	1	0	1	1
色彩	L6	1	1	1	1	1	1
造形活動	L6	2	2	2	4	4	2
言語							
言語教材	L7	1	1	1	0	0	2
言語指導の方法	L7	0	1	1	1	0	1
絵本などに関する基礎問題	L7	0	0	0	0	1	0

保育実習理論 Lesson 1

保育所における保育

頻出度 Level 5

保育所ではどのように日々の保育が行われているのでしょうか。
具体的な指導や活動のイメージをもつことが大切です。

ココに注目!!

- 児童福祉施設の設備および運営に関する基準とは
- キャリアアップ研修の背景と目的
- 保育の計画と評価から考える子どもの姿
- 保育所児童保育要録の役割とは

1 保育所の役割と機能

児童福祉施設
⇨上巻 子福p239～

保育所は、**児童福祉施設**の一つとして、保育を必要とする子どもの保育と子育て家庭の支援を行っています。

一般に、「認可保育所」とよばれる保育所は、「児童福祉施設の設備及び運営に関する基準」に定められた最低基準を満たしています。満２歳未満の乳幼児を入所させる保育所には、乳児室またはほふく室、医務室、調理室および便所を設けます。満２歳以上の幼児を入所させる保育所には、保育室または遊戯（ゆうぎ）室、屋外遊戯場、調理室および便所を設けます。

保育室または遊戯室には、保育に必要な用具を備えます。また、保育時間は**原則８時間**、最大11時間であり、保育所長の判断により保育時間が定められ、多くの保育所では朝や夕方に**延長保育**が行われています。

土曜保育、病児・病後児保育を実施している保育所もあり、保護者のさまざまなニーズにこたえています。

2 保育士の倫理と資質向上

（1）保育士の倫理

保育士は、子どもの人権を尊重し、子どもの最善の利益を考慮して保育を行わなければなりません。保育者としての自覚などの資質も必要になり、日ごろから倫理観に基づいた行動、言動が求められています。「全国保育士会倫理綱領(りんりこうりょう)*1」では、保育者の倫理観として、子どもの最善の利益の尊重、プライバシーの保護、子どもの思いやニーズを的確に代弁することなど、8つの項目を示しています。

また、「児童福祉法」では、保育士の信用失墜(しっつい)行為の禁止、守秘義務について規定し、これに違反した場合には、都道府県知事が保育士登録の取り消し、期間を定めて名称使用停止を行うことができるとしています。また、禁錮(きんこ)以上の刑に処せられてその執行(しっこう)が終わり、または執行を受けることがなくなった日から2年を経過していない者は保育士になれないなどの欠格事由も規定されています。

(2) 保育士の資質向上

保育士資格を取得するまでが、保育について学ぶ期間ではありません。保育士は、保育士になってからも毎日の保育実践とその振り返りのなかで、その専門性を向上させることが求められています。

また、施設長（保育所長）は、職員の資質の向上のための研修*2の機会を確保しなければなりません。これは「児童福祉施設の設備及び運営に関する基準」にも定められています。

研修には、保育所内研修と外部研修があります。

❶保育所内研修

保育所内研修とは、保育所の職員が主体的に日々の保育実践における子どもの育ちの喜びや保育の手ごたえについて、自身や同僚の実践事例から学び、修得し、さらに向上に努めるためのものです。保育所内研修では、自分たちの保育を振り返るために文字を活用し、写真や動画などを活用し、理解を深めます。

❷外部研修

外部研修とは、同じような保育経験やキャリアを積んださまざまな園の保育士同士が、自身や自園における課題を持ち寄って、ほかの保育所における実践事例や専門知識について学び合い、自園の保育に生かすというものです。次に取り上げるキャリアアップ研修は外部研修に当たります。

プラス1

「全国保育士会倫理綱領」で示されている8つの項目

①子どもの最善の利益の尊重
②子どもの発達保障
③保護者との協力
④プライバシーの保護
⑤チームワークと自己評価
⑥利用者の代弁
⑦地域の子育て支援
⑧専門職としての責務

⇨別冊p43
⇨上巻 保原p43

でた問!!

***1 全国保育士会倫理綱領**
8つの項目の内容について出題。 R3後
保育士の責務と倫理について出題。 R5前
保育士の守秘義務について事例で出題。 R4後

***2 職員の研修**
「保育所保育指針」の第5章のうち、職員の研修について出題。 R2後
職員の研修について事例問題で出題。 R6前

（3）キャリアアップ研修による保育の質の向上

保育所には、初任者から中堅、**主任保育士**までさまざまな立場の保育士がいます。保育所では、それぞれの職位や職務内容に応じた専門性を身につけるための研修の機会を確保することが重要な課題となっています。そのためには、一人ひとりの保育者が組織のなかでどのような役割や専門性が求められているかを理解し、必要な力を身につけていくことができるよう、キャリアパスを明確にし、それを見据えた研修計画を作成することが必要です。

こうした状況を背景として、保育現場の人材育成のためのしくみとして、2017（平成29）年には厚生労働省が「保育士等キャリアアップ研修ガイドライン」を定め、主に中堅のリーダー的保育士を対象とした**キャリアアップのための研修**[*3]が各都道府県で行われるようになりました。これまでの保育所は、施設長（園長）、主任保育士、保育士等で構成されていましたが、今後は、中堅保育士が各自の専門性を生かした**リーダー職（ミドルリーダー）**として、施設長（保育所長）や主任保育士のもと、保育所内で指導的立場に就くことが求められています。キャリアアップ研修を受けた保育士は、その研修で得た知識を保育所内の保育の質や専門性の向上につなげていくことが求められます。そのため、研修に参加する職員は、保育所内の課題を意識したうえで、研修に臨む必要があります。

用語

主任保育士
施設長（保育所長）のもと、保育士全体をまとめる役割を担う管理職のこと。「児童福祉施設の設備及び運営に関する基準」には定められていないが、多くの保育所に設置されている役職で、施設長（保育所長）と兼ねている場合もある。

でた問!!

***3 キャリアアップのための研修**
専門性を身につけるためのキャリアアップ研修について出題。
R4前

プラス1

キャリアアップのための研修で行われる研修の内容
- 乳児保育
- 幼児教育
- 障害児保育
- 食育・アレルギー対応
- 保健衛生・安全対策
- 保護者支援・子育て支援

の6分野に加え、ミドルリーダー向けの「マネジメントやリーダーシップ」、実習経験が少ない保育士向けの「保育実践」がある。

（4）不適切な保育とその対策

ここ数年、保育所において保育士からの子どもへの虐待など、**不適切な保育**が相次いで報告されています。子どもや保護者が安心して保育所等に通うことができ、また、保育士自身も安心して日々の保育を実践できるよう、こども家庭庁は2023（令和５）年５月に「**保育所等における虐待等の防止及び発生時の対応等に関するガイドライン**」を発表しました。

ガイドラインでは、不適切保育や虐待等についての考え方が明確化されるともに、**自治体**は虐待を未然に防止するために研修を行うことや、不適切保育があった場合には事実確認や立入調査などを行うことが明記されました。

3 保育の内容と計画・評価

（1）保育の目標

保育の営みには必ず目標があります。保育士は保育の目標の達成をめざして、どのような環境や配慮が必要であるかを考え、日々、保育を実践していきます。

「保育所保育指針」第１章には保育の目標が示されています（次頁参照）。また、「保育所保育指針」の第２章では、保育の「ねらい」および「内容」について示されています。「ねらい」とは、第１章にある「保育の目標」を具体化したものです。

用語

不適切な保育

児童虐待の定義である①身体的虐待、②性的虐待、③ネグレクト、④心理的虐待のほかにも下記が不適切な保育にあたる。

1）子どもの人格を尊重しない関わり
2）物事を強要する、脅迫的な言葉がけ
3）罰を与える、乱暴な関わり
4）子どもの育ちや家庭環境を考慮しない関わり
5）差別的な関わり

「保育所保育指針」
⇨別冊p1

「保育所保育指針」 第1章1（抜粋）

1　保育所保育に関する基本原則

（2）保育の目標（抜粋）

（ア）　十分に**養護**の行き届いた環境の下に、くつろいだ雰囲気の中で子どもの様々な欲求を満たし、生命の保持及び情緒の安定を図ること。

（イ）　**健康**、**安全**など生活に必要な基本的な習慣や態度を養い、心身の健康の基礎を培うこと。

（ウ）　人との関わりの中で、人に対する愛情と信頼感、そして人権を大切にする心を育てるとともに、自主、自立及び協調の態度を養い、道徳性の芽生えを培うこと。

（エ）　生命、自然及び**社会**の事象についての**興味や関心**を育て、それらに対する豊かな**心情**や**思考力**の芽生えを培うこと。

（オ）　生活の中で、**言葉**への**興味や関心**を育て、話したり、聞いたり、相手の話を理解しようとするなど、言葉の豊かさを養うこと。

（カ）　様々な体験を通して、豊かな感性や表現力を育み、**創造性**の芽生えを培うこと。

ねらい及び内容は穴埋め問題など、原文そのままが出題されることが多いので、別冊付録の第２章をしっかり確認しましょう。

保育実習理論

「養護に関わるねらい及び内容」は「**生命の保持**」「**情緒の安定**」の２つに分かれます。一方「教育に関するねらい及び内

■保育の目標

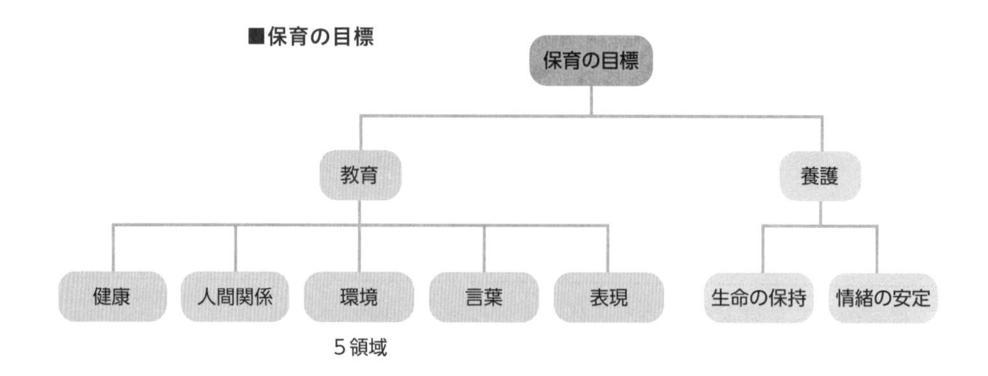

容」は、「健康」「人間関係」「環境」「言葉」「表現」の5領域*4に分かれます。保育において、これらの「養護」と「教育」の要素は、日々の子どもの生活や遊びをとおして、相互に関連をもちながら、総合的に展開されるものです。

(2)「育みたい資質・能力」と「幼児期の終わりまでに育ってほしい姿」

通所期間が長い子どもでは0～6歳までの6年間を保育所で過ごします。保育所での生活全体をとおして、身につけてほしい力とはどのようなものなのでしょうか。

「育みたい資質・能力」と「幼児期の終わりまでに育ってほしい姿（10の姿）*5」は、2017（平成29）年に改正された「保育所保育指針」から新たに示されたもので、これらは、小学校以降の子どもの発達を見通しながら、保育所における生活の全体をとおして、子どもたちに育んでほしい姿を表すものです。

❶育みたい資質・能力

「育みたい資質・能力」とは、保育の目標を踏まえたうえで、子どもに身につけてほしい力を具体的に表したものです。

「保育所保育指針」 第1章4（抜粋）

4 幼児教育を行う施設として共有すべき事項

（1）育みたい資質・能力（抜粋）

（ア） 豊かな体験を通じて、感じたり、気付いたり、分かったり、できるようになったりする「知識及び技能の基礎」

（イ） 気付いたことや、できるようになったことなどを使い、考えたり、試したり、工夫したり、表現したりする「思考力、

でた問!!

*4 5領域
5領域における3歳以上児の保育における内容の取り扱いについて出題。
R2後

✚プラス1

「幼児期の終わりまでに育ってほしい姿」を意識する時期
5歳児（年長児）になると突然みられるものではないので、その前々年度（3歳児）の時期から、子どもの発達していく方向を意識してふさわしい経験を積めるよう留意していく必要がある。

でた問!!

*5「幼児期の終わりまでに育ってほしい姿」
「保育所保育指針」の第1章のうち、「幼児期の終わりまでに育ってほしい姿」について出題。
H31前、R1後、R4前

判断力、表現力等の基礎」
(ウ) 心情、意欲、態度が育つ中で、よりよい生活を営もうとする「学びに向かう力、人間性等」

日々の保育における活動を設定するとき、保育士は「保育所保育指針」が掲げるこの3つの資質・能力が身につくことを念頭に置いて、計画を立てなければいけません。

❷「幼児期の終わりまでに育ってほしい姿」

「幼児期の終わりまでに育ってほしい姿」は、保育所の生活をとおして「育みたい資質・能力」を身につけてきた子どもが、特に卒園を迎える**5歳児の後半**になるとみせるようになる、**10の具体的な姿**です。保育士は日々の遊びや生活のなかで、子どもが10の姿を身につけられるような経験を積むことができるよう念頭に置いて、活動を考慮しなければなりません。ただし、10の姿は到達目標ではなく、あくまで**指導の方向性**であり、すべての子どもに同じようにみられるものでもないことについて、留意しておく必要があります。

「幼児期の終わりまでに育ってほしい姿」は、10個あることから、「10の姿」ともよばれています。

■幼児期の終わりまでに育ってほしい姿

①健康な心と体
②自立心
③協同性
④道徳性・規範意識の芽生え
⑤社会生活との関わり
⑥思考力の芽生え
⑦自然との関わり・生命尊重
⑧数量や図形、標識や文字などへの関心・感覚*6
⑨言葉による伝え合い
⑩豊かな感性と表現

10の姿のくわしい内容は、別冊付録の「保育所保育指針」に掲載しているので必ずチェックしましょう。

なお、「育みたい資質・能力」「幼児期の終わりまでに育ってほしい姿」は、**幼稚園、幼保連携型認定こども園と共通**の形で示されており、どの教育・保育施設に通っても同じ教育内容を受けられることが保障されています。また、「育みたい資質・能力」は、小学校以降の「学習指導要領」においても学びの柱として示されているものです。このことは乳幼児期からの学びの連続性を大切にする、ということを示しています。

***6 数量や図形、標識や文字などへの関心・感覚**
数量や図形、標識や文字などへの関心・感覚の内容について出題。
R5後

(3) 保育の計画

「保育の目標」の達成をめざし、「育みたい資質・能力」「幼児期の終わりまでに育ってほしい姿」を念頭に置いて保育にあたるためには、保育の計画を立てることが必要になります。「**保育の計画**」とは、**全体的な計画**と、それに基づいてつくられる具体的な**指導計画**の2つで構成されています。

❶全体的な計画

「**全体的な計画**[*7]」は、保育の目標を達成するために、保育所生活の全体をとおして総合的に展開されるものであり、ほかの計画よりも上位に位置づけられる計画です。作成にあたっては、子どもや家庭の状況、地域の実態、保育時間などを考慮し、**長期的**見通しをもつこと、保育所保育の全体像を**包括的**に示すものであることなどに留意する必要があります。

❷指導計画

指導計画[*8]とは、全体的な計画に基づいて、保育目標や保育方針を実践するための具体的な計画をいいます。大きく分けて、子どもの生活や発達を見通した**長期的**な指導計画と、それ

でた問!!

*7 全体的な計画
全体的な計画の作成について出題。
H31前、R3後

*8 指導計画
指導計画の作成について出題。
R2後
指導計画の展開について出題。
R5前
指導計画の立案について出題。
R4後

✚プラス1

指導計画の種類
●長期的な指導計画……年間指導計画、期間指導計画(期案)、月間指導計画(月案)
●短期的な指導計画……週間指導計画(週案)、1日の指導計画(日案)

デイリープログラム
指導計画とは別に作成されるもので、1日の生活の目安を時間に沿って表にしたもので、活動の目安やその際の配慮事項を示す。

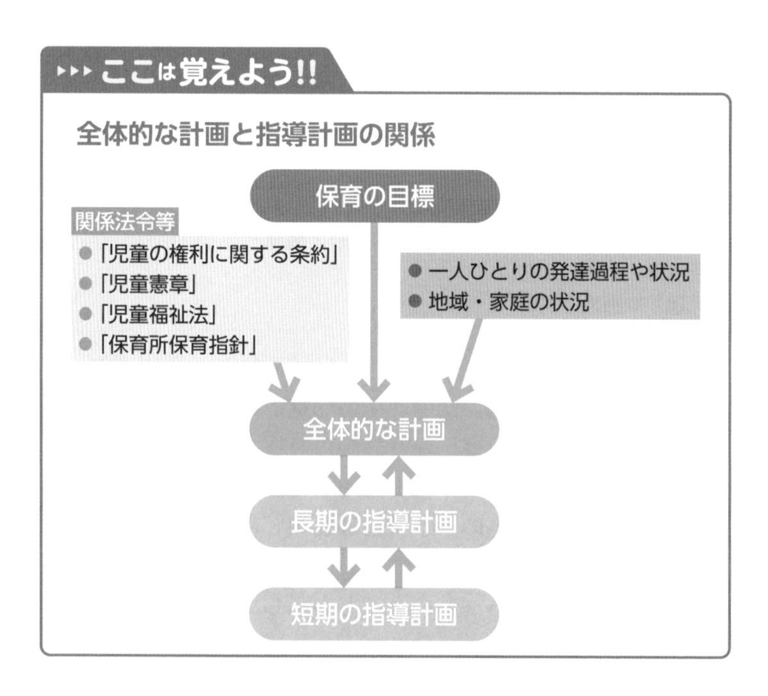

に関連しながら、より具体的な子どもの日々の生活に即した短期的な指導計画とで構成されます。

なお、３歳未満児については、発達の個人差が大きいことから個別の指導計画（個人案）を作成します。障害のある子どもなど、特に配慮が必要な子どもについても、その子の発達や障害の状況に合わせた個別の指導計画を、クラス単位の指導計画と関連づけて作成する必要があります。また、長時間保育では複数の保育士が１人の子どもを担当することなどについても考慮し、職員同士の体制や家庭との連携なども指導計画のなかに位置づけることが大切です。

❸その他の計画

食育計画は、全体的な計画に基づいて作成されるもので、指導計画とも関連づけながら日々の主体的な生活や遊びのなかで食育が展開されていくよう作成するものです。なお、食事の提供も食育の一部に含まれます。保健計画も、全体的な計画に基づいて作成されるもので、健康診断などの記録に基づき、健康の保持や増進を図り、また、子ども自身が健康に関心をもつために立てられる計画です。

＋プラス１

避難訓練計画
火災や地震などの災害の発生に備え、緊急時の対応や手順、職員の役割分担などについてまとめたマニュアル。「保育所保育指針」においてその作成が義務づけられている。

食育
⇨栄養p293

（4）保育の評価

保育の評価には、保育士等職員の行う個々の自己評価[*9]、それを基盤として保育所全体で行う保育所の自己評価、さらに外部の第三者による評価があります。

■保育士の自己評価のポイント

①子どもは意欲的に取り組んでいたか？
②「ねらい」や「内容」は適切だったか？
③指導（援助）の方法は適切だったか？
④環境構成は適切だったか？
⑤子どもの意見や発想が生かされていたか？
⑥時間配分は適切だったか？
⑦指導計画の「ねらい」と「内容」は達成できたか？

保育所の自己評価は、保育の質の向上を図るため、保育士等の自己評価を踏まえ、保育所での保育の内容等について、自ら評価を行い、その結果を公表するよう努めなければなりません。地域の実情や保育所の実態を考え、適切に評価の観点や項

でた問!!

***9 自己評価**
自己評価について事例問題で出題。
R3後

＋プラス１

保育所の自己評価
「児童福祉施設の設備及び運営に関する基準」では、保育所は自己評価を行い、常にその改善を図らなければならないと規定している。

目等を設定し、全職員による**共通理解**をもって取り組むことが大切です。

（5）保育実習と自己評価

大学・短大・専門学校などの保育士養成校では、保育士資格を取得するための**保育実習**が設けられ、複数回にわたって、段階的な実習が行われます。期間はおおよそ10〜20日間で、実際の保育の場を体験します。

１日の保育の流れを把握するため、実習期間においては毎日**実習日誌**[*10]を書きます。また、実習生が主体となって保育を行う指導実習においては事前に**実習指導案**を書き、**指導計画への理解**を深めます。実習が終わったら実習先の評価のほか自らの実習を振り返り、自己評価を行います。

でた問!!

***10 実習日誌**
実習日誌の書き方について出題。
R6前

用語

実習日誌
時刻ごとの子どもの活動、保育者の援助と環境構成、実習生の援助や留意点などを表の形で記載することが一般的。プライバシー保護の観点から守秘義務に注意する。

実習指導案
その活動のねらいや内容と、時刻ごとの環境構成、予想される子どもの活動、実習生の援助や配慮などを表の形式で記載するのが一般的。

保育士試験を受けるみなさんのほとんどは保育実習の経験がないと思いますが、試験では出題される場合があります。保育士としての倫理観や対応の基本が理解できていれば、経験がなくても解くことができるので落ち着いて解きましょう。

（6）保育所児童保育要録と小学校との連携

「**保育所児童保育要録**[*11]」は、保育所から就学先の小学校へ送付する、子どもの育ちを支えるための資料です。保育所児童保育要録の記入は、施設長の責任のもと**担当保育士**が行います。

保育所児童保育要録は、一人ひとりの子どものよさや全体像が伝わるように、また、保護者の思いを踏まえつつ記載します。保育所児童保育要録の送付については保護者にも周知しておくことが望ましいとされています。なお、記される内容には、家庭の状況や、病歴なども含まれます。子どもの最善の利益を考慮し、**個人情報**として適切に取り扱うことが求められます。

でた問!!

***11 保育所児童保育要録**
「保育所児童保育要録」の内容について出題。
R3前、R5後

保育所や幼稚園などと小学校が連携し、子どもの情報を共有することは、虐待の発見にもつながります。

ポイント確認テスト

穴うめ問題

Q1 過R3後

「全国保育士会倫理綱領」では、保育士がもつべき倫理観として、（　a　）の保護、（　b　）の子育て支援、利用者の（　c　）、子どもの発達（　d　）などをあげている。 >>> p305

Q2 過R4前

保育士は、自分自身のキャリアを考え、自らの職位や職務に合った能力を身につけるための（　　）を受けることが大切である。 >>> p306

Q3 過R4前

（　a　）出来事などに触れ感性を働かせる中で、様々な（　b　）の特徴や表現の仕方などに気付き、（　c　）や考えたことを自分で表現したり、友達同士で表現する過程を楽しんだりし、表現する（　d　）を味わい、意欲をもつようになる。（「保育所保育指針」第1章「総則」4「幼児教育を行う施設として共有すべき事項」（2）「幼児期の終わりまでに育ってほしい姿」コ「豊かな感性と表現」） >>> p309

Q4 過R3後

全体的な計画は、保育所保育の全体像を包括的に示すものとし、これに基づく指導計画、（　a　）、食育計画等を通じて、各保育所が（　b　）して保育できるよう、作成されなければならない。（「保育所保育指針」第1章「総則」3「保育の計画及び評価」） >>> p310

○×問題

Q5 過R5前

U保育所に勤務するS保育士は、近隣の公民館で子育てサークルを定期的に開催している民生委員の方から依頼を受け、遊びの指導を行った。この活動は保育士として適切である。 >>> p305

Q6 過R4後

指導計画においては園行事のねらいと内容を設定した上で、それに子どもの活動や生活の流れを合わせる。 >>> p310

Q7 過R6前

実習日誌に書いたことが正しいかわからないときは、SNSに実習先の保育所の情報や日誌の具体的な内容を書き込みし、色々な人から意見をもらって指摘してもらう。この対応は適切である。 >>> p312

Q8 過R3前

保育所児童保育要録の送付については、入所時や懇談会などを通して、保護者に周知しておくことが望ましい。 >>> p312

解答・解説

Q1　a プライバシー／b 地域／c 代弁／d 保障　Q2　研修　Q3　a 心を動かす／b 素材／c 感じたこと／d 喜び　Q4　a 保健計画／b 創意工夫

Q5　○　Q6　×　実際の子どもの活動は必ずしも計画どおりにいかないので都度計画を見直していく。　Q7　×　プライバシー保護の観点からSNSへの投稿は不適切である。　Q8　○

保育実習理論 Lesson 2

児童福祉施設における保育

頻出度 Level 3

このレッスンでは、保育所以外の児童福祉施設についてみていきます。施設の役割と機能に加え、支援のあり方や支援計画も学びます。

ココに注目!!

- 児童福祉法が定める児童福祉施設の種類
- 施設養護における原理からみる運営指針とは
- 入所施設における自立支援計画の背景と作成
- 保育士としての支援のあり方とは

1 児童福祉施設の役割

(1) 児童福祉施設とは

児童福祉施設
⇨上巻 子福p239

保育士はさまざまな児童福祉施設において、その専門知識をいかしながら勤務しています。

「児童福祉法」に定められた児童福祉施設は、13種類です。そのなかには、利用の申し込みをして認められた人が一定の時間に限って、自宅から通って支援を受ける「**通所**」施設、そこに一定期間居住し24時間体制で支援を受ける「**入所**」施設、通所・入所どちらも可能な施設、さらに、児童厚生施設のように、利用したいときだけ利用できる「**利用**」型の施設があります。

(2) 各施設の役割

❶助産施設

助産施設は、保健上、必要な入院助産が受けられない妊産婦に、助産を受けさせるための施設です。独立した助産施設より、病院・診療所の一部を助産施設とするところが多くなっています。

+プラス1

心身の状況
乳児院に入所している子どもの約３割は、病気や障害がある状況である。

❷乳児院

乳児院は、乳児を中心に、乳幼児を養育する施設です。病児、被虐待児、障害児などにも対応できる専門的機能をもっています。入所児童の約4割は1年未満で退所しますが、退所して家庭復帰した親子に対しては、相談その他の援助を行うことが重要となります。入所が長期になる場合は、里親委託により家庭的環境で養護されることが望まれますが、現状では長く入所している子どもの多くは児童養護施設に移ります。

❸母子生活支援施設

母子生活支援施設*1では、母子家庭の母と子（児童）の保護と自立の促進のためにその生活を支援し、退所した母子について相談その他の援助を行います。2004（平成16）年の法改正で、退所者も支援の対象に含まれるようになりました。

❹児童養護施設

児童養護施設*2では、保護者のない児童、虐待されている児童、その他養護を必要とする児童を入所させて、養護し、退所後の子どもに相談その他の自立のための援助を行います。入所理由は、制度が始まったころは親の死亡、貧困などで入所するケースが多かったのですが、現在は虐待が最も多くなっています。

日本では現在、子どもの成長にはより家庭的な環境のほうが望ましいとして、地域小規模型児童養護施設（グループホーム）やファミリーホーム（養育者の住居で行う里親型のグループホーム）を増やそうとする方向にあります。また、児童養護施設で入所児童を小規模のグループごとに、居室・食事室・浴室などを備えた生活の場を設け、生活単位（ユニット）とする、小規模グループケアも広がってきています。

児童養護施設では、基本的な生活習慣を確立し、豊かな人間性や社会性を養い、さらに将来自立した生活ができるように生活指導を行います。入所している子どもは施設から学校に通学しますが、施設でも学習指導を行います。義務教育の終了後の進路指導、職業指導も行います。

さらに、家庭環境の調整も児童養護施設の重要な役目です。家庭の状況に応じ、親子関係の再構築等が図られるように行わなければなりません。児童家庭支援センターや児童相談所との連携を図り、できるだけ早期に家庭および社会に復帰できるように援助することが必要です。

児童養護施設は18歳を過ぎてから自立できるかどうかによっ

✚プラス1

母子生活支援施設
かつては「母子寮」という名称。現在はDV被害者の保護と自立支援を行ううえでも重要な役割を担っている。

でた問!!

***1 母子生活支援施設**
母子生活支援施設の目的について出題。
R2後

***2 児童養護施設**
児童養護施設に求められる機能について出題。
H31前

✚プラス1

自立援助ホーム
「児童福祉法」のなかの「児童自立生活援助事業」として第2種社会福祉事業に位置づけられるもので、入所施設退所後のアフターケアと社会的自立を目的とする施設。在籍する子どもの平均年齢は17.8歳である。入所は原則20歳までだが、年齢、修学要件に関係なく必要に応じて在籍できる。

て退所が判断されます。自立可能と判断されても家庭に戻る子どもは少なく、多くは社会人として自立します。児童養護施設を巣立ったあとも安心して生活できるよう、退所後の生活を見守る支援（**アフターケア**[*3]）が求められています。

***3 アフターケア**
「児童養護施設運営指針」のうち、アフターケアについて出題。
H31前

❺障害児入所施設

障害児入所施設では、身体に障害のある児童、知的障害のある児童または精神に障害のある児童（発達障害児を含む）の支援を行います。医療を中心とする**医療型**と、養護を中心とする**福祉型**があります。以前は障害種別ごとに分かれていましたが、2012（平成24）年度から一元化されました。ただし、それまでと同様に障害の特性に合わせたサービスの提供が認められています。入所を希望する場合、**都道府県知事**に利用申し込みを行い、認められたあと、保護者と施設が契約を結ぶ**利用契約方式**がとられています。

❻児童心理治療施設

児童心理治療施設では、家庭環境、学校における交友関係その他の環境上の理由により社会生活への適応が困難になった児童を治療し、退所後も相談その他の援助を行います。全国**53**か所に設置されていますが、**都道府県に最低１つ**という目標にはまだ達していません（2022年３月31日時点）。心理（情緒）的、環境的に不適応を示している子どもと家族を対象とします。**児童相談所の紹介**により、通所で家族療法を行う場合や外来相談を行っている施設もあります。

❼児童自立支援施設

児童自立支援施設では、不良行為をし、またはするおそれのある児童、環境上の理由により生活指導等を要する児童に、必要な指導を行い、自立を支援する施設です。学校や警察署からの通告で、児童相談所が入所措置の決定を行います。家庭裁判所での審判により送致される場合もあります。学校に代わり、学習指導要領を準用した**学習指導**が行われます。

❽保育所

保育所は、**保育を必要とする**乳児・幼児のための施設です。対象となる乳幼児を日々保護者のもとから通わせて、保育を行います。

❾幼保連携型認定こども園

幼保連携型認定こども園は、満3歳以上の幼児と、保育を必要とする乳幼児が通う施設です。就学前の子どもに対して教育と保育を一体的に行い、幼児教育と保育を提供します。

❿児童発達支援センター

児童発達支援センターは、障害のある児童を通所させ、日常生活における基本的動作や知識技能の習得、集団生活への適応のための支援、肢体不自由児に対しての治療などを行う施設です。

プラス1
医療型、福祉型の一元化
児童発達支援センターは、2024（令和6）年4月施行の改正児童福祉法により福祉型、医療型が一元化された。

⓫児童厚生施設

児童館に代表される子どもが楽しむための施設です。近年は子育て支援の場としても重要な役割を担っています。屋内型の施設（児童館）と、屋外型の施設（児童遊園）があり、屋内型の施設の場合には、集会室、遊戯室、図書室および便所を設けることが「児童福祉施設の設備及び運営に関する基準」で定められています。

⓬児童家庭支援センター

18歳未満の児童、家庭、地域住民などが利用する施設です。地域の子どもや子育て家庭の相談に対応して、必要な助言や援助、情報提供を行います。あわせて、児童相談所や他の児童福祉施設等などの専門機関との連絡調整を行います。

⓭里親支援センター

里親支援センターは、里親、里親に養育される児童、里親になろうとする者が利用する施設です。里親支援事業を行うほか、対象者の相談に応じ、その他の援助を行います。

（3）入所施設・里親における支援の内容

❶施設養護における基本原理

2012（平成24）年に厚生労働省は、各入所施設および里親・ファミリーホームの運営指針を発出しました。以降、すべての入所施設・里親においては運営指針にのっとった養育を行うこととされ、運営指針に沿って適切な養育がされているかどうかを客観的に評価するための第三者評価が乳児院、母子生活支援施設、児童養護施設、児童心理治療施設、児童自立支援施設に

施設養護の基本原理
「児童養護施設運営指針」
⇨上巻 社養p311

義務づけられることになりました。運営指針においては、以下の６つを社会的養護の原理として示しています。

社会的養護の原理
⇨上巻 社養p311～312

■６つの社会的養護の原理

①家庭的養護と個別化	すべての子どもは、適切な養育環境のもとで、安心して自分をゆだねることのできる養育者によって養育されるべき存在である。
②発達の保障と自立支援	人生の基礎となる乳幼児期では、愛着関係や基本的な信頼関係の形成が重要になる。それらを基盤として、さまざまな生活体験をとおして自立や自己実現をめざす。
③回復をめざした支援	被虐待や家族・地域などとの分離体験をもつ子どもに対しては、回復をめざした専門的ケアや心理的ケアといった治療的な支援が必要。
④家族との連携・協働	子どもや保護者の問題状況の解決や改善を図り、保護者を支えながら子どもの発達や養育を保障していく。
⑤継続的支援と連携アプローチ	始まりからアフターケアまでの継続した支援と、できる限り特定の者による一貫性のある養育を行う。
⑥ライフサイクルを見通した支援	社会にでてからの生活を見通した支援を施設入所中から行い、施設などに帰属意識をもち、子ども自身が親になったときに虐待や貧困の世代間連鎖を断つことができるような支援を行う。

出典：厚生労働省「児童養護施設運営指針」2012年をもとに作成

❷子どもの権利擁護

施設で生活する子どもの権利は守られなければなりません。「児童養護施設運営指針」では、権利擁護の取り組みについて下記の７項目をあげています。

- **子ども尊重と最善の利益の考慮**
- **子どもの意向への配慮**
- **入所時の説明等**
- **権利についての説明**
- **子どもが意見や苦情を述べやすい環境**
- **被措置児童等虐待対応**
- **他者の尊重**

施設で働く保育士は、入所から退所までの全期間にわたって**子どもの人権を守る**意識をもち、**子どもへの説明責任**と**知る権利**を保障することが大切です。子どもたちが施設での生活を通してさまざまな生活体験をし、多くの人たちと触れ合うことで他者の立場に配慮する心が生まれるよう支援していきます。

❸専門職としての保育士の関わり

社会的養護を必要とする子どもは、それまでの養育関係において、虐待や貧困などを経験し、大人との関係の築きづらさを抱えていることが多くみられます。また、その保護者も非常に困難な状況にある人がほとんどです。このような子どもや保護者を支えるために、保育士は専門職としての**倫理**や**規範**を身につけ、**寄り添って支援**をしていくことはもちろん、以下のような**方法論**を身につけておくことも必要です。

■覚えておきたい「方法論」*4

バイステックの7原則	相談者と援助者の信頼関係を形成するための方法で、援助者としての態度を表す。「個別化」「意図的な感情の表出」「**統制された情緒的関与**」「受容」「**非審判的態度**」「**クライエントの自己決定**」「秘密保持」の7つがある。
ペアレントトレーニング	心理学の行動療法をもとにしているもので、親が適切なしつけの方法を身につけられるようにする。
ライフストーリーワーク	子どもの生い立ちに耳を傾け、子ども自身が自分の物語をつむぐことで、**アイデンティティの確立**をめざす。
スーパービジョン	経験の浅い支援者に対し、熟練の支援者が専門的な力を発揮できるよう指導・支援すること。
アンガーマネジメント	怒りやいらだちの感情を適切にコントロールするための心理トレーニング。1970年代のアメリカではじまった。

(4) 入所施設における自立支援

入所施設では家庭復帰や社会的自立をめざして保護や**自立支援***5が行われていますが、近年は、**虐待が理由で入所する子どもの増加**など、入所する子どもの家庭環境が深刻かつ複雑化している状況にあります。このような背景から、入所施設においては、一人ひとりの子どもに対して、**自立支援計画***6を作成することになっています。自立支援計画とは、子どものニーズに即し、子どもに適切な**保護**や**支援**を提供していくための道筋を提示することを目的としており、「児童養護施設等における入所者の自立支援計画について」(厚生労働省、2005年)に基づ

保育士の倫理についてはレッスン1で学びましたね。

用語

統制された情緒的関与
援助者が自らの感情を自覚して、冷静に受け止め、理解すること。

非審判的態度
援助者の価値観によって利用者を一方的に非難してはならないという基本原則。

クライエントの自己決定
援助者がクライエントの意思を尊重し、クライエントが自ら選択・決定できるように支援すること。

***4 方法論**
バイステックの7原則について事例問題で出題。
R1後
スーパービジョンやアンガーマネジメントなどの方法論について出題。
R4後

***5 自立支援**
適切な対応のあり方について事例問題で出題。
R4後、R5前

***6 自立支援計画**
事例問題で出題。
R3前

保育実習理論

アイデンティティの確立
⇨保心p65

自立支援計画
⇨上巻 社養p317

児童福祉施設
⇨上巻 子福p239

き、**すべての施設入所者と家庭**に関して計画するものです。

乳児院、児童養護施設、児童心理治療施設、児童自立支援施設の自立支援計画の作成にあたっては、**子ども本人や保護者の意向も反映**し、作成後は計画が適切に実行されており、目標が達成されたかについて評価を行い、必要に応じて自立支援計画の**見直し**を行うことが必要です。

母子生活支援施設における自立支援計画は、**母子自身の意見や意向を踏まえて作成**し、定期的に計画に対する評価を行いながら、現在の援助が適切であるかを判断することが大切です。

また、自立支援計画の作成にあたっては、子ども、あるいは母子の問題行動や短所を指摘するだけにならないよう留意し、援助の役割を評価し、現在行っている援助について、改善の求められる部分がないかどうかというところに主眼を置きます。

2 児童福祉施設の機能

（1）すべての児童福祉施設における共通の基準

❶児童福祉施設の目的と一般原則

児童福祉施設には、施設の種類を問わず、共通で守るべき決まりがあり、「児童福祉施設の設備及び運営に関する基準」第１章総則に示されています。

まず、最低基準の目的については、「児童福祉施設に入所している者が、明るくて、**衛生的**な環境において、素養があり、かつ、適切な訓練を受けた職員の指導により、心身ともに健やかにして、社会に適応するように育成されることを保障するものとする」（第２条）とされます。

また、下記の「**児童福祉施設の一般原則**」を示しています。

「児童福祉施設の設備及び運営に関する基準」第5条

（児童福祉施設の一般原則）

児童福祉施設は、入所している者の人権に十分配慮するとともに、一人一人の人格を尊重して、その運営を行わなければならない。

そのほかにも以下のような一般原則があります。

- **地域社会との交流及び連携を図り、児童の保護者及び地域社会に対し、当該児童福祉施設の運営の内容を適切に説明するよう努めなければならない（努力義務）**
- **運営内容を自ら評価し、公表するよう努めなければならない（努力義務）**
- **施設の目的を達成するために必要な設備を設けなければならない（義務）**
- **構造設備は、入所者の保健衛生や危害防止に十分な考慮を払って設けられなければならない（義務）**

法律上の努力義務と義務の違いに注意しましょう。

この原則のなかで、2012（平成24）年の法改正で、乳児院、母子生活支援施設、児童養護施設、児童心理治療施設、児童自立支援施設は**3年に1回**、**第三者評価**を受審してその結果を公表し、改善を図ることが**義務**づけられました。

用語
第三者評価
第三者の目から見た評価結果を幅広く利用者や事業者に公表することで、利用者に対する情報提供を行うとともに、事業者のサービスの質の向上を促すことで、利用者本位の福祉の実現をめざすもの。

❷児童福祉施設の職員

児童福祉施設の職員の一般的要件として、「健全な心身を有し、豊かな人間性と**倫理観**を備え、児童福祉事業に熱意のある者」（第７条）などをあげています。

また、職員は「常に自己研鑽（けんさん）に励（はげ）み、法に定めるそれぞれの**施設の目的**を達成するために必要な**知識**及び**技能**の修得、維持及び**向上**に努めなければならない」（第７条の２）とされます。

プラス1
里親支援センターの第三者評価
里親支援センターも第三者評価の受審が義務付けられているが、年限は未定。

児童福祉施設の職員
⇨上巻 子福p246

❸児童福祉施設の安全と健康の管理

災害に対しては、消火用具、非常口などの設備を設けるとともに、非常災害に対して具体的計画を立て、「**避難及び消火に対する訓練**」は、「少なくとも**毎月1回**」行うことを義務づけています。さらに、感染症や非常災害発生時に利用者に対する支援提供を継続して実施、非常時の体制で早期再開を図るための業務継続計画を作成するように努めるとされています。障害児入所施設・児童発達支援センターにおいては、業務継続計画を策定しなければならないとされています。

また、児童福祉施設（助産施設、児童遊園、児童家庭支援センター、里親支援センターを除く）では、児童の安全確保のため、設備の安全点検、職員・児童等に対する施設外での活動や取組等・日常生活等における安全指導、職員の研修・訓練等についての安全計画を策定しなければならないとされています。

プラス1
安全計画
保育所および児童発達支援センターは、児童の安全の確保に関して保護者との連例が図られるよう、保護者に対して安全計画に基づく取組の内容等について周知しなければならない。

保育実習理論

健康診断については、児童福祉施設長は入所者に対して、入所時の健康診断に加え、少なくとも**1年に2回定期健康診断**および臨時の健康診断を行わなければなりません。ただし、入所前にすでに行っている場合や児童が通学する学校で健康診断が行われている場合は、この限りではありません。児童養護施設から保育所や学校に通っている子どもたちは、保育所や学校で健康診断を受けます。

❹虐待の禁止

児童虐待
⇨保心p82
⇨上巻 子福p285

職員が、子ども同士のいじめや暴力行為を放置するのも、虐待とされます。

児童福祉施設での虐待は禁止されていますが、入所施設は外部の目が入りにくく、一部では体罰、性的虐待などが行われやすい状況にありました。そのため、2008（平成20）年「児童福祉法」が改正され、第2章に第7節「被措置児童虐待等の防止等」が加えられました。これにより入所施設内での虐待の発見者には児童相談所、福祉事務所または都道府県の行政機関への**通告が義務**づけられました。入所児童が児童相談所に被害を訴えることもできます。

3 記録と自己評価

（1）施設職員による記録

保護者に代わり児童の養育を行う入所型の児童福祉施設においては、入所後の生活や支援の様子、業務の引き継ぎ事項などを記載する記録（**日誌**）を書くことが、職員の大切な業務の一つです。

入所施設においては、複数の職員が交代制で24時間の勤務を行っています。そのため、**記録を通して子ども一人ひとりのニーズを細かく引き継いでいくこと**が必要となります。**記録**には、子どもの行動や言動だけでなく、**その行動から見られる考察**や、**職員と子どもとの関係性**についても記載しておくことが必要です。子どもの情報を共有するため、記録は職員の目の届きやすいところに保管しておく一方で、**プライバシー保護の観点から外部に情報が漏れないよう**細心の注意を払わなければなりません。

ケース記録などに記載されている子どもの家族構成や入所に至った経緯、児童相談所での検査結果などの**個人情報**についても、**外部に漏れないよう注意します**。一方で、**子どもの知る権利**を守る観点から、子どもが自らの生い立ちを知りたいと思ったときには、適切な方法で伝えることを検討することが大切です。

＋プラス1

子どもの知る権利の保障

入所施設の子どもは、施設に入所した理由や家族の状況を含めた、自分の生い立ちについて知る権利がある。生い立ちを知るためには、入所の経緯を知る児童相談所との連携が不可欠である。

（2）実習生による記録

保育士養成校においては、保育士資格取得のために保育所のかわりに児童養護施設などの児童福祉施設で保育実習（施設実習）を行うことができます。

施設実習*7は子どもを養育した経験のない実習生にとって、具体的な学びの場であると同時に実践の場です。子どもたちが置かれている**現実に寄り添い**、心の機微に触れることが大切です。

施設による実習においても**実習記録***8（実習日誌）を作成しますが、その際には、子どものプライバシーに配慮する必要があります。また、実習を通して得た子どもの情報についても**守秘義務**があります。

実習記録を記載する際に気をつけることは、下記のとおりです。

- **子どもの個人名を記載しない（イニシャルで記載する）**
- **子どもの家族の個人情報や入所に至った経緯などは記載しない**
- **子どもの言動をただ記載するのでなく、その行動に至った理由について、自分自身の印象や考えについても記載する**
- **感情的な表現は避ける**
- **家族や友人などに実習記録を見せない**

***7 施設実習**

施設実習において実習生がとるべき対応について事例で出題。

R5前・後、R6前

***8 実習記録**

実習記録をつけるにあたって気をつけなければならない点について出題。

R3後、R5前

実習については事例問題で出題されます。保育士として適切な行動をイメージしながら解きましょう。

ポイント確認テスト

できたらチェック！

穴うめ問題

Q1 □□ 過R2後

母子生活支援施設における生活支援は、その（　　　）を目的とし、かつ、母子の私生活を尊重して行わなければならない。 >>> p315

Q2 □□ 予想

「児童養護施設運営指針」（一部抜粋）では、「施設から家庭に戻った子どもへの継続的なフォロー、社会的養護の下で育った人への自立支援や（　　　）、地域の子育て家庭への支援などが求められる。」としている。 >>> p316

Q3 □□ 過R1後

バイスティックの7原則で専門職として自らの感情を自覚し理解することを（　　　）という。 >>> p319

Q4 □□ 過R5後

「児童養護施設運営ハンドブック」（平成26年厚生労働省）には、「実習生にとって最も大切なことは、子どもたちがおかれている（　a　）にどれだけ寄り添い、子どもたちの心の（　b　）にどれだけ触れることができるかである」とある。 >>> p323

○×問題

Q5 □□ 予想

入所する子どもの家族関係の再構築は児童相談所の役割であるため、児童養護施設が関わることはない。 >>> p315

Q6 □□ 過R4後

児童養護施設で実習生のYさんは「将来特にやりたいことなんかない」という高校生のZ君に対し、本人の意向をふまえ措置延長の必要性について検討することにした。この対応は適切である。 >>> p319

Q7 □□ 過R6前

児童養護施設で生活しているSちゃん（7歳、女児）がぬいぐるみを投げたことを実習生Mさんが注意したところ、Sちゃんは「お姉さん嫌い！お姉さんもどうせ私のこと嫌いなんでしょ！」と言って泣き出し、近くにあった他のぬいぐるみも投げ続けた。Sちゃんが落ち着くまでしばらく見守りながら一緒にいるのは適切な対応である。 >>> p323

Q8 □□ 過R3後

児童養護施設で実習中のSさんは実習記録の作成時、担当するTちゃんの個人名や入所理由など、ケース記録に書かれているまま、実習記録に転記した。この対応は適切である。 >>> p323

解答・解説

Q1　自立の促進　Q2　アフターケア　Q3　統制された情緒的関与　Q4　a 現実／b 機微
Q5　×　児童養護施設の役割として家庭環境の調整がある。　Q6　○　Q7　○　Q8　×
プライバシー保護の観点から本名は記載しない。

保育実習理論
Lesson 3

音楽に関する技術①

頻出度 Level 4

このレッスンからは、音楽について学びます。子どもの感性を育てる音楽を理解するために、実際に曲や楽器の音を聞くことも大切です。

ココに注目!!
- 年齢別にみる音楽能力の発達
- 保育所保育指針が掲げる表現のねらいとは
- 子どもの音楽に関連する専門用語とは
- 出題されやすい楽曲、作詞・作曲家

1 幼児と音楽

(1) 音楽能力の発達過程

音楽の楽しみは子どもにとって本能的なものであるといえます。音楽は、子どもの情緒を豊かにし、創造力を伸ばし、人間性を養います。

- **乳児期**……音に対して反応を示す。音のしたほうへ首を回し、ガラガラやオルゴールの音を楽しむ。抑揚(よくよう)をつけてのど声を出し、自分で喜んだりする。
- **おおむね1歳3か月ごろ～2歳**……音楽に合わせて身体を揺すったり、駆け回ったりするようになる。歌の一部をまねるようになる。
- **おおむね3歳**……**歌をともなう遊び**を喜ぶ。音程はやや安定してくる。拍子も合わせることができるようになる。
- **おおむね4歳**……歌う意欲が盛んになる。音の高低、強弱、速さ、音色、和音の違いなどがわかるようになる。楽器を使った**リズム打ち**もできるようになる。
- **おおむね5歳～**……歌うこと、楽器を使ったリズム打ちなどができるようになる。いろいろな音を区別し、旋律(せんりつ)を聴き分けられるようになる。

歌を歌わない子どもに、歌うように強要してはいけません。雰囲気づくりを工夫して、子どもが自分から音楽に心を開くように努めましょう。

5歳ごろになると、合奏なども楽しむことができるようになります。

（2）音楽のねらいと内容

音楽やリズムに合わせて体を動かすという経験をとおして、子どもは楽しい気持ちを表現することの喜びを味わいます。保育士は、子どもがこのような経験を積むことができるよう、活動内容や環境に配慮することが必要です。「保育所保育指針」では、３歳以上児の「表現」のねらい、内容について、以下のように述べています。

「保育所保育指針」　第2章（抜粋）

ねらい[*1]

①いろいろなものの美しさなどに対する**豊かな**感性をもつ。
②感じたことや考えたことを**自分なりに**表現して楽しむ。
③**生活の中でイメージ**を豊かにし、様々な表現を楽しむ。

内容

①生活の中で様々な音、形、色、**手触り**、**動き**などに気付いたり、感じたりするなどして楽しむ。
②生活の中で美しいものや心を動かす出来事に触れ、**イメージ**を豊かにする。
③様々な出来事の中で、**感動**したことを伝え合う楽しさを味わう。
④**感じたこと**、考えたことなどを音や動きなどで表現したり、**自由に**かいたり、つくったりなどする。
⑤いろいろな素材に親しみ、工夫して遊ぶ。
⑥音楽に親しみ、歌を歌ったり、簡単なリズム楽器を使ったりなどする楽しさを味わう。
⑦**かいたり、つくったり**することを楽しみ、**遊びに**使ったり、**飾ったり**などする。
⑧自分のイメージを動きや言葉などで表現したり、演じて遊んだりするなどの楽しさを味わう。

でた問!!

***1 保育に関するねらい及び内容「表現」**
「保育所保育指針」の「保育の内容」の３歳以上児のオ「表現」について出題。
H31前、R3後
「保育所保育指針」の「保育の内容」の１歳以上３歳未満児のオ「表現」について出題。
R4後、R5前

「保育所保育指針」第2章「表現」をよく理解しておきましょう。ここでは３歳以上児のねらい、内容について取り上げていますが、１歳以上３歳未満児が出題されることもあります。

（3）保育所における音楽表現の留意点

音楽の活動を行う際には、子どもの発達に合わせた楽曲、楽器を選択する必要があります。保育士はさまざまな子どもに適した楽曲や、楽器の種類、音色についての知識を身につける必要があります。

❶楽曲の選択

子どもに適した楽曲の選び方は以下のとおりです。

- **歌詞は子どもに理解しやすい言葉で、子どもの生活に即した明るく楽しいものがよい**
- **リズムは難しすぎず、はずんだ感じのものがよい**
- **拍子は$\frac{2}{4}$拍子、$\frac{3}{4}$拍子、$\frac{4}{4}$拍子がよい**
- **曲の長さは8～12小節ぐらいがよい**
- **幼児の音域を考えて、無理のない曲を選ぶ必要がある。また、歌いづらそうにしている場合は移調する**
- **どならないように、優しく歌うよう指導する**
- **みんなで楽しく歌える雰囲気をつくる**

❷楽器の選択

楽器には、鍵盤楽器、打楽器、弦楽器、管楽器があります。幼児に適している楽器は、大太鼓、小太鼓、カスタネット、タンバリン、トライアングル、シンバル、鈴、ウッドブロック、マラカス、木琴、鉄琴などの**打楽器**です。**大太鼓、小太鼓**[*2]のように皮などの膜を張って音を出す打楽器は、膜鳴（まくめい）楽器ともいいます。

■打楽器の種類

トライアングル

木琴

ウッドブロック

提供：ヤマハ株式会社

(4) 子どもの音楽に関わる専門用語

❶赤い鳥童謡運動

1918（大正7）年に**鈴木三重吉（すずきみえきち）**や**北原白秋（きたはらはくしゅう）**らが創刊した雑誌**『赤い鳥』**[*3]に掲載された詩に子ども向けの曲をつけた活動をいいます。「赤い鳥小鳥」「かなりや」などが代表的な童謡です。

小節
⇨p334

移調
⇨p349

✚プラス1

打楽器以外の楽器の種類

- 鍵盤楽器……ピアノ、オルガンなど。
- 弦楽器……弦をこすって音をだす、擦弦楽器のヴァイオリン、チェロ、ヴィオラなどと、弦をはじいて音をだす、撥弦楽器のギター、マンドリンなど。
- 管楽器……マウスピースを使って唇の振動によって音をだすトランペット、ホルン、トロンボーンなどの**金管楽器**と、リードに息を吹き込んで音をだすオーボエ、クラリネット、サクソフォーンなどの**木管楽器**がある。

金管楽器、木管楽器の違いは材質（金属か木か）ではないんですよ。

保育実習理論

でた問!!

***2 打楽器**
大太鼓、小太鼓について出題。
R6前

***3『赤い鳥』**
『赤い鳥』について出題。
R6前

❷唱歌(しょうか)*4

明治から昭和にかけて音楽教育用に文部省が選定した歌をいいます。また、旧制の学校教育における音楽教科名でした。

❸わらべうた*5

わが国の**伝承童謡**をいいます。ほとんどの曲が音階の４番目と７番目の音がないヨナ抜き音階「ドレミソラ」で構成されています。**マザーグース***6は、イギリスの伝承童謡です。

❹オイリュトミー

ドイツの**シュタイナー**が考案した表現方法で、音楽を用い、身体を使ってさまざまに表現します。

❺コダーイシステム*7

ハンガリーの**コダーイ**が考案した方法で、ハンガリーの民謡を教材とし、遊びながら音程やリズムを体得していきます。**移動ド唱法**と、音の高さを手を使って表すのが特徴です。

❻リトミック*8

スイスの作曲家である**ダルクローズ**が考案した方法で、ソルフェージュや即興(そっきょう)演奏などを用いた身体表現が基本です。音楽を用いた身体表現という点は、オイリュトミーと共通しています。わが国では、小林宗作(こばやしそうさく)が普及させました。

❼ソルフェージュ

楽譜を読んだり、和音やメロディーを聴き取って楽譜に書いたり、歌ったりすることを、ソルフェージュといいます。

❽マーチ

行進曲のことで、２拍子の曲が多いですが、４拍子の場合もあります。

❾メヌエット

舞曲(ぶきょく)の一種で、３拍子の曲です。

❿ワルツ*9

舞曲の一種で、円舞曲ともよばれています。３拍子で作曲されます。

2 子どもの歌

次に、保育所でよく歌われている主な子ども向けの楽曲を

*4 唱歌
唱歌の旧名について出題。
R1後

*5 わらべうた
わらべうたの構成音について出題。
R3後、R4後

*6 マザーグース
イギリスの伝承童謡、マザーグースについて出題。
R6前

*7 コダーイシステム
コダーイシステムの発祥地について出題。
R2後

*8 リトミック
リトミックを普及させた人物について出題。
R1後

*9 ワルツ
ワルツの拍子について出題。
H31前、R4後

コダーイ・ゾルターン
Kodály, Zoltán
1882〜1967年。
ハンガリーの作曲家、教育家。

✚プラス１

移動ド唱法
階名（ドレミ）で歌う方法。音階の第1音を必ずドとするので、調の種類によってドの位置が移動する。

舞曲とはダンス・踊り・舞いのための音楽のことです。

テーマごとに分けて紹介します。子ども向けの楽曲では主に、季節や自然、生き物、植物、子どものまわりにいる人たちなどがテーマになっています。これらの曲の**作詞家・作曲家**[*10]の名前を知り、曲を聴き、その特徴をつかんでおきましょう。

■季節や自然がテーマの歌

タイトル	作詞家	作曲家
夕やけ小やけ	中村雨紅	草川　信
お正月	東　くめ	滝　廉太郎
こいのぼり	近藤宮子	作曲者不詳
たなばたさま	権藤はなよ	下総皖一
もみじ	高野辰之	岡野貞一

■生き物がテーマの歌

タイトル	作詞家	作曲家
ぞうさん	まど・みちお	團　伊玖磨
とんぼのめがね	額賀誠志	平井康三郎
やぎさんゆうびん	まど・みちお	團　伊玖磨
七つの子	野口雨情	本居長世

■植物がテーマの歌

タイトル	作詞家	作曲家
おおきなくりのきのしたで	作者不詳	外国曲
チューリップ	近藤宮子	井上武士
どんぐりころころ	青木存義	梁田　貞

■人物がテーマの歌

タイトル	作詞家	作曲家
おかあさん	田中ナナ	中田喜直
サッちゃん	阪田寛夫	大中　恩
せんせいとおともだち	吉岡　治	越部信義
一年生になったら	まど・みちお	山本直純
桃太郎	不詳	岡野貞一

***10 作曲家、作詞家**
「夕やけ小やけ」の作曲家について出題。
R5前
「お正月」の作曲家と年代について出題。
R5後
「こいのぼり」の作曲家と作詞家について出題。
H31前
「あめふりくまのこ」の作曲家について出題。
R1後
「犬のおまわりさん」の作曲家について出題。
R2後、R3前
「七つの子」の作詞家について出題。
R4前
「桃太郎」の作曲家について出題。
R4後
「むすんでひらいて」ルソーが作曲したことについて出題。
R6前

保育実習理論

曲の歌い始めの部分のリズム譜から曲名を答える問題も出題されています。

リズム譜
⇨p335

子ども向け楽曲
⇨別冊p46

ポイント確認テスト

穴うめ問題

□□ **Q1** 過R4後

「保育所保育指針」第2章「保育の内容」2「1歳以上3歳未満児の保育に関わるねらい及び内容」オ「表現」(ウ)「内容の取扱い」の一部では、「身近な自然や身の回りの(　a　)に関わる中で、(　b　)や心が動く経験が得られるよう、諸感覚を働かせることを楽しむ遊びや(　c　)を用意するなど保育の環境を整えること」としている。 >>> **p326、別冊p13**

□□ **Q2** 過R6前

『赤い鳥』は、(　　　) 時代に鈴木三重吉が創刊した雑誌である。 >>> **p327**

□□ **Q3** 過R2後

コダーイシステムは、(　　　) で生まれた教育法である。 >>> **p328**

□□ **Q4** 過R6前

「むすんでひらいて」の旋律を作曲したのは、(　　　) である。 >>> **p329**

○×問題

□□ **Q5** 過R3後

サクソフォーンは、木管楽器である。 >>> **p327**

□□ **Q6** 過R6前

マザーグースとは、イギリスの伝承童謡である。 >>> **p328**

□□ **Q7** 過R4後

ワルツは、２拍子の踊りの音楽である。 >>> **p328**

□□ **Q8** 過R5前

「夕やけ小やけ」の作詞者は、北原白秋である。 >>> **p329**

□□ **Q9** 過R3前

「犬のおまわりさん」の作曲者は、佐藤義美である。 >>> **p329**

解答・解説

Q1　a 事物／b 発見／c 素材　Q2　大正　Q3　ハンガリー　Q4　ルソー
Q5　○　Q6　○　Q7　×　３拍子の踊りの音楽である。　Q8　×　「夕やけ小やけ」の作詞者は中村雨紅である。　Q9　×　佐藤義美は作詞者である。

保育実習理論 Lesson 4

音楽に関する技術②

頻出度 Level 2

このレッスンでは、楽典について学んでいきます。楽譜の読み方からリズムや曲調、演奏方法について理解を深めましょう。

ココに注目!!

- 五線譜の読み方と理解
- リズム譜とは
- 速度標語の種類と意味
- 曲想標語の種類と意味

1 楽譜の読み方

(1) 五線譜の基本

五線譜では音の高さを示すために主に2種類の音部記号(𝄞、𝄢)が使われます。

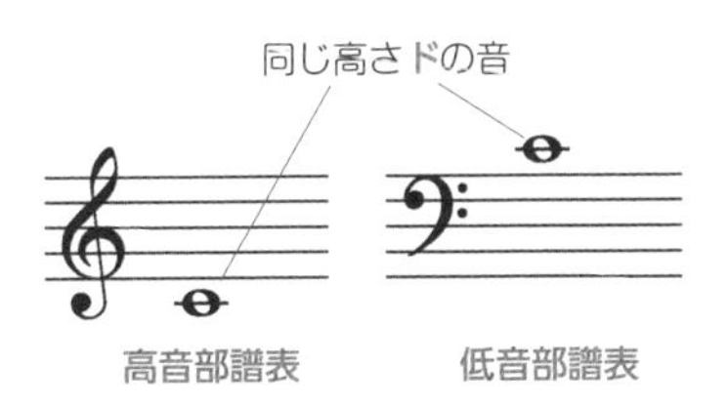

ト音記号は**高い**音域の音を、ヘ音記号は**低い**音域の音を記すときに用いられます。五線譜が二段になったものを**大譜表**といいます。

✚プラス1

加線
五線内に記すことのできなくなった音は、短い線を加えて示す。この線を加線という。

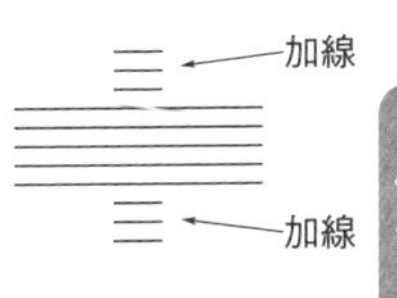

高音部譜表と低音部譜表のそれぞれの加線上下2線くらいまでの音は把握しておくといいですね。

保育実習理論

ト音記号は主に歌うときの主旋律やピアノやオルガンで演奏するときの右手の部分を、ヘ音記号は左手の部分を示すときに用いられます。

❶鍵盤と音

ピアノやオルガンの鍵盤は、**左**にいくほど低い音になり、**右**にいくほど高い音になります。

■大譜表と鍵盤との音の位置関係

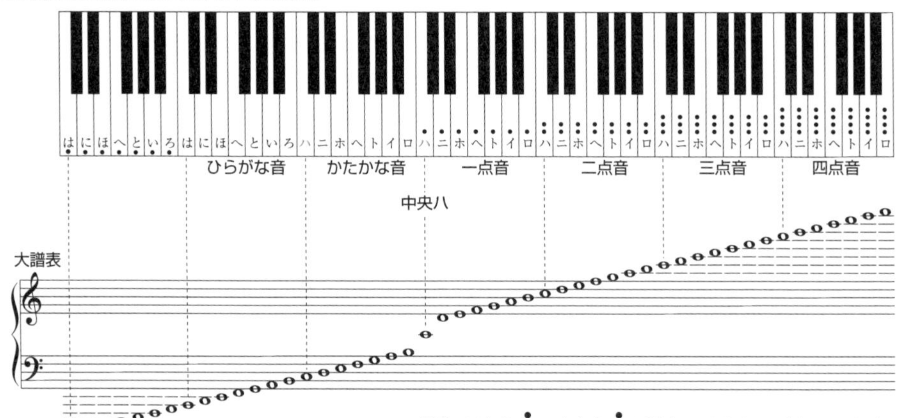

（例）ハからハ、ホからホの間を**1オクターブ**といいます。

❷音名（おんめい）

日本語音名は、調名で、英語音名はコードネームで使用しますよ。

伊・仏	Do（ド）	Re（レ）	Mi（ミ）	Fa（ファ）	Sol（ソ）	La（ラ）	Si（シ）
日	ハ	ニ	ホ	ヘ	ト	イ	ロ
独	C（ツェー）	D（デー）	E（エー）	F（エフ）	G（ゲー）	A（アー）	H（ハー）
英	C（シー）	D（ディー）	E（イー）	F（エフ）	G（ジー）	A（エー）	B（ビー）

ドレミファソラシは、日本語音名で**ハニホヘトイロ**といいます。英語音名では**CDEFGAB**となります。どちらも基本の音名として覚えましょう。

全音と半音は、音程を理解するうえで大事なポイントとなります。違いをしっかりと理解しましょう。

❸全音と半音

鍵盤を見ると、ド（⑥）からシ（⑰）までは白鍵と黒鍵合わせて12の音からなることがわかります。ミとファ（⑩と⑪）、シとド（⑤と⑥）など、隣り合う音を**半音**とよびます。ドとレ

（⑥と⑧）など半音２つ分の幅を**全音**とよびます。

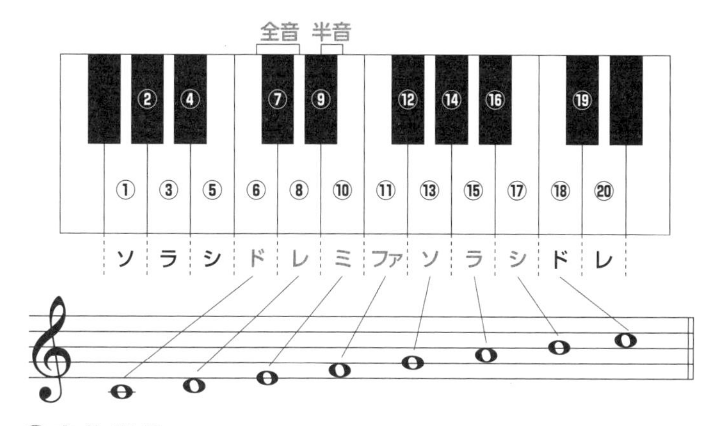

❹変化記号

♯（シャープ）・♭（フラット）などの変化記号とよばれる記号は音符の前につけます。♯（嬰（えい）記号）がつくと音は**半音高く**、♭（変記号）がつくと**半音低く**なり、音名も変わります。

日本語では♯のついた音名を嬰ハ、嬰ニ、嬰ホ…、♭のついた音名を変ハ、変ニ、変ホ…、とよびます。

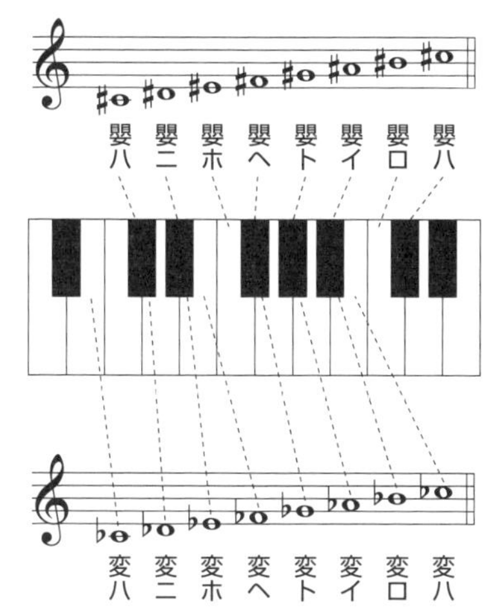

記号	名前	意味
♯	シャープ	半音上げる
♭	フラット	半音下げる
♮	ナチュラル	もとに戻す
𝄪	ダブルシャープ	全音上げる
𝄫	ダブルフラット	全音下げる

調号
⇨P347

変化記号は調を示す調号として用いる場合と、曲の途中で用いる臨時記号とがあります。♮（ナチュラル）は変化記号の効力を消し、もとの音に戻す記号です。

❺小節

五線を縦線で区切ったそれぞれの部分を**小節**といいます。

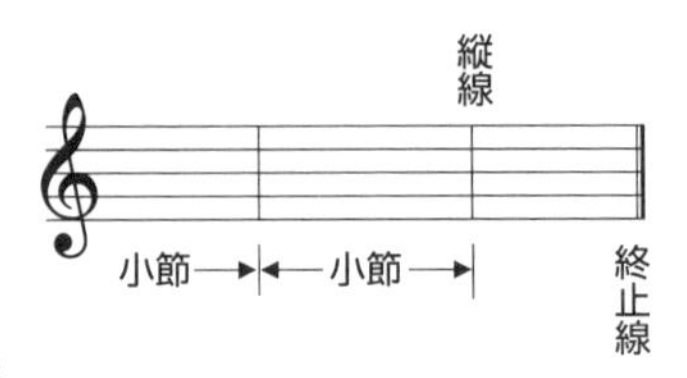

❻音符と休符

音の長さは、𝅝 、♪ などの音符で示します。いちばんよく目にする♩を**四分音符**といいます。

また、音をださずに休むときには、休符を用います。

音符（休符）の名前は、全音符（全休符）を1として、その$\frac{1}{2}$という意味で二分音符（二分休符）、$\frac{1}{4}$という意味で四分音符（四分休符）というようにつけられています。

♩を1拍とした場合

音符		長さの割合				休符	
全音符	𝅝					𝄻	全休符
二分音符	𝅗𝅥					𝄼	二分休符
四分音符	♩					𝄽	四分休符
八分音符	♪					𝄾	八分休符
十六分音符	𝅘𝅥𝅯					𝄿	十六分休符

音符や休符の右横に小さな点のついたものを、付点音符、付点休符といいます。点のつけられた音符や休符の半分の長さが加えられます。

名称	音符　長さ	名称	休符　長さ
付点全音符	𝅝. ＝ 𝅝 ＋ 𝅗𝅥	付点全休符	𝄻. ＝ 𝄻 ＋ 𝄼
付点二分音符	𝅗𝅥. ＝ 𝅗𝅥 ＋ ♩	付点二分休符	𝄼. ＝ 𝄼 ＋ 𝄽
付点四分音符	♩. ＝ ♩ ＋ ♪	付点四分休符	𝄽. ＝ 𝄽 ＋ 𝄾
付点八分音符	♪. ＝ ♪ ＋ 𝅘𝅥𝅯	付点八分休符	𝄾. ＝ 𝄾 ＋ 𝄿

❼拍子

強拍と弱拍によるパターンの繰り返しを**拍子**（ひょうし）といいます。拍子は主に次のようなものがあります。

（＞強拍、◯中強拍、○弱拍）

拍子は楽譜のはじめに、拍子記号という分数のような形で示します。上の数字は何拍子かを示し、下の数字は１拍が何音符かを示します。

（4分の3拍子）

この場合、１小節の中に四分音符が３つ入ります。

楽譜は、さまざまな長さの音符と休符の組み合わせ（リズム）でできています。また、五線譜上に音の高低を表すことによって、メロディーを読み取ることのできる楽譜となります。

「こいのぼり」作詞：近藤宮子　作曲：作者不詳

最近の保育士試験では、曲の歌いはじめの**リズム譜**[*1]から曲名を答えるといった問題が出題されています。この問題を解くには、次のことが重要となります。

✚プラス1

拍子の記し方
$\frac{2}{2}$ は₵、$\frac{4}{4}$ はCと記すこともある。

$\frac{3}{4}$ 拍子と $\frac{6}{8}$ 拍子の違い
$\frac{3}{4}$ 拍子は「1、2、3」と３拍子でリズムをとるのに対し（♩♩♩）、$\frac{6}{8}$ 拍子は「123、456」とリズムをとるため（♪♪♪ ♪♪♪）、「大きな２拍子」に感じる。代表的な $\frac{6}{8}$ 拍子の曲には、「おもいでのアルバム」がある。

どんなメロディーもリズムに書き起こすことができます。楽譜に慣れるためにも、実際に五線譜に書きながら覚えるとよいですよ。

保育実習理論

でた問!!

***1 リズム譜**
リズム譜から曲名の選択について出題。
H31前、R1後、R2後、R3前・後、R4前・後、R5前・後、R6前

歌のメロディーは言葉のイントネーションやリズムに合わせてつくられているものが多くあるので、歌を思いだすときのヒントにもなりますよ。

- **曲名から歌いはじめのメロディーが思い浮かぶこと**
- **メロディーをリズム譜にできること**

曲を覚える際には音符や休符のリズムを意識しながら覚えるようにしましょう。

❽タイとスラー

タイは同じ高さの2つの音を結ぶ線、**スラー**は異なる音を結ぶ線をいいます。タイがつくと、2つの音を合わせた長さに変化します。また、スラーがつくと結んだ音の間を滑らかに演奏するという意味になります。

❾シンコペーション

強拍、弱拍の位置をずらし、リズムに変化を与えたものをシンコペーション、または**切分音**（せつぶんおん）といいます。強拍にあたる音をタイで結ぶ、強拍を休符にする、弱拍にアクセントをつけて演奏することによってシンコペーションとなります。

（例）

2 楽典用語

（1）記号と標語

❶速度記号と速度標語

*2 速度記号
M.M.の意味について出題。
R3前

曲のはじめに「♩=120」、「M. M. =120」のように示すものを**速度記号**[*2]（メトロノーム記号）といいます。この場合、♩を1分間に120拍打つ速さで演奏するという指示です。**速度標語**[*3]とは、速さを表す音楽記号です。

■楽曲全体の速度を示すもの

	標語	読み方	意味
遅	Grave	グラーベ	荘重（そうちょう）に
	Largo	ラルゴ	幅広くゆっくりと
	Lento	レント	静かにゆるやかに
	Adagio	アダージョ	ゆったりと
	Andante	アンダンテ	ゆっくり歩くような速さで
	Andantino	アンダンティーノ	アンダンテよりやや速く
中	Moderato	モデラート	中くらいの速さで
	Allegretto	アレグレット	やや快速に
	Allegro	アレグロ	快速に
	Vivo	ビーボ	元気に速く
	Vivace	ビバーチェ	活発に
速	Presto	プレスト	急速に

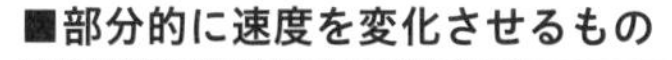
■部分的に速度を変化させるもの

標語	読み方	意味
ritardando（rit.）	リタルダンド	だんだん遅く
ritenuto（riten.）	リテヌート	急に遅く
rallentando（rall.）	ラレンタンド	だんだんゆるやかに
meno mosso	メノ・モッソ	今までより遅く
più mosso	ピウ・モッソ	今までより速く
accelerando（accel.）	アッチェレランド	だんだん速く
tempo rubato	テンポ・ルバート	自由な速さで
ad libItum（ad lib.）	アド・リビトゥム	速度を自由に

■もとの速さに戻すもの

標語	読み方	意味
a tempo	ア・テンポ	もとの速さで
tempo Ⅰ（tempo primo）	テンポ・プリモ	曲の最初の速さで

「accel.」や「rit.」のようにピリオドを打ち省略して表記する場合もあります。

「アレグロ」は速く、「ラルゴ」はゆっくりと声にだしてみるとイメージが頭に残りやすいですよ。

*3 速度標語

モデラートの意味について出題。 R2後、R3後

アレグレットの意味について出題。 R3後

意味からアレグロを選ぶ出題。 R4前

メノ・モッソの意味について出題。 R3前

アッチェレランドの意味について出題。 R4後

ア・テンポの意味について出題。 R3後

テンポ・プリモの意味について出題。 R3後

アッチェレランドの意味について出題。 R4後

アダージョ、リタルダンドの意味について出題。 R5前

アンダンテ、リタルダンドの意味について出題。 R6前

❷強弱記号*4

強弱記号とは、音の強弱を表す音楽記号です。

■楽曲全体や部分的な強弱を示すもの

強

fff	フォルテフォルティッシモ	きわめて強く
ff	フォルティッシモ	とても強く
f	フォルテ	強く
mf	メゾ・フォルテ	やや強く
mp	メゾ・ピアノ	やや弱く
p	ピアノ	弱く
pp	ピアニッシモ	とても弱く
ppp	ピアノピアニッシモ	きわめて弱く

弱

■強弱を次第に変化させるもの

crescendo（cresc.）<記号	クレッシェンド	だんだん強く
diminuendo（dim.）	ディミヌエンド	だんだん弱く
decrescendo（decresc.）>記号	デクレッシェンド	

■一つの音の強さを変えるもの

Fz	フォルツァンド	特に強く
sf sfz	スフォルツァンド	特に強く
> ∧	アクセント	特に強く（∧のほうが強い）

■速度と強弱を同時に変化させるもの

allargando	アラルガンド	だんだん強めながら遅く
smorzando	スモルツァンド	だんだん弱めながら遅く

■強弱記号などにつなげて使うもの

poco	ポコ	少し
poco a poco	ポコ・ア・ポコ	少しずつ
Più	ピウ	さらに、今までより多く
sempre	セムプレ	つねに
molto	モルト	もっと、とても
meno	メノ	今までより少なく

***4 強弱記号**

意味からフォルティッシモを選ぶ出題。
R4前

クレッシェンドの意味について出題。
H31前

ディミヌエンドの意味について出題。
R2後、R6前

ポコ・ア・ポコの意味について出題。
H31前

ピウ、セムプレの意味について出題。
R2後

デクレッシェンド、スフォルツァンドの意味について出題。
R4後

モルトの意味について出題。
R5前

メゾピアノ、クレッシェンドの意味について出題。
R5後

❸曲想標語*5

曲想標語とは、楽曲のイメージを表す音楽記号です。

標語	読み方	意味
a cappella	ア・カペラ	教会風に無伴奏で
agitato	アジタート	激しく
alla marca	アラ・マルカ	行進曲風に
alla marcia	アラ・マルシア	
amabile	アマービレ	愛らしく
animato	アニマート	生き生きと
appassionato	アパッシオナート	熱情的に
brillante	ブリランテ	はなやかに
cantabile	カンタービレ	歌うように
con brio	コン・ブリオ	生き生きと
con moto	コン・モート	勢いをつけて
comodo（commodo）	コモド	おだやかに、適宜に
con spirito	コン・スピリート	精神をこめて
dolce	ドルチェ	柔らかに、甘く柔らかに
elegante	エレガンテ	上品に
espressivo	エスプレッシーボ	表情豊かに
glissando	グリッサンド	二音間を滑るように
grazioso	グラツィオーソ	優美に
legato	レガート	なめらかに
leggiero	レジェーロ	軽快に
maestoso	マエストーソ	威厳をもって
marcato	マルカート	1音ずつはっきり強く
marciale	マルチアーレ	行進曲風に
pastorale	パストラーレ	牧歌風に
scherzando	スケルツァンド	おどけて
semplice	センプリーチェ	単純に
tranquillo	トランクィッロ	静かに

曲想とは、その曲のもっている雰囲気のことです。それぞれの標語の意味をよく理解して演奏することは、とても大切です。

***5 曲想標語**
ブリランテの意味について出題。
R3前

カンタービレの意味について出題。
R3前、R5後

ドルチェの意味について出題。
H31前、R1後

保育実習理論

*6 反復記号
ダ・カーポ、ダル・セーニョ、フィーネの意味について出題。
R5前・後、R6前

❹反復記号*6

楽曲のなかには、一部の部分を繰り返して演奏するものがあります。そのような場合には反復記号を使って、演奏順序を表します。

<(:‖) または (‖: :‖)>

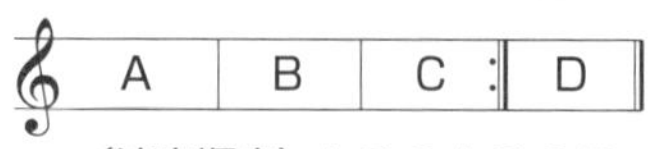

（演奏順序）ＡＢＣＡＢＣＤ

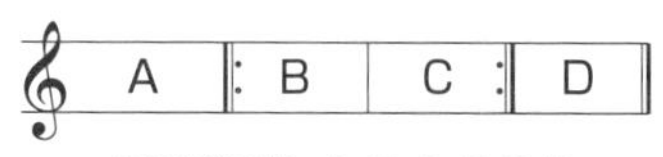

（演奏順序）ＡＢＣＢＣＤ

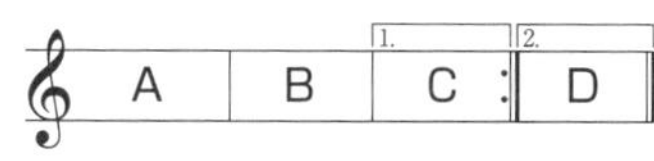

（演奏順序）ＡＢＣＡＢＤ

<*D. C.*（ダ・カーポ）>

はじめに戻ることを示し𝄐（フェルマータ）または***Fine***（フィーネ）のところまで演奏する。

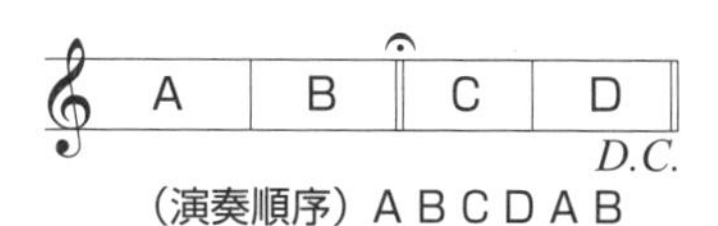

（演奏順序）ＡＢＣＤＡＢ

<*D. S.*（ダル・セーニョ）>

𝄋（セーニョ）に戻って、𝄐か***Fine***のところまで演奏する。

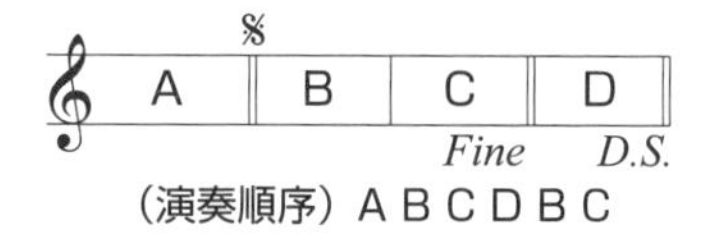

（演奏順序）ＡＢＣＤＢＣ

<𝄌 または Coda（コーダ）>

繰り返しの途中、この記号で囲まれた部分は演奏しない。

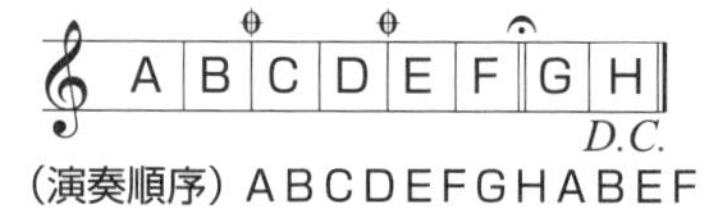

（演奏順序）ＡＢＣＤＥＦＧＨＡＢＥＦ

プラス1

ピッツィカート
弦楽器の弦を指で弾いて演奏することをピッツィカート（pizzicato）という。

❺演奏法を指示する記号

- **スタッカート**……音を短く切る
- **テヌート**……音を十分に保つ
- **フェルマータ**……音符や休符の長さを延ばす延長記号。約２倍の長さに延ばす

ポイント確認テスト

穴うめ問題

□Q1 □過R2後　中ぐらいの速さでを意味する音楽用語は（　　）である。>>> p337

□Q2 □過R3後　ア・テンポは、（　　）という意味の音楽用語である。>>> p337

□Q3 □過R6前　だんだん遅くを意味する音楽用語は（　　）である。>>> p337

□Q4 □過R5後　（　　）は、少し弱くという意味の音楽用語である。>>> p338

□Q5 □過R6前　（　　）はセーニョに戻るという意味の音楽用語である。>>> p340

○×問題

□Q6 □過R3前　「こいのぼり」（えほん唱歌）は、４分の４拍子である。>>> p335

□Q7 □過R4前　野口雨情作詞、本居長世作曲「七つの子」は3拍子の曲である。>>> p335

□Q8 □過R6前　ゆっくり歩くような速さでという意味の音楽用語は、andanteである。>>> p337

□Q9 □過R5前　非常にという意味の音楽用語は、moltoである。>>> p338

解答・解説

Q1　Moderato（モデラート）　Q2　もとの速さで　Q3　ritardando（リタルダンド）
Q4　mp（メゾピアノ）　Q5　D.S.（ダル・セーニョ）
Q6　×　４分の３拍子の曲である。　Q7　×　４拍子である。　Q8　○　Q9　○

保育実習理論 Lesson 5

音楽に関する技術③

頻出度 Level 3

このレッスンでは、音程や和音について学んでいきます。コードネームの種類や伴奏のつけ方についても理解していきましょう。

ココに注目!!

- 完全系と長短系の違い
- 調の種類と使い方
- 三和音と七の和音とは
- コードネームの表記と種類

1 音程と音階

(1) 音程

❶度数

でた問!!
*1 音程
移調について出題。
R1後、R5前

音程[*1]とは、２つの音の間のへだたりのことをいい、度数で表します。たとえば、同じ高さのドとドは１度、ドとレは２度、ドとミは３度、ドとソは５度、と数えます。

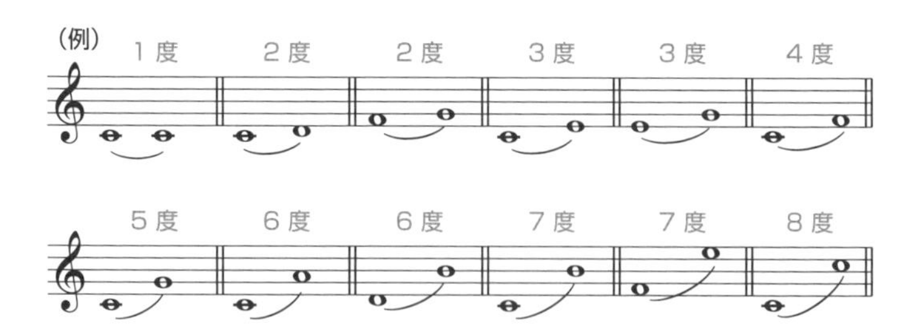

それぞれの音に変化記号がついても、度数の数え方は変わりません。

❷度数の種類

度数は完全系と長短系の２つに分かれています。

● **完全系**…… 1度、4度、5度、8度

完全１度、完全４度…と表し、音程の幅が変化すると、増音程、減音程となります。たとえば、完全４度の音程が半音１つ分音が広くなると増４度となり、半音１つ分狭くなると減４度となります。

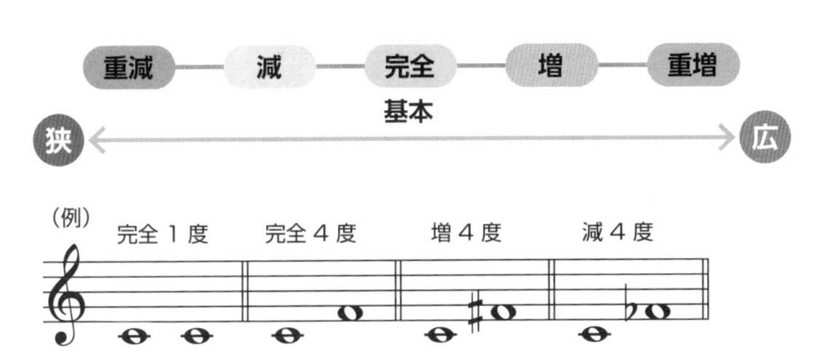

● **長短系**…… 2度、3度、6度、7度

長２度、長３度…などと表します。長短系の音程は、たとえば長６度の音程が半音狭（せば）まると短６度となります。また、長音程より半音広くなると増音程、短音程より半音狭まると減音程となります。

白鍵のドからドまでの音程は「長音程」か「完全音程」しかないので覚えやすいですね。

プラス1

音程のきまり

長・短音程が完全音程になることや、完全音程が長・短音程になることはけっしてない。
×完全３度
×短５度

保育実習理論

ドから１オクターブ上のドまでの音程は次のようになります。以下の表の音程を基本の音程として暗記しましょう。

■音程の基本

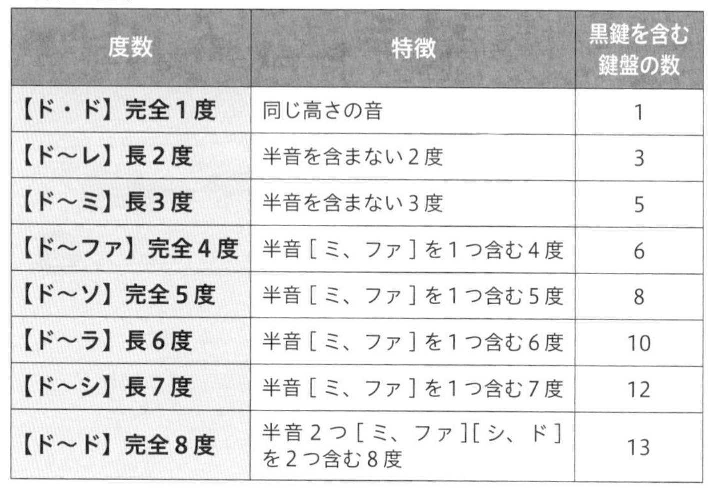

度数	特徴	黒鍵を含む鍵盤の数
【ド・ド】完全１度	同じ高さの音	1
【ド～レ】長２度	半音を含まない２度	3
【ド～ミ】長３度	半音を含まない３度	5
【ド～ファ】完全４度	半音［ミ、ファ］を１つ含む４度	6
【ド～ソ】完全５度	半音［ミ、ファ］を１つ含む５度	8
【ド～ラ】長６度	半音［ミ、ファ］を１つ含む６度	10
【ド～シ】長７度	半音［ミ、ファ］を１つ含む７度	12
【ド～ド】完全８度	半音２つ［ミ、ファ］［シ、ド］を２つ含む８度	13

❸音程の考え方

音程の考え方の手順は以下の通りです。

例：ファ（鍵盤図 ⑪）の短３度上の音は何か。

- **長３度は黒鍵を含む鍵盤５つ分**
- **短３度は長３度より半音分狭いので、鍵盤４つ分となる**
- **⑪から鍵盤４つ分の音→ ⑭♭ラとなる**

（注意）⑭は#（シャープ）ソでもありますが、ファの３度上の音はラなので、♭（フラット）ラとなります。

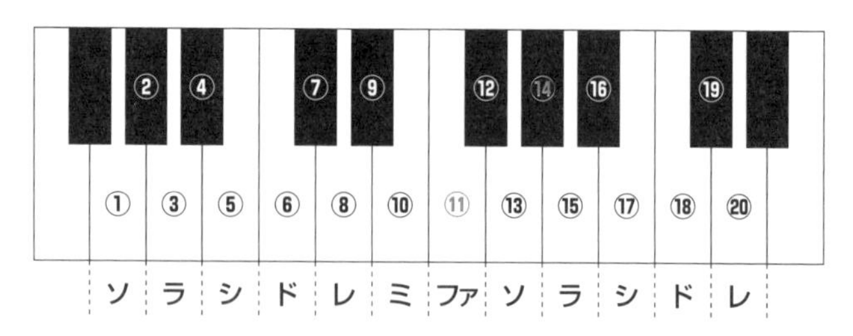

#ソ、♭ラのように同じ音でも音名が違うものを異名同音といいます。

(2) 音階

ある音から1オクターブ上の同じ名称の音まで、決められた規則に沿って並べられた音列を音階といいます。代表的な音階に、**長音階**と**短音階**があります。

❶長音階

音階の何番目の音であるかを第1音、第2音…第7音とよびます。ドを第1音として並べた長音階は次のようになります。

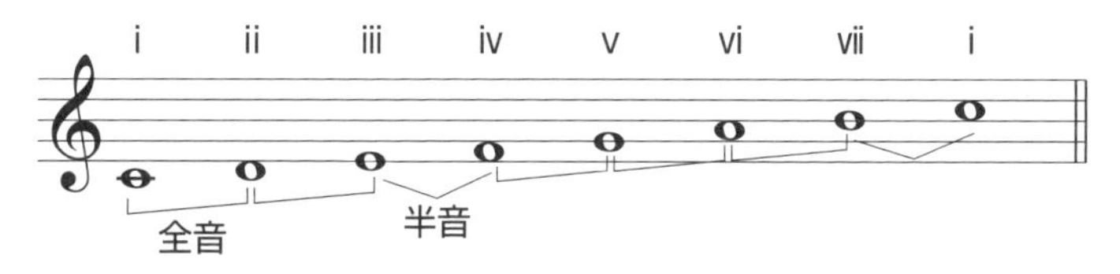

【**全全半全全全半**】という音程関係に並べた音階は長音階となります。レの音を第1音にした長音階は次のようになります。

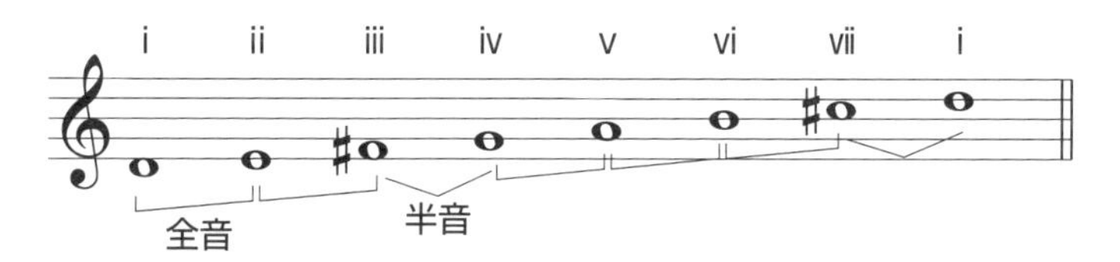

【**全全半全全全半**】という音程関係にするために、ファとドの音は半音上がります。

● **音階上の音の名称**

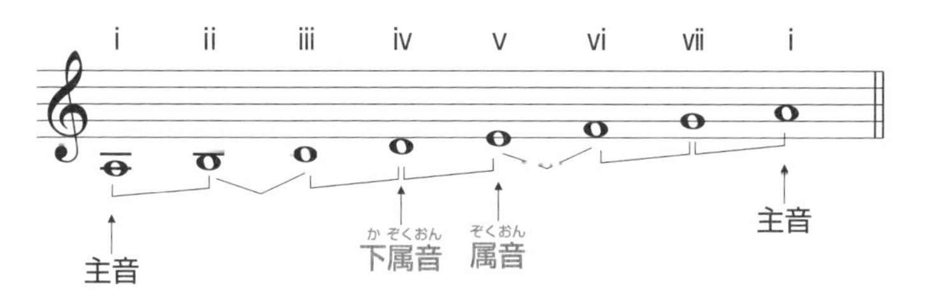

第1音は**主音**、第4音は下属音、第5音は属音、第7音は**導音**(どうおん)とよびます。導音とは「主音を導く音」という意味で、主音と半音の関係にあるときにのみよばれます。第1音から完全5度上の音が属音、完全5度下の音が下属音となります。

プラス1

音階のきまり

オクターブ上の同音に達すると再び第1音となる。この数字はローマ数字のⅰ、ⅱ、ⅲ…で表すこともある。

保育実習理論

自然短音階は第7音と第1音の間が半音ではないから導音はありません。

音階の特徴は、鍵盤を使って音の響きでも覚えておきましょう。

❷短音階

短音階には**自然短音階**、**和声短音階**、**旋律短音階**の３つの種類があります。

●自然短音階

特徴：短音階の基本形。【**全半全全半全全**】と並ぶ。

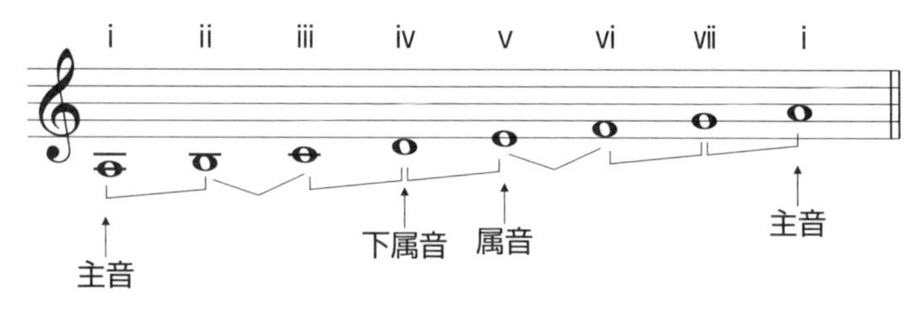

●和声短音階

特徴：自然短音階の第７音を半音上げ導音にした音階。第６音と第７音の音程が増２度となる。

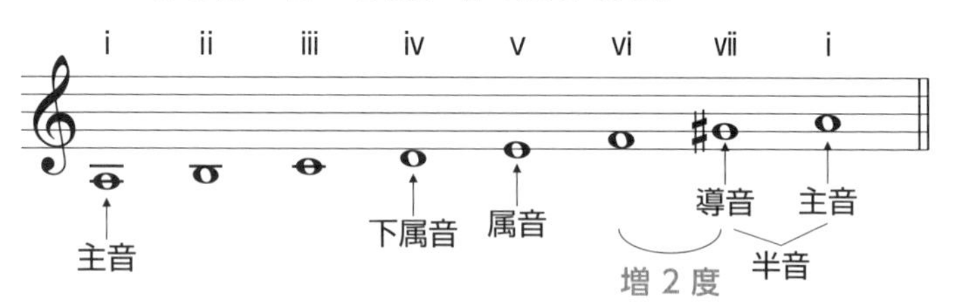

●旋律短音階

特徴：和声短音階の第６音を半音上げ、増２度のへだたりをなくし、下行時に自然短音階に戻る音階。上行形（じょうこうけい）と下行形（かこうけい）がある。

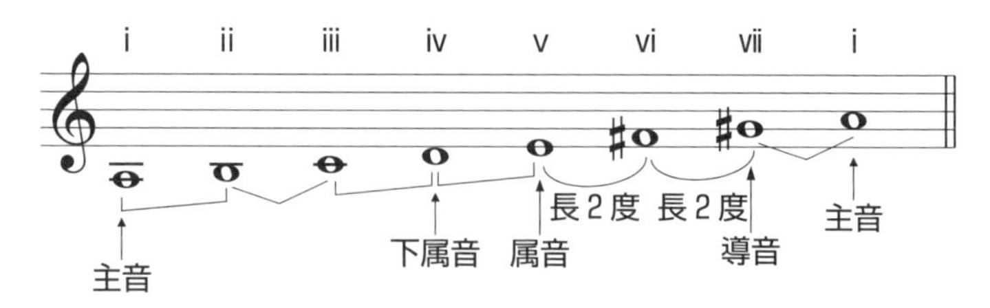

・旋律短音階の上行形と下行形

特徴：下行形の２音目と３音目は半音ずつ下がる。

2 調

(1) 調名

それぞれの音階のもつ雰囲気のことを調といいます。長音階の調を**長調**、短音階の調を**短調**といいます。ドから始まる長調はハ長調、ファから始まる短調はヘ短調、というように頭に音階の主音名をつけたものを調名といいます。

(2) 調号

ハ長調とイ短調（自然短音階）以外のすべての音階には♭か♯がつきます。この場合、一つひとつの音符につけるのではなく、ト音記号やヘ音記号の右側にまとめて示します。この記号を**調号**[*2]といいます。

(例) 二長調の音階

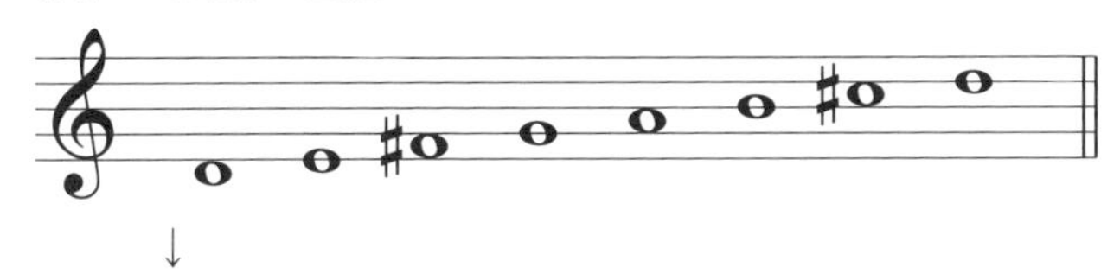

↓

・二長調の調号

記号には♯系の調と♭系の調があり、規則性をもって増えていきます。

・♯系の調

主音が完全５度上がるごとに♯が１つ増えていく。

・♭系の調

主音が完全５度下がる（完全４度上がる）ごとに♭が１つ増えていく。

でた問!!

*2 調号
ヘ長調の調号について出題。 R3前
イ長調の調号について出題。 R3後
変ホ長調の調号について出題。 R5前

プラス１

近親調
主になる調からみて音階に含まれる共通音が多く、密接な関係にある調を近親調という。同主調・平行調などがある。
●同主調……同じ音を主音とする長調と短調のこと。
(例) ハ長調とハ短調、ホ長調とホ短調
●平行調……同じ調号をもつ長調と短調のこと。
(例) イ長調と嬰ヘ短調、変ロ長調とト短調

●各調の主音と調号

・長調

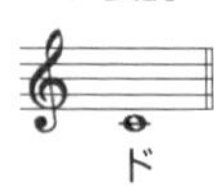

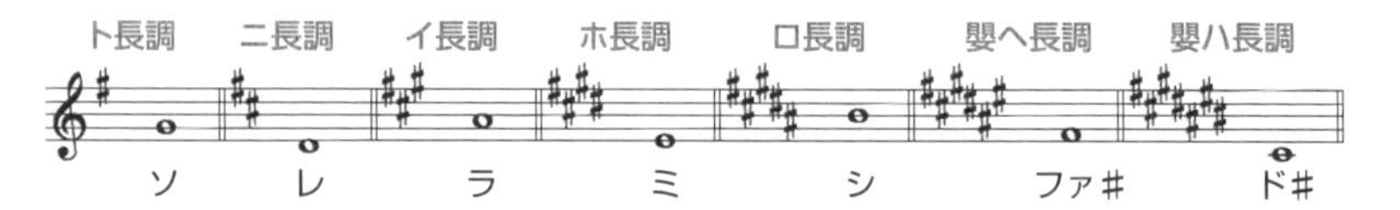

・短調

(3) 階名と音名

階名とは音階の第１音から順にドレミファソラシとよぶものです。どの調でも第１音はド、第２音はレ…と表します。

(例) ホ長調

階名は音階の何番目の音であるかを示すもので、音名は音の高さにつけられた名前です。階名で音を示すことを移動ドともいいます。

■階名と音名の対照表

階名		ド	レ	ミ	ファ	ソ	ラ	シ	ド
音名	ハ	ド	レ	ミ	ファ	ソ	ラ	シ	ド
		ハ	ニ	ホ	ヘ	ト	イ	ロ	ハ
	ト	ソ	ラ	シ	ド	レ	ミ	ファ	ソ
		ト	イ	ロ	ハ	ニ	ホ	ヘ	ト
	ヘ	ファ	ソ	ラ	シ	ド	レ	ミ	ファ
		ヘ	ト	イ	ロ	ハ	ニ	ホ	ヘ

（4）移調

移調について理解するには、調名と調号をしっかり把握することが大切です。

歌を歌うときに音が高すぎたり、低すぎたりして声がでにくい場合、音の高さを調整します。このように**曲全体**の高さを**平行**に上下へ移動することを**移調**[*3]といいます。

ハ長調の曲を完全５度高く移調すると次のようになります。

簡単な楽譜を読むことから始めてみるといいですよ。

＊3 移調
移調の意味について出題。
R6前

● **移調の手順**

①ハ長調の完全５度高い調はト長調なので、ト長調の調号をつける。

②すべての音を５度高くする。

③臨時記号によって変化した音は、同じように変化させる。

3 和音とコードネーム

（1）和音

❶三和音

ここからは鍵盤楽器やスマートフォンのアプリなどを使って、実際に音をだして、和音の響きを一つひとつ確かめていきましょう。

高さの異なる２つ以上の音が重なって、響く音を和音といいます。また、ある音の上に３度ずつ上の音を２つ重ねたものを**三和音**といいます。

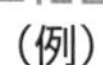

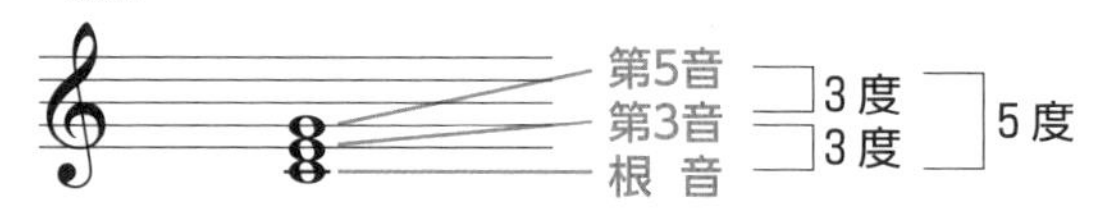

三和音には、**長三和音**、**短三和音**、**増三和音**、**減三和音**の４種類があります。

- **長三和音**
  （長３度＋短３度）
  ：明るい響き

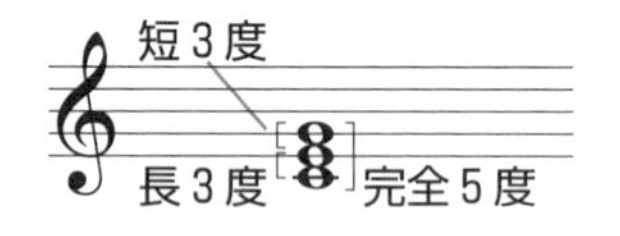

- **短三和音**
  （短３度＋長３度）
  ：暗い響き

- **増三和音**
  （長３度＋長３度）
  ：膨れるような響き

- **減三和音**
  （短３度＋短３度）
  ：緊張感のある響き

❷七の和音

三和音の上にさらに３度の音を重ねた和音を七の和音（四和音）といいます。特に、長三和音の上に短３度の音を重ねたものを**属七の和音**（ぞくしち）といいます。

属七の和音 ⇨p355

（2）コードネーム

コードネームに関する問題は毎年出題されています。

代表的なコード
・メジャーコード
・マイナーコード
・セブン(ス)コード
の構成を覚えておきましょう。

❶音名と読み方

コードネームとは和音の根音（こんおん）をアルファベットの音名で表記したものです。

コードネームは、主に左手の伴奏に用います。長三和音はメジャー、短三和音はマイナーになります。メジャーの場合はC、Fのように大文字のアルファベットだけを書きます。マイナーのときには、Dm、Amのように小文字のmを加えます。七の和音は、G_7のように7をつけて表します（読み方は**セブン**、または**セブンス**）。

❷コードの種類と表記

コードネーム	表記	和音の種類
シーメジャー（シー） 長3度　短3度	**C** アルファベットの大文字1文字で表す。	長三和音
シーマイナー 短3度　長3度	**Cm** 大文字に小文字の m がつく。	短三和音
シーセブン（セブンス） 長三和音　短3度	**C_7** 大文字に小さい7がつく。	属七の和音（長三和音＋短3度）
シーオギュメント 長3度　長3度	**Caug** 大文字に小文字の aug がつく。	増三和音
シーマイナーマイナスファイブ 短3度　減5度	**Cm^{-5}** マイナーコードの上に−5（マイナーコードの第5音が半音下がるという意味）。	減三和音
シーメジャーセブン 長三和音　長3度	**CM_7** （または Cmaj7） 大文字に大文字の M と小さい7がつく。	長七の和音（長三和音＋長3度）
シーマイナーセブン 短三和音　短3度	**Cm_7** （または C−7） 大文字に小文字の m がつく。	短七の和音（短三和音＋短3度）

保育実習理論

❸コードと鍵盤図

次の図は、実際の試験で用いられる鍵盤図です。

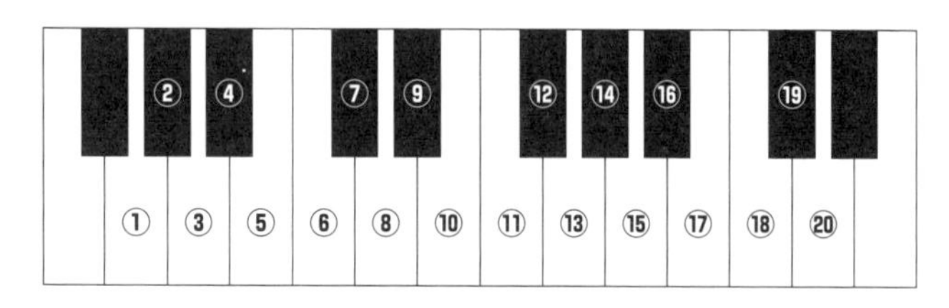

Cの構成音は［ドミソ］なので、鍵盤図でいうと⑥⑩⑬となります。

❹構成音と鍵盤の位置関係の規則

根音、第３音、第５音、第７音の**位置関係**を覚えることで、鍵盤上で簡単に音をとることができます。

●メジャーコード*4

*4 メジャーコード
メジャーコードの読み方について出題。
R4前、R5前、R6前

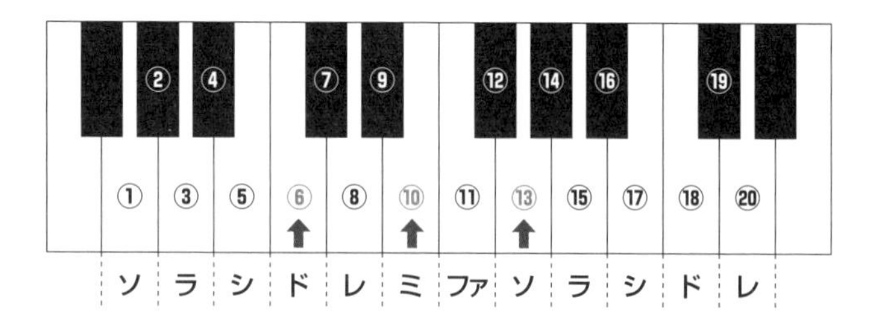

コードネームCを例にみてみると、根音⑥から鍵盤５つ目の音⑩、さらに鍵盤４つ目の音⑬［ドミソ］がメジャーコードの構成音となります。コードネームEなら根音⑩から鍵盤５つ目⑭、さらに４つ目⑰となり、Eは［ミ♯ソシ］の和音であることがわかります。

（例）D：⑧⑫⑮　G：①⑤⑧　B♭：④⑧⑪

同じようにマイナーコードとセブン（ス）コードも次のように考えることができます。

コードネームの問題では、まず先にすべての構成音の鍵盤番号を書きだすとよいでしょう。

3度ずつの音名をドミソ、レファラ、ファラド、ソシレ…というようにスラスラと暗唱できるようにしましょう。

●マイナーコード*5

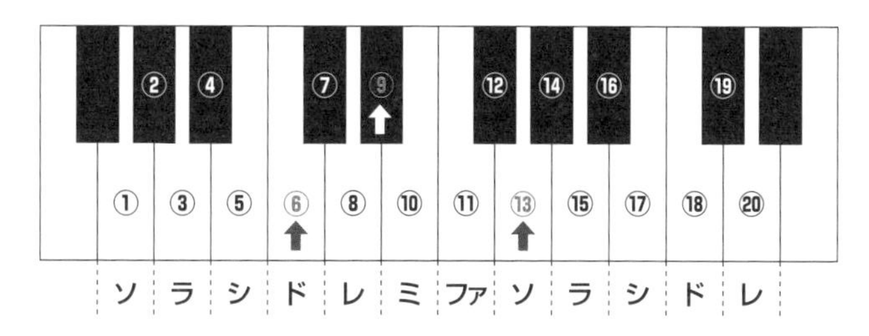

マイナーコードは、根音から鍵盤４つ＋鍵盤５つの和音です。

（例）Cm：⑥⑨⑬　Fm：⑪⑭⑱　Dm：⑧⑪⑮

●セブン（ス）コード

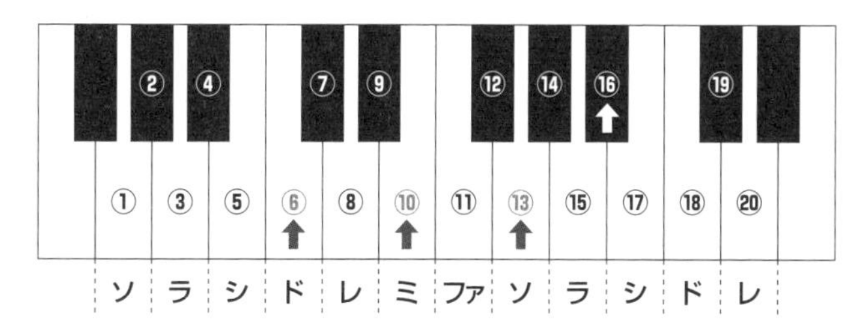

メジャーコードに**短３度の音**を足すと**セブン（ス）コード***6になります。短３度の音は鍵盤４つ分となります。

根音から鍵盤５つ＋鍵盤４つ＋鍵盤４つ

また、七の和音は第５音を省略することがあります。

（例）C_7：⑥⑩⑬⑯　D_7：⑧⑫⑮⑱

❺転回形

Cの構成音は［ドミソ］ですが、鍵盤図では［ドミソ］にあたる①⑥⑩⑬⑱**すべて**がコードネームCの構成音となります。

また、ドミソの和音を、ソドミ、ミドソ、というように構成音の順番を並び替えたものを**転回形**といいます。

（例）

［ドラドファ］を構成音とする和音のコードネームはFです。

でた問!!
***5 マイナーコード**
マイナーコードの読み方について出題。
R3前・後、R5後

でた問!!
***6 セブン(ス)コード**
セブン(ス)コードの中のドミナントセブンス（属七の和音）の読み方について出題。
R4後

保育実習理論

4 伴奏問題の対策

保育士試験では、曲に伴奏をつける問題が出題されています。ここからは、平成28年前期試験に出題された問題を例にして説明します。

(組み合わせ)

	A	B	C	D
1	イ	ア	エ	ウ
2	イ	ウ	エ	ア
3	ウ	エ	イ	エ
4	エ	イ	ア	ウ
5	エ	ウ	ア	イ

● 伴奏問題を解くポイント

旋律（せんりつ）は主に伴奏の和音上の音で構成されます。和音上の音以外の音は一時的に経過する音（非和声音）として扱われます。

伴奏に使われる和音は主に以下のものがあります。

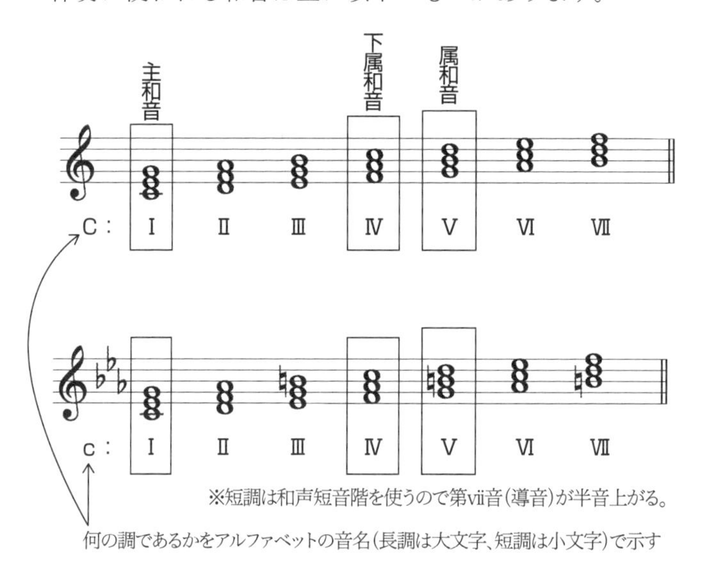

音階上の主音、下属音、属音上にある和音を**主要三和音**といいます。Ⅴの和音は七の和音（属七の和音）が使われることが多いので覚えておきましょう。

それでは、問題を解く３つのポイントをみていきましょう。

プラス１

主要三和音

Ⅰはトニック、Ⅴはドミナント、Ⅳ（Ⅱ）はサブドミナントとよばれ、それぞれ楽曲を構成する上での大事な機能をもっている。

●主な進行

Ⅰ→Ⅴ→Ⅰ

Ⅰ→Ⅳ→Ⅰ

Ⅰ→Ⅳ→Ⅴ→Ⅰ

和音上にない音が跳躍（ちょうやく）してしまうと、音楽が不安定に聞こえてしまいます。

ポイント①　何調かを判断する

楽曲は、必ず**Ⅰの和音**から始まり、Ⅰの和音で終結します。この曲の場合、調号からハ長調かイ短調であることがわかりますが、1小節目の和音がドミソの和音から始まるため、ドミソをⅠの和音とする調、ハ長調であると考えられます。

ポイント②　跳躍している音は和音の構成音

和音の構成音か、非和声音かを見分けるには、跳躍している音（3度以上飛んでいる音）に注目します。和音上にある音は、次の音に向けて**跳躍**することができます。

跳躍している音を含む3小節目をみると、3拍目は「ソ」を含む和音、4拍目は「ド」を含む和音があてはまります。伴奏の構成音と見比べてみましょう。

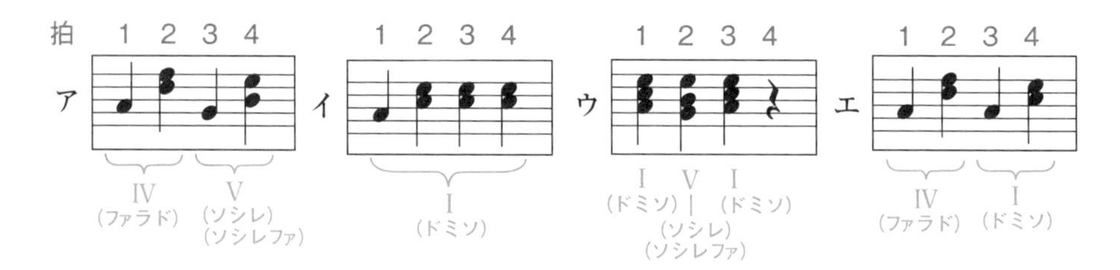

Aには選択肢イウエがあてはまります。同じようにみていくと、Bはアエとなり、選択肢は1か3に絞られます。Cをみてみましょう。1、2拍目はラの音だけが鳴っているので、ラの音を含む和音が合うと考えられます。ここで選択肢を1に絞ることができます。

ポイント③　旋律の特徴をみる

空欄Dの旋律と2小節目は同じ旋律となっているので、**同じ和音がつく**ことが想定できます。2小節目はⅠ→Ⅴ→Ⅰとなっているので、同じ進行であるウの伴奏が考えられます。このことからも選択肢を1に絞ることができます。

この3つのポイントをみていけば、伴奏問題を解くことができます。Ⅴの和音はV_7が使われることが多いので、7音目の音も構成音に入れて考えるようにしましょう。

ポイント確認テスト

できたらチェック！

選択問題

□Q1 □過R6前

次の曲を4歳児クラスで歌ってみたところ、最高音が歌いにくそうであった。そこで短3度下げて歌うことにした。その場合、下記のコードはどのように変えたらよいか。正しい組み合わせを一つ選びなさい。 >>> p352

（組み合わせ）	F	Am	B♭6
1	E♭	Gm	A_6
2	E♭	Gm	A♭6
3	D	Fm	G♭6
4	D	F♯m	G_6
5	C	Em	F_6

□Q2 □過R3後

下の楽譜から、すべてマイナーコードとなる正しい組み合わせを一つ選びなさい。 >>> p353

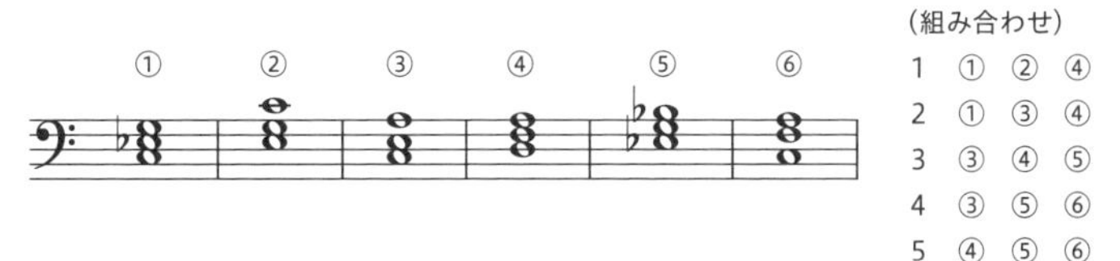

（組み合わせ）

1	①	②	④
2	①	③	④
3	③	④	⑤
4	③	⑤	⑥
5	④	⑤	⑥

○×問題

□Q3 □過R3後

ピアノの楽譜でイ長調の調号は、♯（シャープ）が3つである。 >>> p348

□Q4 □過R3前

ヘ長調の調号は、♭（フラット）が2つである。 >>> p348

□Q5 □過R6前

移調とは、曲の途中で、調が変化することである。 >>> p349

□Q6 □過R5前

左の和音はメジャーコードである。 >>> p352

解答・解説

Q1　4　Q2　2

Q3　○　Q4　×　♭が１つである。　Q5　×　移調は曲全体の高さを平行に上下へ移動することである。曲の途中で、調が変化するのは転調である。　Q6　○　コードネームDの転回形。

保育実習理論 Lesson 6

造形に関する技術

頻出度 Level 5

子どもの造形活動について学んでいきます。子どもの描画能力の発達や幼児画にみられる特徴について理解することが大切です。

ココに注目!!
- 幼児画の表現と特徴
- 前図式期にみられる頭足人とは
- 絵画の技法の種類と解説
- 色相の基礎知識、十二色相環

1 幼児と造形

(1) 幼児の造形活動の発達

子どもは、言葉でいい表せない心のなかを絵に描いたり、ものをつくったりすることで感情を安定させ、情操を豊かにし、同時に、ものごとへの認識や知識を深めていきます。

子どもの造形活動は、視覚や認知能力の発達、手指の機能の発達などと関連し、1歳ごろから始まります。はじめは感触や色の刺激を楽しんでいるだけで、特に何かをつくろうという目的意識のある活動ではありません。この時期（2～3歳）を**無意味期**といいます。想像力が豊かになり、目的をもって行動できるようになると、「これは＊＊」という意味づけをしながら、ものをつくるようになります。この時期（3～4歳）を**象徴期**といいます。

思考力や認識力が高まると、表現意欲が盛んになり、道具を使って制作を楽しむことができるようになります。この時期（4～7歳）を**創造活動期**といいます。

❶描画能力の発達過程

子どもの絵には**発達段階**によって共通の特徴があります。

- **なぐりがき期（1～2歳半）**……**錯画期**（さくが）、乱画期（らんが）、**スクリブル**[*1]ともよばれる。たまたま手にしたもので線が描けることに気づき、楽しんでいる段階。最初は点、かたまり、縦線、横線、弧線で描かれる。手の動きの発達によって描線が変化し、波形、円形のものが増えてくる。

でた問!!
*1 スクリブル
スクリブルについて出題。
R4後、R5後

- **象徴期（２歳半～３歳）**……言語活動が盛んになる時期で、描いたものに名前をつけて意味づけをするようになる。描いた形に名前をつけるので**命名期**、**意味づけ期**ともよばれる。描線は、渦巻（うずまき）状のものから1つの円になってくる。
- **前図式期（ぜんずしき）（３～５歳）**……ものの特徴を理解し、それを描けるようになる。他者からも、何を描いたものか理解できるようになってくる。描きたいものを思いつくまま並べて描くので、**カタログ期**ともよばれる。輪郭（りんかく）線だけで描かれていることが多く、描く対象と色との関係ははっきりしていない。**頭足人（とうそくじん）**[*2]といわれる、頭から直接手足がでている人物画や、ものに顔を描く**アニミズム表現**[*3]がみられる。
- **図式期（５～９歳）**……自分のなかにある経験を再生させて、覚えがきのような図式で表現する。**レントゲン表現**[*4]、**拡大表現**、**展開表現**[*4]などがみられる。空間を認識できるようになったことで、画面のなかに地面を表す**基底（きてい）線**[*4]（地面）が描かれるようになる。

❷幼児画にみられる特徴

- **アニミズム表現**……太陽や花などに笑顔などを描き入れる。前図式期の特徴。
- **並列表現**……画面の中に描きたいものを基底線の上に横に並べるように描く。図式期の特徴。
- **レントゲン表現**……土の中の木の根や、家の中の人や電車の中の人など、見えないものを描く。図式期の特徴。
- **拡大表現**……実際の大小とは関係なく、興味・関心があるものを大きく、くわしく描く。図式期の特徴。
- **視点移動表現**……１つの絵で、視点を移動させて描く。
- **異時同存表現**……１つの絵に、異なる時間のものを描く。
- **展開表現**……上から見下ろした形、あるいはつぶれたような形に描く。たとえば、道をはさんだ両側の家が、両側に倒れたような絵になる。図式期の特徴。
- **積上（つみあげ）表現**……遠近の表現がまだできていないので、隣のものを上に積み上げたように描く。
- **代償行為**……嫌なことがあったあと、一度描いた絵の上をほかのクレヨンで、ぐるぐる塗りつぶす。絵の上で相手をやっつける行為と考えられている。

用語

頭足人
頭から直接手足がでている人物画。大人に教えられなくても、万国共通に子どもが描く人間の絵。前図式期初期の特徴である。

でた問!!

***2 頭足人**
子どもの描画の発達のうち頭足人について出題。
R3後、R6前

***3 アニミズム表現**
アニミズム表現の特徴について出題。
H31前、R2後

***4 レントゲン表現、展開表現、基底線**
描画発達の特徴について出題。
R2後、R6前

保育実習理論

子どもの絵の特徴について理解していると、子どもの作品を保護者に説明するときにも役立ちます。

(2) 子どもに適した素材と技法

❶描画材*5

- **クレヨン**……原料は顔料（がんりょう）と木（もく）ロウで、パスに比べると硬く、扱いやすい画材。線描きに適している。
- **パス**……原料は顔料と油脂。やわらかく、色を重ねたり、混ぜたりしやすい画材。線描きにも色を塗るのにも向く。
- **絵の具**……透明水彩絵の具と不透明水彩絵の具がある。**アクリル絵の具**は乾くと耐水性がでる。**ポスターカラー**は不透明で、下絵を塗りつぶすことができる。筆は10～16号ぐらいの太さで豚毛の硬めのものが適している。なお、筆の太さは、番号が大きくなるほど太くなる。
- **色鉛筆**……塗り絵などの細かい部分を塗る際には、クレヨンより色鉛筆が適している。芯の軟らかいものを選ぶ。

❷絵画の表現技法*6

- **はじき絵（バチック）**……紙にクレヨンやパスで絵を描いた上から絵の具を塗る。
- **指絵（ゆびえ）（フィンガーペインティング*7）**……糊（のり）状の絵の具を手につけて、直接画面に塗ったりなすったりしながら描く。精神的に解放される効果もある。
- **ひっかき絵（スクラッチ）**……明るい色のクレヨンの上に黒いクレヨンを重ね塗りし、上からくぎなどで引っかいて絵を描くと下の色がでる。
- **型押し（スタンピング）**……瓶のフタや野菜の輪切り、木の葉などに絵の具をつけて紙に押しつけて写す。版画の一種。絵の具は濃いめにしたほうがよい。
- **合わせ絵（デカルコマニー）**……半分に折った紙の片面に絵の具をたらし、折り合わせて上からこすったあとに開くと、左右対称の形ができる。
- **こすり出し絵（フロッタージュ）**……板目や畳の目などざらついたものに薄い紙を当て、クレヨンで上からこすると模様が浮きでる。これを何かに見立てて、ハサミで切り抜き、別の紙に貼ったりもする。
- **墨流し（マーブリング*8）**……洗面器に水を入れ、水面に墨汁や水彩絵の具を浮かべて、紙をかぶせて模様を写し取

***5 描画材**
描画材の特徴について出題。
R1後

パステル
パスに似た画材で、顔料を棒状に固めたもの。扱いやすい画材だが、混色しにくいという欠点がある。

でた問!!

***6 表現技法**
バチックの技法について出題。
R4前
スクラッチの技法について出題。
H31前
スタンピングの版技法の説明について出題。
R1後、R3後
デカルコマニーの技法について出題。
R3前
フロッタージュの技法について出題。
R2後、R3後

***7 フィンガーペインティング**
フィンガーペインティングについて出題。
R5後

***8 マーブリング**
マーブリングに必要な材料や用具について出題。
R1後

る。

- **吹き流し（ドリッピング）**……画用紙の上に、薄く溶いた数種類の絵の具をストローで吹きつけて散らす。
- **貼り絵（コラージュ）**……紙や布を切り抜いて組み合わせ、貼り合わせた絵をいう。

主な描画材

クレヨン

材料：顔料と木ロウ
○ 線描き　× 面描き
○ 扱いやすさ

パス（オイルパステル）

材料：顔料と油脂
○ 線描き　○ 面描き
○ 混色、重色
△ 扱いやすさ

色鉛筆

材料：顔料とワックス
○ 線描き　○ 面描き
○ 扱いやすさ

透明水彩

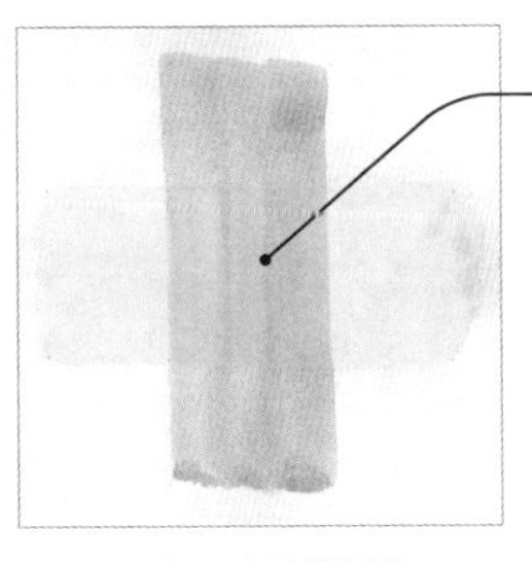

不透明水彩（ポスターカラー）

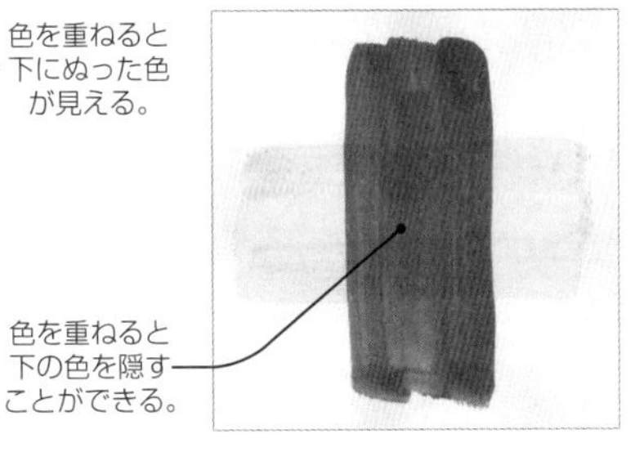

透明水彩
材料：顔料と水溶性樹脂
× 線描き　○ 面描き
○ 透明度

不透明水彩
材料：顔料と水溶性樹脂
× 線描き　○ 面描き
× 透明度

保育実習理論

▸▸▸ ここは覚えよう!!

技法の例

はじき絵
（バチック）

ひっかき絵
（スクラッチ）

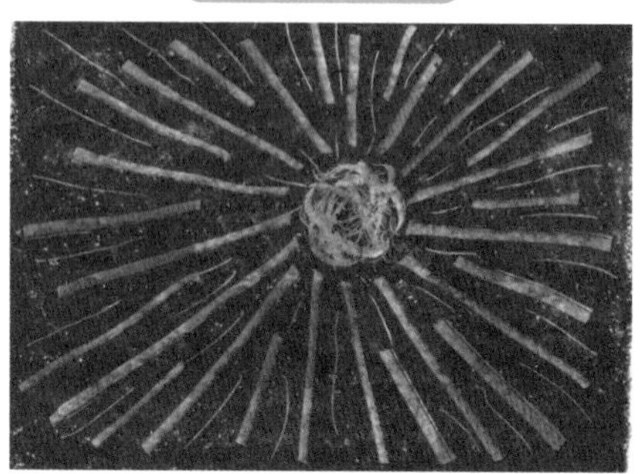

こすり出し絵
（フロッタージュ）

合わせ絵
（デカルコマニー）

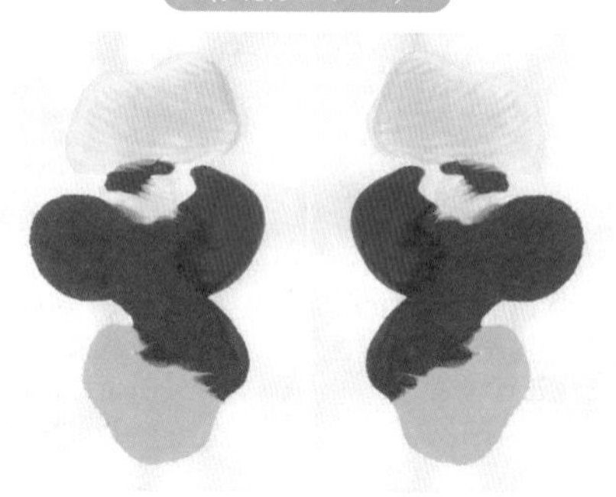

型押し絵
（スタンピング）

墨流し
（マーブリング）

❸粘土による表現

粘土[*9]には、次のような種類があります。保存する作品をつくる場合は、紙粘土がよく用いられます。土粘土でつくった作品を焼成して、焼き物とする場合は、**野焼き用の粘土**や、**素焼き用のテラコッタ粘土**を使います。

絵本をみるときにも、技法に注意してみましょう。

*9 粘土
特徴について出題。
R4前

■粘土の種類

土粘土	自然素材なので、安全性が高い。可塑（かそ）性にすぐれ、作業中でも水分調整で軟らかさを変えることができる。
油粘土	弾力性がなく､軟らかさの調整が難しいが､プラスチックの箱に入れておくといつでも使える。
小麦粉粘土	非常に軟らかく、形をつくりにくいが、２～３歳児のこねくり活動に向いている。
紙粘土	かたくなると再使用できないが、表面に色を塗ることができる。
野焼き用の粘土	落ち葉焼き 300 ～ 500℃での焼成が可能。
素焼き用のテラコッタ粘土	700 ～ 800℃で焼成。

❹造形に用いられる道具

- **はさみ**[*10]……テコの原理を利用して紙などを切る道具。**右手用と左手用がある**ので、利き手に合わせて使用できるようにする。子どもに対して指導するときは、刃先よりも**刃元**を使って切ること、円を切るときにははさみではなく紙を動かすこと、はさみを渡すときには**柄を相手に向けること**を伝える。
- **糊（のり）**[*11]……紙と紙を貼り合わせるときに使用する。保育の場で使われるでんぷん糊は、もともとは**穀物**などでつくられたもので、水を混ぜると軟らかくなり、粘着力が弱くなる特徴がある。

*10 はさみ
はさみの種類や特徴について出題。
R5後

*11 糊
糊の材料や特徴について出題。
R6前

❺紙による表現

手で紙をちぎって遊ぶちぎり紙、日本の伝統的な民族芸術でもある折り紙は、手指の働きや図形の感覚を養います。また、**紙版画**、ローラー転写、**切り紙**は、４～５歳児に、描画にないおもしろさを楽しませるのに適しています。造形表現でよく用

ハサミを使っての製作は２歳半ごろから始められます。４歳ごろになると、渦巻き曲線が切れるようになります。

*12 紙
紙に関する説明と紙の種類について出題。
R3前

いられる紙*12としては、次のようなものがあります。

- **白ボール紙**……表面の白紙と再生紙等を貼り合わせた厚紙。
- **鳥の子紙**……表面が滑らかで、にじみ、しみこみを抑えてある。主に版画等に使用される。
- **ケント紙**……表面が滑らかで緻密な紙。主に製図や図案を描くのに使用される。
- **和紙**……よく水を吸い、折ったりぬらしたりしても破れにくいのが特徴。水でぬらして**染め絵**をすることもできる。
- **半紙**……学校の習字などによく使用される薄手の紙。
- **クラフト紙**……パルプで作られた丈夫な紙で、多くは褐色であり、主に包装紙や袋に使用される。
- **新聞紙**……水分の吸い込みがよく、破いたり、丸めたり、敷いたりするなど、気軽に使うことができる。
- **画用紙**……絵の具の吸い込みも発色もよいため、クレヨン、絵の具などによる描画や工作など造形活動全般に使用される。
- **牛乳パック*13**……牛乳パックを水に浸けた後、表面の防水シートをはがしてミキサーにかけ、それを平らな板の上に広げて乾かすことで手作りの紙を製作することができる。

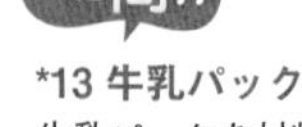

*13 牛乳パック
牛乳パックを材料とした紙の製作方法について出題。
R4後

❻版画による表現

版画とは、加工した版にインクなどをつけて紙に転写したものを指します。

■版画の分類

凸版画	版のでっぱった部分にインクをつけ、紙に写し取る方法。木版画、**紙版画**、**スチレン版画**などが代表的。瓶のフタなど、ものに絵の具をつけて紙に押す**スタンピング**（**型押し**）は、幼児によく用いられる。
凹版画	版全体にインクを乗せ、へこんだ部分のインク以外を拭き取ったあとに圧力をかける方法。銅版画が代表的で、凹版画には、**ドライポイント**のように直接銅を削る直接法と、**エッチング**のように薬品により銅にへこみをつくる間接法がある。
平版画	油が水をはじく原理を利用した方法で、リトグラフが代表的。
孔版画	穴を開けたり紙を乗せるなどしてインクが通過する穴と通過しないところをつくる方法で、シルクスクリーン、**ステンシル*14**などが代表的。

*14 ステンシル
版技法の説明について出題。
R1後

❼木工作や自然物利用による表現

積み木遊び、割りばしや竹ひごを輪ゴムで留めて形をつくる遊び、木片を使った工作のほか、石、木の葉、木の実、貝がらなど、自然にあるさまざまな材料が造形の材料になります。散歩で見つけた葉を描画に組み合わせるなど、**自由な発想**で楽しむことが、表現活動の可能性を広げます。

2 造形の基礎知識

(1) 色彩についての基礎知識

色には無彩色と有彩色があります。**無彩色**[*15]とは、白・黒・

ここは覚えよう!!

十二色相環 [*16]

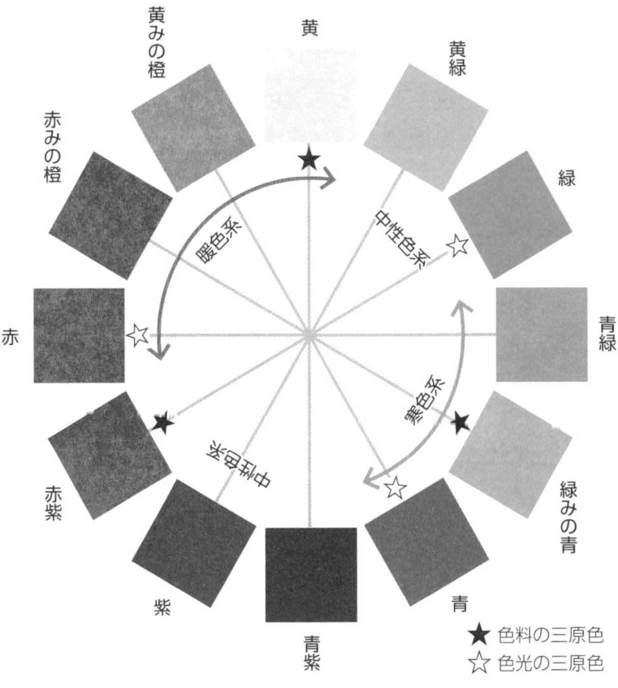

黄
黄緑
緑
青緑
緑みの青
青
青紫
紫
赤紫
赤
赤みの橙
黄みの橙

暖色系
中性色系
寒色系
中性色系

★ 色料の三原色
☆ 色光の三原色

でた問!!

[*15] 無彩色、有彩色
無彩色、有彩色が意味する内容について出題。
R3前、R5後

[*16] 色相環
補色や色の組み合わせについて出題。
R1後、R3後、R4後、R6前

灰色のことです。**有彩色**[15]は、それ以外の色です。

また、色には３つの要素があります。

- **明度**[17]……色の明るさの度合いのこと。明度が最も高いのは白、最も低いのが黒である。数値化する場合は、一般的には**白**を明度10、**黒**を明度０とする。
- **色相**……色合い、色の種類のこと。**12**の色相があり、**暖色**（暖かい感じの明るい色、赤、オレンジ色など）、**寒色**（寒い感じの色、青、青緑など）、**中性色**（中間の色）に分かれる。十二色相環の図で、正反対に位置する色（緑⟷赤紫、赤⟷青緑など）を**補色**という。また、同じ系統の色を同系色といい、並べて組み合わせると調和しやすい。
- **彩度**……色の鮮やかさの度合いのこと。濁りのない鮮やかな色を**純色**、純色に白または黒を混ぜたものを**清色**、純色に灰色を混ぜたものを**濁色**という。暖色など、実際よりも大きく見える色を**膨張色**という。数値化する場合は最も彩度の高い色を彩度10、無彩色を彩度０とすることが多い。

でた問!!

***17 明度**
明度の高い色と低い色について出題。
R1後
明度差について出題。
R2後

（2）色料の三原色・色光の三原色

２つ以上の色を混ぜることを**混色**といいます。混色でつくることのできない色を**原色**といいます。原色は、絵の具などの色

ここは覚えよう!!

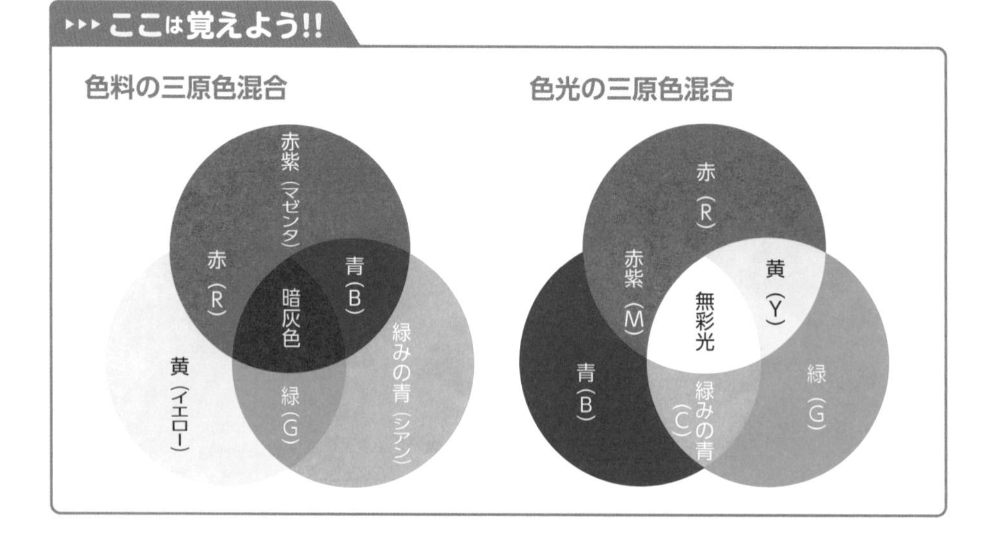

料と、光の色（色光）では、色の種類が異なります。

❶色料（絵の具）の三原色

色料（絵の具）の三原色[*18]は赤紫（マゼンタ）、緑みの青（シアン）、黄（イエロー）で、一般には**赤・青・黄**とよばれます。この3色を混ぜると黒になります。このように、混色するほど暗い色になることを、**減法混合**（**減算混合**[*19]）といいます。レオ・レオニの絵本『あおくんときいろちゃん』は、この減法混色の考え方がもとになっています。

❷色光（光）の三原色

色光の三原色は黄みの赤（R:red）、緑（G:green）、紫みの青（B:blue）で、一般には**赤・緑・青**とよばれます。この3色を混ぜると**白く**なります。このように、混合するほど明るい色になることを加法混合（加算混合）といいます。なお、昼間の太陽の光にも光の三原色が含まれ、一定の気象条件下で太陽光が屈折すると、色が分かれて**虹**[*20]としてみえるようになります。一般に、波長が短いほうから順に、紫、藍、青、緑、黄、橙、赤の7色とされます。

でた問!!

***18 色料の三原色**
三原色の構成色や絵の具の三原色の混色について出題。
H31前、R5前、R6前

***19 減算混合**
混色の方法について出題。
R3後、R4前

レオ・レオニ
⇨p376

***20 虹**
虹のできるしくみについて出題。
R5前

（3）色の対比

色の対比には、明度対比、彩度対比、色相対比、補色対比があります。

▸▸▸ ここは覚えよう!!

色相対比

赤に囲まれたオレンジのほうが黄色っぽく見える。

補色対比

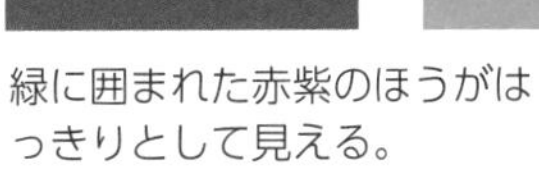

緑に囲まれた赤紫のほうがはっきりとして見える。

- **明度対比**……明度の違う２つの色を配色したとき、隣接する色の影響を受け、明るいほうの色はより明るく、暗いほうの色はより暗くみえることをいう。
- **彩度対比**……同じ彩度の色でも、隣接する色の彩度が高いと濁った色に見え、低ければ鮮やかに感じることをいう。
- **色相対比**……ある色の色相が、隣接する色の影響を受け、違った色に見える現象をいう。たとえば、緑に囲まれたオレンジと赤に囲まれたオレンジを比べると、赤に囲まれたオレンジのほうが黄色っぽく見える。
- **補色対比**……補色関係にある２つの色（青とオレンジ、紫と黄緑、赤と青緑など）を隣り合わせて並べると、互いの彩度が高く見えることをいう。

（4）立体

立体は形の一つで、基本的な形として立方体、直方体、球、円柱、円錐、三角錐、紡錘形などがあります。たとえば、サイコロは、６つの正方形をつなげた立体になり、**正六面体**[*21]（立方体）といいます。また、正三角形４つをつなげた立体は、**正四面体**といいます。

***21 正六面体**
サイコロの展開図について出題。
R4後

正四面体

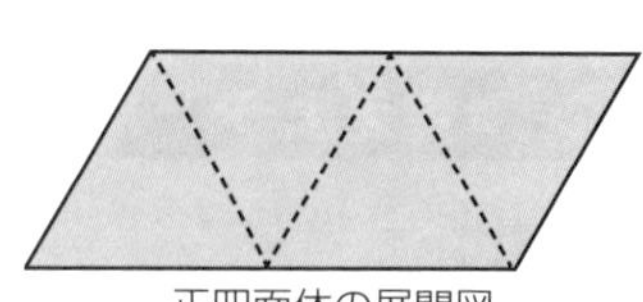

正四面体の展開図

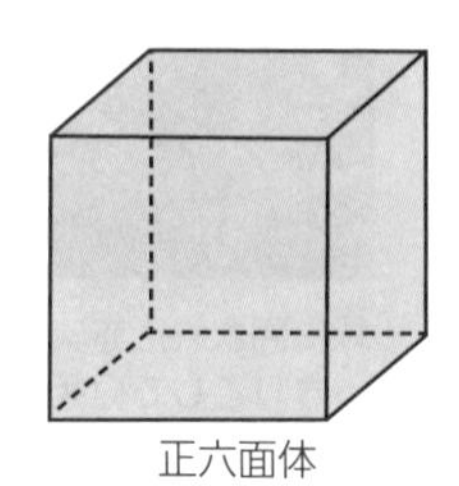

正六面体

正六面体の展開図

立体や図形については、展開図や制作途中の工程から完成形を答える問題がよく出題されます。試験のときにあわてないように、過去問で出題されたものを作ってみて、その仕組みを理解するとよいですよ。

ポイント確認テスト

穴うめ問題

☐ **Q1** ☐ 過R4前

粘土には土粘土、油粘土、小麦粉粘土などのほかに紙粘土がある。紙粘土は紙の主な原料である（　a　）に、（　b　）等を混ぜて作られ、乾燥すると軽く硬くなる。>>> p363

☐ **Q2** ☐ 過R6前

でんぷん糊は主に、（　　　）同士を接着する時に使われる。>>> p363

☐ **Q3** ☐ 過R5後

白・灰・黒には彩度がありません。わずかでも彩度を持った色は（　　）といいます。>>> p365〜366

☐ **Q4** ☐ 過R4後

（　a　）環とは、色を環状に配置したもので、色みが自然な階調で循環するように表されている。（　b　）とは、（　a　）環で180°離れた位置にある色同士のことである。絵の具の（　b　）同士を混ぜると、黒、灰色などに近い色になる。>>> p365〜366

☐ **Q5** ☐ 過R5前

（　　）は、空気中にある無数の水滴によって太陽光線が分光されてできる。>>> p367

○×問題

☐ **Q6** ☐ 過R2後

アニミズム的表現は、すべてのものに命があり、感情や意志をもっているという考え方に基づいた絵で、動物以外のものにも目や口を描き、感情の表現を行う。>>> p359

☐ **Q7** ☐ 過R2後

フロッタージュは、凸凹のあるものに紙を押し当てて、鉛筆などでこする表現技法である。>>> p360、p362

☐ **Q8** ☐ 過R5後

はさみには、右手用・左手用という区別はない。>>> p363

☐ **Q9** ☐ 過R5前

「黄」は、色の三原色の一つであるが光の三原色の一つではない。>>> p367

解答・解説

Q1　a パルプ／b のり　Q2　紙　Q3　有彩色　Q4　a 色相／b 補色　Q5　虹
Q6　○　Q7　○　Q8　×　区別がある。　Q9　○

保育実習理論 Lesson 7

言語に関する技術

頻出度 Level 3

言語教材を選ぶには、言葉の発達の道筋を知ることが大切です。さまざまな言語教材の種類や特徴についてみていきましょう。

ココに注目!!

- 言葉の発達のクーイングとは
- 一語文、二語文の時期とその特徴
- 素話の方法と出題されやすい絵本
- ペープサート、パネルシアターの特徴

1 乳幼児と言葉

(1) 乳児の音声の発達

乳児期の言葉の発達
⇨保心p44

子どもの言語能力は、親をはじめとした身近な人との関わりのなかで発達していきます。意味のある言葉を話せるようになるのは、1歳ごろですが、その前の、意味を理解しないで声をだしている期間を、前言語期（ぜんげんごき）といいます。

生まれてから最初の発生は産声ですが、生後1か月ごろから**クーイング**が始まります。その後、咽喉部（いんこうぶ）の空間が広がり、舌

■言葉の発達

0～1か月ごろ	反射的な泣き、発声、笑いなどしかみられない。
1～3か月ごろ	クーイング(機嫌のいいときなどに、のどの奥からウーなどの不明瞭な音をだすこと）がみられる。
4か月ごろ	「アーアー」「アーン」といった母音を発する喃語（なんご・子どもが発する意味のない音）が始まる。いろいろな声をだして楽しむ、声遊び期が始まる。
5か月ごろ	「マー」「バー」といった、母音＋子音の喃語が始まる。
8か月ごろ	「マッマッ」「ダッダッ」など、反復する喃語が始まる。
10か月ごろ	声で気持ちを伝えようとし始める。喃語が減ってくる。
12か月ごろ	自分の名前がわかり、呼びかけに答えようとする。

人間には生まれながらに言葉を獲得する能力が備わっています。赤ちゃんの段階から、親やまわりの人たちが話しかけたり、泣き声に反応するといったコミュニケーションをとおして、言葉を獲得していきます。

の可動範囲が広がることで、反射的に泣く・笑う以外に、さまざまな音をだせるようになっていきます。この時期の子どもが発する、意味のない音を**喃語**といいます。

（2）幼児の言葉の発達

1歳になるころから、「マンマ」という言葉を使って食べ物や母親を指すなど、意味のある単語を話すことができるようになります。これを初語（しょご）といいます。以後、認知機能の発達とともに言語が獲得されていき、小学校に上がるころには、読み書きもできるようになっていきます。

- **片言（かたこと）期（1歳～1歳半）**……片言はワンワン、ブーブーなどの擬音（ぎおん）語、擬声（ぎせい）語が多い。**一語文**の時期。
- **命名期（1歳半～2歳）**……ものに名前があることを知り、質問することが増える。**二語文**になる。言われたことを繰り返す、**おうむ返し**の時期。
- **羅列（られつ）期（2歳～2歳半）**……使える語彙（ごい）が増え、知っている言葉をやたらと並べる。「やった！」といった感嘆文、「ママいない？」といった**疑問文**が現れる。
- **模倣（もほう）期（2歳半～3歳）**……大人の言葉を模倣する。「なぜ？」という質問が増える。
- **成熟期（3歳～4歳）**……話し言葉が一応できあがる。
- **多弁期（4歳～）**……生活空間も広がり、経験も増えるのでよくしゃべるようになる。
- **適応期（5歳～）**……自己中心的な話から、対話ができるようになる。相手の質問を聞いて、それに対する答えを自分なりの言葉で話せるようになる。

（3）幼児期における言語指導

幼児期は、音声言語（話し言葉）の指導が中心となります。自分が経験したことや考えたことを言葉で表現し、相手の話に興味をもって聞く態度を育てていくことが大切です。また、語彙の多さや言葉の正しさにとらわれすぎず、生活のなかでのびのびと言葉のやりとりを楽しめるような雰囲気をつくることが

＋プラス1

言語の発達の個人差
言葉の発達は子どもによって個人差がある。保護者が悩んでいて、保育士からみても心配な場合は、専門家に相談することをすすめるとよい。耳の聴こえが悪くて、言葉の発達が遅れる場合もある。

用語

一語文
1つの単語で1つの文章としての働きをもつもの。「ママ」という単語に「ママ、どこに行ったの？」「ママ、こっちきて」など、複数の意味が含まれる。

二語文
「ワンワン きた」など、2つの単語をつなげた文章のこと。

幼児期の言語機能の発達
⇨保心p52

***1　3歳以上児**
3歳以上児の保育に関するねらい及び内容の言葉から出題。
R3後、R4後、R5前・後

1歳以上3歳未満児のねらいと内容も別冊付録の「保育所保育指針」で確認しておきましょう。

大切です。

保育所における**言語の指導**は、子どもの発達段階に合わせた適切な保育目標のもとに行わなくてはなりません。また、子どもは、ふだんの生活のなかで言葉を獲得していくので、保育士の日常の言葉づかいが子どもに大きな影響を及ぼします。保育士が子どもと接する際は、正しく、心のこもった言葉を使うことが大切です。注意をするときには、否定の言葉を押し付けるのではなく、必ず理由を言いましょう。**集団保育**においては、人数に合わせた音量、子どもの年齢に合わせたテンポで話すことも大切です。

「保育所保育指針」では、**3歳以上児**[*1]の「言葉」のねらいと内容について、以下のように述べています。

保育所保育指針　第2章（抜粋）

3　3歳以上児の保育に関するねらい及び内容

エ　言葉

経験したことや考えたことなどを自分なりの言葉で表現し、相手の話す言葉を聞こうとする意欲や態度を育て、言葉に対する感覚や言葉で表現する力を養う。

(ア) ねらい

①自分の気持ちを言葉で表現する楽しさを味わう。
②人の言葉や話などをよく聞き、自分の**経験**したことや考えたことを話し、**伝え合う**喜びを味わう。
③日常生活に必要な言葉が分かるようになるとともに、絵本や物語などに親しみ、言葉に対する感覚を豊かにし、保育士等や友達と心を通わせる。

(イ) 内容

①保育士等や友達の言葉や話に興味や関心をもち、親しみをもって聞いたり、話したりする。
②したり、見たり、聞いたり、感じたり、考えたりなどしたことを自分なりに言葉で表現する。
③したいこと、してほしいことを言葉で表現したり、分からないことを尋ねたりする。
④人の話を注意して聞き、相手に分かるように話す。
⑤生活の中で必要な言葉が分かり、使う。
⑥親しみをもって日常の挨拶をする。
⑦生活の中で**言葉の楽しさ**や美しさに気付く。
⑧いろいろな体験を通じてイメージや言葉を豊かにする。
⑨絵本や物語などに親しみ、興味をもって聞き、想像する楽しさを味わう。
⑩日常生活の中で、文字などで伝える楽しさを味わう。

2 教材について

ここでは、言語指導に関わる教材をみていきましょう。

(1) 素話の方法と題材

素話（すばなし）とは、手に何も持たずに行うお話です。題材としては、**昔話**、**神話**、**民話**などがよく用いられます。昔話は、古くから言い伝えられてきたお話です。ある地域の風土に根ざした昔話を、民話とよぶ場合もあります。神話は、神々についての伝説です。

素話とは「ストーリーテリング」ともいいます。

こうした話の作者は明らかではありませんが、絵本ではその話を文章にした人の名前を作者として記している場合もあります。保育者として知っておきたい、代表的な日本の昔話をあげておきます。

■代表的な日本の昔話

ももたろう	浦島太郎	かぐや姫	一寸法師
舌切りすずめ	さるかに合戦	笠地蔵	花さかじいさん
つるの恩返し	かちかち山	三枚のお札	うりこ姫

外国の昔話では、**『イソップ物語』**『グリム童話』が日本でも広く知られています。

また、外国の民話では、北欧民話**『三びきのやぎのがらがらどん』**、ロシア民話**『おおきなかぶ』**、ウクライナ民話『てぶくろ』、フランス民話『長靴をはいた猫』、イギリス民話『三匹のこぶた』、モンゴル民話**『スーホの白い馬』**なども、日本の子どもたちに長く愛されています。

これらのお話を題材に素話するときは、大きな声で、はっきりと明るく話すことが大切です。表情は、おおげさになりすぎないようにします。話すスピードは、あまり速くてもゆっくりでも聞き取りにくいので、適度な速度を心がけます。また、一人ひとりの子どもの顔を見て話し、話を理解しているか、興味をもって聞いているかなど、子どもの表情を読み取ります。

■『イソップ物語』と『グリム童話』

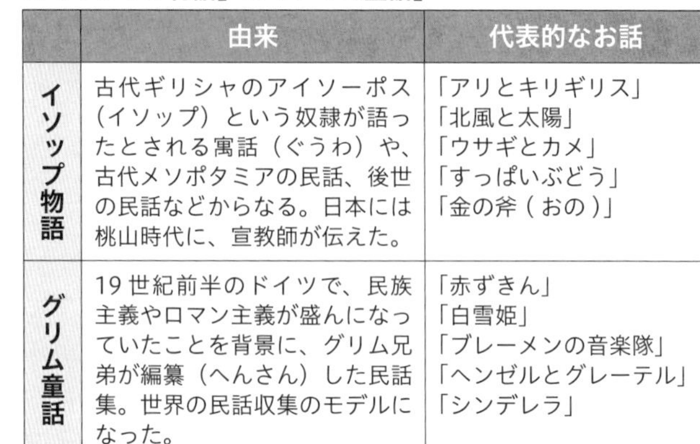

	由来	代表的なお話
イソップ物語	古代ギリシャのアイソーポス（イソップ）という奴隷が語ったとされる寓話（ぐうわ）や、古代メソポタミアの民話、後世の民話などからなる。日本には桃山時代に、宣教師が伝えた。	「アリとキリギリス」 「北風と太陽」 「ウサギとカメ」 「すっぱいぶどう」 「金の斧（おの）」
グリム童話	19世紀前半のドイツで、民族主義やロマン主義が盛んになっていたことを背景に、グリム兄弟が編纂（へんさん）した民話集。世界の民話収集のモデルになった。	「赤ずきん」 「白雪姫」 「ブレーメンの音楽隊」 「ヘンゼルとグレーテル」 「シンデレラ」

難しい言葉につまずき、ストーリーについていけなくなる場合もあるので、子どもが知らないと思われる言葉には、ひとこと説明を添えてあげましょう。

（2）絵本

❶絵本の与え方

*2 絵本
『キャベツくん』について出題。
R1後

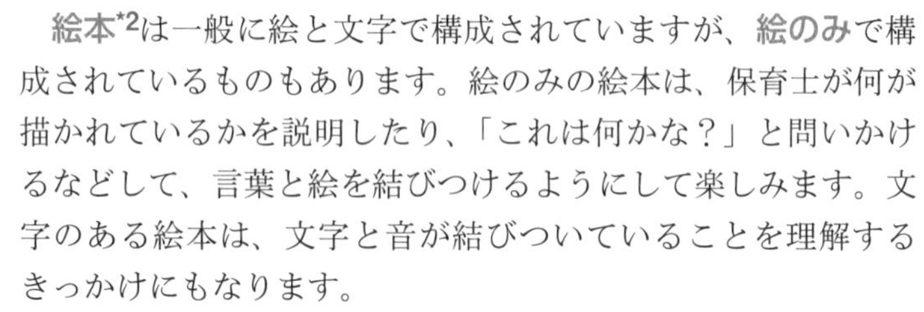

絵本[*2]は一般に絵と文字で構成されていますが、**絵のみ**で構成されているものもあります。絵のみの絵本は、保育士が何が描かれているかを説明したり、「これは何かな？」と問いかけるなどして、言葉と絵を結びつけるようにして楽しみます。文字のある絵本は、文字と音が結びついていることを理解するきっかけにもなります。

年齢が低いうちは保育士が子どもに読み聞かせる場合がほとんどです。子どもは、保育士に絵本を読み聞かせてもらうことにより、視覚的な刺激に聴覚的な刺激が加わり、自分のなかで具体的なイメージをさらに広げることができます。

絵本のコーナーを設けるなど、子どもが**いつでも好きなときに**絵本を手に取れる環境をつくっておくことも大切です。字が読めなくても自分の好きな本を選び、めくって楽しむことができます。なお、子どもに人気がある本が教育的に望ましいとは限らないので、保育士が内容をよく吟味して絵本を選びます。

また、クラスでごっこ遊びなどの活動を行う際に、そのテーマに合わせた絵本を**事前に読んでおくと**、子どもたちがイメージをふくらませる手助けとなります。

❷読み聞かせの方法

読み聞かせ*3をするときは、次のポイントに気をつけます。

- 取り上げる絵本は事前に読み、ストーリーや展開を理解しておく
- 複数の子どもに読み聞かせをする場合は、全員に絵がよく見えるようにする
- 読み手の背景は、子どもが集中できるようにシンプルになっているか確認する
- 絵本を読むときには、表紙や裏表紙、表紙をめくった部分も見せる
- スムーズにめくれるよう、開きぐせをつけておく
- 絵を見ながらイメージをふくらますことができるように、おおげさな抑揚は控える
- 紙をめくりにくい場合は、指サックをつけ、スムーズにめくれるようにする
- 読み終わったあとは、絵本の世界の余韻（よいん）を味わえるようすぐに感想を聞かない

*3 読み聞かせ
絵本の読み聞かせをする際の留意事項について出題。
R3前、R4後、R5後、R6前

❸絵本を選ぶ目安

子どもに適している絵本*4は年齢によって異なるため、選ぶポイントと例をみていきましょう。

- **0～1歳**……生後6か月ごろから絵本を楽しめるようになるといわれています。言葉はわからなくても、目（はっきりとした色合い）や耳（オノマトペや同じ言葉の繰り返し）で刺激を楽しむことができる絵本が適しています。

*4 絵本の選択
年齢に応じた絵本の選択について出題。
H31前

絵本の例	
松谷（まつたに）みよ子（こ）	『いない いない ばあ』
谷川俊太郎（たにかわしゅんたろう）	『もこ もこもこ』
安西水丸（あんざいみずまる）	『がたん　ごとん　がたん　ごとん』
かがくいひろし	『だるまさんが』
まついのりこ	『じゃあじゃあびりびり』

- **1～2歳**……子どもの身近にあり、見慣れたもの、親しみのある事柄を描いたもので、簡単なストーリーのあるものや、ストーリーがなくても絵を指さして楽しむことができるものが適しています。

松谷みよ子・ぶん／瀬川康男・え
『いない いない ばあ』
童心社、1967年

絵本の例	
五味太郎(ごみたろう)	『たべたのだあれ』
レオ・レオニ	**『あおくんときいろちゃん』**
せなけいこ	『いやだ いやだ』
長新太(ちょうしんた)	**『ぼくのくれよん』**

- **3～4歳**……話し言葉の基礎ができ、知的好奇心が高まる時期です。子どもの日常生活のひとこまを描いたもので、主人公の気持ちになって**物語の世界に入り込む**ことができるものが適しています。

絵本の例	
中川李枝子(なかがわりえこ)	『ぐりとぐら』
筒井頼子(つついよりこ)	『はじめてのおつかい』
林明子(はやしあきこ)	『こんとあき』
西巻茅子(にしまきかやこ)	『わたしのワンピース』
かこさとし	『カラスのパンやさん』
レオ・レオニ[*5]	**『フレデリック』**
	『スイミー』『じぶんだけの　いろ』
田島征三(たしませいぞう)	『とべバッタ』
エリック・カール	**『はらぺこあおむし』**

- **5～6歳**…想像力が豊かになり、現実的なものだけではなく、**空想的な物語**を楽しめるようになります。また、長めの物語も落ち着いて聞けるようになります。

絵本の例	
ブルーノ・ムナーリ	『きりのなかのサーカス』
エリック・カール	『うたがみえる　きこえるよ』
バージニア・リー・バートン	『ちいさいおうち』
長新太	『キャベツくん』

なお、子どもは以前に読んだ本を何度も読んでもらうことで、絵本にある文字と耳で聞いている言葉の対応を理解するようになっていきます。子どもが読んでほしがる本は、**繰り返し**読んでもかまいません。「これを読んで」と頼んできたら、年齢と合っていないように思える絵本だとしてもそれを読んであげます。

レオ・レオニ
1910～1999年。オランダ生まれでイタリアに暮らした。1939年、ファシズム政権に反対しアメリカに亡命。レオニの絵本の中の小さな動物たちは、権力に負けない民衆への思いがこめられているともいわれる。

レオ・レオニ作／谷川俊太郎訳『スイミー』好学社、1969年

***5 レオ・レオニ**
『スイミー』『フレデリック』に使われている描画技法について出題。
R3後

(3) そのほかの教材

❶ペープサート

ペープサート[*6]とは「ペーパー・パペット・シアター」がつまってできた言葉で、直訳すると「紙の操(あやつ)り人形の劇場」となります。割りばしなどの**棒の先**に、人形や動物などの絵を描いた紙を両面から貼り合わせ、それを用いて演じる人形劇のようなものです。表と裏の絵が違うことを利用して、表現を工夫することができます。

■ペープサート

表と裏で図柄が変化する

❷パネルシアター

パネルシアター[*6]とは毛羽立ちのよい布地を貼った**パネル**に、ざらざらした不織布(ふしょくふ)でつくった**絵人形や背景**を貼ったり、取ったり、動かしたりしながら、物語や歌遊びなどを展開していく表現方法のことです。パネルと不織布は互いに付着し合うので、簡単に取り外しができます。さらに、不織布は両面とも付着し合うため、絵人形を裏返す展開も可能です。不織布は、フェルトや毛糸、厚手の画用紙などで代用できます。演じる際には、パネルだけでなく、演じ手のことも子どもは見ていることを意識して、大きな動作をつけて**表情豊かに**子どもたちとやりとりをしながら演じましょう。演じ手は舞台から50センチほど離れたところに立ち、絵人形は歌の歌詞よりも少し早めのタイミングで出すことが大切です。

❸エプロンシアター®

エプロンシアター®[*6]は、キルティングなど厚手の生地でつくられたエプロンを舞台にして、ポケットの中から人形（パ

でた問!!

***6 ペープサート、パネルシアター、エプロンシアター**
ペープサートやパネルシアター、エプロンシアターの特徴について出題。
R4前、R6前
パネルシアター、ペープサート、エプロンシアターの演じ方について出題。
R3後

✚プラス1

ペープサートを演じるときのコツ
ペープサートを演じるときには、舞台部分から棒が2㎝ほど出ている高さを保つよう注意する。また、登場人物がたくさんいる場合には、誰が話しているのかわかるよう、話している人形だけを動かすようにするとよい。

✚プラス1

エプロンシアターのはじまり
エプロンシアター®は1979年に中谷真弓が考案、発表したものである。また、1970年代のアメリカでもエプロンを舞台にするストーリーエプロンというものが行われていた。

▸▸▸ ここは覚えよう!!

パネルシアター用絵人形のつくり方

❶画用紙に絵人形の下絵を描く

❷下絵の上にPペーパーをのせて写し取る

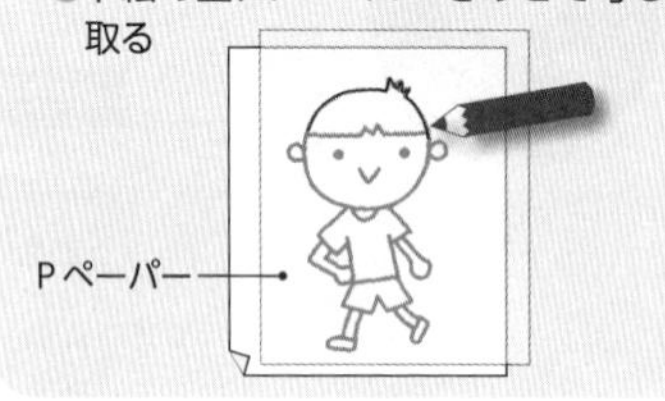

❸写し取ったPペーパーの輪郭を油性ペンで縁どりをする

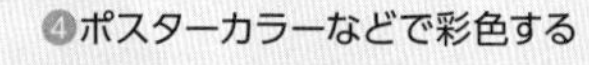
❹ポスターカラーなどで彩色する

❺縁どりの線の外に折れ曲がり防止のために余白を残して切りとる

Pペーパーとは、透過性がある布のことです。パネルボードは、5㎜厚くらいの発泡スチロールボードなどに、ネル地などの毛羽だった布を貼ります。

ペット）を出したり、エプロンの一部をめくって場面を転換させたりしてストーリーや歌を演じる劇遊びです。**演じ手の表情が常に見える**ため、小さな子どもにとっては安心して物語を楽しむことができます。子どもたちの反応を見ながら、人形を常に子どもたちのほうに向け、両手を大きく使って表情豊かに演じることが大切です。

❹紙芝居

紙芝居[*7]は、日本で生まれたものです。明治期に寄席（よせ）で始まり、第二次世界大戦後、大衆の娯楽として発展しました。アニメーションの元祖ともいわれています。

紙芝居を演じるときは、子どもの年齢に適したものを選びます。場面が変わるときに、タイミングよく紙を引き抜き、次の絵を見せます。練習では、鏡を使い、言葉と紙を引き抜くタイミングが合っているか確認するとよいでしょう。絵本の読み聞かせでは、想像する楽しみが損なわれないようにおおげさに抑揚をつけないほうが望ましいとされますが、紙芝居は「芝居」なので、**表現豊かになるよう**、声の大きさや強弱を工夫し、子どもの反応を受け止めながら進めていきます。

多くの紙芝居は、８場面、12場面、16場面で構成されています。一般的には**８場面**のものは短くてやさしいお話が多いため**乳児向き**、**12場面**以上のものが**幼児向き**とされています。

図書館などでは、紙芝居用の「**舞台**」を貸しだしています。「舞台」があると、一層絵が見やすくなります。ただ、「舞台」に紙が引っかかりやすいので、事前に必ず練習をしましょう。

***7 紙芝居**
紙芝居の演じ方について出題。
R6前

紙芝居は、小さな書店には置いてないけれど、図書館の児童書コーナーにはだいたいあります。適した年齢も書いてあるので現物をみておくとよいでしょう。

紙芝居の裏面をみてみましょう。「歌うように」など、演じ方が書いてありますよ。

ポイント確認テスト

できたらチェック！

穴うめ問題

□□ **Q1** 過R6前

子どもが絵本に集中できるように、掲示物がない（　　　）な壁などを背景にして、読み聞かせを行う。>>> p375

□□ **Q2** 過R3後

コラージュの技法が用いられた『フレデリック』の作者は、（　　　）である。>>> p376

□□ **Q3** 過R4前

クラスの中で、広告紙を端から丸めて棒状のものを作る遊びを楽しんでいる姿がみられた。そこで保育士は、画用紙に描いた絵を切り抜いて棒に固定した（　　　）を用いた遊びへと発展を促した。>>> p377

□□ **Q4** 過R3後

（　　　）を演じるときには、しっかりと前を向いて立つようにし、子どもにお話がきちんと伝わるようにすることを心掛ける。子どもに見せるときには、腕を伸ばし左右の子どもにもしっかりと見えるようにする。自分の手の可動範囲を考えて、ポケットやマジックテープの位置が、適切かどうかを確認し、場合によっては、取付位置を少し動かす。>>> p377

○×問題

□□ **Q5** 過R5前

保育所の5歳児クラスでレストランごっこの活動を行う際に、レストランやみんなで食事を楽しむ様子が描かれた絵本を読むことは適切である。
>>> p374

□□ **Q6** 過R4後

絵本の読み聞かせをする際、絵本を読み終えたら、子どもが絵本の内容を正確に記憶できているかが重要であるため、直ちに質問して確認する。
>>> p375

□□ **Q7** 過R3前

子どもが絵本の世界を楽しめるように、保育士は絵本のストーリーや展開をよく理解しておく。>>> p375

□□ **Q8** 過R6前

紙芝居を演じる際には、声の大きさ、強弱、トーンなどの演出はしない。
>>> p379

解答・解説

Q1　シンプル　Q2　レオ・レオニ　Q3　ペープサート　Q4　エプロンシアター
Q5　○　Q6　×　余韻を味わえるようにすぐに聞かない。　Q7　○　Q8　×　芝居なので、声の大きさ、強弱、トーンなどを工夫して演じる。

索引

か

き

す

せ

そ

た

ち

つ

て

と

な

に

ね

の

は

ひ

ふ

へ

●法改正・正誤等の情報につきましては、下記「ユーキャンの本」
ウェブサイト内「追補（法改正・正誤）」をご覧ください。
https://www.u-can.co.jp/book/information
●本書の内容についてお気づきの点は
・「ユーキャンの本」ウェブサイト内「よくあるご質問」をご参照ください。
https://www.u-can.co.jp/book/faq
・郵送・FAXでのお問い合わせをご希望の方は、書名・発行年月日・お客様のお名前・ご住所・FAX番号をお書き添えの上、下記までご連絡ください。
【郵送】〒169-8682 東京都新宿北郵便局 郵便私書箱第2005号
ユーキャン学び出版 保育士資格書籍編集部
【FAX】03-3378-2232
◎より詳しい解説や解答方法についてのお問い合わせ、他社の書籍の記載内容等に関しては回答いたしかねます。
●お電話でのお問い合わせ・質問指導は行っておりません。

本文イラスト／矢寿ひろお、寺平京子

2025年版 ユーキャンの保育士 速習テキスト（下）

2006年1月10日 初 版 第1刷発行
2024年8月30日 第20版 第1刷発行

編 者 ユーキャン
保育士試験研究会

発行者 品川泰一
発行所 株式会社 ユーキャン 学び出版
〒151-0053
東京都渋谷区代々木1-11-1
Tel 03-3378-1400

編 集 株式会社 桂樹社グループ

発売元 株式会社 自由国民社
〒171-0033
東京都豊島区高田3-10-11
Tel 03-6233-0781（営業部）

印刷・製本 望月印刷 株式会社

※落丁・乱丁その他不良の品がありましたらお取り替えいたします。お買い求めの書店か自由国民社営業部（Tel 03-6233-0781）へお申し出ください。

 ISBN978-4-426-61592-5

2025年版

ユーキャンの

保育士
速習テキスト
下

別冊ポイント集

目次

保育所保育指針（全文） 2017・3・31 厚生労働省告示　2018・4・1 施行

保育士試験で最も重要な「保育所保育指針」の全文を掲載します。
過去 11 年間の試験で穴うめで問われた部分を赤文字にし、文章が出題された部分に下線を引いています。繰り返し復習して内容を覚えましょう。

第一章　総則

この指針は、児童福祉施設の設備及び運営に関する基準（昭和23年厚生省令第63号。以下「設備運営基準」という。）第35条の規定に基づき、保育所における保育の内容に関する事項及びこれに関連する運営に関する事項を定めるものである。各保育所は、この指針において規定される保育の内容に係る基本原則に関する事項等を踏まえ、各保育所の実情に応じて創意工夫を図り、保育所の機能及び質の向上に努めなければならない。

1　保育所保育に関する基本原則

（1）保育所の役割

ア　保育所は、児童福祉法（昭和22年法律第164号）第39条の規定に基づき、保育を必要とする子どもの保育を行い、その健全な心身の発達を図ることを目的とする児童福祉施設であり、入所する子どもの最善の利益を考慮し、その福祉を積極的に増進することに最もふさわしい生活の場でなければならない。

イ　保育所は、その目的を達成するために、保育に関する専門性を有する職員が、家庭との緊密な連携の下に、子どもの状況や発達過程を踏まえ、保育所における環境を通して、養護及び教育を一体的に行うことを特性としている。

ウ　保育所は、入所する子どもを保育するとともに、家庭や地域の様々な社会資源との連携を図りながら、入所する子どもの保護者に対する支援及び地域の子育て家庭に対する支援等を行う役割を担うものである。

エ　保育所における保育士は、児童福祉法第18条の４の規定を踏まえ、保育所の役割及び機能が適切に発揮されるように、倫理観に裏付けられた専門的知識、技術及び判断をもって、子どもを保育するとともに、子どもの保護者に対する保育に関する指導を行うものであり、その職責を遂行するための専門性の向上に絶えず努めなければならない。

（2）保育の目標

ア　保育所は、子どもが生涯にわたる人間形成にとって極めて重要な時期に、その生活時間の大半を過ごす場である。このため、保育所の保育は、子どもが現在を最も良く生き、望ましい未来をつくり出す力の基礎を培うために、次の目標を目指して行わなければならない。

（ア）十分に養護の行き届いた環境の下に、くつろいだ雰囲気の中で子どもの様々な欲求を満たし、生命の保持及び情緒の安定を図ること。

（イ）健康、安全など生活に必要な基本的な習慣や態度を養い、心身の健康の基礎を培うこと。

（ウ）人との関わりの中で、人に対する愛情と信頼感、そして人権を大切にする心を育てるとともに、自主、自立及び協調の態度を養い、道徳性の芽生えを培うこと。

（エ）生命、自然及び社会の事象についての興味や関心を育て、それらに対する豊かな心情や思考力の芽生えを培うこと。

（オ）生活の中で、言葉への興味や関心を育て、話したり、聞いたり、相手の話を理解しようとするなど、言葉の豊かさを養うこと。

（カ）様々な体験を通して、豊かな感性や表現力を育み、創造性の芽生えを培うこと。

イ　保育所は、入所する子どもの保護者に対し、その意向を受け止め、子どもと保護者の安定した関係に配慮し、保育所の特性や保育士等の専門性を生かして、その援助に当たらなければならない。

（3）保育の方法

保育の目標を達成するために、保育士等は、次の事項に留意して保育しなければならない。

ア　一人一人の子どもの状況や家庭及び地域社会での生活の実態を把握するとともに、子どもが安心感と信頼感をもって活動できるよう、子どもの主体としての思いや願いを受け止めること。

イ　子どもの生活のリズムを大切にし、健康、安全で情緒の安定した生活ができる環境や、自己を十分に発揮できる環境を整えること。

ウ　子どもの発達について理解し、一人一人の発達過程に応じて保育すること。その際、子どもの個人差に十分配慮すること。

エ　子ども相互の関係づくりや互いに尊重する心を大切にし、集団における活動を効果あるものにするよう援助すること。

オ　子どもが自発的・意欲的に関われるような環境を構成し、子どもの主体的な活動や子ども相互の関わりを大切にすること。特に、乳幼児期にふさわしい体験が得られるように、生活や遊びを通して総合的に保育すること。

カ　一人一人の保護者の状況やその意向を理解、受容し、それぞれの親子関係や家庭生活等に配慮しながら、様々な機会をとらえ、適切に援助すること。

（4）保育の環境

保育の環境には、保育士等や子どもなどの人的環境、施設や遊具などの物的環境、更には自然や社会の事象などがある。保育所は、こうした人、物、場などの環境が相互に関連し合い、子どもの生活が豊かなものとなるよう、次の事項に留意しつつ、計画的に環境を構成し、工夫して保育しなければならない。

ア　子ども自らが環境に関わり、自発的に活動し、様々な経験を積んでいくことができるよう配慮すること。

イ　子どもの活動が豊かに展開されるよう、保育所の設備や環境を整え、保育所の保健的環境や安全の確保などに努めること。

ウ　保育室は、温かな親しみとくつろぎの場となるとともに、生き生きと活動できる場となるように配慮すること。

エ　子どもが人と関わる力を育てていくため、子ども自らが周囲の子どもや大人と関わっていくことができる環境を整えること。

（5）保育所の社会的責任

ア　保育所は、子どもの人権に十分配慮するとともに、子ども一人一人の人格を尊重して保育を行わなければならない。

イ　保育所は、地域社会との交流や連携を図り、保護者や地域社会に、当該保育所が行う保育の内容を適切に説明するよう努めなければならない。

ウ　保育所は、入所する子ども等の個人情報を適切に取り扱うとともに、保護者の苦情などに対し、その解決を図るよう努めなければならない。

2　養護に関する基本的事項

（1）養護の理念

保育における養護とは、子どもの生命の保持及び情緒の安定を図るために保育士等が行う援助や関わりであり、保育所における保育は、養護及び教育を一体的に行うことをその特性とするものである。保育所における保育全体を通じて、養護に関するねらい及び内容を踏まえた保育が展開されなければならない。

（2）養護に関わるねらい及び内容

ア　生命の保持

（ア）ねらい

①一人一人の子どもが、快適に生活できるようにする。

②一人一人の子どもが、健康で安全に過ごせるようにする。

③一人一人の子どもの生理的欲求が、十分に満たされるようにする。

④一人一人の子どもの健康増進が、積極的に図られるようにする。

（イ）内容

①一人一人の子どもの平常の健康状態や発育及び発達状態を的確に把握し、異常を感じる場合は、速やかに適切に対応する。

②家庭との連携を密にし、嘱託医等との連携を図りながら、子どもの疾病や事故防止に関する認識を深め、保健的で安全な保育環境の維持及び向上に努める。

③清潔で安全な環境を整え、適切な援助や応答的な関わりを通して子どもの生理的欲求を満たしていく。また、家庭と協力しながら、子どもの発達過程等に応じた適切な生活のリズムがつくられていくようにする。

④子どもの発達過程等に応じて、適度な運動と休息を取ることができるようにする。また、食事、排泄（せつ）、衣類の着脱、身の回りを清潔にすることなどについて、子どもが意欲的に生活できるよう適切に援助する。

イ　情緒の安定

（ア）ねらい

①一人一人の子どもが、安定感をもって過ごせるようにする。

②一人一人の子どもが、自分の気持ちを安心して表すことができるようにする。

③一人一人の子どもが、周囲から主体として受け止められ、主体として育ち、自分を肯定する気持ちが育まれていくようにする。

④一人一人の子どもがくつろいで共に過ごし、心身の疲れが癒されるようにする。

（イ）内容

①一人一人の子どもの置かれている状態や発達過程などを的確に把握し、子どもの欲求を適切に満たしながら、応答的な触れ合いや言葉がけを行う。

②一人一人の子どもの気持ちを受容し、共感しながら、子どもとの継続的な信頼関係を築いていく。

③保育士等との信頼関係を基盤に、一人一人の子どもが主体的に活動し、自発性や探索意欲などを高めるとともに、自分への自信をもつことができるよう成長の過程を見守り、適切に働きかける。

④一人一人の子どもの生活のリズム、発達過程、保育時間などに応じて、活動内容のバランスや調和を図りながら、適切な食事や休息が取れるようにする。

3　保育の計画及び評価

（1）全体的な計画の作成

ア　保育所は、1の（2）に示した保育の目標を達成するために、各保育所の保育の方針や目標に基づき、子どもの発達過程を踏まえて、保育の内容が組織的・計画的に構成され、保育所の生活の全体を通して、総合的に展開されるよう、全体的な計画を作成しなければならない。

イ　全体的な計画は、子どもや家庭の状況、地域の実態、保育時間などを考慮し、子どもの育ちに関する長期的見通しをもって適切に作成されなければならない。

ウ　全体的な計画は、保育所保育の全体

像を包括的に示すものとし、これに基づく指導計画、保健計画、食育計画等を通じて、各保育所が創意工夫して保育できるよう、作成されなければならない。

（2）指導計画の作成

ア　保育所は、全体的な計画に基づき、具体的な保育が適切に展開されるよう、子どもの生活や発達を見通した長期的な指導計画と、それに関連しながら、より具体的な子どもの日々の生活に即した短期的な指導計画を作成しなければならない。

イ　指導計画の作成に当たっては、第2章及びその他の関連する章に示された事項のほか、子ども一人一人の発達過程や状況を十分に踏まえるとともに、次の事項に留意しなければならない。

（ア）3歳未満児については、一人一人の子どもの生育歴、心身の発達、活動の実態等に即して、個別的な計画を作成すること。

（イ）3歳以上児については、個の成長と、子ども相互の関係や協同的な活動が促されるよう配慮すること。

（ウ）異年齢で構成される組やグループでの保育においては、一人一人の子どもの生活や経験、発達過程などを把握し、適切な援助や環境構成ができるよう配慮すること。

ウ　指導計画においては、保育所の生活における子どもの発達過程を見通し、生活の連続性、季節の変化などを考慮し、子どもの実態に即した具体的なねらい及び内容を設定すること。また、具体的なねらいが達成されるよう、子どもの生活する姿や発想を大切にして適切な環境を構成し、子どもが主体的に活動できるようにすること。

エ　一日の生活のリズムや在園時間が異なる子どもが共に過ごすことを踏まえ、活動と休息、緊張感と解放感等の調和を図るよう配慮すること。

オ　午睡は生活のリズムを構成する重要な要素であり、安心して眠ることのできる安全な睡眠環境を確保するとともに、在園時間が異なることや、睡眠時間は子どもの発達の状況や個人によって差があることから、一律とならないよう配慮すること。

カ　長時間にわたる保育については、子どもの発達過程、生活のリズム及び心身の状態に十分配慮して、保育の内容や方法、職員の協力体制、家庭との連携などを指導計画に位置付けること。

キ　障害のある子どもの保育については、一人一人の子どもの発達過程や障害の状態を把握し、適切な環境の下で、障害のある子どもが他の子どもとの生活を通して共に成長できるよう、指導計画の中に位置付けること。また、子どもの状況に応じた保育を実施する観点から、家庭や関係機関と連携した支援のための計画を個別に作成するなど適切な対応を図ること。

（3）指導計画の展開

指導計画に基づく保育の実施に当たっては、次の事項に留意しなければならない。

ア　施設長、保育士など、全職員による適切な役割分担と協力体制を整えること。

イ　子どもが行う具体的な活動は、生活の中で様々に変化することに留意して、子どもが望ましい方向に向かって自ら活動を展開できるよう必要な援助を行うこと。

ウ　子どもの主体的な活動を促すためには、保育士等が多様な関わりをもつことが重要であることを踏まえ、子どもの情緒の安定や発達に必要な豊かな体験が得られるよう援助すること。

エ　保育士等は、子どもの実態や子どもを取り巻く状況の変化などに即して保育の過程を記録するとともに、これらを踏まえ、指導計画に基づく保育の内容の見直しを行い、改善を図ること。

（4）保育内容等の評価

ア　保育士等の自己評価

（ア）保育士等は、保育の計画や保育の記録を通して、自らの保育実践を振り返り、自己評価することを通して、その専門性の向上や保育実践の改善に努めなければならない。

（イ）保育士等による自己評価に当たっては、子どもの活動内容やその結果だけでなく、子どもの心の育ちや意欲、取り組む過程などにも十分配慮するよう留意すること。

（ウ）保育士等は、自己評価における自らの保育実践の振り返りや職員相互の話し合い等を通じて、専門性の向上及び保育の質の向上のための課題を明確にするとともに、保育所全体の保育の内容に関する認識を深めること。

イ　保育所の自己評価

（ア）保育所は、保育の質の向上を図るため、保育の計画の展開や保育士等の自己評価を踏まえ、当該保育所の保育の内容等について、自ら評価を行い、その結果を公表するよう努めなければならない。

（イ）保育所が自己評価を行うに当たっては、地域の実情や保育所の実態に即して、適切に評価の観点や項目等を設定し、全職員による共通理解をもって取り組むよう留意すること。

（ウ）設備運営基準第36条の趣旨を踏まえ、保育の内容等の評価に関し、保護者及び地域住民等の意見を聴くことが望ましいこと。

（5）評価を踏まえた計画の改善

ア　保育所は、評価の結果を踏まえ、当該保育所の保育の内容等の改善を図ること。

イ　保育の計画に基づく保育、保育の内容の評価及びこれに基づく改善という一連の取組により、保育の質の向上が図られるよう、全職員が共通理解をもって取り組むことに留意すること。

4　幼児教育を行う施設として共有すべき事項

（1）育みたい資質・能力

ア　保育所においては、生涯にわたる生きる力の基礎を培うため、1の（2）に示す保育の目標を踏まえ、次に掲げる資質・能力を一体的に育むよう努めるものとする。

（ア）豊かな体験を通じて、感じたり、気付いたり、分かったり、できるようになったりする「知識及び技能の基礎」

（イ）気付いたことや、できるようになったことなどを使い、考えたり、試したり、工夫したり、表現したりする「思考力、判断力、表現力等の基礎」

（ウ）心情、意欲、態度が育つ中で、よりよい生活を営もうとする「学びに向かう力、人間性等」

イ　アに示す資質・能力は、第2章に示すねらい及び内容に基づく保育活動全体によって育むものである。

（2）幼児期の終わりまでに育ってほしい姿

次に示す「幼児期の終わりまでに育ってほしい姿」は、第2章に示すねらい及び内容に基づく保育活動全体を通して資質・能力が育まれている子どもの小学校就学時の具体的な姿であり、保育士等が指導を行う際に考慮するものである。

ア　健康な心と体

保育所の生活の中で、充実感をもって自分のやりたいことに向かって心と体を十分に働かせ、見通しをもって行動し、自ら健康で安全な生活をつくり出すようになる。

イ　自立心

身近な環境に主体的に関わり様々な活動を楽しむ中で、しなければならないことを自覚し、自分の力で行うために考えたり、工夫したりしながら、諦めずにやり遂げることで達成感を味わい、自信をもって行動するようになる。

ウ　協同性

友達と関わる中で、互いの思いや考えなどを共有し、共通の目的の実現に向けて、考えたり、工夫したり、協力したりし、充実感をもってやり遂げるようになる。

エ　道徳性・規範意識の芽生え

友達と様々な体験を重ねる中で、してよいことや悪いことが分かり、自分の行動を振り返ったり、友達の気持ちに共感したりし、相手の立場に立って行動するようになる。また、きまりを守る必要性が分かり、自分の気持ちを調整し、友達と折り合いを付けながら、きまりをつくったり、守ったりするようになる。

オ　社会生活との関わり

家族を大切にしようとする気持ちをもつとともに、地域の身近な人と触れ合う中で、人との様々な関わり方に気付き、相手の気持ちを考えて関わり、自分が役に立つ喜びを感じ、地域に親しみをもつようになる。また、保育所内外の様々な環境に関わる中で、遊びや生活に必要な情報を取り入れ、情報に基づき判断したり、情報を伝え合ったり、活用したりするなど、情報を役立てながら活動するようになるとともに、公共の施設を大切に利用するなどして、社会とのつながりなどを意識するようになる。

カ　思考力の芽生え

身近な事象に積極的に関わる中で、物の性質や仕組みなどを感じ取ったり、気付いたりし、考えたり、予想したり、工夫したりするなど、多様な関わりを楽しむようになる。また、友達の様々な考えに触れる中で、自分と異なる考えがあることに気付き、自ら判断したり、考え直したりするなど、新しい考えを生み出す喜びを味わいながら、自分の考えをよりよいものにするようになる。

キ　自然との関わり・生命尊重

自然に触れて感動する体験を通して、自然の変化などを感じ取り、好奇心や探究心をもって考え言葉などで表現しながら、身近な事象への関心が高まるとともに、自然への愛情や畏敬の念をもつようになる。また、身近な動植物に心を動かされる中で、生命の不思議さや尊さに気付き、身近な動植物への接し方を考え、命あるものとしていたわり、大切にする気持ちをもって関わるようになる。

ク　数量や図形、標識や文字などへの関心・感覚

遊びや生活の中で、数量や図形、標識や文字などに親しむ体験を重ねたり、標識や文字の役割に気付いたりし、自らの必要感に基づきこれらを活用し、興味や関心、感覚をもつようになる。

ケ　言葉による伝え合い

保育士等や友達と心を通わせる中で、絵本や物語などに親しみながら、豊かな言葉や表現を身に付け、経験したことや考えたことなどを言葉で伝えたり、相手の話を注意して聞いたりし、言葉による伝え合いを楽しむようになる。

コ　豊かな感性と表現

心を動かす出来事などに触れ感性を働かせる中で、様々な素材の特徴や表現の仕方などに気付き、感じたことや考えたことを自分で表現したり、友達同士で表現する過程を楽しんだりし、表現する喜びを味わい、意欲をもつようになる。

第二章　保育の内容

この章に示す「ねらい」は、第1章の1の（2）に示された保育の目標をより具体化したものであり、子どもが保育所において、安定した生活を送り、充実した活動ができるように、保育を通じて育みたい資質・能力を、子どもの生活する姿から捉えたものである。また、「内容」は、「ねら

い」を達成するために、子どもの生活やその状況に応じて保育士等が適切に行う事項と、保育士等が援助して子どもが環境に関わって経験する事項を示したものである。

保育における「養護」とは、子どもの生命の保持及び情緒の安定を図るために保育士等が行う援助や関わりであり、「教育」とは、子どもが健やかに成長し、その活動がより豊かに展開されるための発達の援助である。本章では、保育士等が、「ねらい」及び「内容」を具体的に把握するため、主に教育に関わる側面からの視点を示しているが、実際の保育においては、養護と教育が一体となって展開されることに留意する必要がある。

1　乳児保育に関わるねらい及び内容

(1) 基本的事項

ア　乳児期の発達については、視覚、聴覚などの感覚や、座る、はう、歩くなどの運動機能が著しく発達し、特定の大人との応答的な関わりを通じて、情緒的な絆（きずな）が形成されるといった特徴がある。これらの発達の特徴を踏まえて、乳児保育は、愛情豊かに、応答的に行われることが特に必要である。

イ　本項においては、この時期の発達の特徴を踏まえ、乳児保育の「ねらい」及び「内容」については、身体的発達に関する視点「健やかに伸び伸びと育つ」、社会的発達に関する視点「身近な人と気持ちが通じ合う」及び精神的発達に関する視点「身近なものと関わり感性が育つ」としてまとめ、示している。

ウ　本項の各視点において示す保育の内容は、第1章の2に示された養護における「生命の保持」及び「情緒の安定」に関わる保育の内容と、一体となって展開されるものであることに留意が必要である。

(2) ねらい及び内容

ア　健やかに伸び伸びと育つ

健康な心と体を育て、自ら健康で安全な生活をつくり出す力の基盤を培う。

(ア) ねらい

①身体感覚が育ち、快適な環境に心地よさを感じる。

②伸び伸びと体を動かし、はう、歩くなどの運動をしようとする。

③食事、睡眠等の生活のリズムの感覚が芽生える。

(イ) 内容

①保育士等の愛情豊かな受容の下で、生理的・心理的欲求を満たし、心地よく生活をする。

②一人一人の発育に応じて、はう、立つ、歩くなど、十分に体を動かす。

③個人差に応じて授乳を行い、離乳を進めていく中で、様々な食品に少しずつ慣れ、食べることを楽しむ。

④一人一人の生活のリズムに応じて、安全な環境の下で十分に午睡をする。

⑤おむつ交換や衣服の着脱などを通じて、清潔になることの心地よさを感じる。

(ウ) 内容の取扱い

上記の取扱いに当たっては、次の事項に留意する必要がある。

①心と体の健康は、相互に密接な関連があるものであることを踏まえ、温かい触れ合いの中で、心と体の発達を促すこと。特に、寝返り、お座り、はいはい、つかまり立ち、伝い歩きなど、発育に応じて、遊びの中で体を動かす機会を十分に確保し、自ら体を動かそうとする意欲が育つようにすること。

②健康な心と体を育てるためには望ましい食習慣の形成が重要であることを踏まえ、離乳食が完了期へと徐々に移行する中で、様々な食品に慣れるようにするとともに、和やかな雰囲気の中で食べる喜びや楽しさを味わい、進んで食べようとする気持ちが育つようにすること。なお、食物アレルギーのあ

る子どもへの対応については、嘱託医等の指示や協力の下に適切に対応すること。

イ　身近な人と気持ちが通じ合う

受容的・応答的な関わりの下で、何かを伝えようとする意欲や身近な大人との信頼関係を育て、人と関わる力の基盤を培う。

（ア）ねらい

①安心できる関係の下で、身近な人と共に過ごす喜びを感じる。

②体の動きや表情、発声等により、保育士等と気持ちを通わせようとする。

③身近な人と親しみ、関わりを深め、愛情や信頼感が芽生える。

（イ）内容

①子どもからの働きかけを踏まえた、応答的な触れ合いや言葉がけによって、欲求が満たされ、安定感をもって過ごす。

②体の動きや表情、発声、喃語等を優しく受け止めてもらい、保育士等とのやり取りを楽しむ。

③生活や遊びの中で、自分の身近な人の存在に気付き、親しみの気持ちを表す。

④保育士等による語りかけや歌いかけ、発声や喃語等への応答を通じて、言葉の理解や発語の意欲が育つ。

⑤温かく、受容的な関わりを通じて、自分を肯定する気持ちが芽生える。

（ウ）内容の取扱い

上記の取扱いに当たっては、次の事項に留意する必要がある。

①保育士等との信頼関係に支えられて生活を確立していくことが人と関わる基盤となることを考慮して、子どもの多様な感情を受け止め、温かく受容的・応答的に関わり、一人一人に応じた適切な援助を行うようにすること。

②身近な人に親しみをもって接し、自分の感情などを表し、それに相手が応答する言葉を聞くことを通して、次第に言葉が獲得されていくことを考慮して、楽しい雰囲気の中での保育士等との関わり合いを大切にし、ゆっくりと優しく話しかけるなど、積極的に言葉のやり取りを楽しむことができるようにすること。

ウ　身近なものと関わり感性が育つ

身近な環境に興味や好奇心をもって関わり、感じたことや考えたことを表現する力の基盤を培う。

（ア）ねらい

①身の回りのものに親しみ、様々なものに興味や関心をもつ。

②見る、触れる、探索するなど、身近な環境に自分から関わろうとする。

③身体の諸感覚による認識が豊かになり、表情や手足、体の動き等で表現する。

（イ）内容

①身近な生活用具、玩具や絵本などが用意された中で、身の回りのものに対する興味や好奇心をもつ。

②生活や遊びの中で様々なものに触れ、音、形、色、手触りなどに気付き、感覚の働きを豊かにする。

③保育士等と一緒に様々な色彩や形のものや絵本などを見る。

④玩具や身の回りのものを、つまむ、つかむ、たたく、引っ張るなど、手や指を使って遊ぶ。

⑤保育士等のあやし遊びに機嫌よく応じたり、歌やリズムに合わせて手足や体を動かして楽しんだりする。

（ウ）内容の取扱い

上記の取扱いに当たっては、次の事項に留意する必要がある。

①玩具などは、音質、形、色、大きさな

ど子どもの発達状態に応じて適切なものを選び、その時々の子どもの興味や関心を踏まえるなど、遊びを通して感覚の発達が促されるものとなるように工夫すること。なお、安全な環境の下で、子どもが探索意欲を満たして自由に遊べるよう、身の回りのものについては、常に十分な点検を行うこと。

②乳児期においては、表情、発声、体の動きなどで、感情を表現することが多いことから、これらの表現しようとする意欲を積極的に受け止めて、子どもが様々な活動を楽しむことを通して表現が豊かになるようにすること。

（3）保育の実施に関わる配慮事項

ア　乳児は疾病への抵抗力が弱く、心身の機能の未熟さに伴う疾病の発生が多いことから、一人一人の発育及び発達状態や健康状態についての適切な判断に基づく保健的な対応を行うこと。

イ　一人一人の子どもの生育歴の違いに留意しつつ、欲求を適切に満たし、特定の保育士が応答的に関わるように努めること。

ウ　乳児保育に関わる職員間の連携や嘱託医との連携を図り、第３章に示す事項を踏まえ、適切に対応すること。栄養士及び看護師等が配置されている場合は、その専門性を生かした対応を図ること。

エ　保護者との信頼関係を築きながら保育を進めるとともに、保護者からの相談に応じ、保護者への支援に努めていくこと。

オ　担当の保育士が替わる場合には、子どものそれまでの生育歴や発達過程に留意し、職員間で協力して対応すること。

2　１歳以上３歳未満児の保育に関わるねらい及び内容

（1）基本的事項

ア　この時期においては、歩き始めから、歩く、走る、跳ぶなどへと、基本的な運動機能が次第に発達し、排泄の自立のための身体的機能も整うようになる。つまむ、めくるなどの指先の機能も発達し、食事、衣類の着脱なども、保育士等の援助の下で自分で行うようになる。発声も明瞭になり、語彙も増加し、自分の意思や欲求を言葉で表出できるようになる。このように自分でできることが増えてくる時期であることから、保育士等は、子どもの生活の安定を図りながら、自分でしようとする気持ちを尊重し、温かく見守るとともに、愛情豊かに、応答的に関わることが必要である。

イ　本項においては、この時期の発達の特徴を踏まえ、保育の「ねらい」及び「内容」について、心身の健康に関する領域「健康」、人との関わりに関する領域「人間関係」、身近な環境との関わりに関する領域「環境」、言葉の獲得に関する領域「言葉」及び感性と表現に関する領域「表現」としてまとめ、示している。

ウ　本項の各領域において示す保育の内容は、第１章の２に示された養護における「生命の保持」及び「情緒の安定」に関わる保育の内容と、一体となって展開されるものであることに留意が必要である。

（2）ねらい及び内容

ア　健康

健康な心と体を育て、自ら健康で安全な生活をつくり出す力を養う。

（ア）ねらい

①明るく伸び伸びと生活し、自分から体を動かすことを楽しむ。

②自分の体を十分に動かし、様々な動きをしようとする。

③健康、安全な生活に必要な習慣に気付き、自分でしてみようとする気持ちが育つ。

（イ）内容

①保育士等の愛情豊かな受容の下で、安定感をもって生活をする。
②食事や午睡、遊びと休息など、保育所における生活のリズムが形成される。
③走る、跳ぶ、登る、押す、引っ張るなど全身を使う遊びを楽しむ。
④様々な食品や調理形態に慣れ、ゆったりとした雰囲気の中で食事や間食を楽しむ。
⑤身の回りを清潔に保つ心地よさを感じ、その習慣が少しずつ身に付く。
⑥保育士等の助けを借りながら、衣類の着脱を自分でしようとする。
⑦便器での排泄に慣れ、自分で排泄ができるようになる。

（ウ）内容の取扱い

上記の取扱いに当たっては、次の事項に留意する必要がある。

①心と体の健康は、相互に密接な関連があるものであることを踏まえ、子どもの気持ちに配慮した温かい触れ合いの中で、心と体の発達を促すこと。特に、一人一人の発育に応じて、体を動かす機会を十分に確保し、自ら体を動かそうとする意欲が育つようにすること。
②健康な心と体を育てるためには望ましい食習慣の形成が重要であることを踏まえ、ゆったりとした雰囲気の中で食べる喜びや楽しさを味わい、進んで食べようとする気持ちが育つようにすること。なお、食物アレルギーのある子どもへの対応については、嘱託医等の指示や協力の下に適切に対応すること。
③排泄の習慣については、一人一人の排尿間隔等を踏まえ、おむつが汚れていないときに便器に座らせるなどにより、少しずつ慣れさせるようにすること。
④食事、排泄、睡眠、衣類の着脱、身の回りを清潔にすることなど、生活に必要な基本的な習慣については、一人一人の状態に応じ、落ち着いた雰囲気の中で行うようにし、子どもが自分でしようとする気持ちを尊重すること。また、基本的な生活習慣の形成に当たっては、家庭での生活経験に配慮し、家庭との適切な連携の下で行うようにすること。

イ　人間関係

他の人々と親しみ、支え合って生活するために、自立心を育て、人と関わる力を養う。

（ア）ねらい

①保育所での生活を楽しみ、身近な人と関わる心地よさを感じる。
②周囲の子ども等への興味や関心が高まり、関わりをもとうとする。
③保育所の生活の仕方に慣れ、きまりの大切さに気付く。

（イ）内容

①保育士等や周囲の子ども等との安定した関係の中で、共に過ごす心地よさを感じる。
②保育士等の受容的・応答的な関わりの中で、欲求を適切に満たし、安定感をもって過ごす。
③身の回りに様々な人がいることに気付き、徐々に他の子どもと関わりをもって遊ぶ。
④保育士等の仲立ちにより、他の子どもとの関わり方を少しずつ身につける。
⑤保育所の生活の仕方に慣れ、きまりがあることや、その大切さに気付く。
⑥生活や遊びの中で、年長児や保育士等の真似をしたり、ごっこ遊びを楽しんだりする。

（ウ）内容の取扱い

上記の取扱いに当たっては、次の事項に留意する必要がある。

①保育士等との信頼関係に支えられ

て生活を確立するとともに、自分で何かをしようとする気持ちが旺盛になる時期であることに鑑み、そのような子どもの気持ちを尊重し、温かく見守るとともに、愛情豊かに、応答的に関わり、適切な援助を行うようにすること。

②思い通りにいかない場合等の子どもの不安定な感情の表出については、保育士等が受容的に受け止めるとともに、そうした気持ちから立ち直る経験や感情をコントロールすることへの気付き等につなげていけるように援助すること。

③この時期は自己と他者との違いの認識がまだ十分ではないことから、子どもの自我の育ちを見守るとともに、保育士等が仲立ちとなって、自分の気持ちを相手に伝えることや相手の気持ちに気付くことの大切さなど、友達の気持ちや友達との関わり方を丁寧に伝えていくこと。

ウ　環境

周囲の様々な環境に好奇心や探究心をもって関わり、それらを生活に取り入れていこうとする力を養う。

（ア）ねらい

①身近な環境に親しみ、触れ合う中で、様々なものに興味や関心をもつ。

②様々なものに関わる中で、**発見**を楽しんだり、考えたりしようとする。

③見る、聞く、触るなどの経験を通して、感覚の働きを豊かにする。

（イ）内容

①安全で活動しやすい環境での探索活動等を通して、見る、聞く、触れる、嗅ぐ、味わうなどの感覚の働きを豊かにする。

②玩具、絵本、遊具などに興味をもち、それらを使った遊びを楽しむ。

③身の回りの物に触れる中で、形、色、大きさ、量などの物の性質や仕組みに気付く。

④自分の物と人の物の区別や、場所的感覚など、環境を捉える感覚が育つ。

⑤身近な生き物に気付き、親しみをもつ。

⑥近隣の生活や季節の行事などに興味や関心をもつ。

（ウ）内容の取扱い

上記の取扱いに当たっては、次の事項に留意する必要がある。

①玩具などは、音質、形、色、大きさなど子どもの発達状態に応じて適切なものを選び、遊びを通して感覚の発達が促されるように工夫すること。

②身近な生き物との関わりについては、子どもが命を感じ、生命の尊さに気付く経験へとつながるものであることから、そうした気付きを促すような関わりとなるようにすること。

③地域の生活や季節の行事などに触れる際には、社会とのつながりや地域社会の文化への気付きにつながるものとなることが望ましいこと。その際、保育所内外の行事や地域の人々との触れ合いなどを通して行うこと等も考慮すること。

エ　言葉

経験したことや考えたことなどを自分なりの言葉で表現し、相手の話す言葉を聞こうとする意欲や態度を育て、言葉に対する感覚や言葉で表現する力を養う。

（ア）ねらい

①言葉遊びや言葉で表現する楽しさを感じる。

②人の言葉や話などを聞き、自分でも**思ったこと**を伝えようとする。

③絵本や物語等に親しむとともに、言葉のやり取りを通じて身近な人と気持ちを通わせる。

（イ）内容
①保育士等の応答的な関わりや話しかけにより、自ら言葉を使おうとする。
②生活に必要な簡単な言葉に気付き、聞き分ける。
③親しみをもって日常の挨拶に応じる。
④絵本や紙芝居を楽しみ、簡単な言葉を繰り返したり、模倣をしたりして遊ぶ。
⑤保育士等とごっこ遊びをする中で、言葉のやり取りを楽しむ。
⑥保育士等を仲立ちとして、生活や遊びの中で友達との言葉のやり取りを楽しむ。
⑦保育士等や友達の言葉や話に興味や関心をもって、聞いたり、話したりする。

（ウ）内容の取扱い
上記の取扱いに当たっては、次の事項に留意する必要がある。
①身近な人に親しみをもって接し、自分の感情などを伝え、それに相手が応答し、その言葉を聞くことを通して、次第に言葉が獲得されていくものであることを考慮して、楽しい雰囲気の中で保育士等との言葉のやり取りができるようにすること。
②子どもが自分の思いを言葉で伝えるとともに、他の子どもの話などを聞くことを通して、次第に話を理解し、言葉による伝え合いができるようになるよう、気持ちや経験等の言語化を行うことを援助するなど、子ども同士の関わりの仲立ちを行うようにすること。
③この時期は、片言から、二語文、ごっこ遊びでのやり取りができる程度へと、大きく言葉の習得が進む時期であることから、それぞれの子どもの発達の状況に応じて、遊びや関わりの工夫など、保育の内容を適切に展開することが必要であること。

オ　表現
感じたことや考えたことを**自分なり**に表現することを通して、**豊かな**感性や**表現する**力を養い、**創造性**を豊かにする。

（ア）ねらい
①身体の諸感覚の経験を豊かにし、**様々な感覚**を味わう。
②感じたことや考えたことなどを自分なりに表現しようとする。
③生活や遊びの様々な体験を通して、イメージや感性が豊かになる。

（イ）内容
①水、砂、土、紙、粘土など様々な素材に触れて楽しむ。
②音楽、リズムやそれに合わせた体の動きを楽しむ。
③生活の中で様々な音、**形**、色、**手触り**、動き、味、**香り**などに気付いたり、感じたりして楽しむ。
④歌を歌ったり、簡単な手遊びや全身を使う遊びを楽しんだりする。
⑤保育士等からの話や、生活や遊びの中での**出来事**を通して、イメージを豊かにする。
⑥生活や遊びの中で、興味のあることや経験したことなどを自分なりに表現する。

（ウ）内容の取扱い
上記の取扱いに当たっては、次の事項に留意する必要がある。
①子どもの表現は、遊びや生活の様々な場面で**表出**されているものであることから、それらを積極的に受け止め、様々な**表現**の仕方や感性を豊かにする経験となるようにすること。
②子どもが試行錯誤しながら様々な**表現**を楽しむことや、自分の力でやり遂げる**充実感**などに気付くよ

う、温かく見守るとともに、適切に援助を行うようにすること。

③様々な感情の表現等を通じて、子どもが自分の感情や気持ちに気付くようになる時期であることに鑑み、受容的な関わりの中で自信をもって表現をすることや、諦めずに続けた後の達成感等を感じられるような経験が蓄積されるようにすること。

④身近な自然や身の回りの**事物**に関わる中で、**発見**や**心が動く経験**が得られるよう、**諸感覚**を働かせることを楽しむ遊びや**素材**を用意するなど保育の**環境**を整えること。

（3）保育の実施に関わる配慮事項

ア　特に感染症にかかりやすい時期であるので、体の状態、機嫌、食欲などの日常の状態の観察を十分に行うとともに、適切な判断に基づく保健的な対応を心がけること。

イ　探索活動が十分できるように、事故防止に努めながら活動しやすい環境を整え、全身を使う遊びなど様々な遊びを取り入れること。

ウ　**自我**が形成され、子どもが自分の感情や気持ちに気付くようになる重要な時期であることに鑑み、**情緒**の安定を図りながら、子どもの**自発的**な活動を尊重するとともに促していくこと。

エ　担当の保育士が替わる場合には、子どものそれまでの経験や発達過程に留意し、職員間で協力して対応すること。

3　3歳以上児の保育に関するねらい及び内容

（1）基本的事項

ア　この時期においては、**運動機能**の発達により、基本的な動作が一通りできるようになるとともに、基本的な生活習慣もほぼ自立できるようになる。理解する**語彙数**が急激に増加し、**知的興味**や関心も高まってくる。仲間と遊び、仲間の中の一人という自覚が生じ、**集団的**な遊びや**協同的**な活動も見られるようになる。これらの発達の特徴を踏まえて、この時期の保育においては、**個の成長**と**集団としての活動**の充実が図られるようにしなければならない。

イ　本項においては、この時期の発達の特徴を踏まえ、保育の「ねらい」及び「内容」について、心身の健康に関する領域「健康」、人との関わりに関する領域「人間関係」、身近な環境との関わりに関する領域「環境」、言葉の獲得に関する領域「言葉」及び感性と表現に関する領域「表現」としてまとめ、示している。

ウ　本項の各領域において示す保育の内容は、第1章の2に示された養護における「**生命の保持**」及び「**情緒の安定**」に関わる保育の内容と、一体となって展開されるものであることに留意が必要である。

（2）ねらい及び内容

ア　健康

健康な心と体を育て、自ら健康で安全な生活をつくり出す力を養う。

（ア）ねらい

①明るく伸び伸びと行動し、充実感を味わう。

②自分の体を十分に動かし、進んで**運動**しようとする。

③健康、安全な生活に必要な習慣や態度を身に付け、見通しをもって行動する。

（イ）内容

①保育士等や友達と触れ合い、安定感をもって行動する。

②いろいろな遊びの中で十分に体を動かす。

③進んで戸外で遊ぶ。

④様々な活動に親しみ、楽しんで取り組む。

⑤保育士等や友達と食べることを楽しみ、食べ物への興味や関心をも

つ。

⑥健康な生活のリズムを身に付ける。

⑦身の回りを清潔にし、衣服の着脱、食事、排泄などの生活に必要な活動を自分でする。

⑧保育所における生活の仕方を知り、自分たちで生活の場を整えながら見通しをもって行動する。

⑨自分の健康に関心をもち、病気の予防などに必要な活動を進んで行う。

⑩危険な場所、危険な遊び方、災害時などの行動の仕方が分かり、安全に気を付けて行動する。

（ウ）内容の取扱い

上記の取扱いに当たっては、次の事項に留意する必要がある。

①心と体の健康は、相互に密接な関連があるものであることを踏まえ、子どもが保育士等や他の子どもとの温かい触れ合いの中で自己の存在感や充実感を味わうことなどを基盤として、しなやかな心と体の発達を促すこと。特に、十分に体を動かす気持ちよさを体験し、自ら体を動かそうとする意欲が育つようにすること。

②様々な遊びの中で、子どもが興味や関心、能力に応じて全身を使って活動することにより、体を動かす楽しさを味わい、自分の体を大切にしようとする気持ちが育つようにすること。その際、多様な動きを経験する中で、体の動きを調整するようにすること。

③自然の中で伸び伸びと体を動かして遊ぶことにより、体の諸機能の発達が促されることに留意し、子どもの興味や関心が戸外にも向くようにすること。その際、子どもの動線に配慮した園庭や遊具の配置などを工夫すること。

④健康な心と体を育てるためには食育を通じた望ましい食習慣の形成が大切であることを踏まえ、子どもの食生活の実情に配慮し、和やかな雰囲気の中で保育士等や他の子どもと食べる喜びや楽しさを味わったり、様々な食べ物への興味や関心をもったりするなどし、食の大切さに気付き、進んで食べようとする気持ちが育つようにすること。

⑤基本的な生活習慣の形成に当たっては、家庭での生活経験に配慮し、子どもの自立心を育て、子どもが他の子どもと関わりながら主体的な活動を展開する中で、生活に必要な習慣を身に付け、次第に見通しをもって行動できるようにすること。

⑥安全に関する指導に当たっては、情緒の安定を図り、遊びを通して安全についての構えを身に付け、危険な場所や事物などが分かり、安全についての理解を深めるようにすること。また、交通安全の習慣を身に付けるようにするとともに、避難訓練などを通して、災害などの緊急時に適切な行動がとれるようにすること。

イ　人間関係

他の人々と親しみ、支え合って生活するために、自立心を育て、人と関わる力を養う。

（ア）ねらい

①保育所の生活を楽しみ、**自分の力**で行動することの**充実感**を味わう。

②身近な人と親しみ、関わりを深め、工夫したり、協力したりして一緒に活動する楽しさを味わい、愛情や信頼感をもつ。

③社会生活における望ましい習慣や態度を身に付ける。

（イ）内容

①保育士等や友達と共に過ごすこと

の喜びを味わう。
②自分で考え、自分で行動する。
③自分でできることは自分でする。
④いろいろな遊びを楽しみながら物事をやり遂げようとする気持ちをもつ。
⑤友達と積極的に関わりながら喜びや悲しみを共感し合う。
⑥自分の思ったことを相手に伝え、相手の思っていることに気付く。
⑦友達のよさに気付き、一緒に活動する楽しさを味わう。
⑧友達と楽しく活動する中で、共通の目的を見いだし、工夫したり、協力したりなどする。
⑨よいことや悪いことがあることに気付き、考えながら行動する。
⑩友達との関わりを深め、思いやりをもつ。
⑪友達と楽しく生活する中できまりの大切さに気付き、守ろうとする。
⑫共同の遊具や用具を大切にし、皆で使う。
⑬高齢者をはじめ地域の人々などの自分の生活に関係の深いいろいろな人に親しみをもつ。

（ウ）内容の取扱い

上記の取扱いに当たっては、次の事項に留意する必要がある。

①保育士等との信頼関係に支えられて自分自身の生活を確立していくことが人と関わる基盤となることを考慮し、子どもが自ら周囲に働き掛けることにより多様な感情を体験し、試行錯誤しながら諦めずにやり遂げることの達成感や、前向きな見通しをもって自分の力で行うことの充実感を味わうことができるよう、子どもの行動を見守りながら適切な援助を行うようにすること。
②一人一人を生かした集団を形成しながら人と関わる力を育てていくようにすること。その際、集団の生活の中で、子どもが自己を発揮し、保育士等や他の子どもに認められる体験をし、自分のよさや特徴に気付き、自信をもって行動できるようにすること。
③子どもが互いに関わりを深め、協同して遊ぶようになるため、自ら行動する力を育てるとともに、他の子どもと試行錯誤しながら活動を展開する楽しさや共通の目的が実現する喜びを味わうことができるようにすること。
④道徳性の芽生えを培うに当たっては、基本的な生活習慣の形成を図るとともに、子どもが他の子どもとの関わりの中で他人の存在に気付き、相手を尊重する気持ちをもって行動できるようにし、また、自然や身近な動植物に親しむことなどを通して豊かな心情が育つようにすること。特に、人に対する信頼感や思いやりの気持ちは、葛藤やつまずきをも体験し、それらを乗り越えることにより次第に芽生えてくることに配慮すること。
⑤集団の生活を通して、子どもが人との関わりを深め、規範意識の芽生えが培われることを考慮し、子どもが保育士等との信頼関係に支えられて自己を発揮する中で、互いに思いを主張し、折り合いを付ける体験をし、きまりの必要性などに気付き、自分の気持ちを調整する力が育つようにすること。
⑥高齢者をはじめ地域の人々などの自分の生活に関係の深いいろいろな人と触れ合い、自分の感情や意志を表現しながら共に楽しみ、共感し合う体験を通して、これらの人々などに親しみをもち、人と関わることの楽しさや人の役に立つ喜びを味わうことができるように

すること。また、生活を通して親や祖父母などの家族の愛情に気付き、家族を大切にしようとする気持ちが育つようにすること。

ウ　環境

周囲の様々な環境に好奇心や探究心をもって関わり、それらを生活に取り入れていこうとする力を養う。

（ア）ねらい

①身近な**環境**に親しみ、**自然**と触れ合う中で様々な事象に興味や関心をもつ。

②身近な**環境**に自分から関わり、発見を楽しんだり、考えたりし、それを**生活**に取り入れようとする。

③身近な**事象**を見たり、考えたり、扱ったりする中で、物の性質や数量、文字などに対する**感覚**を豊かにする。

（イ）内容

①**自然**に触れて生活し、その大きさ、美しさ、**不思議さ**などに気付く。

②**生活**の中で、様々な物に触れ、その**性質**や**仕組み**に興味や関心をもつ。

③季節により自然や**人間の生活**に変化のあることに気付く。

④自然などの身近な事象に関心をもち、取り入れて遊ぶ。

⑤身近な動植物に親しみをもって接し、生命の尊さに気付き、いたわったり、大切にしたりする。

⑥日常生活の中で、我が国や地域社会における様々な文化や伝統に親しむ。

⑦身近な物を大切にする。

⑧身近な物や遊具に興味をもって関わり、自分なりに比べたり、関連付けたりしながら**考えたり**、試したりして工夫して遊ぶ。

⑨日常生活の中で数量や図形などに関心をもつ。

⑩日常生活の中で簡単な標識や文字などに関心をもつ。

⑪生活に関係の深い情報や施設などに興味や関心をもつ。

⑫保育所内外の行事において国旗に親しむ。

（ウ）内容の取扱い

上記の取扱いに当たっては、次の事項に留意する必要がある。

①子どもが、**遊び**の中で周囲の**環境**と関わり、次第に周囲の世界に**好奇心**を抱き、その意味や操作の仕方に関心をもち、**物事**の法則性に気付き、自分なりに考えることができるようになる**過程**を大切にすること。また、他の子どもの**考え**などに触れて新しい**考え**を生み出す喜びや楽しさを味わい、自分の**考え**をよりよいものにしようとする気持ちが育つようにすること。

②幼児期において自然のもつ意味は大きく、自然の大きさ、美しさ、不思議さなどに直接触れる**体験**を通して、子どもの心が安らぎ、豊かな感情、好奇心、思考力、表現力の基礎が培われることを踏まえ、子どもが自然との関わりを深めることができるよう工夫すること。

③身近な事象や動植物に対する感動を伝え合い、共感し合うことなどを通して自分から関わろうとする意欲を育てるとともに、様々な関わり方を通してそれらに対する親しみや畏敬の念、生命を大切にする気持ち、公共心、探究心などが養われるようにすること。

④文化や伝統に親しむ際には、正月や節句など我が国の伝統的な行事、国歌、唱歌、わらべうたや我が国の伝統的な遊びに親しんだり、異なる文化に触れる活動に親しんだりすることを通じて、社会

とのつながりの意識や国際理解の意識の芽生えなどが養われるようにすること。

⑤数量や文字などに関しては、日常生活の中で子ども自身の必要感に基づく体験を大切にし、数量や文字などに関する興味や関心、感覚が養われるようにすること。

エ　言葉

経験したことや考えたことなどを**自分なりの**言葉で表現し、相手の話す言葉を**聞こうとする**意欲や態度を育て、言葉に対する**感覚**や言葉で表現する力を養う。

（ア）ねらい

①自分の気持ちを言葉で表現する**楽しさ**を味わう。

②人の言葉や話などを**よく聞き**、自分の**経験**したことや考えたことを話し、**伝え合う**喜びを味わう。

③日常生活に必要な言葉が分かるようになるとともに、絵本や**物語**などに親しみ、言葉に対する感覚を豊かにし、保育士等や**友達**と心を通わせる。

（イ）内容

①保育士等や友達の言葉や話に興味や関心をもち、親しみをもって聞いたり、話したりする。

②したり、見たり、聞いたり、感じたり、考えたりなどしたことを自分なりに言葉で表現する。

③したいこと、してほしいことを言葉で表現したり、分からないことを尋ねたりする。

④人の話を注意して聞き、相手に分かるように話す。

⑤生活の中で必要な言葉が分かり、使う。

⑥親しみをもって日常の挨拶をする。

⑦生活の中で言葉の楽しさや美しさに気付く。

⑧いろいろな体験を通じてイメージや言葉を豊かにする。

⑨絵本や物語などに親しみ、興味をもって聞き、想像をする楽しさを味わう。

⑩日常生活の中で、文字などで伝える楽しさを味わう。

（ウ）内容の取扱い

上記の取扱いに当たっては、次の事項に留意する必要がある。

①言葉は、身近な人に親しみをもって接し、自分の**感情**や意志などを伝え、それに相手が応答し、その言葉を**聞くこと**を通して次第に獲得されていくものであることを考慮して、子どもが保育士等や他の子どもと関わることにより**心**を動かされるような体験をし、言葉を交わす喜びを味わえるようにすること。

②子どもが自分の思いを言葉で伝えるとともに、保育士等や他の子どもなどの話を興味をもって注意して聞くことを通して次第に話を理解するようになっていき、言葉による伝え合いができるようにすること。

③絵本や物語などで、その内容と自分の経験とを結び付けたり、想像を巡らせたりするなど、楽しみを十分に味わうことによって、次第に豊かなイメージをもち、言葉に対する感覚が養われるようにすること。

④子どもが生活の中で、言葉の響きやリズム、新しい言葉や表現などに触れ、これらを使う楽しさを味わえるようにすること。その際、絵本や物語に親しんだり、言葉遊びなどをしたりすることを通して、言葉が豊かになるようにすること。

⑤子どもが日常生活の中で、文字などを使いながら思ったことや考えたことを伝える喜びや楽しさを味

わい、文字に対する興味や関心をもつようにすること。

オ　表現

感じたことや考えたことを自分なりに表現することを通して、豊かな感性や表現する力を養い、創造性を豊かにする。

（ア）ねらい

①いろいろなものの美しさなどに対する豊かな感性をもつ。

②感じたことや考えたことを自分なりに表現して楽しむ。

③生活の中でイメージを豊かにし、様々な表現を楽しむ。

（イ）内容

①生活の中で様々な音、形、色、手触り、動きなどに気付いたり、感じたりするなどして楽しむ。

②生活の中で美しいものや心を動かす出来事に触れ、イメージを豊かにする。

③様々な出来事の中で、感動したことを伝え合う楽しさを味わう。

④感じたこと、考えたことなどを音や動きなどで表現したり、自由にかいたり、つくったりなどする。

⑤いろいろな素材に親しみ、工夫して遊ぶ。

⑥音楽に親しみ、歌を歌ったり、簡単なリズム楽器を使ったりなどする楽しさを味わう。

⑦かいたり、つくったりすることを楽しみ、遊びに使ったり、飾ったりなどする。

⑧自分のイメージを動きや言葉などで表現したり、演じて遊んだりするなどの楽しさを味わう。

（ウ）内容の取扱い

上記の取扱いに当たっては、次の事項に留意する必要がある。

①豊かな感性は、身近な環境と十分に関わる中で美しいもの、優れたもの、心を動かす出来事などに出会い、そこから得た感動を他の子どもや保育士等と共有し、様々に表現することなどを通して養われるようにすること。その際、風の音や雨の音、身近にある草や花の形や色など自然の中にある音、形、色などに気付くようにすること。

②子どもの自己表現は素朴な形で行われることが多いので、保育士等はそのような表現を受容し、子ども自身の表現しようとする意欲を受け止めて、子どもが生活の中で子どもらしい様々な表現を楽しむことができるようにすること。

③生活経験や発達に応じ、自ら様々な表現を楽しみ、表現する意欲を十分に発揮させることができるように、遊具や用具などを整えたり、様々な素材や表現の仕方に親しんだり、他の子どもの表現に触れられるよう配慮したりし、表現する過程を大切にして自己表現を楽しめるように工夫すること。

（3）保育の実施に関わる配慮事項

ア　第１章の４の（２）に示す「幼児期の終わりまでに育ってほしい姿」が、ねらい及び内容に基づく活動全体を通して資質・能力が育まれている子どもの小学校就学時の具体的な姿であることを踏まえ、指導を行う際には適宜考慮すること。

イ　子どもの発達や成長の援助をねらいとした活動の時間については、意識的に保育の計画等において位置付けて、実施することが重要であること。なお、そのような活動の時間については、保護者の就労状況等に応じて子どもが保育所で過ごす時間がそれぞれ異なることに留意して設定すること。

ウ　特に必要な場合には、各領域に示すねらいの趣旨に基づいて、具体的な内容を工夫し、それを加えても差し支えないが、その場合には、それが第１章の１に示す保育所保育に関する基本原則を逸脱しないよう慎重に配慮する必要があること。

４　保育の実施に関して留意すべき事項

（１）保育全般に関わる配慮事項

ア　子どもの心身の発達及び活動の実態などの個人差を踏まえるとともに、一人一人の子どもの気持ちを受け止め、援助すること。

イ　子どもの健康は、生理的・身体的な育ちとともに、自主性や社会性、豊かな感性の育ちとがあいまってもたらされることに留意すること。

ウ　子どもが自ら周囲に働きかけ、試行錯誤しつつ自分の力で行う活動を見守りながら、適切に援助すること。

エ　子どもの入所時の保育に当たっては、できるだけ個別的に対応し、子どもが安定感を得て、次第に保育所の生活になじんでいくようにするとともに、既に入所している子どもに不安や動揺を与えないようにすること。

オ　子どもの国籍や文化の違いを認め、互いに尊重する心を育てるようにすること。

カ　子どもの性差や個人差にも留意しつつ、性別などによる固定的な意識を植え付けることがないようにすること。

（２）小学校との連携

ア　保育所においては、保育所保育が、小学校以降の生活や学習の基盤の育成につながることに配慮し、幼児期にふさわしい生活を通じて、創造的な思考や主体的な生活態度などの基礎を培うようにすること。

イ　保育所保育において育まれた資質・能力を踏まえ、小学校教育が円滑に行われるよう、小学校教師との意見交換や合同の研究の機会などを設け、第１章の４の（２）に示す「幼児期の終わりまでに育って欲しい姿」を共有するなど連携を図り、保育所保育と小学校教育との円滑な接続を図るよう努めること。

ウ　子どもに関する情報共有に関して、保育所に入所している子どもの就学に際し、市町村の支援の下に、子どもの育ちを支えるための資料が保育所から小学校へ送付されるようにすること。

（３）家庭及び地域社会との連携

子どもの生活の連続性を踏まえ、家庭及び地域社会と連携して保育が展開されるよう配慮すること。その際、家庭や地域の機関及び団体の協力を得て、地域の自然、高齢者や異年齢の子ども等を含む人材、行事、施設等の地域の資源を積極的に活用し、豊かな生活体験をはじめ保育内容の充実が図られるよう配慮すること。

第三章　健康及び安全

保育所保育において、子どもの健康及び安全の確保は、子どもの生命の保持と健やかな生活の基本であり、一人一人の子どもの健康の保持及び増進並びに安全の確保とともに、保育所全体における健康及び安全の確保に努めることが重要となる。

また、子どもが、自らの体や健康に関心をもち、心身の機能を高めていくことが大切である。

このため、第１章及び第２章等の関連する事項に留意し、次に示す事項を踏まえ、保育を行うこととする。

１　子どもの健康支援

（１）子どもの健康状態並びに発育及び発達状態の把握

ア　子どもの心身の状態に応じて保育するために、子どもの健康状態並びに発育及び発達状態について、定期的・継続的に、また、必要に応じて随時、把握すること。

イ　保護者からの情報とともに、登所時及び保育中を通じて子どもの状態を観察し、何らかの疾病が疑われる状態や傷害が認められた場合には、保護者に連絡するとともに、嘱託医と相談するなど適切な対応を図ること。看護師等が配置されている場合には、その専門性を生かした対応を図ること。

ウ　子どもの心身の状態等を観察し、不適切な養育の兆候が見られる場合には、市町村や関係機関と連携し、児童福祉法第25条に基づき、適切な対応を図ること。また、虐待が疑われる場合には、速やかに市町村又は児童相談所に通告し、適切な対応を図ること。

（2）健康増進

ア　子どもの健康に関する保健計画を全体的な計画に基づいて作成し、全職員がそのねらいや内容を踏まえ、一人一人の子どもの健康の保持及び増進に努めていくこと。

イ　子どもの心身の健康状態や疾病等の把握のために、嘱託医等により定期的に健康診断を行い、その結果を記録し、保育に活用するとともに、保護者が子どもの状態を理解し、日常生活に活用できるようにすること。

（3）疾病等への対応

ア　保育中に体調不良や傷害が発生した場合には、その子どもの状態等に応じて、保護者に連絡するとともに、適宜、嘱託医や子どものかかりつけ医等と相談し、適切な処置を行うこと。看護師等が配置されている場合には、その専門性を生かした対応を図ること。

イ　感染症やその他の疾病の発生予防に努め、その発生や疑いがある場合には、必要に応じて嘱託医、市町村、保健所等に連絡し、その指示に従うとともに、保護者や全職員に連絡し、予防等について協力を求めること。また、感染症に関する保育所の対応方法等について、あらかじめ関係機関の協力を得ておくこと。看護師等が配置されている場合には、その専門性を生かした対応を図ること。

ウ　アレルギー疾患を有する子どもの保育については、保護者と連携し、医師の診断及び指示に基づき、適切な対応を行うこと。また、食物アレルギーに関して、関係機関と連携して、当該保育所の体制構築など、安全な環境の整備を行うこと。看護師や栄養士等が配置されている場合には、その専門性を生かした対応を図ること。

エ　子どもの疾病等の事態に備え、医務室等の環境を整え、救急用の薬品、材料等を適切な管理の下に常備し、全職員が対応できるようにしておくこと。

2　食育の推進

（1）保育所の特性を生かした食育

ア　保育所における食育は、健康な生活の基本としての「食を営む力」の育成に向け、その基礎を培うことを目標とすること。

イ　子どもが生活と遊びの中で、意欲をもって食に関わる体験を積み重ね、食べることを楽しみ、食事を楽しみ合う子どもに成長していくことを期待するものであること。

ウ　乳幼児期にふさわしい食生活が展開され、適切な援助が行われるよう、食事の提供を含む食育計画を全体的な計画に基づいて作成し、その評価及び改善に努めること。栄養士が配置されている場合は、専門性を生かした対応を図ること。

（2）　食育の環境の整備等

ア　子どもが自らの感覚や体験を通して、自然の恵みとしての食材や食の循環・環境への意識、調理する人への感謝の気持ちが育つように、子どもと調理員等との関わりや、調理室など食に関わる保育環境に配慮すること。

イ　保護者や地域の多様な関係者との連携及び協働の下で、食に関する取組が進められること。また、市町村の支援の下に、地域の関係機関等との日常的な連携を図り、必要な協力が得られるよう努めること。

ウ　体調不良、食物アレルギー、障害のある子どもなど、一人一人の子どもの心身の状態等に応じ、嘱託医、かかりつけ医等の指示や協力の下に適切に対応すること。栄養士が配置されている場合は、専門性を生かした対応を図ること。

3　環境及び衛生管理並びに安全管理

（1）環境及び衛生管理

ア　施設の温度、湿度、換気、採光、音などの環境を常に適切な状態に保持するとともに、施設内外の設備及び用具等の衛生管理に努めること。

イ　施設内外の適切な環境の維持に努めるとともに、子ども及び全職員が清潔を保つようにすること。また、職員は衛生知識の向上に努めること。

（2）事故防止及び安全対策

ア　保育中の事故防止のために、子どもの心身の状態等を踏まえつつ、施設内外の安全点検に努め、安全対策のために全職員の共通理解や体制づくりを図るとともに、家庭や地域の関係機関の協力の下に安全指導を行うこと。

イ　事故防止の取組を行う際には、特に、睡眠中、プール活動・水遊び中、食事中等の場面では重大事故が発生しやすいことを踏まえ、子どもの主体的な活動を大切にしつつ、施設内外の環境の配慮や指導の工夫を行うなど、必要な対策を講じること。

ウ　保育中の事故の発生に備え、施設内外の危険箇所の点検や訓練を実施するとともに、外部からの不審者等の侵入防止のための措置や訓練など不測の事態に備えて必要な対応を行うこと。また、子どもの精神保健面における対応に留意すること。

4　災害への備え

（1）施設・設備等の安全確保

ア　防火設備、避難経路等の安全性が確保されるよう、定期的にこれらの安全点検を行うこと。

イ　備品、遊具等の配置、保管を適切に行い、日頃から、安全環境の整備に努めること。

（2）災害発生時の対応体制及び避難への備え

ア　火災や地震などの災害の発生に備え、緊急時の対応の具体的内容及び手順、職員の役割分担、避難訓練計画等に関するマニュアルを作成すること。

イ　定期的に避難訓練を実施するなど、必要な対応を図ること。

ウ　災害の発生時に、保護者等への連絡及び子どもの引渡しを円滑に行うため、日頃から保護者との密接な連携に努め、連絡体制や引渡し方法等について確認をしておくこと。

（3）地域の関係機関等との連携

ア　市町村の支援の下に、地域の関係機関との日常的な連携を図り、必要な協力が得られるよう努めること。

イ　避難訓練については、地域の関係機関や保護者との連携の下に行うなど工夫すること。

第四章　子育て支援

保育所における保護者に対する子育て支援は、全ての子どもの健やかな育ちを実現することができるよう、第１章及び第２章等の関連する事項を踏まえ、子どもの育ちを家庭と連携して支援していくとともに、保護者及び地域が有する子育てを自ら実践する力の向上に資するよう、次の事項に留意するものとする。

1　保育所における子育て支援に関する基本的事項

（1）保育所の特性を生かした子育て支援

ア　保護者に対する子育て支援を行う際には、各地域や家庭の実態等を踏まえるとともに、保護者の気持ちを受け止め、相互の信頼関係を基本に、保護者の自己決定を尊重すること。

イ　保育及び子育てに関する知識や技術など、保育士等の専門性や、子どもが常に存在する環境など、保育所の特性を生かし、保護者が子どもの成長に気付き子育ての喜びを感じられるように努めること。

（2）子育て支援に関して留意すべき事項

ア　保護者に対する子育て支援における地域の関係機関等との連携及び協働を図り、保育所全体の体制構築に努めること。

イ　子どもの利益に反しない限りにおいて、保護者や子どものプライバシーを保護し、知り得た事柄の秘密を保持すること。

2　保育所を利用している保護者に対する子育て支援

（1）保護者との相互理解

ア　日常の保育に関連した様々な機会を活用し子どもの日々の様子の伝達や収集、保育所保育の意図の説明などを通じて、保護者との相互理解を図るよう努めること。

イ　保育の活動に対する保護者の積極的な参加は、保護者の子育てを自ら実践する力の向上に寄与することから、これを促すこと。

（2）保護者の状況に配慮した個別の支援

ア　保護者の就労と子育ての両立等を支援するため、保護者の多様化した保育の需要に応じ、病児保育事業など多様な事業を実施する場合には、保護者の状況に配慮するとともに、子どもの福祉が尊重されるよう努め、子どもの生活の連続性を考慮すること。

イ　子どもに障害や発達上の課題が見られる場合には、市町村や関係機関と連携及び協力を図りつつ、保護者に対する個別の支援を行うよう努めること。

ウ　外国籍家庭など、特別な配慮を必要とする家庭の場合には、状況等に応じて個別の支援を行うよう努めること。

（3）不適切な養育等が疑われる家庭への支援

ア　保護者に育児不安等が見られる場合には、保護者の希望に応じて個別の支援を行うよう努めること。

イ　保護者に不適切な養育等が疑われる場合には、市町村や関係機関と連携し、要保護児童対策地域協議会で検討するなど適切な対応を図ること。また、虐待が疑われる場合には、速やかに市町村又は児童相談所に通告し、適切な対応を図ること。

3　地域の保護者等に対する子育て支援

（1）地域に開かれた子育て支援

ア　保育所は、児童福祉法第48条の4の規定に基づき、その行う保育に支障がない限りにおいて、地域の実情や当該保育所の体制等を踏まえ、地域の保護者等に対して、保育所保育の専門性を生かした子育て支援を積極的に行うよう努めること。

イ　地域の子どもに対する一時預かり事業などの活動を行う際には、一人一人の子どもの心身の状態などを考慮するとともに、日常の保育との関連に配慮するなど、柔軟に活動を展開できるようにすること。

（2）地域の関係機関等との連携

ア　市町村の支援を得て、地域の関係機関等との積極的な連携及び協働を図るとともに、子育て支援に関する地域の人材と積極的に連携を図るよう努めること。

イ　地域の要保護児童への対応など、地域の子どもを巡る諸課題に対し、要保護児童対策地域協議会など関係機関等と連携及び協力して取り組むよう努めること。

第五章　職員の資質向上

第1章から前章までに示された事項を踏まえ、保育所は、質の高い保育を展開するため、絶えず、一人一人の職員についての資質向上及び職員全体の専門性の向上を図るよう努めなければならない。

1　職員の資質向上に関する基本的事項

（1）保育所職員に求められる専門性

子どもの最善の利益を考慮し、人権に

配慮した保育を行うためには、職員一人一人の倫理観、人間性並びに保育所職員としての職務及び責任の理解と自覚が基盤となる。

各職員は、自己評価に基づく課題等を踏まえ、保育所内外の研修等を通じて、保育士・看護師・調理員・栄養士等、それぞれの職務内容に応じた専門性を高めるため、必要な知識及び技術の修得、維持及び向上に努めなければならない。

（2）保育の質の向上に向けた組織的な取組

保育所においては、保育の内容等に関する自己評価等を通じて把握した、保育の質の向上に向けた課題に組織的に対応するため、保育内容の改善や保育士等の役割分担の見直し等に取り組むとともに、それぞれの職位や職務内容等に応じて、各職員が必要な知識及び技能を身につけられるよう努めなければならない。

2　施設長の責務

（1）施設長の責務と専門性の向上

施設長は、保育所の役割や社会的責任を遂行するために、法令等を遵守し、保育所を取り巻く社会情勢等を踏まえ、施設長としての専門性等の向上に努め、当該保育所における保育の質及び職員の専門性向上のために必要な環境の確保に努めなければならない。

（2）職員の研修機会の確保等

施設長は、保育所の全体的な計画や、各職員の研修の必要性等を踏まえて、体系的・計画的な研修機会を確保するとともに、職員の勤務体制の工夫等により、職員が計画的に研修等に参加し、その専門性の向上が図られるよう努めなければならない。

3　職員の研修等

（1）職場における研修

職員が日々の保育実践を通じて、必要な知識及び技術の修得、維持及び向上を図るとともに、保育の課題等への共通理解や協働性を高め、保育所全体としての保育の質の向上を図っていくためには、日常的に職員同士が主体的に学び合う姿勢と環境が重要であり、職場内での研修の充実が図られなければならない。

（2）外部研修の活用

各保育所における保育の課題への的確な対応や、保育士等の専門性の向上を図るためには、職場内での研修に加え、関係機関等による研修の活用が有効であることから、必要に応じて、こうした外部研修への参加機会が確保されるよう努めなければならない。

4　研修の実施体制等

（1）体系的な研修計画の作成

保育所においては、当該保育所における保育の課題や各職員のキャリアパス等も見据えて、初任者から管理職員までの職位や職務内容等を踏まえた体系的な研修計画を作成しなければならない。

（2）組織内での研修成果の活用

外部研修に参加する職員は、自らの専門性の向上を図るとともに、保育所における保育の課題を理解し、その解決を実践できる力を身に付けることが重要である。また、研修で得た知識及び技能を他の職員と共有することにより、保育所全体としての保育実践の質及び専門性の向上につなげていくことが求められる。

（3）研修の実施に関する留意事項

施設長等は保育所全体としての保育実践の質及び専門性の向上のために、研修の受講は特定の職員に偏ることなく行われるよう、配慮する必要がある。また、研修を修了した職員については、その職務内容等において、当該研修の成果等が適切に勘案されることが望ましい。

よくでる言葉や重要事項は**赤文字**にしています。
出題のポイントとなる内容をチェックしていきましょう。

保心

頻出の心理学者とその理論〔外国〕

重要人物は繰り返し出題されています。人名と主な考え方や実験をおさえておきましょう。

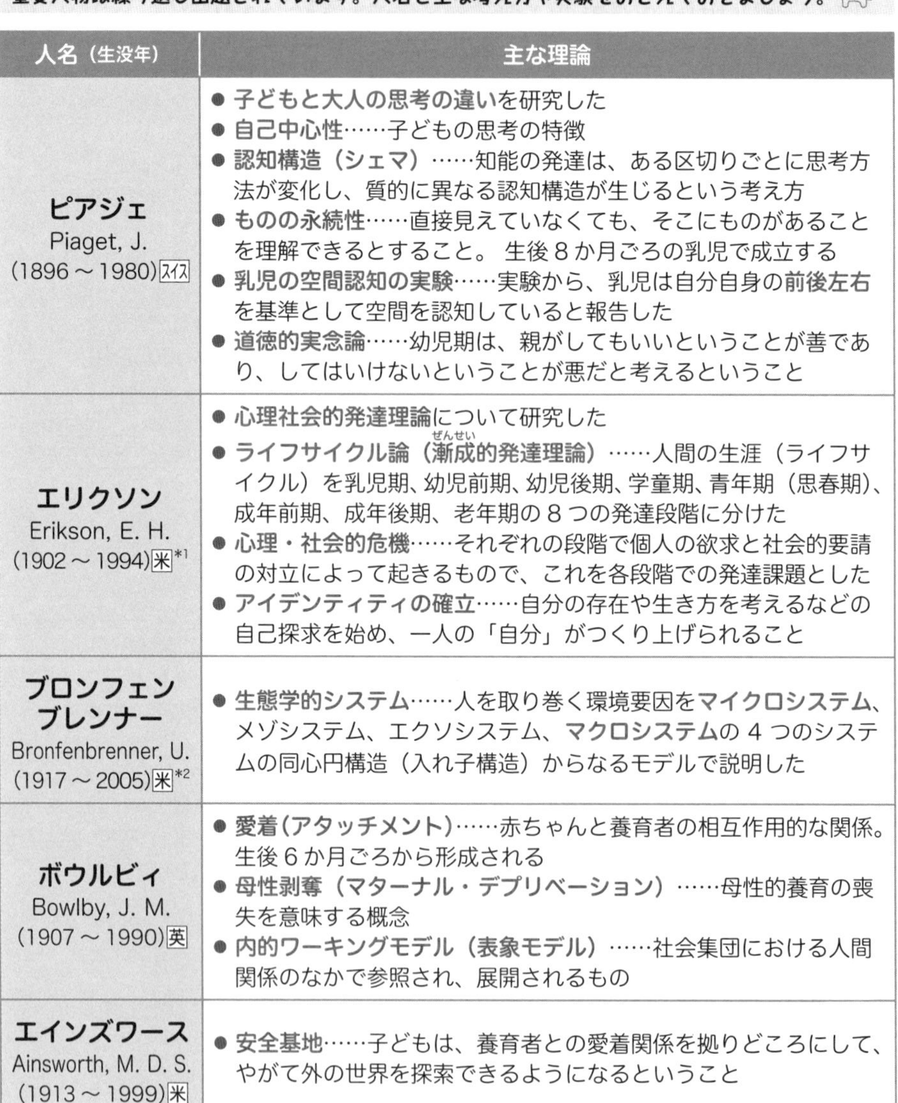

人名（生没年）	主な理論
ピアジェ Piaget, J. (1896～1980) スイス	● **子どもと大人の思考の違い**を研究した ● **自己中心性**……子どもの思考の特徴 ● **認知構造（シェマ）**……知能の発達は、ある区切りごとに思考方法が変化し、質的に異なる認知構造が生じるという考え方 ● **ものの永続性**……直接見えていなくても、そこにものがあることを理解できるとすること。 生後 8 か月ごろの乳児で成立する ● **乳児の空間認知の実験**……実験から、乳児は自分自身の**前後左右**を基準として空間を認知していると報告した ● **道徳的実念論**……幼児期は、親がしてもいいということが善であり、してはいけないということが悪だと考えるということ
エリクソン Erikson, E. H. (1902～1994) 米 *1	● **心理社会的発達理論**について研究した ● **ライフサイクル論（漸成的発達理論）**……人間の生涯（ライフサイクル）を乳児期、幼児前期、幼児後期、学童期、青年期（思春期）、成年前期、成年後期、老年期の 8 つの発達段階に分けた ● **心理・社会的危機**……それぞれの段階で個人の欲求と社会的要請の対立によって起きるもので、これを各段階での発達課題とした ● **アイデンティティの確立**……自分の存在や生き方を考えるなどの自己探求を始め、一人の「自分」がつくり上げられること
ブロンフェンブレンナー Bronfenbrenner, U. (1917～2005) 米 *2	● **生態学的システム**……人を取り巻く環境要因を**マイクロシステム**、メゾシステム、エクソシステム、**マクロシステム**の 4 つのシステムの同心円構造（入れ子構造）からなるモデルで説明した
ボウルビィ Bowlby, J. M. (1907～1990) 英	● **愛着（アタッチメント）**……赤ちゃんと養育者の相互作用的な関係。生後 6 か月ごろから形成される ● **母性剥奪（マターナル・デプリベーション）**……母性的養育の喪失を意味する概念 ● **内的ワーキングモデル（表象モデル）**……社会集団における人間関係のなかで参照され、展開されるもの
エインズワース Ainsworth, M. D. S. (1913～1999) 米	● **安全基地**……子どもは、養育者との愛着関係を拠りどころにして、やがて外の世界を探索できるようになるということ

＊1　出身はドイツ　　＊2　出身はソビエト連邦

ファンツ Fantz, R. L. (1925 ～ 1981)米	● **新生児の視覚刺激に対する反応を調べる実験**……生まれたばかりの新生児にも、人の顔を好むという視覚的な偏向があると考えた
ルイス Lewis, M. T. (1877 ～ 1956)米	● **情緒（情動）の分化**を研究した ● **一次的（基本）感情**……人は生後すぐに満足、興味、苦痛を、3か月ごろまでに喜び、悲しみ、嫌悪を、6か月ごろまでに驚き、怒り、おそれの感情を示すようになる
ヴィゴツキー Vygotsky, L. S. (1896～1934)ソビエト	● **子どもの思考**と言語、概念発達を研究した ● **内言**（ないげん）……声を出すことなく頭の中だけで思考する過程 ● **発達の最近接領域**……子どもが「自力で解決できる水準」と、「自力では解決できないけれども大人の援助を受ければ解決できる水準」との差の範囲
バンデューラ Bandura, A. (1925 ～ 2021)カナダ	● **社会的学習理論**を提唱した ● **モデリング（観察学習）**……他者（モデル）の行動を観察することで、自分の行動について学習すること
ギブソン Gibson, J. J. (1904~1979)米	● **アフォーダンス**……環境そのものが意味や価値を子どもの側に提供し、どのように関わればよいのかを教えてくれているという考え方
マーシア Marcia, J.E. (1937 ～)米	● エリクソンのアイデンティティ理論を発展させ、**4つの類型**に分けて考える**アイデンティティ・ステイタス**を提唱した ● 親や年長者の価値観を無批判に受けている状態を**早期完了**と名づけた
トレヴァーセン Trevarthen, C. (1931 ～)英	● **間主観性**……赤ちゃんが養育者の感じていることを察知する能力のこと
バルテス Baltes, P.B. (1939 ～ 2006)独	● 高齢期とは何かを失うだけでなく、喪失することで**失ったものの重要さを実感**し、状況へ適応することを模索しながら、新たなものを得ようとまた**挑戦していく過程**であるとした
プレマックとウッドラフ Premack, D. Woodruff, G. 米	● 霊長類学者 ● **心の理論**……「他者は自分と異なる考えや知識をもっている」ということが理解できるということ。社会性の発達に伴い4、5歳ごろに成立する
ガードナー Gardner, H. (1943 ～)米	● **多重知能理論**……人間の知能は、すべての活動に共通するものは想定せず、少なくとも8つの異なる知能が存在するという考え方
ローレンツ Lorenz, K. (1903~1989)オーストリア	● **赤ちゃんらしさ**……動物の成体は、赤ちゃんらしさをもつものに対し、養育的な感情や行動が引き出されるよう、生物学的にプログラムされているとした

乳幼児期の発達過程①（身体面・運動面）

誕生から1歳までは身体的に最も発育する時期です。その特徴をおさえましょう。

	身体面	運動面
0か月～6か月	● 出生時の体重は**平均3kg**、身長は平均**50cm**。体重は増加率が高く、**3か月**で出生時の約**2倍**になる ● 生後1か月で**注視**、2～3か月で色の識別、4か月で**追視**ができるようになる	● 新生児には**原始反射**や原始行動が見られる ● 出生から数か月後に**随意運動**ができる ● **生後4～5か月**で首がすわる ● **生後6～7か月**で**ねがえり**ができるようになる
6か月～1歳	● 生後6～7か月ごろから歯が生え始め、満1歳ごろには**上下4本ずつ**となる	● 生後9～10か月で、**ひとりすわり**ができるようになる ● 生後9～10か月で、**はいはい**ができるようになる ● 生後11～12か月で、**つかまり立ち**ができるようになる
1～2歳	● 体重は1歳で**出生時の約3倍**になる	● 個人差はあるが、歩行の開始はおよそ**1歳3～4か月ごろ** ● 1歳6か月ごろには、横や後ろへの歩行や座位からの起立ができる ● 1歳6か月ごろには、**コップで水を飲む**、スプーンを使う、積み木を2～3個積み上げるなどの微細運動も盛んになる
2～3歳	● 聴覚をつかさどる**中枢神経系**は視覚よりもゆっくりと発達するため、2～3歳ごろに完成する	● 2歳を過ぎると**歩行運動が完成**し、転ばないで走ることができる ● **両足跳び**をする ● なぐりがきをする、絵本のページを1枚ずつめくるなどの微細運動も発達する
3歳以降	● 3歳ごろには**乳歯20本すべて**が生えそろう ● 乳歯は5～6歳ごろから抜け始め、代わりに**永久歯**が生え始める	● 3歳ごろには、**片足ずつ階段をのぼり**、ボールを投げることができる ● ボタンを外す、**円を描く**などの微細運動も発達する ● 4歳を過ぎると疾走や**片足跳び**、スキップができる ● **ハサミを使って紙を切る**、ひもが結べる

注視：意味はじっと見つめること

ねがえり：ねがえりができるようになる時期が出題されています。

上下4本ずつ：一般的に、歯は下の前歯から生えてきます。

乳幼児期の発達過程②（言語・社会性・認知能力）

言語とそれに関連する社会性や認知能力は、幼児期にめざましく発達します。

	言語	社会性	認知能力
0～1歳	● 語彙量（ごい）／1歳まで……**数語** ● 生後1か月で発声が始まり、3～4か月で**喃語**（なんご）を発する ● 生後10か月～1歳で**初語**を発するようになる ● **一語文**を話す	● 欲求を満たしてくれる大人に対して**愛着心**を抱くようになる ● 身近な人とそうでない人の区別がつくようになり、**8か月不安**とよばれる人見知りが始まる	● **記憶力**は生後6か月以降によく発達する ● 生後8か月ごろに**ものの永続性**が成立する ● 生後9～10か月ごろになると**共同注意**ができるようになる
1～2歳	● 語彙量／2歳まで……**200～300語** ● 1歳半から2歳ごろに**語彙爆発**が起きる ● 1歳半から2歳ごろに、**二語文**を話すようになる	● 2歳ごろまでは、「**一人遊び**」をする **遊びの発達はよく出題されるところです。**	● 乳児期から始まった怒り、嫉妬、愛情、おそれなどの**情緒の分化**が2歳ごろまでに完成する
2～3歳	● 語彙量／3歳まで……**900～1000語** ● **三語文**や**多語文**が話せるようになり、助詞や接続詞も使えるようになる	● 近くでまったく同じ遊びをしているのに子ども同士の間には具体的交渉がない「**平行（並行）遊び**」をする	● 自我意識が目覚め、**第一次反抗期**を迎える **いやいや期** ● 2～3歳ぐらいまでは、子どもは自分の感情を最優先に行動する
3～4歳	● 語彙量／4歳まで……**1500～1700語** ● 語彙数は増えるが、まだ親しい大人との会話が中心	● 3歳以降は「**二人遊び**」が多くなる。 ● 4歳ごろに「**ごっこ遊び**」などの象徴遊びが盛んになる	● 4歳を過ぎるころには、**課題意識**（大人からいわれたことをいわれた通りに実行しようとする気持ち）が強くなる
4～6歳	● 語彙量／5歳まで……**2000～2500語** ● 大人との会話が支障なくできる ● 5、6歳ごろになると**子ども同士で相談ができる**	● 年齢が上がるにつれて3人以上で遊ぶことができるようになる	● 4、5歳ごろから「**心の理論**」を獲得する ● 課題意識は6歳ごろには強固なものになる

DSM-5 に基づく発達障害の種類と特徴

ここ数年は DSM-5 から出題されていますので、診断名や特徴をおさえておきましょう。

自閉スペクトラム症（Autism Spectrum Disorder：ASD）	時期	**早期**に症状が存在していなければならない
	症状	● 言葉を覚えても、コミュニケーションのために使うことが少ない ● ひとりごとと反響言語（**おうむ返し**）、同じフレーズの反復などが多い ● 他人に関心を持ったり、相手の気持ちを思いやるということが難しい ● 自分の気持ちや興味を他人に伝えようとすることが少ない ● ある特定の環境、設備、ものへの**強い執着**を示したり、外出の道順や日課などに一定の決まりをつくり、それに固執する ● 長時間にわたる同じ遊びの繰り返しや**常同運動**、奇妙な癖がみられる ● 光や音、声などに過敏である一方、痛みや暑さ、寒さには鈍感である。肌触りや匂いなど**特定の感覚**に興味を示すことがある
	特徴	人の心の状態や考えを推測することが困難で、相手の立場に立って考えることが難しいため、**社会的なコミュニケーションに問題を抱えること**が多い。想像力の欠如や強いこだわりをもつ
注意欠如・多動症（Attention-Deficit Hyper-activity Disorder：ADHD）	時期	症状のうちいくつかが **12 歳になる前**から存在する
	症状	<不注意> ● 約束をすぐに忘れる ● 忘れ物が非常に多い ● ものを片づけることを忘れる ● 相手の話を最後まで聞かない。 ● 順序立ててとりかかることができない ● 最後までやりとげることができない <多動・衝動> ● 落ち着きがない ● 順番が待てない ● かっとなると手が出る ● ささいなことでかんしゃくを起こす ● 突然、走り出す。
	特徴	極端に注意力に欠け、行動に多動や衝動性といった特徴がみられる。遺伝的・環境的要因、後天性の軽い**脳障害**や中枢神経系の**機能障害**などの要因が複合的に関与するため、本人の努力やしつけで**改善することは困難**
限局性学習症（Specific Learning Disorder：SLD）	時期	**学齢期**に始まる
	症状	● 読んでいるものの意味を理解することの困難さ ● **綴字**の困難さ ● **書字表出**の困難さ ● **数学的推論**の困難さ ● 数字の概念、数値、または**計算を習得すること**の困難さ
	特徴	全般的な**知的発達に遅れはなく**、視聴覚障害がなく、教育環境に問題がないにもかかわらず、聞く、書く、話す、読む、計算する、推論するなどの能力のうち、**特定のものの習得と使用**に著しい困難を示す

出典：日本語版用語監修 / 日本精神神経学会『DSM-5 精神疾患の分類と診断の手引』医学書院、2014 年をもとに作成

人口動態統計（抜粋）

〔厚生労働省、各年版〕

人口動態統計のなかから、過去に出題された項目をまとめています。

❶ 出生数、合計特殊出生率（2010 ～ 2022 年）

■ 出生数（万人）

2010	2011	2012	2013	2014	2015	2016	2017	2018	2019	2020	2021	2022
107.1	105.1	103.7	103.0	100.4	100.6	97.7	94.6	91.8	86.5	84.0	81.2	**77.0**

■ 合計特殊出生率

2010	2011	2012	2013	2014	2015	2016	2017	2018	2019	2020	2021	2022
1.39	1.39	1.41	1.43	1.42	1.45	1.44	1.43	1.42	1.36	1.33	1.30	**1.26**

❷ 合計特殊出生率の高い都道府県、低い都道府県（2022 年）

■ 高い都道府県

1位	2位	3位
沖縄 1.70	宮崎 1.63	島根 1.60

■ 低い都道府県

1位	2位	3位
東京 1.04	宮城 1.09	北海道 1.12

❸ 生涯未婚率、平均初婚年齢、第一子の平均出産年齢

■ 生涯未婚率

	男	女
2020	28.3	17.8
1995	9.0	5.1

■ 平均初婚年齢（歳）

	男	女
2022	31.1	29.7
2005	29.8	28.0

■ 第一子出生時の母の平均年齢（歳）

1985	1995	2005	2015	2022
26.7	27.5	29.1	30.7	30.9

生涯未婚率などは数年に一度しか調査が行われないので注意しましょう。

それぞれの定義自体が出題されることもありますので、覚えておきましょう。

＊**出生率**……**人口 1,000 人あたり**の出生数の割合。
＊**合計特殊出生率**……1 人の女性が **15 歳から 49 歳までの間**に何人の子どもを産むかを示す値。
＊**生涯未婚率**……**50 歳になった時点**で一度も結婚しなかった人数の割合。

❹ 周産期死亡率、妊産婦死亡率、死産率

■ 周産期死亡率

1980	2010	2022
20.2	4.2	3.3

■ 妊産婦死亡率

1970	1980	2008	2022
48.7	19.5	3.5	4.2

■ 死産率

1970	1980	2010	2022
65.3	46.8	24.2	19.3

過去の数字と比べると、周産期死亡率、妊産婦死亡率、死産率すべてが劇的に低下していることがわかりますね。

❺ 高齢化率、死亡率、不慮の事故の死因

■ 高齢化率（%）

2023
29.1

■ 死亡率

2022
12.9

■ 乳幼児の死因順位（2022）

	0歳	1～4歳
1位	先天奇形等	先天性奇形等
2位	呼吸障害等	不慮の事故
3位	不慮の事故	悪性新生物（腫瘍）

■ 乳幼児の不慮の事故の死因（2022）

	0歳	1～4歳
1位	窒息	窒息
2位	交通事故	交通事故
3位	溺死・溺水、転倒・転落	溺死・溺水、転倒・転落

＊**周産期死亡率**……周産期死亡は、出産をめぐる死亡のことで、具体的には**妊娠満22週以後の死産と生後1週未満の早期新生児死亡**を合わせたもの。

周産期死亡率＝（妊娠満22週以後の死産数＋早期新生児死亡数）/（出生数＋妊娠満22週以後の死産数）×1,000

＊**妊産婦死亡率**……妊産婦死亡は、**妊娠中あるいは妊娠終了後満42日未満**の死亡をいう。

妊産婦死亡率 = 妊産婦死亡数÷出生数 + 死産数 **× 100,000**

（国際比較を行う場合）

妊産婦死亡率 = 妊産婦死亡数÷出生数× **100,000**

＊**死産率**……**出産1,000人あたり**の死産数の割合。出生数と死産数を合わせた数を「出産数」といい、「出生数」とは異なる。死産数とは、妊娠12週以後の自然死産数と人工死産数を合わせた数のこと。

＊**高齢化率**……**65歳以上**人口が総人口に占める割合。

＊**死亡率**……**人口1,000人あたり**の死亡数の割合。

保育所における感染症対策ガイドライン

（2018 年改訂版）（2023【令和 5】年5月一部改訂、10 月一部修正）（抜粋）〔こども家庭庁〕

感染症の基本的な知識とともに、乳幼児が集団で生活する保育所だからこそ求められる対応をおさえておきましょう。

過去に出題された部分と、今後出題が予想される部分を赤文字にしています。

■ 感染症に関する基本的事項

（1）感染症とその三大要因

○ 感染症が発生するためには、以下の三つの要因が必要である。
- 病原体を排出する「**感染源**」
- 病原体が人、動物等に伝播（でんぱ）する（伝わり、広まる）ための「**感染経路**」
- 病原体に対する「**感受性**」が存在する人、動物等の宿主

保育所の主な感染経路をおさえておくことがポイントです。

ウイルス、細菌等の**病原体**が人、動物等の宿主の体内に侵入し、発育又は増殖することを「**感染**」といい、その結果、何らかの臨床症状が現れた状態を「**感染症**」といいます。**病原体**が体内に侵入してから症状が現れるまでには、ある一定の期間があり、これを「**潜伏期間**」といいます。**潜伏期間**は**病原体**の種類によって異なるため、乳幼児がかかりやすい主な**感染症**について、それぞれの**潜伏期間**を知っておくことが必要です。

また、感染症が発生するためには、病原体を排出する「**感染源**」、その病原体が宿主に伝播（でんぱ）する（伝わり、広まる）ための「**感染経路**」、そして病原体の伝播（でんぱ）を受けた「宿主に**感受性**が存在する（予防するための免疫が弱く、感染した場合に発症する）こと」が必要です。「感染源」、「感染経路」及び「感受性が存在する宿主」の３つを**感染症成立のための三大要因**といいます。乳幼児期の感染症の場合は、これらに加えて、宿主である乳幼児の年齢等の要因が病態に大きな影響を与えます。

子どもの命と健康を守る保育所においては、全職員が感染症成立のための三大要因と主な感染症の潜伏期間や症状、予防方法について知っておくことが重要です。また、乳幼児期の子どもの特性や一人一人の子どもの特性に即した適切な対応がなされるよう、保育士等が**嘱託医**や医療機関、**行政**の協力を得て、保育所における感染症対策を推進することが重要です。

市区町村、保健所などのことです。

感染症のおこるしくみと対策のポイントについては、子どもの保健レッスン4も参照しましょう。

（2）保育所における感染症対策

○ 乳幼児が**長時間**にわたり**集団**で生活する保育所では、一人一人の子どもと**集団全体**の両方について、健康と安全を確保する必要がある。
○ 保育所では、乳幼児の**生活**や**行動**の特徴、**生理的特性**を踏まえ、感染症に対する正しい知識や情報に基づいた感染症対策を行うことが重要である。

（感染症対策において理解すべき乳幼児の特徴）

保育所において、子どもの**健康増進**や疾病等への対応と予防は、**保育所保育指針**に基づき行われています。また、乳幼児が**長時間**にわたり**集団**で生活する保育所では、**一人一人**の子どもの健康と安全の確保だけではなく、**集団全体**の健康と安全を確保しなければなりません。特に感染症対策については、次のことをよく理解した上で、最大限の感染拡大予防に努めることが必要です。

咳やくしゃみなどから飛んだ飛沫を吸い込むことです。

（保育所における乳幼児の生活と行動の特徴）

- 集団での**午睡**や**食事**、**遊び**等では子ども同士が濃厚に接触することが多いため、**飛沫(まつ)感染**や**接触感染**が生じやすいということに留意が必要である。
- 特に乳児は、床をはい、また、手に触れるものを何でも舐めるといった行動上の特徴があるため、**接触感染**には十分に留意する。
- 乳幼児が自ら正しい**マスク**の着用、適切な**手洗い**の実施、物品の衛生的な取扱い等の基本的な**衛生対策**を十分に行うことは難しいため、**大人**からの援助や配慮が必要である。

生後3～4か月は最もIgG（免疫グロブリン）が低くなるので注意が必要です。

（乳児の生理的特性）

- **感染症にかかりやすい**
  生後数か月以降、母親から胎盤を通して受け取っていた**免疫**（移行抗体）が減少し始める。
- **呼吸困難になりやすい**
  成人と比べると鼻道(びどう)や後鼻孔(こうびこう)が狭く、**気道**も細いため、風邪等で粘膜が少し腫れると息苦しくなりやすい。
- **脱水症をおこしやすい**
  乳児は、年長児や成人と比べると、体内の**水分量**が多く、１日に必要とする体重当たりの水分量も多い。このため、**発熱**、嘔(おう)吐、下痢等によって体内の水分を失ったり、咳(せき)、**鼻水**等の呼吸器症状のために哺乳量や水分補給が減少したりすることで、**脱水症**になりやすい。

■ 保育所における消毒の種類と方法

薬品名	塩素系消毒薬（次亜塩素酸ナトリウム、亜塩素酸水等）		第４級アンモニウム塩（逆性石けんまたは陽イオン界面活性剤）	アルコール類（消毒用エタノール等）
	次亜塩素酸ナトリウム	亜塩素酸水		
消毒をする場所・もの	調理器具、歯ブラシ、哺乳瓶、便座、ドアノブ、衣類、シーツ類、遊具、**嘔吐物や排泄物が付着した箇所**	調理器具、歯ブラシ、**哺乳瓶**、便座、ドアノブ、衣類、シーツ類、遊具、**嘔吐物や排泄物が付着した箇所**	**手指**、浴槽、沐浴槽、トイレのドアノブ、足浴バケツ	**手指**、**遊具**、便座、トイレのドアノブ
消毒の濃度	拭き取りや浸け置きの場合：**0.02%**（200ppm[注]） 嘔吐物や排泄物が付着した箇所の拭き取りや浸け置き：**0.1%**（1,000ppm）	拭き取りや浸け置きの場合：遊離塩素濃度 **25ppm** 以上（含量：亜塩素酸として 0.05%以上） 嘔吐物や排泄物が付着した箇所の拭き取りや浸け置き：遊離塩素濃度 **100ppm** 以上（含量：亜塩素酸として **0.2%** 以上）	拭き取り：**0.1%**（1,000ppm） 食器の浸け置き：0.02%（200ppm）	**原液**（製品濃度 70～80%）
留意点	●トイレ用洗剤などと混ぜると**有毒な塩素ガスが発生する**ので注意する。 ●吸引したり目や皮膚に付着すると有毒なため**噴霧は行わない**。 ●サビの原因となるため金属には使用しない。 ●嘔吐物を十分拭き取ったあとに消毒する。哺乳瓶も十分に洗ってから消毒する。 ●**脱色作用**がある。	●トイレ用洗剤などと混ぜると有毒な塩素ガスが発生するので注意する。 ●吸引したり目や皮膚に付着すると有害なため噴霧は行わない。 ●サビの原因となるためステンレス以外の金属には使用しない。 ●嘔吐物を十分拭き取ったあとに消毒する。哺乳瓶も十分洗ってから消毒する。 ●**衣類の脱色、変色に注意**。	●経口毒性が高いので**誤飲に注意する**。 ●一般の石けんと同時に使うと効果がなくなる。	●**刺激性**があるので、傷や手荒れがある手指に使用しない。 ●**引火性**に注意する。 ●ゴム製品や合成樹脂などに使用すると変質するので長時間浸さない。 ●手洗い後、アルコールを含ませた脱脂綿やウエットティッシュで拭き、自然乾燥させる。
新型コロナウイルスに対する有効性	○（**ただし手指には使用不可**）	○（ただし手指への使用上の効果は確認されていない）	○（ただし手指への使用上の効果は確認されていない）	○
ノロウイルスに対する有効性	○	○	×	×
消毒液が効きにくい病原体			結核菌、大部分のウイルス	**ノロウイルス、ロタウイルス**など
その他	直射日光の当たらない涼しいところに保管。	直射日光の当たらない涼しいところに保管。	**希釈液は毎日作りかえる。**	

注：ppm は parts per million の略。液体の微量な濃度を示す単位で 1,000ppm = 0.1%。

出典：こども家庭庁「保育所における感染症対策ガイドライン（2018 年改訂版）（2023［令和 5］年 5 月一部改訂）〈2023（令和 5）年 10 月一部修正〉」をもとに作成

授乳・離乳の支援ガイド（2019年改定版）（抜粋）〔厚生労働省〕

親子関係を育むうえで重要な時期にあたる授乳期、離乳期の支援のポイントを理解しておきましょう。

授乳期・離乳期の栄養についてはこのガイドラインからの出題が多くを占めています。

■ 授乳の支援

1 授乳の支援に関する基本的考え方

授乳とは、**乳汁**（母乳又は**育児用ミルク**）を子どもに与えることであり、授乳は子どもに栄養素等を与えるとともに、母子・親子の絆を深め、子どもの心身の健やかな成長・発達を促す上で極めて重要である。

乳児は、出生後に「口から初めての**乳汁摂取**」を行うことになるが、新生児期、乳児期前半の乳児は、身体の諸機能は発達の途上にあり、消化・吸収機能も不十分である。そのため、この時期の乳児は、未熟な消化や吸収、排泄等の機能に負担をかけずに栄養素等を摂ることのできる**乳汁栄養**で育つ。

「母親に過度の負担を与えないよう支援すること」がポイントとなっています。

妊娠中に「ぜひ母乳で育てたいと思った」「母乳が出れば母乳で育てたいと思った」と回答した母親が９割を超えていることから、母乳で育てたいと思っている母親が**無理せず自然に母乳育児に取り組めるよう支援する**ことは重要である。ただし、母乳をインターネット上で販売している実態も踏まえて、衛生面等のリスクについて注意喚起をしているところである。授乳の支援に当たっては母乳だけにこだわらず、必要に応じて育児用ミルクを使う等、**適切な支援**を行うことが必要である。

妊娠中から適切な授乳方法を伝える、ということがポイントとなっています。

母子の健康等の理由から育児用ミルクを選択する場合は、その決定を**尊重する**とともに母親の心の状態等に十分に配慮し、母親に**安心感を与えるような支援**が必要である。

授乳は、子どもが「飲みたいと要求」し、その「要求に応じて与える」という両者の関わりが促進されることによって、安定して進行していく。その過程で生じる不安等に対して適切に対応し、母親等が安心して授乳ができるように支援を行う。

授乳の支援に当たっては、母乳や育児用ミルクといった乳汁の種類にかかわらず、**母子の健康の維持**とともに、**健やかな母子・親子関係の形成**を促し、**育児に自信をもたせる**ことを基本とする。

約８割の母親等が授乳について困ったことがあり、特に回答が多かったものは「**母乳が足りているかわからない**」であった。こうした困りごとをもつ母親等に対しては、子育て世代

低出生体重児など、授乳にあたって個別の配慮が必要なケースへのきめ細かな支援も重要です。

包括支援センター等を中心に、様々な保健医療機関を活用し継続的に母親等の**不安を傾聴する**とともに、子どもの状態をよく観察し授乳量が足りているかどうかを見極める必要がある。

生後１年未満の乳児期は、**１年間で体重が約３倍に成長する**、人生で最も発育する時期である。発育の程度は個人差があるため、母乳が不足しているかどうかについては、子どもの状態、個性や体質、母親の状態や家庭環境等を考慮に入れたうえで、総合的に判断する必要がある。

母親が授乳や育児に関する不安が強い場合には、産後うつ予防や安心して授乳や育児ができるように、早期からの産科医師、小児科医師、助産師、保健師等による専門的なアプローチを検討する。

■ 離乳の支援

1 離乳の支援に関する基本的考え方

離乳とは、成長に伴い、母乳又は育児用ミルク等の乳汁だけでは不足してくるエネルギーや栄養素を補完するために、乳汁から**幼児食**に移行する過程をいい、その時に与えられる食事を**離乳食**という。

この間に子どもの摂食機能は、乳汁を吸うことから、食物を**かみつぶして飲み込むこと**へと発達する。摂取する食品の量や種類が徐々に増え、**献立や調理の形態も変化していく**。また摂食行動は次第に自立へと向かっていく。

咀しゃく機能の発達とともに離乳食の内容も変化します。

離乳については、子どもの食欲、摂食行動、成長・発達パターン等、子どもにはそれぞれ個性があるので、**画一的な進め方にならないよう留意**しなければならない。また、地域の食文化、家庭の食習慣等を考慮した無理のない離乳の進め方、**離乳食の内容や量**を、それぞれの子どもの状況にあわせて進めていくことが重要である。

（中略）

離乳の支援にあたっては、子どもの健康を維持し、成長・発達を促すよう支援するとともに、授乳の支援と同様、健やかな母子、親子関係の形成を促し、育児に自信がもてるような支援を基本とする。特に、子どもの成長や発達状況、日々の子どもの様子をみながら進めること、無理させないことに配慮する。また、**離乳期は食事や生活リズムが形づくられる時期**でもあることから、生涯を通じた望ましい生活習慣の形成や生活習慣病予防の観点も踏まえて支援することが大切である。この時期から生活リズムを意識し、健康的な食習慣の基礎を培い、家族等と食卓を囲み、共に食事をとりながら食べる楽しさの体験を増やしていくことで、一人ひとりの子どもの「**食べる力**」を育むための支援が推進されることを基本とする。なお、離乳期は、両親や家族の食生活を見直す期間でもあるため、現状の食生活を踏まえて、適切な情報提供を行うことが必要である。

保育所における食事の提供ガイドライン

（2019年改訂版）（抜粋）〔厚生労働省〕

乳幼児期の発育・発達は著しく、個人差も大きいため、一人ひとりに適切な食事を提供することがポイントです。

発育・発達のための役割

保育所に入所する子どもは０歳から６歳までの年齢差が大きいこと、また、同じ年齢児であっても個人差も大きいことが特徴である。乳幼児期以降の学童期、思春期をみると、**朝食欠食**等の食習慣の乱れや、過剰な**やせ願望**に見られるような心と体の健康問題が生じている。こうした現状を踏まえると、乳幼児期から正しい食事のとり方や望ましい食習慣の定着及び食を通じた人間性の形成、家族関係づくりによる心身の健全育成を図るため、**発育・発達過程に応じた食に関する取組**を進めることが必要である。

食べることは生きることの源であり、心と体の発達に密接に関係している。食事は空腹を満たすだけでなく、人間的な信頼関係の基礎をつくる営みでもある。**子どもは身近な大人からの援助を受けながら**、他の子どもとの関わりを通して、食べることを楽しみ合い、豊かな食の体験を積み重ねていくことが必要である。

地域の保護者に対して、食育に関する支援をしていくことも保育所の役割です。

特に乳幼児期は、心身の発育・発達が著しく、人格の基礎が形成される時期である。この時期の子どもたちの一人一人の健やかな育ちを保障するためには、心身共に安定した状態でいられる環境と、愛情豊かな大人の関わりが求められる。

1 乳幼児期の身体発育のための食事の重要性

子どもの発育・発達のためには、心と身体の健康な状態を確保することが基本である。乳幼児期は、身体発育と共に、運動機能、手指の微細運動、脳・神経機能などが急速に発達していく。そこで、この時期に食事により摂取するエネルギーや栄養素は、健康を維持・増進したり、活動に使われるだけでなく、発育・発達のためにも必要な点で成人期と大きく異なる。このため乳児は**授乳回数が多く**、幼児も**１日３回の食事**に加えて**間食（おやつ）**をとる等、低年齢であるほど、生活に占める食事の割合が大きい。そして、乳幼児は消化・吸収、排泄機能も未熟であるため、その発達に応じた食事形態の食事が提供されなければ、**十分なエネルギーや栄養素の摂取ができず**、身体の発育も保障できないことを十分に認識しなければならない。

間食の意味、回数などはよく問われるところです。

2 子どもの食べる機能、及び味覚の発達に対応した食事の重要性

食事提供を考えるには、栄養とともに食べる機能の発達を理解しておく必要がある。その食べる機能の発達は、摂食・嚥下機能の発達と食行動の発達、味覚の発達に分けられる。

ア．摂食・嚥下機能の発達

摂食・嚥下機能の発達には、器官面と機能面がある。その発達は年齢で区切ることはできず、社会的状況や個人差も大きい。

＜器官の発達＞

食べる機能に関わる器官は、口唇から食道まで含まれ、その年代に適した変化を遂げる。例えば哺乳が中心である乳児期前半は、上顎に哺乳窩といわれるくぼみがあり、頬の内側の脂肪が多く口腔内が狭い。そのため哺乳時の陰圧をつくりやすい。年齢による最も大きい器官の変化は、歯の萌出である。**乳歯は６か月頃**から萌出し**３歳頃に生えそろう**。その後**永久歯**に生え変わる。歯の萌出は口腔や咽頭腔を拡げ、哺乳から咀嚼への機能的変化に適した器官となる。

＜機能の発達＞

口腔・咽頭機能の発達は、胎児期から既に始まっており、子宮内では羊水の嚥下や指しゃぶり等の動作が観察される。満期産で出生した子どもは、探索反射、吸啜反射、嚥下反射がみられ、母あるいは哺乳瓶から上手に飲むことができる。一方、早産児・未熟児においては、出生時に十分に哺乳ができないため、**経管栄養**が必要になる。**離乳食は生後５～６か月から**、なめらかにすりつぶした状態の固形物で開始され、**１歳過ぎには大人の咀嚼や嚥下に近いところまで発達**し、様々な食品からのエネルギーや栄養素の摂取が可能となる。

（後略）

咀しゃく機能の発達と離乳食のすすめ方のポイントを覚えておきましょう。

3 食欲を育む生活の場としての食事の重要性

子ども、特に乳児は空腹感を“泣く”ことで表出し、お腹いっぱい飲んで空腹感を満たし、満腹感と満足感を得ていく。**乳児は決まった時間に乳を吸ったり、食事をしたりするわけではなく**、集団保育の保育所であっても、一人一人の子どもの生活リズムを重視して、食欲などの**生理的欲求**を満たすことが重要である。この時期には、十分に遊び、１日３回の食事とおやつを規則的にとる環境を整えることで、**お腹がすくリズムを繰り返し経験する**ことができ、生活リズムを形成していくように配慮する。

乳幼児にとっての食事の意義や一人ひとりに合った食事を提供するためにどのような点がポイントとなるかがよく問われています。子どもの食と栄養レッスン6、7も参照しましょう。

保育所におけるアレルギー対応ガイドライン

（2019 年改訂版）（抜粋）〔厚生労働省〕

乳幼児がかかる主なアレルギー疾患を理解し、安全な保育所生活を送るための対応をおさえておきましょう。

■ アレルギー疾患とは

○ アレルギー疾患とは、本来なら反応しなくてもよい無害なものに対する**過剰な免疫（めんえき）反応**と捉えることができます。
○ 保育所において対応が求められる、乳幼児がかかりやすい代表的なアレルギー疾患には、**食物アレルギー**、**アナフィラキシー**、**気管支ぜん息**、**アトピー性皮膚炎**、**アレルギー性結膜炎**、**アレルギー性鼻炎**などがあります。
○ 遺伝的にアレルギーになりやすい素質の人が、年齢を経るごとに次から次へとアレルギー疾患を発症する様子を“**アレルギーマーチ**”と表します。

アナフィラキシーとは、アレルギー反応により、皮膚症状、消化器症状、呼吸器症状が、複数同時かつ急激に出現した状態です。

（アレルギー疾患とは）

アレルギーという言葉自体は一般用語として広まっていますが、その理解は十分ではありません。アレルギー疾患を分かりやすい言葉に置き換えて言えば、本来なら反応しなくてもよい**無害**なものに対する**過剰な免疫反応**と捉えることができます。

免疫反応は、本来、体の中を外敵から守る働きです。体の外には細菌やカビ、ウイルスなどの「**敵**」がたくさんいるので、放っておくと体の中に入ってきて病気を起こしてしまいますが、それに対して体を守る働きの重要なものが免疫反応です。相手が本物の「悪者」であればそれを攻撃するのは正しい反応となりますが、無害な相手に対してまで過剰に免疫反応を起こしてしまうことがあります。それがアレルギー疾患の本質と言えます。

（乳幼児期のアレルギー疾患と配慮が必要な生活の場面）

保育所において対応が求められる、乳幼児がかかりやすい代表的なアレルギー疾患には、**食物アレルギー**、アナフィラキシー、気管支ぜん息、アトピー性皮膚炎、アレルギー性結膜炎、アレルギー性鼻炎などがあります。また、アレルギー疾患は全身疾患であることが特徴で、小児の場合は、アレルギー疾患をどれか一つだけ発症するケースは少なく、**複数の疾患を合併している**ことが多くみられます。

保育所の生活において、特に配慮や管理が求められる生活の場面には、各アレルギー疾患に共通した特徴があります。これらの場面は、一般的にアレルギー症状を引き起こしやすい原因と密接に関係するため、注意が必要です。

乳児期の食物アレルギーの原因で最も多いのは鶏卵です。

表　各アレルギー疾患と関連の深い保育所での生活場面

生活の場面	食物アレルギー・アナフィラキシー	気管支ぜん息	アトピー性皮膚炎	アレルギー性結膜炎	アレルギー性鼻炎
給食	○		△		
食物等を扱う活動	○		△		
午睡		○	△	△	△
花粉・埃の舞う環境		○	○	○	○
長時間の屋外活動	△	○	○	○	○
プール	△	△	○	△	
動物との接触		○	○	○	○

○ 注意を要する生活場面　△ 状況によって注意を要する生活場面

（中略）

■ 保育所における基本的なアレルギー対応

ア）基本原則

保育所は、アレルギー疾患を有する子どもに対して、その子どもの**最善の利益を考慮**し、教育的及び福祉的な配慮を十分に行うよう努める責務があり、その保育に当たっては、医師の診断及び指示に基づいて行う必要があります。以下に、その対応についての基本原則を示します。

「生活管理指導表」は、アレルギー疾患と診断された園児が、保育所の生活において特別な配慮や管理が必要となった場合に限って作成します。

【保育所におけるアレルギー対応の基本原則】

○ **全職員を含めた関係者の共通理解の下で、組織的に対応する**
- **アレルギー対応委員会**等を設け、組織的に対応
- アレルギー疾患対応の**マニュアルの作成**と、これに基づいた役割分担
- 記録に基づく取組の充実や緊急時・災害時等様々な状況を想定した対策

○ **医師の診断指示に基づき、保護者と連携し、適切に対応する**
- **生活管理指導表**※に基づく対応が必須

（※）「生活管理指導表」は、保育所におけるアレルギー対応に関する、子どもを中心に据えた、医師と保護者、保育所の重要な“コミュニケーションツール”。

○ **地域の専門的な支援、関係機関との連携の下で対応の充実を図る**
- 自治体支援の下、地域のアレルギー専門医や医療機関、消防機関等との連携

○ **食物アレルギー対応においては安全・安心の確保を優先する**
- **完全除去対応**（提供するか、しないか）
- 家庭で食べたことのない食物は、基本的に**保育所では提供しない**

除去食や代替食を使用し、できるだけ他の子どもと同じテーブルで食事ができるように配慮します。

楽しく食べる子どもに～食からはじまる健やかガイド～(抜粋)

〔厚生労働省、2004 年〕

乳幼児期から思春期までの発育・発達過程に応じて育てたい“食べる力”をおさえておきましょう。

■ 食を通じた子どもの健全育成のねらい及び目標

一人で食べる「孤食」、同じ食卓にいても別々のものを食べる「個食」、パンなど粉から作られたものばかり食べる「粉食」。それぞれの「こ」の意味を理解しましょう。

1 食を通じた子どもの健全育成のねらい

現在をいきいきと生き、かつ生涯にわたって健康で質の高い生活を送る基本としての食を営む力を育てるとともに、それを支援する環境づくりを進めること。

食べることは生きるための基本であり、子どもの健やかな心と身体の発達に欠かせないものです。

子どもの健やかな心と身体を育むためには、**「なにを」「どれだけ」食べるかということとともに、「いつ」「どこで」「誰と」「どのように」食べるか**ということが、重要になります。人との関わりも含め、これらのほどよいバランスが、心地よい食卓を作り出し、心の安定をもたらし、健康な食習慣の基礎になっていきます。またそうした安定した状態のなかで、食べるという自分の欲求に基づき行動しその結果から学ぶ自発的体験を繰り返し行うことで、**子どもの主体性**が育くまれることにもなります。

乳幼児期から、発育・発達段階に応じた豊かな食の体験を積み重ねていくことによって、生涯にわたって健康でいきいきとした生活を送る基本としての食を営む力が育まれていきます。

また、食べることは、すべての子どもが、家庭、保育所、幼稚園、学校、**地域等**さまざまな環境との関わりのなかで、毎日行う営みです。すべての子どもが、豊かな食の体験を積み重ねていくことができるように、個々の場での取組を充実させていくとともに、関連する機関が連携して、子どもの成長に応じた取組を推進していく必要があります。

特に学童期には、自分の食生活を振り返り、評価し、改善していける力を身につけるほか、自然と食べ物との関わり、地域と食べ物との関わりに関心をもつことが求められます。

2 食を通じた子どもの健全育成の目標

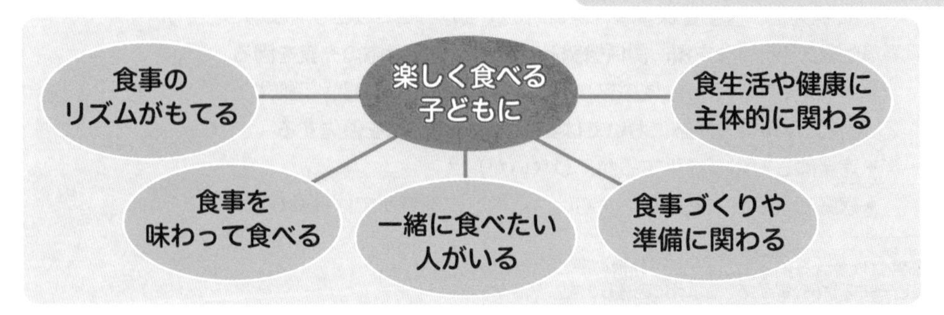

子どもは発育・発達の過程にあり、日々成長し、その生活や行動も変化していきます。一方、「食」は、味わって食べたり、食事を作ったり準備をしたり、そのなかで人と関わったり、食に関する情報を得て利用したりと、さまざまな行動の組み合わせによって営まれるものであり、食べ物や料理は、生産・流通・調理のさまざまな過程を経て、食卓にのぼるのであり、地域や季節によっても異なるといったように、実に多様な広がりをもっています。

したがって、「食を通じた子どもの健全育成」は、子どもが、広がりをもった「食」に関わりながら成長し、「**楽しく食べる子ども**」になっていくことを目指します。

楽しく食べることは、生活の質（ＱＯＬ）の向上につながるものであり、身体的、精神的、社会的健康につながるものです。また、子どもにおいて、食事の楽しさは、食欲や健康状態、**食事内容**、**一緒に食べる人**、**食事の手伝い**といったことと関連しており、食生活全体の良好な状態を示す指標の一つと考えられます。

「楽しく食べる子ども」に成長していくために、具体的に下記の５つの子どもの姿を目標とします。

幼児期には家族や仲間と一緒に食べる楽しさを味わうほか、おなかがすくリズムがもてることを目指します。

- **食事のリズムがもてる子ども**になるには、**空腹感や食欲を感じ**、それを適切に満たす心地よさを経験することが重要です。生活全体との関わりが大きいので、家庭、保育所、幼稚園、学校、塾など、子どもが食事時間を過ごしたり、その可能性のある機関が連携して環境を整える必要があります。
- **食事を味わって食べる子ども**になるには、**離乳期**からいろいろな食品に親しみ、**見て、触って、自分で食べようとする意欲**を大切に、味覚など五感を使っておいしさの発見を繰り返す経験が重要です。
- **一緒に食べたい人がいる子ども**になるには、家族や仲間などとの和やかな食事を経験することにより、安心感や信頼感を深めていくことが重要です。安心感や信頼感をもつことで、人や社会との関わりを広げていくことができます。
- **食事づくりや準備に関わる子ども**になるには、子どもの周りに食事づくりに関わる魅力的な活動を増やし、ときには家族や仲間のために作ったり準備したりすることで満足感や達成感を得る経験も必要です。
- **食生活や健康に主体的に関わる子ども**になるには、幼児期から食事づくりや食事場面だけでなく、遊びや絵本などを通して食べ物や身体のことを話題にする経験を増やし、**思春期**には**自分の身体や健康を大切にする**態度を身につけ、食に関する活動への参加など情報のアンテナを社会に広げるようにします。

これらの目標とする子どもの姿は、それぞれに独立したものではなく、関連し合うものであり、それらが統合されて一人の子どもとして成長していくことを目標とします。

思春期では、一緒に食べる人を気遣い、楽しく食べることができる力を育むことが目標とされています。

五節句と料理

五節句とは奈良時代に中国から伝わった、奇数が重なる日をめでたいとする行事のことです。

七草の節句（1月7日・人日の節句）	七草がゆ（せり、なずな、ごぎょう、はこべら、ほとけのざ、すずな、すずしろ）
桃の節句（3月3日・上巳の節句）	ちらしずし、はまぐりの吸い物、菱餅
端午の節句（5月5日）	ちまき、かしわ餅
七夕の節句（7月7日）	そうめん
重陽の節句（9月9日）	菊酒、菊飯

主な郷土料理

北海道	ジンギスカン、三平汁	**青森**	いちご煮、せんべい汁	**岩手**	わんこそば、ひっつみ
秋田	きりたんぽ鍋、稲庭うどん	**宮城**	ずんだ餅、はらこ飯	**山形**	いも煮、どんがら汁
福島	こづゆ、にしんの山椒漬け	**群馬**	おっきりこみ、生芋こんにゃく料理	**栃木**	しもつかれ、ちたけそば
茨城	あんこう鍋	**埼玉**	冷汁うどん	**東京**	深川めし
千葉	さんが焼き、なめろう	**神奈川**	けんちん汁、へらへら団子	**山梨**	ほうとう、吉田うどん
長野	おやき、信州そば	**岐阜**	朴葉みそ	**静岡**	わさび漬け、桜えびのかき揚げ
愛知	ひつまぶし、みそ煮込みうどん	**新潟**	のっぺい汁、笹寿司	**富山**	ますずし
石川	かぶらずし、治部煮	**福井**	小鯛の酢漬け、さばのへしこ	**三重**	伊勢うどん、手こねずし
滋賀	ふなずし、もろこ料理	**京都**	にしんそば、千枚漬け、しば漬け	**奈良**	柿の葉ずし、茶粥
和歌山	めはりずし	**大阪**	船場汁、ばってら	**兵庫**	ぼたん鍋、いかなごのくぎ煮
岡山	ばらずし、ままかりの酢漬け	**広島**	かきめし、あなごめし	**鳥取**	かに汁、あごのやき
島根	出雲そば、しじみ汁	**山口**	いとこ煮、ふぐ料理	**香川**	讃岐うどん
徳島	そば米雑炊	**高知**	皿鉢料理、つがに汁	**愛媛**	宇和島鯛飯
福岡	がめ煮、水炊き	**佐賀**	だご汁、須古寿し	**長崎**	卓袱料理、皿うどん
熊本	からしれんこん、いきなりだんご	**大分**	やせうま、ブリのあつめし	**宮崎**	地鶏の炭火焼き、冷や汁
鹿児島	鶏飯、きびなご料理	**沖縄**	ゴーヤチャンプルー、ソーキそば		

全国保育士会倫理綱領

全国保育士会倫理綱領は、保育士としての基本的な姿勢や倫理観について書かれています。

すべての子どもは、豊かな愛情のなかで心身ともに健やかに育てられ、自ら伸びていく無限の可能性を持っています。

私たちは、子どもが現在（いま）を幸せに生活し、未来（あす）を生きる力を育てる保育の仕事に誇りと責任をもって、自らの**人間性**と**専門性**の向上に努め、一人ひとりの子どもを心から尊重し、次のことを行います。

- **私たちは、子どもの育ちを支えます。**
- **私たちは、保護者の子育てを支えます。**
- **私たちは、子どもと子育てにやさしい社会をつくります。**

1．子どもの最善の利益の尊重

私たちは、一人ひとりの子どもの最善の利益を第一に考え、保育を通してその**福祉**を積極的に増進するよう努めます。

2．子どもの発達保障

私たちは、**養護**と**教育**が一体となった保育を通して、一人ひとりの子どもが心身ともに健康、安全で**情緒**の安定した生活ができる環境を用意し、生きる喜びと力を育むことを基本として、その健やかな育ちを支えます。

3．保護者との協力

私たちは、子どもと保護者のおかれた状況や**意向**を受けとめ、保護者とより良い協力関係を築きながら、子どもの育ちや子育てを支えます。

4．プライバシーの保護

私たちは、一人ひとりのプライバシーを保護するため、保育を通して知り得た個人の情報や**秘密**を守ります。

5．チームワークと自己評価

私たちは、職場におけるチームワークや、関係する他の**専門機関**との連携を大切にします。
また、自らの行う保育について、常に子どもの視点に立って自己評価を行い、**保育の質**の向上を図ります。

6．利用者の代弁

私たちは、日々の保育や子育て支援の活動を通して子どものニーズを受けとめ、子どもの立場に立ってそれを**代弁**します。
また、子育てをしているすべての保護者のニーズを受けとめ、それを**代弁**していくことも重要な役割と考え、行動します。

7．地域の子育て支援

私たちは、地域の人々や関係機関とともに子育てを支援し、その**ネットワーク**により、地域で子どもを育てる環境づくりに努めます。

8．専門職としての責務

私たちは、研修や自己研鑽を通して、常に自らの**人間性**と専門性の向上に努め、専門職としての責務を果たします。

社会福祉法人　全国社会福祉協議会
全国保育協議会
全国保育士会

（平成 15 年 2 月 26 日 平成 14 年度第 2 回全国保育士会委員総会採択）

頻出の音楽家とその功績

子ども向けの楽曲を作った人だけでなく、クラシックの有名な音楽家も出題されます。

人名（生没年）	功績　曲 代表曲
シューベルト Schubert, F.P. (1797～1828) オーストリア	● 作曲家 ● フランス革命を契機として貴族社会から市民社会へと社会構造が移行するなか活躍し、「**歌曲の王**」と呼ばれた 曲「アヴェマリア」「軍隊行進曲」「魔王」
ベートーベン Beethoven, L.V. (1770～1827) 独	● ピアニスト、作曲家 ● クラシック音楽が古典派からロマン派へと移行する時期に活躍 ● **ロマン派音楽の先駆者**として、後世の音楽家たちに影響を与えた 曲 交響曲第 5 番ハ短調「運命」、ピアノソナタ第 14 番「月光」
モーツァルト Mozart, W.A. (1756～1791) オーストリア	● 音楽家 ● バロック音楽から古典派へと音楽様式が転換する時代に活躍し、古典派中期の偉大な作曲家として知られる 曲 オペラ「フィガロの結婚」
チャイコフスキー Tchaikovsky, P.I. (1840～1893) ロシア	● 作曲家 ● **19 世紀後半**、クラシック音楽が発展してきたヨーロッパ中心部以外での地域からも著名な作曲家が現れるようになった時代に活躍 曲 バレエ組曲「くるみ割り人形」
ショパン Chopin, F.F. (1810～1849) ポーランド	● 前期ロマン派を代表する作曲家、ピアニスト ● 作曲のほとんどがピアノ独奏曲で、「**ピアノの詩人**」とよばれる 曲「英雄ポロネーズ」、「子犬のワルツ」、「革命のエチュード」
ジャック＝ダルクローズ Jaques-Dalcroze (1865～1950) スイス	● 作曲家、音楽教育家 ● **ソルフェージュ**や即興演奏などを用いた身体表現を基本とした**リトミック**を考案した
コダーイ・ゾルターン Kodály, Zoltán (1882～1967) ハンガリー	● 作曲家、教育家 ● ハンガリーの民謡を教材とした**コダーイシステム**を考案。**移動ド唱法**と、音の高さを手を使って表すのが特徴
滝廉太郎（たきれんたろう） (1879～1903)	● **明治時代**、日本に西洋音楽を導入した代表的な音楽家 ● **23 年**という短い生涯で作品数は少ないものの、名曲と童謡を遺した 曲「荒城の月」「箱根八里」「**お正月**」
湯山 昭（ゆやま あきら） (1932～)	● **童謡**をはじめ、ピアノ曲や合唱曲など名作を生んだ作曲家 曲「あめふりくまのこ」「おはなしゆびさん」「バスごっこ」

頻出の標語と記号

標語と記号は楽典のなかでもとくによく出題されますので、名前と意味をくり返し覚えましょう。

速度標語

楽曲全体の速度を示すもの

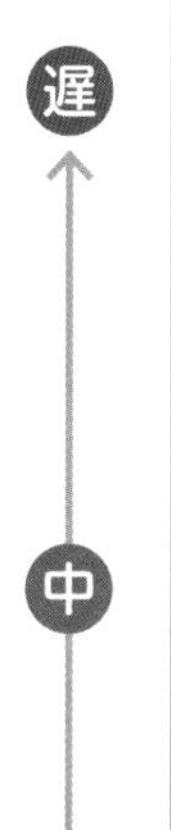

標語	読み方	意味
Grave	グラーベ	荘重（そうちょう）に
Largo	ラルゴ	幅広くゆっくりと
Lento	レント	静かにゆるやかに
Adagio	アダージョ	ゆったりと
Andante	アンダンテ	ゆっくり歩くような速さで
Andantino	アンダンティーノ	アンダンテよりやや速く
Moderato	モデラート	中くらいの速さで
Allegretto	アレグレット	やや快速に
Allegro	アレグロ	快速に
Vivo	ビーボ	元気に速く
Vivace	ビバーチェ	活発に
Presto	プレスト	急速に

強弱記号

楽曲全体や部分的な強弱を示すもの

標語	読み方	意味
fff	フォルテフォルティッシモ	きわめて強く
ff	フォルティッシモ	とても強く
f	フォルテ	強く
mf	メゾ・フォルテ	やや強く
mp	メゾ・ピアノ	やや弱く
p	ピアノ	弱く
pp	ピアニッシモ	とても弱く
ppp	ピアノピアニッシモ	きわめて弱く

保育実習理論の337～339ページでは曲想標語なども掲載しています。

頻出の子ども向け楽曲

作詞家、作曲家はセットで覚えましょう。歌いはじめの部分のリズムが問われることもあります。

曲名	作詞家、作曲家
ありさんのおはなし	作詞：都築益世　作曲：渡辺 茂
犬のおまわりさん	作詞：佐藤義美　作曲：大中 恩
海	作詞：林 柳波　作曲：井上武士
大きなたいこ	作詞：小林純一　作曲：中田喜直
思い出のアルバム	作詞：増子とし　作曲：本多鉄麿
かなりや	作詞：西條八十　作曲：成田為三
かわいいかくれんぼ	作詞：サトウハチロー　作曲：中田喜直
こいのぼり	作詞：近藤宮子　作曲者不詳
小鳥のうた	作詞：与田準一　作曲：芥川也寸志
さんぽ	作詞：中川李枝子　作曲：久石 譲
シャボン玉	作詞：野口雨情　作曲：中山晋平
ぞうさん	作詞：まど・みちお　作曲：團 伊玖磨
たき火	作詞：巽 聖歌　作曲：渡辺 茂
どんぐりころころ	作詞：青木存義　作曲：梁田 貞
春が来た	作詞：高野辰之　作曲：岡野貞一
バスごっこ	作詞：香山美子　作曲：湯山 昭
むすんでひらいて	作詞：不詳　作曲：ルソー
夕やけ小やけ	作詞：中村雨紅　作曲：草川 信

ふしぎなポケット
（作詞：まど・みちお
作曲：渡辺茂）

サッちゃん
（作詞：阪田寛夫
作曲：大中恩）
ドロップスのうた
（作詞：まど・みちお
作曲：大中恩）

おうま
（作詞：林柳波
作曲：松島つね）

おかあさん
（作詞：田中ナナ
作曲：中田喜直）

ちいさい秋みつけた
（作詞：サトウハチロー
作曲：中田喜直）

一年生になったら
（作詞：まど・みちお
作曲：山本直純）
やぎさんゆうびん
（作詞：まど・みちお
作曲：團伊玖磨）

保実

頻出の幼児画研究者

近年は幼児画の研究者が出題されることがあります。

人名（生没年）	功績　作 代表作
ローエンフェルド Lowenfeld, V. (1903～1960) オーストリア	●子どもの絵の発達過程を研究 ●子どもの描画は、**頭足人**を描く段階から人間や乗り物などを自分なりの絵記号で表す段階へと変化するとし、このような描画の形式を**スキーマ**とよんだ
リュケ Luquet, G.H. (1876～1965) 仏	●児童画を研究 ●子どもは見えたものではなく、知っていることや感じたことを描くという特色を**知的リアリズム**と名づけた
ケロッグ Kellogg, R. (1897～1987) 米	●心理学者で、幼児描画の発達段階を研究 ●子どもの描く**スクリブル**（なぐりがき）を20種類に区別し、これらの組み合わせから描画やデザインが構成されるとした

保実

頻出の絵本作家〔外国〕

昔から子どもたちに親しまれている作品が出題されやすい傾向にあります。

人名（生没年）	功績　作 代表作
レオ・レオニ Lionni, L. (1910～1999) 伊	●絵本作家、イラストレーター ●ファシズム政権に反対し**アメリカに亡命**。絵本のなかの小さな動物たちは、権力に負けない民衆への思いがこめられているともいわれる 作『**フレデリック**』『ひとあし　ひとあし』『**スイミー**』『じぶんだけのいろ』『**あおくんときいろちゃん**』
エリック・カール Carle, E. (1929～2021) 米	●指や筆で色をつけた色紙を切抜き貼りつける**コラージュ**の技法を用いて、表情豊かな色面を構成する 作『**はらぺこあおむし**』『うたがみえる　きこえるよ』
モーリス・センダック Sendak, M. (1928～2012) 米	●絵本作家 ●緊密な画面構成が特徴で、**リトグラフ**の手法を用いて登場人物たちを表情豊かに描いている 作『**かいじゅうたちのいるところ**』

ルース・スタイルス・ガネット Gannett,R.S. (1923～2024) 米	● レーザー調査技師として病院や大学で働いたのち、児童図書協議会の職員となり、**『エルマーのぼうけん』**を発表する ● 挿絵は義母の**ルース・クリスマン・ガネット**が描いている 作『エルマーのぼうけん』『エルマーとりゅう』

保実

頻出の絵本作家〔日本〕

代表作と作家を結びつける問題のほか、読み聞かせのときの表現の特徴なども出題されます。

人名（生没年）	功績　作 代表作
谷川俊太郎（たにかわしゅんたろう） (1931～)	● **詩人**であり、絵本作家 ● ひらがなが多く、わかりやすい言葉をリズミカルにつむぐ作品が特徴 作**『もこ　もこもこ』**
せな けいこ (1932～)	● 多様な紙を使った**貼り絵**の手法を用いている ● おばけや妖怪をモチーフにした独創的な世界観が特徴 作『おばけのてんぷら』**『いやだ　いやだ』**
松谷みよ子（まつたに） (1926～2015)	● **日本各地の民話**を集めて作品にしたことでも有名 作『ちいさいモモちゃん』**『きつねのよめいり』『いないいないばあ』**
長 新太（ちょうしんた） (1927～2005)	● 漫画家であり、絵本作家 ● **奇想天外でユーモラスな発想**による不思議なストーリーが特徴 作**『ぼくのくれよん』**『こんにちは！へんてこライオン』 『キャベツくん』
中川李枝子（なかがわりえこ） (1935～)	● **保育士として働きながら**執筆 ● 実妹であり画家の**山脇百合子**とともに多くの作品を発表する 作**『いやいやえん』『ぐりとぐら』**『そらいろのたね』
林 明子（はやしあきこ） (1945～)	● **柔らかいタッチ**で描かれた赤ちゃん向けの絵本や、繊細なタッチで子どもの表情やしぐさをリアルにとらえた絵本など、**作品によりさまざまな技法**を用いて独自の表現をする 作**『おつきさまこんばんは』『こんとあき』** 『はじめてのおつかい（文：筒井頼子）』
かこ さとし (1926～2018)	● 研究者として活躍するかたわら、絵本作家として活動をはじめた ● 物語絵本だけでなく、**科学のおもしろさを伝える絵本**、昔ながらの子どもの遊びを描いた絵本など、作風は多岐に渡る 作**『からすのパンやさん』**『だるまちゃんとてんぐちゃん』
五味太郎（ごみたろう） (1945～)	● デザイナーを経て絵本作家として活躍 ● 鮮やかな色と形で表現される独創的なイラストとともに、子どもが興味を持って楽しめる**仕掛け**や工夫が人気 作**『きんぎょがにげた』**『いっぽんばしわたる』**『たべたのだあれ』**

取り
外せます

U-CAN
生涯学習の
ユーキャン